HAYD

Was het een droom?

Van dezelfde auteur:

Een kind in nood
Schaduwkinderen
Jadie & Sheila

Torey Hayden

Was het een droom?

the house of books

Oorspronkelijke titel
Overheard in a dream
HARPER, an imprint of HarperCollins*Publishers*, London

Vertaling
Marjet Schumacher
Omslagontwerp
Julie Bergen
Omslagdia
Simon Jaratt/Corbis
Foto auteur
Beth Hodge of Venart, Glasgow
Opmaak binnenwerk
ZetSpiegel, Best

ISBN 978 90 443 2273 6
D/2009/8899/32
NUR 302

I

De jongen was zo bleek dat je zou denken dat hij een spook was. Een geestverschijning. Iets onwerkelijks wat in het niets zou oplossen. Hij was klein voor een kind van negen, slank en tenger. Zijn haar was bleek als maanlicht, ragfijn en heel steil. Zijn huid was melkachtig wit en had een soort doffe, doorschijnende bovenlaag, als was. Zijn fletse gelaatskleur maakte dat het van een afstandje leek alsof hij helemaal geen wenkbrauwen of wimpers had, en dit benadrukte zijn onopvallende uiterlijk nog eens extra.

'Miauw?' zei de jongen.

'Hallo, Conor,' antwoordde James. 'Kom je niet binnen?'

'Miauw?'

Om zijn middel droeg hij talloze eindjes touw met stukjes aluminiumfolie eromheen gewikkeld. Vier ervan sleepten achter hem aan over de grond. Hij hield een kleine speelgoedkat bij de achterpoten vast en stak het dier voor zich uit alsof het een soort scanapparaat was. Hij draaide het dier langzaam rond, en wees ermee naar iedere hoek van de kamer. Vervolgens begon hij een eigenaardig mechanisch geluid te maken, een soort ratelend 'ehhh-ehhh-ehhh-ehhh' dat klonk als een traag machinegeweer, gevolgd door een zacht snorrend geluid. 'Rrrr. Rrrrr. Rrrrrr.' Hij stapte de kamer in, precies zo ver dat Dulcie de eindjes touw die achter hem aan sleepten met haar voet naar voren kon schuiven en de deur dicht kon doen.

Het kind meed James' blik. Zijn ogen schoten nerveus alle kanten uit. Zijn hand ging omhoog naast zijn gezicht, en hij wapperde er verwoed mee. 'Rrrrrrr,' deed hij nogmaals.

James stond op van zijn stoel met de bedoeling de jongen aan te moedigen om verder de kamer in te lopen, maar het kind reageerde paniekerig, de pluchen kat als een geweer op James richtend. 'De kat weet het!' zei hij luid.

James bleef staan. 'Je vindt het niet fijn dat ik naar je toe loop.'
'Ehhh-ehhh-ehhh-ehhh. Rrrrrrr. Rrrrrrrr.'
'Je zou graag willen dat ik weer ging zitten.'
'Rrrr.'
'Oké,' zei James zacht, en hij liep terug naar de kleine stoel naast de tafel in de speelkamer om weer te gaan zitten. 'Hier mag jij bepalen hoe je het wilt hebben.'
Conor bleef vlak over de drempel als aan de grond genageld staan. Hij nam James zorgvuldig op, althans, zo interpreteerde James zijn gedrag, want Conors ogen ontmoetten de zijne niet één keer. In plaats daarvan schoten de ogen van de jongen herhaaldelijk heen en weer, alsof hij leed aan nystagmus, maar James voelde dat het simpelweg een manier was om visuele informatie te verzamelen zonder oogcontact te maken. Toen stak hij de speelgoedkat weer voor zich uit en zette een stap de kamer in. De kat nog steeds krampachtig vastklemmend bij de achterpoten, bewoog hij het dier omhoog en omlaag, als om James' lichaam te scannen. 'De kat weet het,' fluisterde hij.

De ruime speel- en therapiekamer was lichtgeel geschilderd, een kleur die James had uitgekozen omdat deze hem deed denken aan zonlicht. Niet dat dit echt nodig was, want meestal stroomde er een overdadige hoeveelheid zonlicht naar binnen door de grote ramen op het oosten, en als het hartje zomer was, werd de kamer een regelrechte sauna. Desalniettemin was hij tevreden over de kleur.
Dat gold ook voor de kamer zelf. Het speelgoed en de andere spullen in de kamer waren met zorg door James uitgezocht. Hij wist precies wat hij in de speelkamer wilde creëren: een plek waar een kind nergens door geremd zou worden, waar niets er te breekbaar of te mooi uitzag om aan te raken, waar alles uitnodigde tot spelen. Toen hij voor het eerst aan Sandy had omschreven hoe zijn speelkamer eruit moest zien, had ze opgemerkt dat hij zelf nooit volwassen was geworden, dat het zijn eigen jeugd was die hij nu aan het inrichten was. Daar school ongetwijfeld een kern van waarheid in, want de jongen maakt nu eenmaal de man. Wat ze echter weigerde in te zien, was dat dit ook de instrumenten waren van zijn vak, en hij had simpelweg het beste van het beste gewild.

Heel behoedzaam begon Conor langs de rand van de kamer te lopen. Met de kat als een wichelroede voor zich uitgestoken, liep hij tegen de wijzers van de klok in, heel dicht bij de muren blijvend. De neus van de kat werd in het voorbijgaan tegen het meubilair, de planken aan de muur en allerhande speelgoed aan gedrukt. 'Miauw? Miauw?' mompelde hij daarbij. Het was het enige wat hij zei.

Nadat hij de kamer één keer helemaal rond was geweest, begon Conor meteen aan een tweede rondgang. Er stond een lage boekenkast aan de rechterkant, waar James veel van het kleinere materiaal in bewaarde. Op de boekenkast stonden draadmanden vol met karton, lijm, touw, stickers, stempels, garen, lovertjes en andere knutselmaterialen.

'Rrrr. Rrrr. Rrrr. Miauw?'

'Je mag alles uit de manden pakken wat je maar wilt,' zei James. 'In deze kamer mag je overal mee spelen. Je mag alles aanraken. In deze kamer ben jij de baas.'

'Miauw?' antwoordde de jongen.

De richting waarin Conor bewoog, bracht met zich mee dat hij James van achteren naderde. De eerste keer was hij met een grote boog om James heen gelopen, die aan het kleine tafeltje zat. Deze keer ging Conor langzamer lopen toen hij dichterbij kwam.

'Rrrr. Rrrr. Ehhh-ehhh-ehhh-ehhh.'

James bleef roerloos zitten om het kind niet aan het schrikken te maken.

'Rrrr,' klonk het fluisterend achter hem.

De ademhaling van het kind was snel en oppervlakkig, en gaf zijn stem een holle klank als van een hijgende, natte hond. Toen voelde James de speelgoedkat heel zachtjes in zijn nek. Vliegensvlug raakte de jongen hem aan met zijn kat. De jongen snorde. De neus van de kat kwam nog een keer in zijn nek, zo licht dat hij enkel de haren op James' huid beroerde.

'Miauw?'

James draaide zijn hoofd om, en heel even was er oogcontact tussen hen. James glimlachte.

'De kat weet het,' fluisterde de jongen.

Vanuit de veronderstelling dat iemand die zo beroemd was als Laura Deighton waarschijnlijk niet in de wachtkamer zou willen zitten bij de patiënten van dokter Sorenson, had Dulcie haar toestemming gegeven om in James' kantoor op hem te wachten. Hier had James niet op gerekend. Er schoot heel even iets van paniek door hem heen toen Dulcie het hem vertelde, want het zou Laura Deighton natuurlijk niet ontgaan dat hij boeken van haar op zijn plank had staan, en dan zou ze er vervolgens, heel begrijpelijk, van uitgaan dat hij ze had gelezen.

James was geen fan van Laura Deighton. Hij kende haar boeken alleen van de recensies van *The New York Times*, en wist dat ze 'complex' waren, 'diepzinnig', en nog erger, 'literair', hetgeen, zo wist James, allemaal eufemismen waren voor pretentieus en onleesbaar. Laura Deighton was echter geboren en getogen in dit deel van South Dakota, en aangezien James een nieuwkomer was, en dus een buitenstaander, en hij zich scherp bewust was van de noodzaak respect te tonen voor plaatselijke grootheden had hij de boeken gekocht – de gebonden edities nog wel – en ze een prominente plek gegeven op de boekenplank in zijn kantoor om zijn lokale loyaliteit te tonen. Hij was wel degelijk van plan om ze te gaan lezen. Hij was er alleen nog steeds niet aan toegekomen.

Toen hij het kantoor betrad, kwam hij echter tot de ontdekking dat Laura Deighton geen belangstelling had voor zijn boeken. Ze stond naast het raam en werd volledig in beslag genomen door iets wat ze buiten zag. Ze draaide zich niet meteen om.

'Dulcie zal Conor wel even bezighouden, zodat wij rustig kunnen praten,' zei James. Hij liep naar zijn bureau en legde de dossiermappen en zijn notitieblok neer. Hij trok zijn colbertje en zijn stropdas recht. Toen pas wist Laura Deighton haar blik van het raam los te rukken.

Ze was een onopvallende vrouw van begin veertig. Met haar muiskleurige haar dat de nasleep vormt van een blonde jeugd, en ogen die niet echt een uitgesproken kleur hadden, bruin noch groen, zou ze in de supermarkt aangezien kunnen worden voor een doodgewone, willekeurige vrouw van een bepaalde leeftijd waarop vrouwen wat zachter zijn rond hun middel en hier en daar een beetje uitgezakt, en niet echt opvallen.

Haar kleren, zo zag James, waren niet echt geschikt voor de gelegenheid. Het was niet alleen dat ze niet stijlvol waren. Ze waren te nonchalant voor een eerste ontmoeting van dit kaliber, zelfs naar de relaxte maatstaven die ze in South Dakota hanteerden. Een spijkerbroek... Oké, een spijkerbroek zou misschien nog kunnen als je zevenentwintig was en mooie lange benen had, of als het een hip merk was en een bijzonder model, maar Laura Deightons spijkerbroek was van een goedkoop merk dat zeer gewild was bij de plaatselijke veeboeren. Haar witte shirt was van een onbestemd merk, en haar tweed jasje hing slordig om haar heen. Ze droeg geen sieraden en nauwelijks make-up. Depressie, vroeg James zich af. Of misschien was dit hoe een creatief genie zich kleedde.

James voelde zich vaag teleurgesteld toen hij haar zag. Hij had gedacht dat er een aura van glamour om haar heen zou hangen, een soort aanwezigheid waardoor je haar onmogelijk over het hoofd kon zien, deze literaire reus die was opgegroeid tussen de maïsvelden van de Midwest. Maar niets was minder waar.

'Ga zitten,' zei hij. Hij gebaarde breed naar de bank en de stoelen.

Laura negeerde het. Ze kwam op hem toe, stak haar hand uit om de zijne te schudden en ging toen op de stoel naast zijn bureau zitten. 'Ik waardeer het dat je Conor op zo'n korte termijn wilde zien.'

Er volgde een stilte. James had het liefst dat de cliënt de toon zette voor een gesprek, dus begon hij nooit meteen vragen te stellen. Dit leek haar niet uit haar evenwicht te brengen zoals bij sommige andere ouders het geval was, maar ze rekende zichtbaar op vragen. Verwachtingsvol keek ze hem aan.

Toen hij bleef zwijgen, zei ze nogmaals: 'Bedankt dat je Conor op zo'n korte termijn wilde zien. Conors kinderarts in de kliniek – dokter Wilson – heeft ons aangeraden om met Conor naar jou toe te gaan. Hij zei dat je vanuit Manhattan hierheen bent gekomen, dat je daar een gedeelde praktijk hebt gehad.'

'Ja,' zei James.

'Hij was vol lof over je. Zei dat het een gerenommeerde praktijk is in New York, dat je beslist een hoogvlieger moet zijn om daar mede-eigenaar van te zijn geweest.' Ze grinnikte. 'En ik kan je vertellen, dat is een groot compliment uit de mond van dokter Wilson.'

'Ik ben hem dankbaar voor de aanbeveling,' antwoordde

James, 'maar ik weet zeker dat er hier ook een heleboel goede vakmensen rondlopen.'

Weer stilte. Opnieuw keek ze James verwachtingsvol aan. Toen hij bleef zwijgen, zei ze: 'Tot nu toe ging Conor naar de Avery School. In Denver. Kent u die?'

'Niet zo heel goed,' antwoordde James. 'Ik ben hier pas sinds februari, maar dokter Sorenson heeft de naam wel eens genoemd.'

'Ze werken met een heel strak gedragstherapie-programma. "Herprogrammering" heet het. De school heeft een uitstekende reputatie als het gaat om het succesvol socialiseren van zwaar autistische kinderen.'

Een pauze.

'Alhoewel,' zei ze met een vleugje sarcasme, 'misschien komt dat simpelweg doordat ze met de mislukte gevallen doen wat ze onlangs met ons hebben gedaan. We hebben plotseling een brief gekregen waarin stond dat ze Conor na de zomervakantie niet meer wilden hebben. Dat ze het gevoel hadden dat Avery niet "voorzag in zijn behoeften". Het was schitterend verwoord. Alsof zij gefaald hadden terwijl je weet dat ze juist het tegenovergestelde bedoelden. Dat ze van mening zijn dat we een gestoord kind hebben. Dus nu zitten we met de handen in het haar omdat we niet weten waar we hem naartoe moeten sturen.'

James nam Laura aandachtig op. Hij vond haar moeilijk te peilen. Op het eerste gezicht leek ze openhartig en oprecht, maar in haar woorden en lichaamstaal was niets te bespeuren van de gebruikelijke subtiele onderliggende emoties. Ze zat volkomen roerloos in een tamelijk neutrale houding die open noch gesloten was. Ze maakte goed, maar niet buitengewoon goed, oogcontact. De toon van haar stem was gelijkmatig maar er zaten weinig nuances in.

Zijn onvermogen om intuïtief meer informatie bij elkaar te sprokkelen verbaasde James. Hij had voor de ontmoeting met Laura Deighton rekening gehouden met andere uitdagingen. Zou haar roem hem van zijn stuk brengen, bijvoorbeeld? Of, wat waarschijnlijker was, zou hij spontaan een hekel aan haar hebben? De literair auteurs die hij in Manhattan had gekend, waren stuk voor stuk pompeus en zelfingenomen geweest, en hij had een hekel aan die karaktereigenschappen. Toen hij had gehoord dat Laura Deighton zou komen, had hij zichzelf betrapt op een zekere voldoening over het feit dat hij nog nooit daadwerkelijk een van haar boeken had gelezen. Haar nietszeggendheid was echter onverwacht. Er waren gewoon geen waarneembare onderliggende emoties. Daar, in die intuïtieve onderlaag, die schuilging achter woorden en gebaren, deed James gewoonlijk al zijn 'interpretatiewerk'. Daar verzamelde hij veel informatie over zijn patiënten. Bij Laura Deighton was het alsof die onderlaag niet bestond.

'Is Conor op school altijd intern geweest?' vroeg hij ten slotte. 'Hebben jullie geen geschikte school in de buurt kunnen vinden?'

'Hij moet intern geplaatst worden. Onze ranch ligt helemaal buiten Hill City. Praktisch gezien is het voor ons gewoon te ver om elke dag met hem op en neer te rijden.'

'Heeft dokter Wilson jullie duidelijk uitgelegd wat mijn werkwijze is?' vroeg James. 'Want als ik Conor als patiënt zou aannemen, zou ik hem drie keer in de week willen zien.'

Haar wenkbrauwen gingen een eindje omhoog, maar zo subtiel dat je het niet kon interpreteren als verbazing.

'Ik ben kinderpsychiater,' vervolgde James. 'Wat ik het liefst doe met de kinderen die ik onder behandeling heb, is speltherapie, hetgeen betekent dat ze op zeer regelmatige basis bij me komen.'

Ze zweeg langdurig. 'Nee. Ik had me niet echt gerealiseerd dat dat uw manier van werken was. Dan is het misschien niet geschikt. Conor is autistisch. Ik weet dat het vroeger gebruikelijk was om autistische kinderen naar een psychiater te sturen, maar tegenwoordig weten we dat het geen psychische aandoening is, maar een neurologische. Daarom is gedragstherapie altijd de basis geweest voor de behandeling van Conor, omdat bewezen is dat dat de manier is om kinderen zoals hij sociale vaardigheden bij te brengen.'

'Heeft dokter Wilson ook gezegd waarom hij van mening was dat het misschien nuttig voor Conor zou zijn om hier te komen?' informeerde James.

'Nee, hij heeft het alleen maar voorgesteld.' Ze zweeg even. Haar stilte was in eerste instantie verwachtingsvol, maar werd onbestemder naarmate deze langer aanhield.

Toen, zonder enige waarschuwing, viel het masker af. Ze liet haar schouders hangen in een gebaar van wanhoop. 'Waarschijnlijk alleen maar omdat ik zo wanhopig ben. Ik weet dat dokter Wilson helemaal gestoord wordt van mijn telefoontjes. Maar Conor is ook zo lastig. Hij is nu een maand thuis, en we gaan eraan onderdoor.'

James werd overspoeld door medeleven. Hij boog zich naar haar toe, zijn over elkaar geslagen armen rustend op het bureau, en hij glimlachte geruststellend. 'Ja, dat geloof ik best. Kinderen zoals Conor kunnen erg veel van je vragen,' zei hij zacht. 'Rustig maar.'

Haar kaakspieren spanden zich. Ze hield zich groot, maar James wist dat de waterlanders zich elk moment konden aandienen.

'Vertel me eens wat over hoe Conor thuis is,' zei hij. 'Op die manier kunnen we beter inschatten of het zin zou hebben dat hij hier komt.'

Laura's ogen werden vochtig.

Hij glimlachte vriendelijk en leunde naar voren om de doos met tissues naar de rand van het bureau te schuiven. 'Het geeft niet. Dit is een heel moeilijk moment. De meeste ouders raken behoorlijk overstuur.'

'Het is gewoon... gewoon zó'n nachtmerrie. Zo eentje waar je steeds maar weer hetzelfde doet wat nooit iets oplevert, waarmee je nooit iets bereikt.'

Ze pakte een tissue. De tranen zetten niet echt door, dus ze hield hem gewoon stevig in haar vuist geklemd. James had sterk het gevoel dat ze op dat moment in een hevige innerlijke tweestrijd verkeerde, dat zelfbeheersing uitermate belangrijk voor haar was, maar dat de last die dit kind voor haar was tegelijkertijd zo overweldigend was dat ze wanhopig naar hulp snakte.

'Is Conor jullie enige kind?'

'Nee. We hebben ook nog een dochterje van zes.'

'Wanneer zijn Conors problemen begonnen?' vroeg James.

Laura slaakte een lange, diepe zucht. 'Toen hij een jaar of twee was. Als baby leek hij niets te mankeren, al is dat moeilijk met zekerheid te zeggen als het je eerste kind is. Er waren wel dingen die me van het begin af aan al zorgen baarden. Hij was bijvoorbeeld erg schrikachtig. Als je ineens achter hem stond, of er klonk een hard geluid, dan schrok hij daar heel erg van. Dokter Wilson zei dat het gewoon een kwestie van temperament was, dat het simpelweg een signaal was dat hij een gevoelig kind was, en dat ik me er geen zorgen om moest maken. Verder was hij een makkelijke baby. Hij sliep goed. Had geen last van darmkrampjes of dat soort dingen.'

'Hadden jullie het idee dat hij zich normaal ontwikkelde?'

'Ja.' Haar stem had een klaaglijke, bijna verongelijkte ondertoon van verbijstering, en James vroeg zich af hoe vaak ze deze details al had moeten zeggen. Of ze niet had mógen zeggen. In dit tijdperk van verzekeringen en aansprakelijkheid, werd er vaak weinig tijd besteed aan het verzamelen van meer psychosociale achtergrondgegevens dan strikt noodzakelijk was om het juiste geneesmiddel voor te schrijven. James had gemerkt dat aandachtig luisteren naar de ouders als zij een oorspronkelijke versie van de gebeurtenissen gaven, een van de meest waardevolle dingen was om te doen. Het leverde niet alleen concrete informatie op voor het in kaart brengen van de problemen van een kind, maar legde ook een stevig fundament voor het opbouwen van die cruciale band met de ouders, omdat ze zich vaak zo wanhopig en weinig serieus genomen voelden.

'Conor is altijd al timide geweest,' zei Laura. 'Hij huilde snel. Hij maakte zich zorgen om van alles en nog wat. Zelfs als klein ventje al. Maar hij was heel pienter en had een brede belangstelling. Hij was vroeg met praten. Zelfs toen hij nog maar net een jaar was, kon hij al aardig wat woorden gebruiken.'

'Dus de moeilijkheden zijn naar jouw idee pas ontstaan nadat hij twee was geworden?'

De tissue ronddraaiend tussen haar vingers, knikte Laura. 'Het begon ermee dat hij heel erg aanhankelijk werd. Hij hing altijd al behoorlijk aan me, maar dat werd ineens een stuk erger. Hij verloor me geen seconde uit het oog. Ik kon niet eens naar de wc gaan zonder hem. Hij kreeg vreselijke driftbuien. Dokter Wilson zei alsmaar dat we ons geen zorgen moesten maken. Kinderen van die leeftijd hebben allemaal wel eens driftbuien, zei hij steeds, maar ik geloof niet dat hij zich realiseerde hoe erg het was. Conor ging gewoon helemaal door het lint en dan trok hij letterlijk met zijn nagels het behang van de muren. Om de zaak nog ingewikkelder te maken, raakte ik in die periode in verwachting van Morgana, en dat was geen gemakkelijke zwangerschap. Ik had last van een aantal vervelende kwalen. Bovendien hadden we geldzorgen, hetgeen betekende dat de zwangerschap niet op een gunstig moment kwam – het was ook niet gepland – dus er speelde een heleboel tegelijk.'

'Kun je Conors gedrag iets gedetailleerder omschrijven?' vroeg James.

'Hij werd helemaal hyper, angstig. Hij wilde niet slapen. Soms sliep hij dagenlang niet. En met een pasgeboren baby is dat...' Ze slaakte een diepe zucht. 'En in die tijd is het krijsen begonnen. Dan zat hij gewoon met zijn speelgoed te spelen en ineens raakte hij helemaal in paniek, en begon hij te schreeuwen en te krijsen. Hij ging twee dagen in de week naar de peuterspeelzaal, maar daar was hij niet meer welkom omdat de andere kinderen overstuur raakten van zijn gedrag. De school wilde hem niet meer hebben.' Heel even legde ze haar hand over haar ogen in een gebaar van wanhoop en wreef toen over haar gezicht. 'Het werd gewoon zo uitputtend om mee te leven. Uiteindelijk heeft dokter Wilson geregeld dat hij werd opgenomen ter observatie op de kinderafdeling van het academisch ziekenhuis in Sioux Falls. Daar is de diagnose autisme gesteld.'

James knikte nadenkend.

'En nu...' zei Laura. Ze zuchtte nogmaals. 'Begint het weer van voren af aan. "Lastig" is niet toereikend om te omschrijven hoe het is om met Conor samen te leven. Alles moet gaan volgens een bepaald, vast patroon. Zijn kamer, zijn speelgoed, zijn eten. Alles moet op een bepaalde plek en in een bepaalde volgorde. Ik kan niks voor hem doen als het niet op exact dezelfde manier gaat als ik het de keer daarvoor heb gedaan. Bij het ontbijt, bijvoorbeeld, mag ik de eieren niet op tafel zetten als het sap niet eerst is ingeschonken. Alles moet precies volgens dat soort kleine rituelen. Net als die draden. Heb je die gezien? Die stukken touw om zijn middel? Het moeten er vier zijn. Exact één meter tachtig lang. Twaalf stukjes folie aan ieder touw. Dan heb je nog die verrekte kat. Die kat regeert het hele huishouden. Hij gaat overal waar Conor gaat, doet alles wat Conor doet, onderzoekt elke molecuul die met Conor in contact komt.

Dit alles maakt zelfs de kleinste, gewoonste dingen tot een beproeving. Probeer maar eens een kind in bad te doen dat zo nodig te allen tijde touw, folie en een pluchen kat op zijn lijf moet dragen. Of hem in bed te stoppen. Het is alsof je het monster van Frankenstein in bed stopt. Al die draden moeten vastgemaakt worden aan het voeteneinde, en op een bepaalde manier kriskras over het bed gespannen worden. Als ze niet precies goed zitten, gaat hij ze "aanpassen". Hij kan urenlang bezig zijn met "aanpassen", en dan gaat hij er met de kat overheen, om vervolgens verder te gaan met "aanpassen", en al die tijd maakt hij geluiden – zoemen en snorren, of nog erger, miauwen. Daar wordt Morgana dan weer wakker van. Ze gaat bij hem kijken om te zien wat er aan de hand is. Ze bedoelt het goed. Ze is gewoon nieuwsgierig, zoals ieder kind van zes. Maar als ze hem probeert te helpen of als ze zijn kat aanraakt, gaat hij door het lint. Dus dan schreeuw ik tegen haar omdat ze hem van streek heeft gemaakt, en begint ze te huilen. Vervolgens begint hij te huilen. Meestal ben ik zelf uiteindelijk ook in tranen.'

James glimlachte meelevend. 'Dat moet erg moeilijk zijn. Hoe zit het met je man, Alan? Helpt hij met de zorg voor Conor?'

Laura leunde achterover in de stoel en liet een lange, diepe zucht ontsnappen. 'Nou, er is nog wat anders... Het gaat momenteel niet zo goed tussen Al en mij,' zei ze zacht, en James kon de emotie horen doorklinken in haar stem. 'Dat is weer een heel ander verhaal. Een lang verhaal, en daar wil ik hier nu niet op ingaan. Maar om kort te gaan, is het antwoord: ja, hij helpt waar hij kan. Ik weet alleen niet hoe lang dat nog zo zal blijven, want we gaan uit elkaar.' Met tranen in haar ogen keek ze hem aan. 'Dus dat is de reden waarom ik de zorg voor Conor niet meer aankan. Zelfs ik moet toegeven dat ik hulp nodig heb.'

2

'Laura Deighton, zeg je?' zei Lars, gebogen over het afsprakenboek dat opengeslagen op Dulcies bureau lag. 'Dus de jongen komt hier onder behandeling?'

James knikte. 'Ik kon haar niet zover krijgen dat ze drie keer in de week wilde komen, maar ze komt op dinsdag en donderdag.'

'Hoe is ze?'

'Lijkt wel oké,' antwoordde James.

'Niet heel erg...?' Lars maakte een gebaar met zijn hand waarvan James de betekenis interpreteerde als 'uit de hoogte'.

'Nee, niet echt. Ze worstelt gewoon met een aantal lastige problemen, net als alle andere ouders met een autistisch kind.'

Lars rolde plagerig met zijn ogen. 'Ach, jij bent natuurlijk wel gewend aan beroemdheden, hè? De poenige types. Stadsjongen.' Hij grinnikte.

Stadsjongen, dat kon je wel zeggen. Een cultuurshock was te zacht uitgedrukt voor wat James had ervaren bij zijn verhuizing van Manhattan naar Rapid City. South Dakota had net zo goed een andere planeet kunnen zijn. James was er weliswaar in geslaagd om zijn droom waar te maken – een eigen praktijk voor familietherapie opzetten – maar het was niet precies geworden waar hij over had gefantaseerd. Ondanks de gunstige prijzen in South Dakota, had James moeten vaststellen dat hij het zich niet kon permitteren om helemaal voor zichzelf te beginnen. Daarom had hij de handen ineengeslagen met een plaatselijke psychiater, Lars Sorenson. Als James los had willen komen van de strikt freudiaanse theorie die zijn leven in New York had geregeerd, had hij geen betere partner kunnen treffen dan Lars, wiens ideeën over de psychiatrie meer te maken hadden met voetbaluitslagen of veeprijzen dan met Freud. James' vroegere collega's zouden ijzig hebben gereageerd op Lars en diens werkwijze van eenvoudige plattelandsdokter. Sterker nog, James was zelf zodanig ontdooid sinds zijn komst hier, dat hij waarschijnlijk overal plassen had achtergelaten, maar als het Lars al was opgevallen, dan had hij zich er in elk geval nooit wat van aangetrokken. Uiteindelijk was James dankbaar voor het partnerschap. Lars had nooit zoveel haast dat hij geen tijd had om even te luisteren of antwoord te geven op de zoveelste onnozele vraag over 'het ware leven', zoals hij het leven en werken in Rapid City graag noemde. En ondanks de vele goedbedoelde grapjes, had hij nooit een van James' stadse ideeën ronduit weggelachen.

'Ehhh-ehhh-ehhh-ehhh,' mompelde Conor. 'Ehhh-ehhh-ehhh-ehhh, ehhh-ehhh-ehhh-ehhh.' Net als de vorige keer, was hij vlak over de drempel van de speelkamer blijven staan.

James luisterde aandachtig naar het geluid. Het had onmiskenbaar een mechanische klank, als de motor van een auto die op een koude ochtend werd gestart. Alsmaar omwentelingen makend, zonder echt aan te slaan.

'Ehhh-ehhh-ehhh-ehhh. Ehhh-ehhh-ehhh-ehhh, ehhh-ehhh-ehhh-ehhh.'

Conor hield de pluchen kat stevig tegen zijn borst geklemd. Langzaam tilde hij het dier op totdat het onder zijn kin gedrukt zat en toen nog hoger, totdat de kop van de kat tegen zijn lippen lag. Hij stopte met het maken van het startende-motorgeluid. Hij liet de kat met één hand los en wapperde er als een bezetene mee heen en weer. 'Miauw?' zei hij.

Maakte hij dat geluid namens het knuffelbeest, vroeg James zich af. Probeerde hij het dier iets te laten vragen wat Conor zelf niet durfde te verwoorden? Of was het andersom? Legde de kat Conor woorden in de mond?

'Miauw?'

'Als je zover bent, Conor, mag je helemaal binnenkomen, en dan doen we de deur dicht,' zei James. 'Maar als je daar wilt blijven staan, is dat ook goed. Hier mag je zelf kiezen wat je wilt doen.'

De jongen bleef roerloos in de deuropening staan, de pluchen kat tegen de onderste helft van zijn gezicht gedrukt. Zijn blik schoot alle kanten uit, maar ontmoette die van James nooit.

Er leek een verwachtingsvolle sfeer te ontstaan in de kamer, en dat wilde James niet. Hij wilde niet dat Conor het gevoel had dat er verwachtingen bestonden over wat hij wel en niet mocht doen, dus probeerde James dit te doorbreken door zijn notitieboek met de spiraalband op te tillen. 'Hier maak ik mijn aantekeningen in. Ik ga erin schrijven terwijl ik hier zit. Ik ga aantekeningen maken van wat we hier doen, zodat ik het niet vergeet.' Hij pakte zijn pen.

Vijf of zes minuten lang bleef Conor roerloos staan, en toen begon hij heel voorzichtig naar voren te schuifelen. Net als tijdens de eerste sessie, bleef hij aan de buitenrand van de kamer en ver weg bij James, die aan het kleine tafeltje zat. Eén keer, twee keer liep Conor de hele kamer rond en drukte de neus van de kat in het voorbijgaan lichtjes tegen de dingen aan.

Hij mompelde iets binnensmonds. James kon het in eerste instantie niet verstaan, maar toen Conor voor de derde keer voorbij kwam, kon hij woorden onderscheiden. Huis. Auto. Pop. Conor benoemde de dingen die hij zag in het voorbijgaan. Dat was een goed teken, dacht James bij zichzelf. Hij begreep de betekenis van woorden. Hij wist dat dingen een naam hadden. Hij had in ieder geval enig contact met de realiteit.

Zo ging het ook toen Conor op donderdag weer kwam. En de week daarop weer. De vijftig minuten werden doorgebracht met stilletjes de kamer rondgaan, dingen heel licht aanraken met de neus van de pluchen kat, ze benoemen. James mengde zich niet in deze bezigheid. Hij wilde dat de jongen zijn eigen tempo bepaalde, zijn eigen gevoel van veiligheid creëerde in de kamer, dat hij begreep dat James had gemeend wat hij zei: dat alleen Conor bepaalde wat hij hier wilde doen. Zo kweekte je vertrouwen, meende James. Zo maakte je het veilig genoeg voor een kind om alles wat verborgen was te onthullen. Niet met schema's. Niet met straffen en belonen. Maar door tijd te geven. Er was geen kortere, snellere weg – zelfs al betekende dit de ene na de andere sessie met alleen maar benoemen.

Drie weken gingen voorbij. Tijdens de zesde sessie maakte Conor bij binnenkomst een rondje door de kamer en raakte met de neus van de kat opnieuw alles aan waar hij makkelijk bij kon. Hij mompelde daarbij nog steeds de namen, maar toch was het anders dit keer. Hij gaf details. Rood huis, fluisterde hij. Bruine stoel. Blauwe pony.

Voor het eerst reageerde James op Conors gemompel.

'Ja,' zei James, 'dat is een blauwe pony.'

Conors hoofd schoot abrupt omhoog. 'Ehhh-ehhh-ehhh-ehhh.' Hij staarde strak voor zich uit. De hand die de kat niet vasthield, kwam omhoog en bewoog verwoed voor zijn ogen heen en weer. 'Ehhh-ehhh-ehhh-ehhh.'

James bleef doodstil zitten.

Seconden verstreken.

Langzaam ademde Conor uit. De kat van zich af houdend, drukte hij de neus van het dier tegen de rand van de plank. 'Hout,' mompelde hij heel zachtjes.

'Ja, die is gemaakt van hout,' zei James.

De kat werd meteen weggetrokken.

James keek naar de jongen, die zijn hoofd afgewend hield om oogcontact te vermijden.

'Ehhh-ehhh-ehhh-ehhh.' Er was een lange pauze, en daarna fluisterde Conor: 'Bruin hout.'

'Ja, het hout is bruin.'

Conor draaide zijn hoofd. Niet om James aan te kijken. Zijn ogen lieten geen moment het punt in de verte los waarop zijn blik gefixeerd was, maar zijn hoofd neeg een klein beetje in James' richting. Dat was het enige dat er gebeurde.

'Bob en ik hadden gedacht om een paar dagen naar de Big Horns te gaan om op elanden te jagen,' zei Lars, en hij plofte neer in de zachte beige kussens in James' kantoor. 'Heb je zin om mee te gaan?'

'Ik vind het heel sympathiek dat je me mee vraagt, Lars, maar ik kan nog niet eens de voor- en achterkant van een geweer van elkaar onderscheiden.'

'Je kunt een van Davy's jachtgeweren lenen,' antwoordde Lars. 'Davy heeft zijn eerste hert geschoten toen hij amper twaalf was. Heb ik je dat wel eens verteld? Een punt zes.'

'Ja, dat heb je wel eens verteld.'

'Ga dan met ons mee. Mannen onder elkaar, Jim, dat wordt de

hoogste tijd. Hoe moeten we anders ooit een echte South Dakota-vent van je maken?' Lars lachte hartelijk. 'Ga lekker met Bob en mij mee. We nemen bier mee, en wat proviand, en dan maken we het gezellig.'

'Wanneer?'

'Volgend weekend.'

James werd overspoeld door opluchting. 'Hè, verdorie! Dat zul je nou altijd zien. De kinderen komen volgend weekend. Weet je nog? Omdat ik volgende week maandag en dinsdag vrij heb genomen.'

'Ach, dat is waar ook.'

'Verdorie. Wat jammer dat ik niet mee kan. Misschien de volgende keer.'

Zijn armen gestrekt achter zijn hoofd, leunde Lars achterover in de stoel. 'Hoe is het nou eigenlijk tussen jou en Sandy? Wordt ze al wat redelijker als het om de kinderen gaat?'

'Niet echt. Ze mogen hierheen komen met Pasen, maar met Kerstmis wil ze het beslist niet hebben,' antwoordde James, maar hij slaagde er niet goed in de teleurstelling uit zijn stem te weren.

'Waarom? Ik dacht dat jullie het om en om deden met de kerst,' zei Lars.

'Dat heeft de rechter besloten. Maar Sandy blijft volhouden dat dat te ontwrichtend voor hen is op hun leeftijd.'

'Ja, maar het zijn ook jouw kinderen. Je hebt het recht om tijd met hen door te brengen.'

'Dat weet ik wel, maar al dat geharrewar over hun hoofden heen is ook niet goed voor hen. Ik wil niet dat ze telkens moeten zien hoe Sandy en ik elkaar naar de strot vliegen. Bovendien heeft ze waarschijnlijk gelijk. Het ís ook ontwrichtend voor hen met de kerstdagen. Sandy gaat altijd naar haar ouders in Connecticut. Die hebben zo'n groot oud huis op Cape Cod en vieren Kerstmis altijd met een metershoge boom met alles erop en eraan. De kinderen hebben daar hun opa en oma om zich heen, hun neefjes en nichtjes, ooms en tantes, hun vriendjes. Met Kerstmis hoort het een gezellige boel te zijn. Al wil ik Mikey en Becky nog zo graag bij me hebben, ik wil nog liever datgene wat het beste voor hen is.'

'Je bent een watje, Jim,' zei Lars hoofdschuddend. 'Je moet niet zo over je heen laten lopen. Je moet leren zeggen: "Dit is belangrijk voor mij, dus ga ik ervoor knokken."'

'Dat heb ik al gedaan, Lars. Daarom ben ik hier terechtgekomen.'

'Nou, één keer in je leven is niet genoeg. Je moet het blijven doen.'

James knikte somber. 'Ja, ik weet het.'

Het was een van die herfstdagen met een hemel van lapis lazuli en een lucht van kristal. Vanuit het grote raam in de speelkamer kon James uitkijken over de stad, helemaal tot aan de open vlaktes in de verte. Beneden in de straat flikkerden bonte goud- en oranjetinten rusteloos in het zonlicht, maar de hemel strekte zich eindeloos ver uit in helder, bijna lichtgevend blauw.

Stille blijdschap vervulde James altijd wanneer hij bij dit raam stond. Al was het nog zo'n cliché, hij wist dat er ergens een spreekwoordelijke adelaar in hem school die op een dag zijn vleugels zou uitslaan en op zou stijgen in reactie op dit oneindige landschap. Deprimerend genoeg voelde zijn hart het grootste deel van de tijd nog steeds zo klein als dat van een spreeuw, maar het zien van een dergelijke uitgestrektheid gaf hem altijd hoop op grootsere dingen.

Niet dat zijn spreeuwenhartje niet al z'n eigen vrijheidsstrijd had gestreden. Het afgrijselijkste moment was twee jaar geleden gekomen, toen James zich na een opleiding van tien jaar ineens had gerealiseerd dat hij de gedachte niet kon verdragen om ook nog maar één dag langer door te moeten brengen in de besloten gevangenis van de psychoanalytische theorie. Dat moment kon hij zich nog altijd pijnlijk helder voor de geest halen. Hij was bezig geweest zich door het drukke verkeer heen te worstelen op FDR Drive in Upper Manhattan toen dit inzicht ineens in hem opwelde met de subtiliteit van een waterstofbom die afging. Zijn handen verstijfden om het stuur; het zweet droop aan weerskanten langs zijn gezicht en zijn hart bonsde zo luid in zijn oren dat het de muziek overstemde op de jazzzender waar hij altijd naar luisterde maar waar hij eigenlijk niets aan vond. Dat was het moment waarop hij zich realiseerde dat er dingen moesten veranderen. Hij moest ontsnappen uit het leven dat hij nu leidde...

God, en wat dat inzicht met Sandy had gedaan... Ze was razend geweest toen hij het haar had verteld. De ruzies die ze erover hadden... En haar woede was deels terecht. Ze had hem al die jaren gesteund. Ze had haar eigen carrière op een laag pitje gezet terwijl hij zijn studie medicijnen afmaakte, gevolgd door de post-doctorale opleiding, stages en vervolgstages en zijn eigen proefschrift om zich ten slotte psychiater te mogen noemen. Sandy had het allemaal doorstaan vanwege het vooruitzicht van een villa in de Upper West Side en een dure school voor de kinderen. Dat waren haar levensdoelen, en ze had net zo hard gewerkt om die te bereiken als hij om de zijne te bereiken.

'Theorie?' had ze geschreeuwd toen hij had geprobeerd zijn verwarring te verwoorden. 'Wat is dit ineens voor gelul over *theorie*? Hoe kun je onze levens nou compleet verwoesten vanwege zoiets? Het is niet eens *echt*. Wat maakt het uit of je er niet in gelooft? Je bent toch verdomme geen priester. Dan geloof je maar ergens anders in.'

Hoe moest hij het uitleggen, zijn onbestemde verlangen naar iets wat verder reikte dan de nauwe gangen van de analyse, de dominante opvattingen van zijn collega's en de duistere ravijnen van cement en stenen van Manhattan? Een paniekaanval midden in de spits was niet erg subtiel geweest, maar de boodschap was wel duidelijk.

James begon onophoudelijk te dromen over ontsnappen naar een wereld waar alles eenvoudiger was. Hij droomde echter wel steeds over de bewoonde wereld. Een kleine praktijk even buiten Queens, bijvoorbeeld. South Dakota was nooit in zijn hoofd opgekomen. Toen, op de noodlottige manier waarop sommige dingen gaan, was hij een oude vriend tegen het lijf gelopen, die op zijn beurt weer een vriend had die Lars nog kende van de universiteit en die ook wist dat deze rondliep met het plan om zijn praktijk in Rapid City uit te breiden. James was die avond naar huis gegaan en had South Dakota opgezocht op internet, en de eerste foto die hij op zijn scherm kreeg, was er eentje van een eenzame gaffelantilope in het meest vlakke, verlaten landschap dat James ooit had gezien. Het bijna buitenaardse ervan voelde als het antwoord op alles.

Maar dat was buiten Sandy gerekend, uiteraard. Het idee om naar South Dakota te verhuizen reduceerde de hele kwestie voor haar binnen de kortste keren tot een simpele keuze: bij hem blijven of in de stad blijven. New York won moeiteloos. De genadeslag was dat ze de voogdij over de kinderen kreeg.

Wat voor bedrieger vulde een kamer nou met speelgoed voor kinderen van wildvreemden terwijl hij zijn eigen kinderen bijna nooit zag? Hij had bezoekrecht, uiteraard, maar nu scheidde ruim drieduizend kilometer hem van hun rituelen van badderpret en 'dinosauruskusjes'. Zijn grootste angst was dat hij een vreemde zou worden voor Mikey en Becky. Een heel aardige vreemde weliswaar, maar desalniettemin een vreemde.

Toen Conor binnenkwam, begon James diens woorden direct terug te kaatsen. Als Conor 'poppenhuis' zei, dan zei James: 'Ja, dat is een poppenhuis.' Als Conor details aangaf en zei: 'groot poppenhuis,' dan kaatste James dat terug in een zin: 'Ja, dat is een groot poppenhuis.' James twijfelde er eigenlijk niet aan dat hij Conors uitvoerige manier van het benoemen van voorwerpen in de speelkamer kon interpreteren als een rudimentaire poging tot interactie. Het was conversatie op een zeer primitief niveau, als het brabbelen van een klein kind, maar James herkende het als conversatie.

Conor toonde een steeds grotere belangstelling voor de lagere planken met de manden vol klein speelgoed. Hij pakte de manden niet van de plank, raakte ze zelfs niet aan, maar het gebeurde steeds vaker dat hij ervoor ging staan en de neus van de kat tegen het vlechtwerk aan drukte. 'Miauw? Miauw? Mand. Draadmand. Zilveren draadmand.'

'Ja, zilveren draadmanden. Manden vol speelgoed. Speelgoed waar je mee mag spelen als je wilt. Hier ben jij de baas.'

Conor tilde de kat in de lucht en vervolgde zijn weg door de kamer. Bij de grote raampartij bleef hij staan. Hij stond er niet zo dichtbij dat hij naar beneden kon kijken en het weidse uitzicht vanuit de speelkamer kon zien, maar hij stak de kat naar voren en drukte diens neus tegen het glas. 'Raam. Miauw?'

'Ja, dat zijn de ramen. Daar kunnen we naar buiten kijken,' zei James.

Conor liep verder.

In de hoek aan de andere kant van de kamer lag wat James zijn 'autokleed' noemde. Het was gemaakt van soepel wit plastic van zware kwaliteit, ongeveer één meter twintig bij één meter twintig groot, en bedrukt met een uitgebreid wegenstelsel dat precies de juiste afmetingen had voor speelgoedautootjes en kleine gebouwen, gemaakt van lego. Voorgaande keren had het opgevouwen op de plank gelegen wanneer Conor in de speelkamer was, maar nu lag het uitgevouwen op de grond.

Conor liep ernaartoe en bleef stokstijf staan. Hij verroerde geen vin. Er verstreek een volle minuut, die wel een eeuwigheid leek te duren. 'Miauw?' fluisterde hij.

'Dat is het autokleed,' zei James. 'Daar kunnen speelgoedautootjes op rijden.'

De spieren in Conors kaak spanden zich terwijl hij stond te staren naar het plastic vierkant op de grond. Hij bracht één hand omhoog en fladderde er een paar tellen driftig mee heen en weer voor zijn gezicht.

'Man op de maan,' zei hij, luid en duidelijk. '20 juli 1969. Neil Armstrong vergezelde Buzz Aldrin. Apollo-project. De eerste man op de maan. 20 juli 1969.'

Verrast door deze plotselinge spraakwaterval, nam James de jongen aandachtig op. Het woordelijk herhalen van gesprekken die ze gehoord hadden, kwam vaak voor bij autistische kinderen, maar dit was de eerste keer in de drie weken dat Conor nu bij hem kwam dat James hem dat hoorde doen. Begreep Conor ook maar een woord van wat hij zojuist had gezegd, of was het niet meer dan autistische echolalie?

'Iets heeft je doen denken aan de mannen die naar de maan zijn geweest,' zei James voorzichtig.

'Een kleine stap voor een mens, een enorme sprong voor de mensheid.'

James vroeg voorzichtig door in de hoop te kunnen ontdekken of de woorden ook maar enige betekenis hadden. 'Ja, dat is wat Neil Armstrong zei toen hij voet op de maan zette, hè?'

Conor richtte zijn hoofd op. 'De kat weet het.'

3

In een ideale wereld zou alle kindertherapie gezins- of systeemtherapie zijn. Aangezien de problemen van een kind praktisch nooit op zichzelf stonden, achtte James het net zo belangrijk om de moeder, de vader en de broertjes en zusjes te zien, als het kind in kwestie.

Iedereen in het vak wist dit maar het kwam er in de praktijk tegenwoordig bijna nooit van om de hele familie te zien. De opvattingen waren veranderd. Het zakenmodel was ook doorgedrongen in de psychiatrie. 'Resultaten' en 'verantwoording' hadden de plaats ingenomen van 'zelfontdekking' en 'inzicht'. Zorgverzekeraars weigerden vaak voor meer dan twaalf therapiesessies te betalen. Met gedragscontracten en beloningssystemen werden sneller resultaten geboekt dan met speltherapie. Zelfs met medicijnen werden sneller resultaten geboekt. Zowel vaders als moeders werkten en waren over het algemeen tijdens kantooruren niet beschikbaar voor therapie. En iedereen had haast. Ongeduld was het hoofdthema geworden van het moderne leven. Daarom was de voornaamste taak van veel psychiaters het simpelweg voorschrijven van medicijnen. James voelde zich vaak net een dinosaurus vanwege het feit dat hij probeerde de tijd terug te draaien naar een trager, humanistischer model.

South Dakota was geen goede plek voor een wedergeboorte van traditionele therapeutische waarden. De mensen hier waren erg op zichzelf, niet gewend om met vreemden over hun persoonlijke problemen te praten, dus het was al moeilijk genoeg om hen de praktijk binnen te krijgen. En aangezien landbouw nog steeds de voornaamste bron van inkomsten was, wisten ze als geen ander wat 'resultaten' betekende. Veel ouders van zijn jonge patiëntjes hadden ronduit geweigerd om zelf voor therapie naar de praktijk te komen, vanwege de bijkomende kosten. Uiteindelijk had James een 'commerciële' aanpak moeten bedenken om de ideale omstandigheden voor gezinstherapie te creëren door met het concept van een 'alles-in-één-pakket' te komen – waarbij hij alle individuele gezinsleden drie keer zou zien voor een vaste prijs. Eerlijk gezegd was hij reuze trots op dat idee en hij was er van overtuigd dat het werkte, maar helaas. Het gebeurde maar al te vaak dat hij zijn charmes in de strijd moest gooien om mensen naar binnen te praten.

Laura Deighton zou er zo eentje worden, wist James. Het werd vrijwel meteen duidelijk dat ze vond dat Conor de enige was die een probleem had. Toen James het onderwerp gezinstherapie ter sprake bracht, en opperde om naast Conor ook haar, haar man en hun dochter te zien, was Laura zelfs opgestaan. Ze maakte letterlijk aanstalten om weg te gaan, en James twijfelde er niet aan dat ze dat ook gedaan zou hebben als hij niet onmiddellijk was teruggekrabbeld. Deze reactie fascineerde hem, want het zei zoveel meer over haar onwilligheid om naar het probleem te kijken dan woorden hadden kunnen doen.

Conors vader, Alan McLachlan, was echter precies het tegenovergestelde. Toen James uitlegde hoe Conors therapie in zijn werk zou gaan, stemde Alan onmiddellijk in. 'Ja, natuurlijk,' zei hij. Hij zou met alle plezier zijn medewerking verlenen.

Met dezelfde zorg die James had gestopt in de inrichting van de spelkamer, had hij zijn kantoor ingericht voor het houden van kennismakingsgesprekken en therapiesessies voor volwassenen. Achter het bureau had hij een rechthoekig 'conversatiecentrum' gecreëerd met zachte, comfortabele stoelen en een bank. De salontafel, de bijzettafeltjes en de planten waren allemaal met zorg gekozen om een aangename, luchtige, ontspannen sfeer te scheppen. Hij had bewust gekozen voor massief hout en natuurlijke materialen om ervoor te zorgen dat de situatie minder gekunsteld aanvoelde, en hij had lichtbeige stoffering genomen om de ruimte een open, positieve uitstraling te geven. Lars plaagde hem met zijn aandacht voor detail, maar James was tevreden over het resultaat. Hij had het gevoel dat het werkte.

Laura Deighton had weinig belangstelling voor zijn conversatiecentrum getoond en had naast zijn bureau plaatsgenomen, nog voordat hij de kans had gehad om haar aan te moedigen ergens anders te gaan zitten. Alan was echter als vanzelf naar de bank toe gelopen. Hij was neergeploft op de zachte, beige kussens en was er eens lekker ontspannen voor gaan zitten. Zo ontspannen zelfs, dat hij algauw een afgetrapte en, zo zag James, behoorlijk smerige cowboylaars op de rand van de salontafel had gelegd.

Alan was geen lange man. James was één meter tachtig, dus geenszins een reus, maar hij was toch zeker acht à tien centimeter langer. Alans haar, dik en warrig door het afzetten van een rood-witte pet, was gemêleerd grijs als gegalvaniseerd metaal. Zijn ogen waren net zo mistig Keltisch blauw als die van Conor. Hij zag er ouder uit dan zijn vijftig jaar. Zijn gegroefde gezicht had een gezonde rode kleur, zijn huid was gelooid van een leven lang in de buitenlucht werken, maar hij bezat nog steeds een soort ruige schoonheid.

James was een beetje nerveus geweest voor Alans komst. Hij had nog nooit zo'n iconisch stereotype tegenover zich gehad – een cowboy – een man voor wie paardrijden bij zijn dagelijkse arbeid hoorde, die vee bijeendreef, brandmerkte, hielp bij het kalveren en, indien noodzakelijk, paarden tegen de grond worstelde en hun ballen eraf sneed. Voor James vertegenwoordigde dit alles een soort mythische mannelijkheid die je alleen in films zag, en hij was bang dat ze misschien weinig gespreksstof zouden hebben. De nonchalante manier waarop Alan zijn laars op de salontafel had gelegd, was dan ook beslist niet bevorderlijk voor James' zelfvertrouwen. Het was een soort afbakenen van territorium. Subtieler dan ergens overheen plassen misschien, maar James had het gevoel dat het wel ongeveer dezelfde betekenis had.

'Bedankt dat je wilde komen,' zei James.

'Geen dank, ik doe het graag.'

Vervolgens was het even stil terwijl James wachtte tot Alan de toon van de sessie zou zetten. In de korte stilte plaatste James onwillekeurig vraagtekens bij Alan en Laura als stel. Wat had haar aangetrokken in deze man van het platteland? Hoe ging hij om met het feit dat zijn vrouw wereldberoemd was?

Alan gaf James echter weinig tijd om na te denken, want hij vroeg bijna meteen: 'Hoe is het nou met Conor?'

'We zijn nog steeds bezig vertrouwen op te bouwen,' antwoordde James. 'Hij lijkt erg onzeker in de nieuwe situatie.'

'Ja, hij kan niet goed tegen veranderingen. Zo is dat nou eenmaal met autistische kinderen.' Een pauze. 'Wat doe je hier eigenlijk zoal met hem?' wilde Alan weten. 'Want zoals Laura het uitlegde was het mij niet helemaal duidelijk.'

'En hoe was dat?' informeerde James.

'Nou ja, het is haar versie, dus je weet het nooit. Eerlijk gezegd ben ik blij dat je me hier persoonlijk hebt uitgenodigd, want op deze manier bestaat de kans dat ik ook daadwerkelijk inzicht krijg in wat er nou precies aan de hand is.'

'Je hebt het gevoel dat je niet voldoende geraadpleegd bent voor wat betreft de behandeling van Conor?'

Alan slaakte een lange, diepe zucht. 'Ik geloof dat het niet zozeer het geraadpleegd worden is, als wel het feit dat ik al lang niet meer weet wat waartoe heeft geleid.'

Stilte.

James wachtte rustig af. Hij kreeg de indruk dat hij een man tegenover zich had die best diep nadacht, maar niet snel was met woorden, die de tijd nam om zijn gedachten te ordenen alvorens ze uit te spreken. Hoe was het mogelijk dat iemand zoals hij een vrouw had wier leven van woorden aan elkaar hing?

'Ik heb nooit gewild dat Conor naar die school in Colorado zou gaan,' zei Alan uiteindelijk. 'Dat is het eerste wat ik duidelijk wil maken. Ik bedoel, wie stuurt er nou zo'n klein kind meer dan duizend kilometer van huis? Dat hadden we nooit moeten doen. Autisme komt nu eenmaal voor. Er zijn een heleboel mensen die een autistisch kind hebben. Die leren ermee te leven. Ze bergen het kind niet op.'

'Hoe is die beslissing dan ooit genomen?' vroeg James.

'Laura. Dit, hier,' zei hij met een brede zwaai van zijn hand, 'gaat allemaal over het feit dat Laura hulp nodig heeft.'

James wist niet precies wat Alan bedoelde. 'Wil je zeggen dat Laura problemen ondervindt in de omgang met Conor? Of dat de omgang met Laura problemen veroorzaakt voor Conor?'

'Allebei eigenlijk. Ik geloof niet dat het twee verschillende dingen zijn,' antwoordde Alan. 'Maar het grootste probleem tot nu toe is louter om Laura zover te krijgen dat ze haar verantwoordelijkheid neemt in deze kwestie. Toen ze zei dat dit een soort therapie voor het hele gezin was, dat we Conor hier niet konden brengen als we zelf niet ook in behandeling gingen, dacht ik: "*God*zijdank. Ze neemt me *eindelijk* serieus." Ze heeft het idee van therapie altijd minachtend afgewezen en alle schuld altijd direct bij Conor neergelegd, het volledig Conors probleem gemaakt. Maar het is ook zo dat Laura de zorg voor hem niet aankan. Daarom heb ik me over laten halen om hem naar Avery te sturen.'

'Kun je me vertellen hoe volgens jou de problemen met Conor begonnen zijn?' vroeg James.

'We hebben een paar echt klotejaren gehad. Het was rond de tijd dat Conor een jaar of twee, drie was. Alles kwam tegelijk. Ik had serieuze geldproblemen met de fokkerij. Mensen gaan ervan uit dat we stinkend rijk zijn omdat Laura's werk algemeen bekend is, maar er is een groot verschil tussen literair en commercieel. In werkelijkheid is zowel een veefokkerij als het schrijven van boeken een heel onzekere manier om je brood te verdienen.

We hadden dus ernstige financiële problemen. Uitgerekend in die periode, raakte Laura in verwachting. Het was niet gepland en er waren allerlei complicaties. We dachten zelfs dat Laura de baby had verloren, want ze had een miskraam gehad, maar het bleek een tweelingzwangerschap te zijn, en ze was maar één kindje kwijtgeraakt. Hoe dan ook, we kwamen om in de medische problemen en rekeningen terwijl we haar inkomen vreselijk hard nodig hadden. Arme Conor. Zijn leventje stond op zijn kop. Ik was voortdurend van huis omdat ik mezelf om wat bij te verdienen, als arbeidskracht aan andere fokkerijen verhuurde, en Laura voelde zich helemaal niet goed. Conor is altijd al een gevoelig kind geweest, en dit maakte het alleen nog maar erger. Hij was zo'n beetje overal bang voor. Destijds besteedde ik er niet zoveel aandacht aan. Ik dacht dat hij er wel weer overheen zou groeien zodra de rust in huis was weergekeerd, zodra ik weer wat vaker thuis was en de baby geboren was. Wat ik niet in de gaten had doordat ik zoveel weg was, was dat Laura ook dreigde in te storten.

Ik voelde me schuldig – ik voel me nu nog steeds schuldig – omdat ik weet dat ik Laura in die tijd veel te vaak aan haar lot heb overgelaten, zelfs toen ik in de gaten kreeg dat er iets niet goed was. Maar, godallemachtig, je weet nooit waar je goed aan doet. Ik werkte de godganse dag én nacht om de fokkerij te redden, en ik kon gewoon niet op twee plaatsen tegelijk zijn.

Het keerpunt kwam toen we van de peuterspeelzaal te horen kregen dat ze Conor daar niet langer konden handhaven. Vanaf dat moment was hij voortdurend thuis. Laura kon het gewoon niet aan. Dus toen is ze gaan zoeken naar een school waar hij intern kon worden geplaatst... Ik vond dat ik Laura de kans moest geven om te herstellen, omdat ik anders... Nou ja, als ik heel eerlijk ben, was ik bang dat ik anders de zorg voor twee jonge kinderen in mijn eentje zou moeten dragen.'

Alan viel stil.

James leunde achterover in zijn stoel. 'Was het inderdaad bevorderlijk voor Laura's herstel dat Conor intern op die school werd geplaatst?' vroeg hij.

'De rust in huis keerde weer.' Alan haalde nauwelijks merkbaar zijn schouders op. 'Maar ik geloof dat "herstel" impliceert dat alles beter zou worden. Dat was niet het geval. Het werd gewoon weggestopt, want dat is nu eenmaal Laura's manier van doen. En ik ben er echt helemaal klaar mee.'

'Paard?' zei Conor op een zangerig toontje dat het midden hield tussen een mededeling en een vraag.

'Ja, dat is een paard,' antwoordde James.

'Rrrr, rrrr.' Conor zette het kleine plastic beest op de tafel. Hij stak zijn hand in de mand en pakte er een ander beest uit. 'Olifant?'

'Ja, dat is een olifant.'

'Rrrr, rrrr. Varken?' zei hij, het volgende beest eruit pakkend.

Conor keek niet naar James terwijl hij dit deed. Hij moedigde geen enkele vorm van oogcontact aan. James interpreteerde Conors gedrag als een poging tot interactie, maar misschien was het dat helemaal niet. Als James niet snel genoeg reageerde, ging Conor gelijk door met het volgende beest. Het zou ook gewoon het ik-gerichte spel kunnen zijn dat zo typerend is voor autistische kinderen.

Het volgende beest dat uit de mand kwam, was er eentje waar James zelf niet helemaal zeker van was. Een gnoe of iets dergelijks; het hoorde in ieder geval niet thuis in een speelsetje voor kinderen. Conor keek ernaar, en op zijn gezicht verscheen een verbijsterde uitdrukking. 'Koe?' vroeg hij, en zijn toonhoogte verried een oprechte vraag.

'Je hebt een koe gevonden,' antwoordde James, Conors woorden terugkaatsend om aan te geven dat hij luisterde. Wat het ook voor beest was, het had onmiskenbaar iets van een koe, dus James durfde het met een gerust hart een koe te noemen.

'Ehhh,' mompelde de jongen binnensmonds. 'Ehhh-ehhh-ehhh-ehhh!' Toen spreidde hij abrupt zijn vingers en kletterde het plastic beest op het tafelblad alsof het te heet was geworden om vast te houden. Conor pakte de pluchen kat beet en klemde hem dicht tegen zich aan. 'Ehhh-ehhh-ehhh-ehhh! Ehhh-ehhh-ehhh-ehhh!'

James kon zien dat de jongen geagiteerd begon te raken. 'Ehhh-ehhh-ehhh-ehhh!' herhaalde hij alsmaar, als een machine die niet aan wilde slaan. Hij begon te trillen. Zijn bleke huid en zijn kleurloze haar gaven hem een naakte kwetsbaarheid die James deed denken aan een jonge vogel die nog maar net uit het ei was, een uilskuiken of een adelaarskuiken, bijna grotesk in zijn naaktheid.

'Je vond het niet fijn dat ik dat zei,' probeerde James. 'Ben je bang dat het misschien geen koe is?'

'Ehhh-ehhh-ehhh-ehhh.'

'Je wilt precies weten wat voor dier dat is. Je vindt het niet fijn dat je het niet weet,' interpreteerde hij.

'Ehhh-ehhh-ehhh-ehhh! Ehhh-ehhh-ehhh-ehhh!' sputterde Conor als een bezetene. Hij bracht de pluchen kat naar zijn gezicht en drukte deze tegen zijn ogen. 'Miauw? Miauw?'

James pakte het plastic beest op en bekeek het van alle kanten. 'Misschien is het een gnoe. Of een jak. Nee, ik geloof niet dat het een jak is. Die heeft heel veel haar. Misschien is het een oeros. Dat is een soort wilde koe.'

Zonder enige waarschuwing pakte Conor de kat bij zijn achterpoot en zwaaide ermee als een wapen in een wijde boog die de tafel helemaal schoon veegde. Alle plastic beesten vlogen door de lucht, net als James' notitieboek. Conor krijste met een schril, doordringend geluid waar James' trommelvliezen van trilden. Zijn gelaatskleur ging van wit naar rood naar een diepe vlekkerige kleur, als melk met geklonterd bloed erin. Hij liet zich van de stoel op de grond glijden en drukte de kat tegen zijn ogen.

Emotionele onrust was een te verwachten onderdeel van speltherapie, en zolang het kind zichzelf op geen enkele manier pijn deed, was de beste reactie naar James' idee om kalm en beheerst in zijn stoel te blijven zitten om te laten zien dat hij alles nog steeds onder controle had, en vervolgens te proberen om de onuitgesproken angst van het kind te verwoorden.

'Je voelt je heel erg angstig,' zei hij zacht terwijl Conor op de grond lag te brullen. 'Je bent zo bang dat je wilt schreeuwen en huilen.'

Zijn woorden leken Conor alleen maar meer van streek te maken, want de jongen begon nog harder te krijsen.

'Hier mag je schreeuwen als je dat nodig vindt,' zei James. 'Daar wordt niemand boos om. Daar raakt niemand van overstuur. Hier is het veilig om te schreeuwen. Er zullen geen nare dingen van komen.'

Minuten verstreken. Conor lag nog steeds te krijsen en te spartelen. Drift? vroeg James zich af. Hij dacht van niet. Bij zijn weten was er geen enkele gebeurtenis aan voorafgegaan die een driftaanval uit zou lokken. Paniek? Gewoon pure angst in een wereld vol dingen die de jongen niet kende? Of frustratie, misschien, om zijn gebrek aan woorden?

Conor begon schor te worden. Nadat hij zichzelf in foetushouding overeind had gehesen, knieën opgetrokken, hoofd naar beneden, armen om zijn benen geslagen, de pluchen kat tegen zijn hart gedrukt, verviel Conor uiteindelijk in stilletjes hikken.

Er verstreken nog enkele minuten waarin James rustig aan de tafel zat en de jongen opgekruld op de grond lag. Toen, na een hele tijd, krabbelde Conor langzaam overeind. Zorgvuldig controleerde hij de toestand van zijn vier touwtjes en verstelde ze bij zijn middel, toen keek hij naar James en staarde hem recht in zijn ogen. Zijn wangen waren nog nat van de tranen, en er droop snot op zijn bovenlip. Met een onverwacht normaal, jongensachtig gebaar bracht Conor zijn vrije arm naar zijn gezicht en veegde zijn neus af aan zijn mouw.

'Hier,' zei James, een doos met tissues pakkend. 'Wil je er hier eentje van?'

Conor bekeek de doos achterdochtig.

James trok er een tissue uit en legde deze op tafel, vlak bij de plek waar Conor stond.

Conor bleef er een hele tijd alleen maar naar staan kijken, zijn voorhoofd gefronst alsof het een mysterieus voorwerp was. Toen stak hij zijn hand ernaar uit. Uiterst behoedzaam begon hij de tissue op het tafelblad glad te strijken, een moeilijke taak aangezien hij met zijn andere hand nog steeds de pluchen kat tegen zich aan gedrukt hield.

'Ros?' zei Conor onverwacht. Hij bukte zich om het op een koe lijkende plastic beest van de grond op te rapen. Hij bestudeerde het aandachtig. 'Ja,' fluisterde hij. 'Ja, de kat zegt ja.' Hij knikte. 'Ros.'

'Je bedoelt "oeros"?' probeerde James.

'Ja,' antwoordde de jongen op zijn typerende, hoge, zangerige toontje. Hij tilde zijn hoofd niet op ter erkenning dat James iets had gezegd. 'Ros. Oe-ros.'

'Oer-os,' mompelde James.

'Oer-os. Oeros. Ja. De kat zegt ja. Een oeros. Een wilde koe.' De woorden werden heel nadrukkelijk uitgesproken, alsof ze moeite kostten. Hij zette het plastic beest op de tafel. 'De kat weet het.'

Opwinding maakte zich van James meester. Ze hadden gecommuniceerd. In gedachten zag hij zichzelf als een van de wetenschappers die de grote satellietschotels bedienden waarmee in de ruimte wordt gespeurd naar tekenen van buitenaards leven, die alert waren op het geringste afwijkende kraakgeluidje dat zou kunnen duiden op bewuste intelligentie. Je hoorde het en dat was voldoende om door te gaan, om te blijven geloven in het bestaan ervan. Het geringste kraakgeluidje, het kleinste teken.

4

Vanaf het moment dat James Mikey uit de glazen tunnel tevoorschijn zag komen met alleen zijn onderbroek aan, wist hij dat dit geen goed begin was. Becky kwam er nuffig achteraan getrippeld met die houding die ze had als ze haar broertje ronduit walgelijk vond. Toen zag ze James en kegelde Mikey zowat omver in haar opwinding om bij hem te komen. 'Papa!' riep ze, en ze stortte zich in zijn armen.

James tilde zijn dochter van acht met een zwaai op.

'Weet je?' zei ze opgewekt. 'Mikey heeft gespuugd. Daarom heeft hij geen kleren aan. Kijk. Er zit ook spuug op mijn jurk.'

'Hé, Michael, kerel, wat is er met jou gebeurd? Te veel lekkere vliegtuigmaaltijden?' James deed een poging om beide kinderen tegelijk op te tillen, hetgeen hen verrukte kreten ontlokte.

'Hij heeft te veel M&M's gegeten,' antwoordde Becky. 'Mama had de zak voor ons samen gekocht, maar toen moest ik naar de wc en heeft Mikey ze bijna allemaal in zijn eentje naar binnen geschrokt terwijl ik weg was. Dus het is zijn eigen schuld. Ik heb geen medelijden met hem.'

'Dat vind ik niet aardig van je, kleine draak,' zei James speels, en hij gaf haar een kus op haar neus. 'Hij is je broertje, wat er ook gebeurt.' Toen sloot hij Mikey weer in zijn armen. 'Ik durf te wedden dat je alle kleuren van de regenboog hebt gespuugd als het van de M&M's kwam?' Mikey giechelde. 'Jullie moeder zou beter moeten weten dan jullie een hele zak snoep te geven.'

'Ik heb een verrassing voor jullie,' zei James toen hij hun bagage had opgehaald en ze naar de auto liepen.

'Wat dan?' vroeg Becky terwijl ze de aankomsthal verlieten.

'Wacht maar af. Je ziet het vanzelf. Op het parkeerterrein.'

'Een pony?' vroeg Becky hoopvol.

James lachte en woelde even door haar haar. 'Nee, gekkie, ik

zou jullie toch nooit komen ophalen op een pony, of wel soms?'
'Oom Joey zegt dat iedereen hier op een paard rijdt.'
'Nee, moet je papa's coole auto zien!' James wees naar de koperkleurige Ford Mustang cabrio uit 1971. 'Is-ie niet mooi?'
Sandy had de Range Rover gehouden omdat het een veilige auto was voor de kinderen. James was naar South Dakota gereden in een aftandse Ford Taurus die zijn broer Jack op de kop had getikt op eBay. De aanschaf van de cabrio met zijn bovenmaatse, futuristische motorkap en de krachtige Boss 429-motor was James' eerste erkenning geweest dat zijn oude leven voorbij was.
Becky was niet bepaald onder de indruk. 'Het is maar een *auto*,' zei ze teleurgesteld.
'Het is een *klassieke* auto.'
'Het is een oude auto,' antwoordde ze smalend.
'Het is een coole auto. Voor coole mensen. Zoals wij, hè, Mike? Wat vind je ervan? Heeft je vader een coole auto of hoe zit dat?'
'Ja, ik vind hem mooi,' zei Mikey, en hij liet zijn hand over de bumper glijden.
Becky tuurde door het raampje naar binnen terwijl James de bagage in de achterbak deed. 'De achterbank is echt piepklein. Ik snap niet hoe je in moet stappen. Er zijn geen achterdeuren.'
'Hier. Je doet het voorportier open, duwt de hendel aan de achterkant van de voorstoel naar beneden, en duwt hem naar voren, kijk, zo.'
'Het stinkt hier een beetje. Alsof er iemand heeft zitten roken.'
'Dat is heel lang geleden, dus dat geeft niks. Stap nou maar in. Jij ook, Mike. En doe je gordel om.'
'Waar is je andere auto?' vroeg ze. 'Je echte auto?'
'Als je de Jeep bedoelt, die is eigenlijk niet van mij. Die is van oom Lars. Meestal ruilen we van auto als jullie komen. Hij neemt deze auto dan, want ja, je hebt gelijk, er is niet zoveel ruimte om in en uit te stappen. Maar oom Lars is op elandenjacht dit weekend, dus hij had de Jeep zelf nodig, omdat die vierwielaandrijving heeft. Trouwens, deze auto is veel mooier. Wacht maar af. Als het mooi weer blijft, doe ik de kap naar beneden. Dat vinden jullie vast heel leuk.'
'Papa?' vroeg Mikey. 'Is oom Lars onze echte oom?'

'Hij is geen familie. Oom Lars is mijn partner in de praktijk. Maar tante Betty en hij zijn goede vrienden van papa, en ze zijn altijd heel lief voor jullie, dus daarom maken we hen ereleden van de familie.'

'Ja, we hebben nog zo'n oom,' antwoordde Mikey. 'Hij heet oom Joey.'

'Ja, de man die denkt dat we hier allemaal op een paard rijden. Wie is dat dan?'

'Nou ja, eigenlijk is hij mama's vriend,' antwoordde Becky.

'Dan is hij *niet* jullie oom,' mompelde James geïrriteerd.

'Mama zei dat we hem zo mochten noemen. Waarschijnlijk gewoon omdat hij een goede vriend van haar is, net als oom Lars van jou,' zei Becky.

'Oom Jack is jullie oom. Hij is jullie echte oom. En ik ben jullie echte papa.'

'Ja, dat weet ik.'

'Goed zo, als je dat maar onthoudt.'

James miste de kinderen zo erg dat het logisch was dat hij wilde dat de bezoekjes perfect verliepen, en dat hij er alle traktaties en leuke dingen in propte die hij nu in het dagelijks leven niet meer met hen deelde. Bovendien, een beetje verwennen kon nooit kwaad.

Hun nieuwe familietraditie was een bezoekje aan Toys 'R' Us op de dag dat Mikey en Becky aankwamen. Het begon er altijd mee dat James op speelse toon uitriep dat, omdat ze niet zo vaak bij hem waren, hij 'niet genoeg speelgoed in huis had' en dat ze nu ze er waren 'iets moesten gaan kopen om mee te spelen'. Dit leverde altijd verrukte kreten op, en een aangename orgie van speelgoed inslaan.

Voordat ze naar Toys 'R' Us gingen, reed James altijd eerst langs huis om de bagage naar binnen te brengen. Dat was het moment waarop Mikey de hele keukenvloer onder kotste.

'Misschien heeft hij wel buikgriep,' zei Becky.

'Laten we hopen van niet,' antwoordde James terwijl hij een emmer vulde met water en schoonmaakmiddel.

'Laten we hopen dat *ik* het niet krijg,' zei Becky. Het klonk als een dreigement.

Mikey was helemaal niet lekker. Met een plastic afwasteil in zijn hand geklemd, ging hij op de bank voor de tv liggen.

Becky, moe van de lange reis en vreselijk teleurgesteld over de gang van zaken, begon te mopperen. Ze vond het niet leuk waar Mikey naar keek op tv. Ze wilde niet bij hem in de buurt komen, want hij was ziek. Er waren geen leuke dvd's om te kijken. De kleren in haar koffer waren helemaal gekreukt. Ze was vergeten haar haarborstel in te pakken. Bovenal, echter, mopperde ze omdat ze niet naar Toys 'R' Us gingen. Ze wilde erheen. Nu! Wanhopig graag. Konden ze er *alsjeblieft* heen? Waarom kon Mikey niet gewoon heel eventjes een stukje lopen?

James legde geduldig uit dat Mikey op dit moment te ziek was om de deur uit te gaan.

Becky was niet in de stemming om begrip te tonen, en jammerde wat het dan voor zin had om helemaal hierheen te komen als ze niet naar Toys 'R' Us gingen?

'Ik hoop dat er nog andere redenen zijn om hierheen te komen,' zei James, een tikje gekrenkt.

'Dit is de rotste logeerpartij van de hele wereld,' riep ze uit, om er vervolgens aan toe te voegen: 'Ik wou dat ik thuis was!' Ze stampte de kamer uit.

's Nachts werd het er allemaal niet beter op. Mikey bleef maar overgeven, en James was de halve nacht in touw om hem te troosten. Hij kwam met een wazige blik de keuken binnen, waar Becky bezig was suiker in haar kom met cornflakes te lepelen.

'Hé, niet de hele suikerpot,' zei hij.

'Ik wou dat je een papegaai had, pap,' reageerde Becky opgewekt.

'Een *papegaai*?'

'Oom Joey heeft een papegaai. Hij heet Harry en hij kan drieëntwintig woorden zeggen. Ik wou dat jij er eentje had, dan kon ik ermee praten.'

'Ik heb er geen omdat papegaaien eigenlijk niet in gevangenschap gehouden zouden moeten worden. Daar zijn ze te intelligent voor. Ze hebben een heleboel stimulans nodig. Het is wreed om ze als huisdier te houden.'

'Weet je wat oom Joey nog meer heeft?' zei ze. 'Een huis op

Long Island, aan het strand. Daar gaat hij mij en Mikey en mama in de weekends mee naartoe nemen als het zomer is.'

'Bof jij even,' antwoordde James.

'Weet je wat ik van hem heb gekregen? Dat Barbie-paard dat ik zo graag wilde hebben.'

'Becky, ik heb dat Barbie-paard voor je gekocht.'

'Nee, niet *die*. Dat is het oude model. Oom Joey heeft die ene voor me gekocht die benen heeft die je kunt buigen zodat je hem neer kunt zetten alsof-ie echt aan het lopen is. En weet je wat nog meer? Ik heb ook de koets van hem gekregen die erbij hoort, en ik had er niet eens om gevraagd.'

'Wat doet Joey dat-ie zich al deze spullen kan veroorloven? Berooft hij banken of zo?'

Becky lachte. 'Nee joh, gekkie. Hij is advocaat.'

'Dat is praktisch hetzelfde.'

Halverwege de middag was Mikey nog steeds aan het spugen, dus laadde James Becky, Mikey en de afwasteil in de Mustang om naar de dokterspost te gaan.

Gedurende de eindeloze wachttijd voordat ze bij een dokter terecht konden, toonde Mikey zich voldoende hersteld om een blikje cola uit de automaat te willen. Het kostte twee uur, een bloedonderzoek en het grootste gedeelte van James' geduld om vast te stellen dat Mikey 'gewoon een virusje' had. Mikey dronk met kleine slokjes de rest van zijn cola op en keek zeer zelfingenomen.

'Als Mikey zich alweer beter voelt, kunnen we dan nu naar Toys 'R' Us?' vroeg Becky.

'Die is helemaal aan de andere kant van de stad en het is bijna tijd voor het avondeten. Ik denk dat we nu eerst vooral behoefte hebben aan een fatsoenlijke maaltijd.'

'Ik wil naar McDonald's. Daar hebben ze een ballenbak.'

'Nee, het moet iets gezonds zijn. Wat dacht je van die Italiaanse winkel waar ze ook afhaalmenu's hebben? We kunnen wat lasagne halen en die mee naar huis nemen. Dat vonden jullie de vorige keer heel lekker, weet je nog? Jullie mogen helpen een salade uit te kiezen.'

Tegen de tijd dat ze bij de Italiaanse winkel waren, voelde Mikey zich niet zo lekker meer. Hij wilde niet mee naar binnen, want hij wilde geen eten ruiken.

'Oké, dan doen we het zo,' zei James. 'Ik zal hier bij het raam parkeren, waar ik je de hele tijd kan zien. Becks en ik rennen even naar binnen om iets te eten te halen, en dan zijn we zo weer terug. Doe het portier maar op slot als we weg zijn. We zijn zo terug.'

Het was onverwacht druk in de winkel. Het enige wat James wilde, was zich een weg door de mensenmassa heen worstelen om zijn bestelling te plaatsen, dus hij schrok toen hij op zijn schouder werd getikt en iemand hallo zei. Hij draaide zich om.

Daar, in de andere rij, stond Laura Deighton.

'Mama, kijk eens,' riep een klein stemmetje. 'Mogen we er hier een paar van?'

'Neem het maar mee, dan kan ik er naar kijken, Morgana,' zei Laura.

James keek opzij. Morgana? Conors zusje? Zijn mond viel open van verbazing. Ze was alles wat Conor niet was: een stevig gebouwd, atletisch kind met reusachtige bruine ogen en een bos dansende, donkere krullen die tot over haar schouders hingen. Toen ze zag dat James haar stond aan te gapen, keek ze hem onbevangen aan en schonk hem een engelachtig glimlachje. Yin en yang. Dat was de eerste gedachte die door James' hoofd flitste.

'Is dit je dochter?' vroeg Laura, neerkijkend op Becky. 'Wat een snoezig meisje.'

'Ja. Ja, dit is Becky. Mijn zoon zit in de auto te wachten. Hij voelt zich niet zo lekker.'

'Ach, wat vervelend,' zei Laura.

'We zijn even snel naar binnen gerend om wat verantwoord voedsel te halen zodat hij geen kookgeuren hoeft te ruiken,' zei James wrang.

'Wij komen lekkere hapjes halen,' antwoordde Laura. 'Conor is vanavond bij Alan, dus de meiden maken er een gezellig avondje van.'

James keek nog een keer naar Morgana, die een zak met amarettokoekjes in haar hand hield. Ze was een verbluffend mooi kind met levendige ogen, dansende krullen en een volmaakte mond, als een van die geïdealiseerde kinderen die op een wandbordje geschilderd staan ter herinnering aan een gouden tijdperk dat nooit echt had bestaan. Naast haar zou Conor bleek en krachteloos afsteken, als een geest.

Becky, het gezelligheidsdier, was opgetogen over deze onverwachte gelegenheid om vrienden te maken. Met een ontwapenende glimlach begroette ze Morgana, vroeg hoe oud ze was, en binnen de kortste keren gingen de meisjes er samen vandoor om naar de uitgestalde koekjes op de planken even verderop te kijken terwijl James en Laura in de rij bleven staan.

'Wat leuk om je te zien. Hoe is het met je?' zei Laura opgewekt, alsof ze oude vrienden waren.

Dit verbaasde James enigszins, want in de weken dat hij Conor nu onder behandeling had, had Laura zich opmerkelijk op de achtergrond gehouden. Zo zelfs, dat James het onmiskenbare gevoel had dat ze hem ontweek. En hoewel ze had ingestemd met het voorstel van gezinstherapie, wat betekende dat ze zelf voor minimaal drie individuele sessies bij James zou moeten komen als onderdeel van Conors behandeling, had Laura nog geen afspraken in die richting gemaakt. Daarom had James zich een beeld van haar gevormd als van een gesloten, nerveuze en weinig spraakzame vrouw. Nu bleek ze echter het tegenovergestelde te zijn: vriendelijk, ontspannen en oprecht geïnteresseerd in de kinderen. Ze leefde mee met James vanwege het feit dat Mikey ziek was en vanwege zijn bevindingen bij de dokterspost.

James keek om zich heen om te zien waar de twee meisjes waren gebleven.

'Ze lijken het goed te kunnen vinden samen,' zei Laura.

James glimlachte. 'Voor Becky is dit het hoogtepunt van de dag. Ze mist haar vriendinnetjes altijd verschrikkelijk als ze hier is.' Hij keek over de lage planken heen. 'O jee. Wacht even. Ze zijn naar buiten gegaan, naar mijn auto.'

James maakte aanstalten om naar buiten te lopen, maar precies op dat moment kwamen de twee meisjes weer naar binnen stormen. 'Hé papa!' riep Becky. 'Weet je? Mikey heeft echt alles onder gekotst!'

'Sst, sst, niet zo schreeuwen,' zei James, en hij pakte haar bij haar schouder.

'Hij heeft alles ondergespuugd! Je hele auto zit onder.'

'Nee hè,' zei James. 'Luister, ga maar tegen de man achter de toonbank zeggen dat we niet meer kunnen wachten op de lasagne. Zeg hem dat het me spijt.'

Ineens dook Laura naast hem op. Ik help je wel even.' Ze trok een stapel servetjes uit de houder op een van de tafeltjes. 'Morgana, Becky en jij gaan in de wc een paar papieren doekjes voor ons halen.'

Becky had niet overdreven. Mikey had over zijn kleren gespuugd, over de middenconsole, de versnellingspook en de stoel ernaast.

'Hé, jochie, gaat het wel?' vroeg James en stak zijn hand naar binnen om door zijn zoons haar te woelen, wat zo ongeveer het enige lichaamsdeel was dat hij niet had ondergespuugd.

'Sorry, papa,' zei Mikey kleintjes.

'Kan gebeuren, jongen. Als jij je maar iets beter voelt.' James stond daar in de frisse oktoberschemering en werd beslist niet vrolijk van het vooruitzicht om Mikey en de auto schoon te moeten maken met een handvol papieren servetjes.

Laura legde een hand op zijn arm. 'Als we nou eens de ergste rommel opruimen zodat jij met Mikey naar huis kunt gaan? Becky kan wel in mijn auto, dan rijden we achter je aan. Dat lijkt mij het makkelijkst.'

James wist dat het een slecht idee was. Terwijl hij naar huis reed, probeerde hij zichzelf voor te houden dat het niet in strijd was met de regels om Laura dit te laten doen. Het was ontzettend belangrijk dat hij dit keer geen fouten maakte. Goed afgebakende grenzen naar patiënten toe betekende: geen enkele persoonlijke relatie met hen. Maar dit was wel echt een heel vervelende situatie. Ze wilde hem gewoon een handje helpen, zoals ieder fatsoenlijk mens zou doen. Bovendien... als hij heel eerlijk was, moest James toegeven dat hij haar intrigerend vond. Ze droeg haar roem en alles wat ze had bereikt zo luchtig alsof het niet echt was, alsof ook dat alleen maar fictie was, en toch had Laura zelf ook iets bedrieglijks, zoals ze aan de ene kant zo vriendelijk, bezorgd en behulpzaam kon zijn in deze situatie met Mikey, en tegelijkertijd James' verzoeken ontweek om te komen praten over haar eigen zoon.

5

Toen ze bij het appartement aankwamen, gingen de twee meisjes er samen vrolijk vandoor, Becky opgewonden ratelend over een speelgoedpaard dat ze Morgana wilde laten zien. Laura tilde Mikey uit de auto en nam hem mee naar binnen terwijl James op zoek ging naar schoonmaakspullen en oude lappen uit de doos achter in de garage. Tegen de tijd dat hij het appartement weer binnenkwam, had Laura het bad al laten vollopen en was ze Mikey aan het wassen alsof het de gewoonste zaak van de wereld was om in een vreemd huis een kind in bad te stoppen dat ze nog nooit eerder had gezien.

Op dat punt nam James het van haar over. Toen Mikey eindelijk schoon was en lekker in bed lag, ging hij terug naar de woonkamer, waar hij Laura neuzend in de boekenkast aantrof, de handen diep in de zakken van haar spijkerbroek. Hij werd overvallen door gêne. Hoewel hij bijna al haar boeken bezat, stonden ze allemaal in zijn kantoortje, want de enige reden dat hij ze had gekocht, was dat de mensen die in de praktijk kwamen, konden zien dat hij ze had. De romans op deze planken waren de boeken die hij daadwerkelijk las – Terry Pratchett, Tom Clancy, Stephen King – ontspannende, pretentieloze verhalen die je op het toilet kon laten liggen of per ongeluk in bad kon laten vallen.

'Dat is mijn lichte kost,' zei hij schaapachtig.

Ze glimlachte raadselachtig.

'Jouw boeken heb ik *ook*,' voegde hij er haastig aan toe. 'Maar die staan momenteel op kantoor. Ik ben altijd met boeken aan het slepen.'

Haar glimlach ging over in een grijns en ze keek hem aan. 'Betekent dat ook dat je er daadwerkelijk een hebt gelezen?'

James voelde dat hij een kleur kreeg. Er viel een ongemakkelijke stilte en toen bekende hij: 'Ik wou dat ik ja kon zeggen. Ik ben het wel van *plan*. Ik heb het alleen razend druk gehad sinds ik hierheen ben verhuisd.'

'Je bent in elk geval eerlijk.'

In een wanhopige poging om het gesprek op een ander onderwerp te brengen dan zijn gênante gebrek aan intellectueel leesvoer, zei James: 'Heb je zin in een kop koffie? Dan kunnen we daarna proberen de meisjes van elkaar los te weken.'

Laura volgde hem naar de keuken. Met de handen nog steeds diep in haar zakken gestoken, slenterde ze de keuken rond, het vertrek met dezelfde aandacht in zich opnemend als waarmee ze zijn boekenkast had bekeken. De manier waarop ze de kamer rond liep om alles te inspecteren deed James aan Conor denken.

Dat vestigde James' aandacht op het feit dat Laura haar zoon nog helemaal niet ter sprake had gebracht. Normaal gesproken stortten ouders die hij buiten de praktijk tegen het lijf liep zich boven op hem, om gretig te informeren naar de stand van zaken, om te vertellen over de vorderingen van hun kind of om gratis advies los te peuteren. James was uiteraard dankbaar dat ze niets van dit alles had gedaan, aangezien het ongepast zou zijn om een zaak buiten de privacy van de praktijk te bespreken, maar het was toch merkwaardig dat ze Conor niet eens ter sprake bracht, zelfs niet zijdelings.

James nam de koffie mee naar de tafel en ging zitten. 'Ik heb al een hele tijd de hoop je in de praktijk te zien,' zei hij.

Laura negeerde zijn opmerking. Ze bracht de kop koffie naar haar lippen en nipte ervan. 'Mmm. Lekkere koffie. Smaakt als New Yorkse koffie.'

'Zal ik Dulcie vragen je deze week te bellen om een afspraak te maken?' vroeg James.

Laura fronste haar voorhoofd terwijl ze in de mok met de stomende vloeistof keek. Er viel een stilte, en er verstreken een aantal seconden zonder enige reactie. 'Ik moet bekennen dat dat concept me niet echt aanspreekt,' zei ze ten slotte.

'Welk concept?'

'Therapie.'

'Waarom niet?' vroeg James.

Laura leunde naar voren op haar onderarmen, zette haar mok op tafel en staarde erin alsof daar het antwoord te vinden was.

Uiteindelijk keek ze glimlachend naar hem op. 'Omdat iedereen zijn eigen realiteit heeft.'

Dat was een onverwacht antwoord. James trok een wenkbrauw op.

'Therapie, zo zie ik het tenminste, gaat uit van de veronderstelling dat "normaal" bestaat en dat mijn percepties, wat die ook mogen zijn, daarmee op één lijn moeten worden gebracht,' zei ze. 'Terwijl ik van mening ben dat er geen "echte wereld" *bestaat*. Geen absolute realiteit. Alles is subjectief. Dus waarom zou ik accepteren wat volgens jou de realiteit is?'

'Dat is een interessant standpunt,' zei James. 'Ik krijg de indruk dat je bang bent dat jouw perspectief niet serieus genomen zal worden, of veroordeeld als zijnde minder goed of minder acceptabel dan andere perspectieven. Misschien denk je dat een therapeut zal proberen percepties te veranderen die naar jouw gevoel niet verkeerd zijn.' Hij glimlachte naar haar. 'Maar dat is niet wat therapie is. Het gaat erom dingen te repareren die niet goed werken. Net als wanneer je auto het begeeft. Dan ga je ermee naar de garage en laat je hem repareren door een monteur. Je verwacht dan niet dat hij dingen gaat doen die je niet gedaan wilde hebben, of dat hij de auto naar eigen inzicht verandert en hem vervolgens niet meer aan je teruggeeft. Je verwacht van hem dat hij simpelweg uitzoekt wat er mis is en dit vervolgens repareert zodat jij weer plezier hebt van je auto. Voor therapie geldt precies hetzelfde, alleen werk ik met mensen en niet met auto's. Jouw relatie met Conor werkt niet goed meer. Daarom heb je Conor bij mij gebracht, om te zien of ik dat kan repareren. En omdat er bij relaties tussen mensen altijd meer dan één persoon betrokken is, is het noodzakelijk dat ik alle betrokkenen zie om mijn werk goed te kunnen doen. Ik zal nooit iemand iets laten denken of doen wat hij of zij niet wil. Ik probeer alleen datgene te repareren wat kapot is.'

Haar wangen werden rood. Ze boog haar hoofd, en James zag dat er tranen in haar ogen opwelden. Hij leunde nonchalant achterover om wat van de opgebouwde spanning weg te nemen, want dit was hier de tijd noch de plaats voor. Hij was dan ook erg opgelucht dat de meisjes al die tijd op Becky's kamer waren blijven spelen.

'Sorry,' mompelde Laura. 'Zo ver had ik het niet willen laten komen.'

'Het geeft niet.'

'Ik geloof dat het de opmerking was over "de relatie die niet goed meer werkt".' Opnieuw kwamen de tranen. 'Sorry.'

'Het geeft niet.'

'Het is alleen... nou ja... "een relatie die niet meer werkt" is een beetje een understatement,' zei ze vermoeid. 'Want het is niet alleen Conor...'

James wist dat hij haar daar, op dat punt, moest tegenhouden. De enige juiste plaats voor dit gesprek was in de praktijk. Hier, aan zijn eigen keukentafel, terwijl de meisjes in de kamer ernaast zaten te spelen en elk moment binnen konden stormen, was het zeer beslist niet de juiste plek om het gesprek de kant uit te sturen die het nu op ging. Maar James bespeurde een zeldzame zwakke plek in Laura's pantser, en als hij iets had geleerd van die hele tragedie in New York, was het wel dat er soms momenten waren waarop je je niet aan de regels moest houden. Dus vroeg hij: 'Wat is er gebeurd?'

'Alan is bij me weg.'

'Het spijt me dat te horen.'

'Ik ben er kapot van,' zei ze, met verstikte stem.

'Hoe is dat nou ineens zo gekomen?' vroeg James.

'We hadden een stompzinnige ruzie. Over een grasmaaier nota bene.'

James glimlachte meelevend. 'Dat moet heel akelig zijn geweest.'

'Het was zo stompzinnig. Al was in de stad geweest en had een grasmaaier op de kop getikt in de uitverkoop. Het was echt een koopje, maar het was een vreselijk groot en log ding, en niet volautomatisch. Ik ben degene die de tuin onderhoudt, dus ik ben degene die de grasmaaier gebruikt. Ik zou dat gevaarte niet eens kunnen duwen. Dus ik zei dat hij hem terug moest brengen naar de winkel.

Al weigerde pertinent. We hebben een heel rare relatie als het om geld gaat. Dat is altijd zo geweest. En dat is waar dit over ging. Hij had ervoor betaald, dus hij was niet van plan om hem terug te brengen, want dan zou het zijn alsof ik had gezegd dat hij zijn geld aan de verkeerde dingen uitgaf. Vervolgens escaleerde het, want ik wilde niet opgezadeld worden met zo'n waardeloos apparaat en hij wilde het niet terugbrengen naar de winkel. Dus uiteindelijk zei ik gewoon, oké, ik breng hem zélf wel terug naar de winkel. Ik liep de deur uit en stapte in de pick-up, want de grasmaaier lag nog steeds in de bak, en ik reed ermee naar de stad.

Dat is niks voor mij,' zei ze, en ze zocht James' blik. 'Normaal gesproken zoek ik de confrontatie niet op. Nog voordat ik in de stad was, had ik al spijt dat ik er zo'n stampij over had gemaakt. Ik was al bijna weer omgekeerd...' Haar stem stokte. 'Maar dat deed ik niet. Ik had dat hele eind nu toch al gereden, dus ik vond dat ik er net zo goed van kon profiteren. Ik ben naar de supermarkt gegaan. Toen ik terugkwam op de ranch, was hij weg. En uiteraard had hij de kinderen meegenomen.'

Laura liet haar schouders hangen. Ze slaakte een lange, diepe zucht. 'Dat was het zwartste moment uit mijn leven.' Opnieuw glinsterden er tranen in haar ogen. 'Het huis binnen gaan en tot de ontdekking komen dat het leeg was, het besef dat ze weg waren.'

'Wanneer is dit gebeurd?' vroeg James.

'Afgelopen vrijdag. Alan is intussen wel teruggekomen. Hij is alleen het weekend weggebleven. Heeft de kinderen meegenomen naar zijn moeder. Maar het heeft me wel doen inzien dat ik iets moet doen. We balanceren op de rand van de afgrond.' Ze wachtte even en keek naar James. 'Ik geloof dat ik dit misschien toch maar moet doen met jou. Misschien kom ik wel in therapie.'

'Grasmaaier?' zei Alan ongelovig. 'Laura denkt dat dit allemaal over een grasmaaier ging? Ze denkt dat ik ergens anders ben gaan wonen vanwege een kloterige *grasmaaier*?' Achteroverleunend tegen de bank, schudde hij zijn hoofd. 'Nou, een beter voorbeeld van waarom we naar de verdommenis gaan, kun je niet krijgen: Laura leeft in een andere wereld. Het ontgaat haar volledig wat er in deze wereld allemaal gebeurt.'

'Je wilt zeggen dat Laura wel vaker dingen verkeerd interpreteert?' vroeg James nieuwsgierig. Van een goede auteur zou je toch juist een buitengewoon inzicht en interpretatievermogen verwachten?

'Het is geen kwestie van "verkeerd interpreteren". Dat doet Laura niet. Het is meer dat ze haar eigen versie van de wereld heeft. Dingen zijn niet "waar" en "niet waar" voor Laura. Niet zoals dat voor de meesten van ons het geval is.' Alan zweeg even en boog zijn hoofd, in gedachten verzonken. 'Hoe moet ik dat nou uitleggen? Ik wil niet dat het overkomt alsof ze een soort pathologische leugenaar is, want zo zwart-wit is het niet. Liegen betekent dat er ergens een waarheid moet bestaan, terwijl je weet dat jij die niet uitspreekt. Voor Laura is het allemaal veel rekbaarder dan dat. Bijna alsof er geen waarheid bestaat en ze die dus al doende maar zelf creëert.'

Zoals een verhalenverteller doet, dacht James bij zichzelf.

'In het begin was dat de reden waarom ik zo gek op haar was,' zei Alan. 'Ik bedoel, als je een poosje met Laura optrekt, besef je al snel dat ze niet is zoals andere mensen. Ze heeft een heel merkwaardige, unieke manier van denken, niet iets wat je met puur intellect kunt bereiken. Creatieve mensen hebben een soort gedrevenheid over zich, vind je niet? Als kind uit een familie van bankiers en accountants, bewonderde ik dat. Misschien identificeerde ik me er zelfs een beetje mee, want ik denk dat de problemen waar ik in mijn jeugd tegenaan liep, voortvloeiden uit het feit dat ik een beetje een vrijdenker was. Niet zoals Laura natuurlijk, maar voldoende om te weten dat er meer moest zijn dan alleen maar geld verdienen. En ik kickte op het idee dat *zij* graag bij *mij* wilde zijn. In zekere zin is dat waar zij omgekeerd voor viel. Ze wilde *gewoon*. Dat heeft ze me zelfs een keer verteld. Dat ik "echt" was voor haar. Ik was haar rots in de branding...

Maar dat grillige kan me nu niet meer bekoren. Het is verdomme keihard werken. Ik voel me de laatste tijd net zo'n deelnemer aan een spelprogramma, die moet raden wat zich achter het gordijn bevindt. Weet je wat ik bedoel? Gokken tussen dit of dat en dan win je de prijs. Maar als het gordijn opengaat, zit er weer een ander gordijn achter. Of een doos die je open moet maken. En daarin zit weer een andere doos. Niets is wat het lijkt. Alles verbergt weer iets anders. Ik heb de echte Laura nooit gevonden. Sterker nog, ik weet niet eens of ze wel bestaat.

Ik ben het helemaal zat. Al het liegen en ontwijken. Je vraagt haar iets en dan vertelt ze je het verhaal dat ze op dat moment in haar hoofd heeft. En daar is ze steengoed in. Je weet nooit of het de waarheid is of niet.'

Uiteindelijk keek Alan James aan. 'Je wilt de ware reden weten waarom ik ben weggegaan. Het had helemaal niets met grasmaaiers te maken. Zal ik je vertellen wat er is gebeurd?'

'Ja, graag,' zei James.

'Onze dochter, Morgana, is zes. Ze had vrijdag na schooltijd naar een of ander kinderfeestje zullen gaan. Ze was helemaal door het dolle heen, want ze wordt niet zo vaak gevraagd voor feestjes. Ik geloof dat Morgana best goed met andere kinderen op kan schieten, maar ze speelt veel alleen. Voornamelijk gewoon omdat we zo ver van de bewoonde wereld wonen. Maar goed, dit was dus bijzonder. Morgana bleef maar doorratelen over wat ze voor cadeautje voor dat meisje wilde kopen enzo. Ze praatte nergens anders meer over.

De dag van het feestje was toevallig dezelfde dag dat Laura haar woedeaanval kreeg over die grasmaaier. Ik was het helemaal zat en ik wilde niet thuis zijn als ze terugkwam. Aangezien we toch al hadden afgesproken dat ik Morgana zou ophalen van het feestje, besloot ik wat eerder naar de stad te gaan. Ik zette Conor in de auto en was van plan om samen met hem naar de autowasstraat te gaan. Dat vindt hij leuk.

Maar goed, er bleken wegwerkzaamheden te zijn in de hoofdstraat, dus ik nam een andere weg, die om het park heen voert. Ik rijd langs het park en wie zie ik daar? Morgana, helemaal alleen aan het spelen.

Ik dacht: wat krijgen we *nou*? Ik trapte op de rem, sprong uit de auto en greep haar in haar kraag. Ik zei: "Wat doe jij hier?" Ze begon meteen te huilen – te brullen – en ik was zo blij dat het lot me langs die weg had gevoerd.

Morgana was zo overstuur dat ze me niet goed kon uitleggen wat er was gebeurd. Het enige wat ik kon verzinnen, was dat degene die de leiding had gehad over het bewuste kinderfeestje, de kinderen mee naar het park had genomen en vervolgens niet goed had geteld toen ze weggingen. Dit maakte me razend, dus ik ben meteen naar hun huis gereden.

Ik stond aan de deur te rammelen en riep: "Hoe haal je het in godsnaam in je hoofd om een kind van zes alleen achter te laten in het park?" en de moeder van het meisje keek me aan alsof ik niet goed bij mijn hoofd was. Ze zegt: "Caitlin geeft helemaal geen feestje vandaag. Ze is in augustus jarig."'

Verslagen liet Alan zijn schouders hangen. 'Nou ja, toen kwam dus de aap uit de mouw.' Hij keek James aan. 'Morgana bleek alles verzonnen te hebben. Ze wilde zo wanhopig graag in haar eentje in het park spelen, want dat deden de stadskinderen ook. Ze had haar nieuwe kleren naar school aan gewild, maar Laura had tegen haar gezegd dat dat niet mocht, dat die voor speciale gelegenheden waren, zoals een verjaarsfeestje. En de set markeerstiften die we nota bene hadden gekocht als cadeautje voor dat meisje, was iets wat Morgana heel graag zelf wilde hebben. Dus had ze dit hele scenario van een kinderfeestje in elkaar gedraaid, *en we waren er nog ingetuind ook*. We hebben het hier verdomme over een kind van zes.

Er knapte gewoon iets in mij toen Morgana me dat vertelde. Ik dacht, moet je nou zien, amper zes jaar, en nu al haar moeder achterna. Diezelfde ik-heb-overal-schijt-aan houding ten opzichte van de waarheid. Alsof je de waarheid maar gewoon al doende kunt verzinnen, en alsof die dan net zo goed echt is. Ik dacht, shit, dit is verdomme de toekomst. Morgana wordt een tweede Laura. Dus aangezien Conor toch al bij me in de auto zat, ben ik er gewoon vandoor gegaan. Ik dacht bij mezelf, ik laat dit *niet* gebeuren. Ik laat Laura niet allebei deze kinderen verzieken. Dus ik ben niet naar huis gegaan. Ik ben met de kinderen naar mijn moeder gegaan in Gillette.'

Alan haalde diep adem en blies langzaam uit. 'Het probleem is, dat het maar een gebaar was. Ik kan de ranch niet achterlaten. Niet echt. Het is *mijn* ranch. Ik heb daar te veel verantwoordelijkheden om zomaar de deur achter me dicht te kunnen trekken. Bovendien, daarmee zou ik de kinderen te veel verdriet doen. Laura en ik moeten dit als volwassenen zien op te lossen. Maar het was een gebaar dat ik wel moest maken, omdat ze nu eindelijk in de gaten heeft dat het verdomme menens is. Er moeten dingen veranderen, anders haal ik Conor en Morgana *echt* bij haar weg.'

6

Gekleed in een spijkerbroek en gymschoenen, haar handen diep weggestopt in de zakken van een veel te groot grijs vest, zag Laura eruit alsof ze rechtstreeks uit de sportschool kwam toen ze voor haar eerste sessie arriveerde.

'Kom binnen,' zei James, die blij was dat ze zich aan haar belofte om te komen had gehouden.

Net als de vorige keer, meed Laura het met zorg ingerichte conversatiecentrum en gaf ze de voorkeur aan de stoel naast zijn bureau. Ze ging zitten, hield haar handen in de zakken van het openhangende vest en sloeg haar armen over elkaar om het vest dicht om zich heen te trekken, alsof het fris was in de kamer. Wat een contrast, dacht James, met de vrouw die hij tegen het lijf was gelopen bij de Italiaanse winkel.

'Hoe is het met je kinderen?' vroeg ze. 'Is Mikey op tijd opgeknapt om nog van de logeerpartij te kunnen genieten?'

'Ja hoor, ze maken het allebei uitstekend, dank je. De volgende dag was hij weer de gebruikelijke wervelwind,' zei James met een glimlach.

'Zijn ze weer veilig in New York aangekomen? Het is een lange reis voor zulke kleintjes.'

'Het zijn twee kleine avonturiers. Ze vinden het reuze spannend om alleen op reis te gaan, en ze genieten van alle aandacht die ze krijgen van het luchtvaartpersoneel.'

Laura wikkelde het vest nog strakker om zich heen. 'Ik ben erg zenuwachtig,' zei ze ten slotte, en ze glimlachte verontschuldigend.

'Waarom dan?' vroeg hij vriendelijk.

Ze haalde nauwelijks merkbaar haar schouders op. 'Ik weet het niet. Waarschijnlijk omdat Alan al geweest is. Je hebt zijn versie van alles al gehoord. Ik ben bang dat ik in het nadeel ben.'

'Ik ben hier niet om partij te kiezen,' reageerde James. 'Weet je nog wat ik vorige week heb gezegd toen je bij mij thuis was? Dat het alleen maar de bedoeling is om de boel weer draaiende te krijgen? Dat is de waarheid. Ik ben hier niet om over jullie te oordelen. Dat dient geen enkel doel. Ik ben er puur om te zorgen dat Alan, Conor en jij de boel op een rijtje kunnen zetten.'

'Ja,' zei ze, maar ze klonk niet overtuigd.

Er verstreek een moment in stilte. Laura keek de kamer rond. Uiteindelijk zocht ze heel even oogcontact met hem. 'Waar moet ik over vertellen? Conor? Alan?'

'Hier ben jij de baas. Jij beslist hoe de sessie verloopt.'

'Als ik dat echt mocht beslissen, zou ik beslissen dat ik hier nu niet was,' zei ze grijnzend.

'Die keuze heb je ook. Als je weg wilt, kan dat. Hier ben jij echt de baas. Dat vind ik heel belangrijk.'

James kon aan haar gezichtsuitdrukking zien dat het nog niet eerder bij haar was opgekomen dat ze daadwerkelijk vrij was om op te staan en weg te gaan. Nu leek ze nog veel minder op haar gemak.

'Je voelt je niet echt op je gemak,' zei hij om haar een opening te geven voor een gesprek.

'Nee.'

Er verstreken weer enkele ogenblikken in stilte.

'Ik wou dat het natuurlijker voelde, dit. Zoals die avond bij jou thuis. Ik bedoel, ik *kan* wel praten.' Ze lachte onzeker. 'Maar in dit soort situaties ben ik gewoon mezelf niet.'

'Dat geeft niet,' zei hij kalm. 'Maak je er maar niet druk over.'

Het werd stil in de kamer. Ze zat te staren naar haar handen, die boven op elkaar op haar schoot rustten. Ze zaten nog steeds in de zakken van het vest, dus staarde ze naar de grijze joggingstof.

'Wat dit zo moeilijk maakt...' begon ze aarzelend, 'is... dat voordat we het over Conor of Alan kunnen hebben, ik je nog iets anders wil vertellen. Want het is bepalend geweest voor mijn hele leven... en daarom moet je het weten als je wilt begrijpen wat er nu aan de hand is. Maar ik weet niet zo goed waar ik moet beginnen met vertellen.'

'Dat geeft niet,' zei James. 'Neem je tijd. Jij bepaalt het tempo. We hebben geen haast.'

'Het is gewoon, nou ja, dat ik het eigenlijk nog nooit aan iemand heb verteld.' Ze fronste. 'Nee, dat is niet waar. Sterker nog, ik heb het aan een heleboel mensen verteld. Maar nooit in een context als deze. Nooit op een manier die recht deed aan de plek die het inneemt in mijn leven. Nooit waarheidsgetrouw, van het begin tot het eind.' Ze haalde verontschuldigend haar schouders op. 'Dat is wat me er al die tijd van heeft weerhouden om hier te komen. Ik kan gewoon geen manier verzinnen om erover te beginnen zonder dat het klinkt alsof ik gek ben. Aan de andere kant weet ik dat het moet. Want wat als ik Alan echt kwijtraak? Of Morgana? Of Conor? Dat mag niet gebeuren. Dus moet ik beginnen met jou te vertellen over dit ene, want anders is de rest volstrekt onbegrijpelijk.'

James knikte.

Er heerste totale stilte, zo volledig dat de subtiele geluiden uit de wachtkamer de kamer binnenstroomden als een opkomend tij.

Uiteindelijk haalde Laura diep adem en blies traag en afgemeten uit. 'Het begint in de zomer dat ik zeven was. In mijn geboorteplaats, ten westen van hier, in de Black Hills. In juni. Vroeg in de avond, zo rond een uur of zeven. Ik liep in mijn eentje over een zandpaadje dat van het eind van onze straat, Kenally Street, over een braakliggend stuk land liep dat aan het meer lag, en daar vandaan door tot aan de volgende straat, Arnott Street. Het was gewoon zo'n paadje dat kinderen gebruiken over een braakliggend terrein dat toebehoorde aan een oude man, Mr. Adler. Je kent het type wel. We gebruikten het pad als snellere route naar school en om naar de pier aan het eind van Arnott Street te gaan.

Hoe het ook zij, op de avond in kwestie had het 's middags flink geonweerd. Toen de wolken uiteindelijk waren opgelost, hing de zon pal boven een lage, bultige berg die door iedereen het suikerbrood werd genoemd. Ik liep in het directe zonlicht en ik weet nog dat ik opkeek en me afvroeg hoe het kon dat je, zonder dat het pijn doet aan je ogen, recht in de zon kunt kijken als hij zo laag aan de hemel staat.

Op dat moment zag ik rechts van me iets bewegen vanuit mijn ooghoeken, en ik bleef staan, draaide mijn hoofd en merkte dat ik nog zonneblind was. Een paar tellen lang kon ik niet scherp zien, maar toen mijn zicht terugkeerde, zag ik een vrouw staan.'

Laura wachtte even en haalde diep adem.

'Ik had nog nooit zo iemand gezien. Zelfs niet in mijn dromen. Ze was ergens in de twintig, lang, met brede, grove gelaatstrekken en een grauwe huid. Haar haar was zwart als houtskool, dik en heel erg steil. Het hing los tot even over haar schouders. Dat trok onmiddellijk mijn aandacht, want het was begin jaren zestig, nog voor de flowerpower-generatie, dus vrouwen droegen hun haar kort à la Doris Day of wijd uitstaand zoals Jackie Kennedy. Als hun haar langer was, droegen ze het opgestoken in een wrong of een knotje. Ik had nog nooit een volwassen vrouw gezien met los haar waar geen enkel model in zat.

Wat ook opmerkelijk aan haar was, waren haar spieren. Ze was vrij slank, maar ze had stevige, geprononceerde spieren. Ik weet nog dat ik bij mezelf dacht dat als ik mijn hand uit zou steken om haar aan te raken, haar vlees hard zou voelen als dat van mijn broer, niet zacht en week als dat van ma.

Wat echter het meest kenmerkende aan haar was, meer nog dan al het andere, waren haar ogen. Die waren diepliggend, onder borstelige, donkere wenkbrauwen, en ze hadden een heel bijzondere kleur. Heel lichtgrijs met aan de randen van de iris een zweem van geel, als de ogen van een wolf.

Al haar kleren waren roomwit. Het bovenstuk was wijd en bloezend, met op de voorkant en de manchetten een ingewikkeld borduursel, maar het borduurwerk was wit op wit, dus je kon niet goed zien wat het moest voorstellen zonder het van dichtbij te bekijken. Haar broek was zoals die wijde shorts die jongens tegenwoordig dragen, tot net over de knie, maar dan gemaakt van hetzelfde geweven materiaal als het bovenstuk. Aan haar voeten droeg ze Romeins aandoende sandalen, met zo'n bandje dat kruislings wordt vastgemaakt om de enkels.

Ik weet nog dat ik haar aan stond te staren omdat ze er zo vreemd uitzag. En omdat ze op een ruige manier werkelijk ontzettend mooi was. Ze staarde onverschrokken terug. Niet discreet, zoals volwassenen over het algemeen kijken naar mensen die ze interessant vinden. Ze *staarde* echt. Zoals kleine kinderen naar elkaar staren. Haar gezicht had een verwilderde uitdrukking, alsof ze net zo overrompeld was door het feit mij daar over het pad over Adlers land te zien lopen als andersom.

Dat moment van staren leek voor mijn gevoel eeuwig te duren. We stonden daar maar, gevangen in elkaars blik. Ik was helemaal niet bang voor haar. Sterker nog, ik voelde eerder een soort voorzichtige opwinding.

Ten slotte draaide ze zich om en begon naar de hoek van het terrein te lopen. Er was daar geen uitgang naar de straat. Alleen een oude, verwilderde seringenhaag. De seringen waren hoog en slecht onderhouden en je kon er niet doorheen komen. Ik heb me geen seconde afgevraagd waarom ze die kant uit ging. Het enige wat ik wist, was dat ze ervandoor ging, en dat wilde ik niet laten gebeuren. Ik moest haar achterna. Dus dat heb ik gedaan.'

Laura stopte met praten.

James trok zijn wenkbrauwen op. 'En?'

'Mijn volgende herinnering is dat ik door mijn pleegbroer werd bekogeld met wilde appels. Toen ik om me heen keek, zag ik dat ik in het steegje stond aan het andere eind van het pad. Bij het hek naar onze achtertuin. Dat was meer dan een half blok bij de plek vandaan waar ik de vrouw had gezien.

Ik weet nog dat ik omlaag keek en het kniehoge onkruid in het steegje zag staan, de kleur ervan. Het had die lichtgele kleur die alles krijgt als het wordt geblakerd in de zomerzon, en eronder zag ik harde, gebarsten aarde. Heel even vroeg ik me af of die vrouw me daarheen had getoverd, want het was een heel eind bij het pad over het braakliggende terrein vandaan. Ik was zeven en nog steeds hoopvol als het ging om dingen als feeën en magie. Maar ik was geen onnozel kind. Ik denk dat ik toen al wel wist dat dat soort dingen niet echt bestaan. Ik had ook voldoende ervaring met mijn eigen verbeelding om te weten dat die wel degelijk bestond. Het zou niet de eerste keer zijn dat ik me zo had laten meeslepen door mijn fantasie dat ik niet meer in de gaten had waar ik was, en uiteindelijk ergens anders was beland.'

'Dus je wist dat de ontmoeting met deze vrouw alleen in je verbeelding had plaatsgevonden?' vroeg James.

'O ja. Absoluut. Ik heb het niet over buitenaardse wezens of het paranormale of zo. Ik heb me haar verbeeld. Al zag ze er nog zo levensecht uit op het landje van Adler, ik wist zelfs toen al dat als ik mijn hand had uitgestoken, ik haar nooit had kunnen aanraken. Ik wist dat ze vanuit mijn binnenste was gekomen.'

'Wat denk je dan dat er met je is gebeurd in de periode tussen het moment dat je haar zag en het moment dat je ineens bij het hek van jullie achtertuin stond?' vroeg James.

'Simpel. Ik ben haar achterna gegaan. Ik heb die avond een andere wereld betreden,' zei Laura zacht. 'Een wereld in mijn hoofd. Nergens anders, en dat wist ik. Maar het was desalniettemin een andere wereld, en ondanks het feit dat hij slechts in mijn hoofd zat, niet minder echt. Ik heb het met immense helderheid ervaren. Net zo levendig en kleurrijk als ik deze kamer hier om ons heen op dit moment ervaar.'

Ze keek James rechtstreeks aan. 'Klinkt dat gek?'

James glimlachte vriendelijk. 'Nee, niet gek. Veel kinderen zijn begiftigd met een verbluffende verbeelding en kunnen de meest gedetailleerde fantasieën creëren.'

'Verbluffend was het zeker. Maar het bleek veel meer te zijn dan een kinderfantasie, want het stopte niet in mijn jeugd. Daarom vind ik het zo moeilijk om erover te praten. Omdat het in zekere zin *wel degelijk* gek is, en dat weet ik heel goed.' Ze keek even aandachtig naar haar vingers. 'Maar ik moet je er over vertellen. Want die avond op het pad door Adlers landje is van invloed geweest op alles wat ik sindsdien heb meegemaakt.'

Dit was totaal niet wat James had verwacht. Gefascineerd boog hij zich naar haar toe. 'Fantasie is vaak een afspiegeling van ons leven, van behoeften die niet worden vervuld, van verlangens die we hebben,' zei hij. 'Ik zou het heel interessant vinden om te horen hoe je jeugd er op dat moment uitzag.'

Laura was een ogenblik in gedachten verzonken. 'De meeste mensen menen onmiddellijk te weten wat voor jeugd ik heb gehad als ze horen dat ik een pleegkind was,' zei ze uiteindelijk. 'Ze veronderstellen dat het chaotisch en vol traumatische gebeurtenissen moet zijn geweest. De waarheid is echter dat het over het algemeen een heel fijne jeugd was. Ik was gelukkig.

Ik heb maar bij één gezin gewoond. Ik was al bij hen sinds ik een paar weken oud was, dus het heeft altijd echt gevoeld als *mijn* familie. Mijn pleegouders hadden zelf vier zoons, allemaal ouder dan ik, dus ik was de dochter die ze nooit gekregen hadden, en ik voelde me enorm gekoesterd. Mecks heetten ze. Ik noemde hen pa en ma, en ze behandelden me altijd alsof ik hun eigen kind was. Er werd oprecht van me gehouden, en dat wist ik ook.'

'Hoe was je in een pleeggezin terechtgekomen?' vroeg James.

'Mijn moeder kreeg een embolie en stierf nog geen twee dagen na mijn geboorte. Ik was sowieso een beetje een ongelukje, aangezien mijn twee broers acht en tien jaar ouder zijn dan ik. In die tijd waren mannen niet bepaald huishoudelijk. Mijn vader had het gevoel dat hij wel overweg kon met twee schoolgaande jongens, maar niet met een pasgeboren baby. Dus ik ben al heel snel bij de familie Mecks in huis gekomen.'

Laura keek peinzend. 'In vele opzichten was het een idyllisch leven voor een kind met een rijke verbeelding. Ik was in wezen het jongste kind, hetgeen betekende dat ik een beetje verwend was, altijd mijn zin kreeg, en nauwelijks verwachtingen waar hoefde te maken. Bovendien groeide ik op in een fantastische omgeving. De familie Mecks had een gigantisch, oud huis van rond de eeuwwisseling, met een grote trap in de hal en een trapleuning waar je vanaf kon glijden, zoals kinderen in films altijd doen. Iedereen in het stadje noemde het "het huis aan het meer", omdat het helemaal aan het eind van Kenally Street stond, met de achterkant aan Spearfish Lake. We hadden zelfs ons eigen stukje oever. Als ik er nu aan terugdenk, vermoed ik dat het huis lang niet zo statig was als ik het me herinner. Sterker nog, het was waarschijnlijk ronduit vervallen, want er was overal afbladderende verf, behang met vlekken en krakende vloerplanken. Maar voor een kind was het het paradijs.

Pa had een deel van de zolder omgebouwd tot slaapkamer voor mij, toen ik vijf was. Het was een gigantische, donkere, tochtige ruimte waar het 's zomers snikheet en 's winters steenkoud was – ik kon in driekwart deel ervan niet rechtop staan vanwege het schuine dak – maar voor mij was het de hemel op aarde. Ik was zo'n kind dat altijd dingen aan het maken was, altijd een "project" had. En altijd van alles en nog wat verzamelde. Ik was gek op verzamelen. Stenen, blaadjes, paarden – je weet wel, van die plastic Breyer-paarden die in die tijd zo populair waren – van alles en nog wat. Pa maakte planken onder de balken voor al mijn spullen en een bureau van een oude deur.' Ze grijnsde charmant naar James. 'Het was geweldig.'

'En dan had je ook nog je fantasie,' zei hij.

'God, ja. Dat deed ik het allerliefste – doen alsof. Toen ik zeven was, zat ik in mijn paardenfase. Ik wilde wanhopig graag een echt paard, maar daar was natuurlijk absoluut geen sprake van. Dus ik heb ongeveer twee jaar lang gedaan alsof ik er zelf eentje was. "Vlinder, de slimme pony".' Ze glimlachte. 'Ik droeg altijd een handdoek over mijn schouders als paardendeken.

Op zolder had ik ook een paard voor mezelf "gebouwd" door een kartonnen hoofd en een staart van touw vast te maken aan de huishoudtrap. Dan ging ik schrijlings op de bovenste tree van die trap zitten en deed alsof ik de beste vriendin van Dale Evans was, en dan reden we samen uit om Roy op de prairie te ontmoeten, of we gingen wilde paarden bijeen drijven en op boeven schieten.

Dat is de reden waarom ik Torgon zo bijzonder vond. Hoewel ik totaal niet verbaasd was dat er een vreemde dame uit het niets was opgedoken op het landje van Adler, vond ik het *wel* opmerkelijk dat ze geen paard was!' Laura lachte hartelijk.

'Torgon?'

'Ja, zo noemde ik haar. Meteen vanaf het begin, omdat ik wist dat ze zo heette. Ik vond haar komst zeer veelbelovend. Het gebeurde precies op het moment dat ik altijd speelde dat ik Vlinder de slimme pony was. Een van de paardendingen die ik graag deed, was ongekookte havervlokken eten, en ma was ervan overtuigd dat ik blindedarmontsteking zou krijgen van al dat ongekookte eten. Ik hoorde haar tegen pa zeggen dat ze uitkeek naar de dag dat ik mijn paardenfase zou ontgroeien. Dus ik heb een heerlijke herinnering aan de avond dat ik Torgon voor het eerst had gezien. Ik zat in bad en liet met een washand water langs mijn armen naar beneden glijden, denkend aan wat er was gebeurd. Ik weet nog dat ik me ongelooflijk trots voelde omdat ik Torgon had gezien en niet simpelweg weer een ander paard. Ik wist gewoon dat het betekende dat ik bezig was volwassen te worden!' Ze lachte zo aanstekelijk dat het moeilijk was om niet met haar mee te lachen.

'En je biologische familie?' vroeg James. 'Had je daar contact mee?'

'Jazeker. Mijn vader woonde destijds hier in Rapid City. Elke derde zondag van de maand kwam hij me opzoeken, daar kon je de klok op gelijk zetten. Mijn broers Russell en Grant kwamen altijd mee, dus ondanks het feit dat ik niet bij hen woonde, hadden we best een hechte band met elkaar.

Papa kwam me ophalen bij de familie Mecks, en dan gingen we altijd naar een restaurant aan de snelweg, Wayside, en namen we de specialiteit van het huis, gebraden rosbief, met appeltaart toe. Als het ook maar enigszins mooi weer was, maakten we daarna een rondrit door de Black Hills. Als het slecht weer was, gingen we bowlen.' Laura grinnikte. 'Daarom ben ik een verdomd goede bowler, tot op de dag van vandaag!

Ik leefde voor die zondagen. Mijn vader wist precies hoe je een kind het gevoel moest geven dat ze bijzonder was. Hij was altijd dolblij om me te zien, altijd vol nieuwtjes waarvan hij dacht dat ik ze leuk vond om te horen, en hij bracht steevast een cadeautje voor me mee. Een *goed* cadeau, weet je wel? Niet gewoon een paar potloden of sokken of zo. Meestal was het een nieuw Breyerpaard voor mijn verzameling. Dat betekende zoveel voor me. Ik was werkelijk helemaal bezeten van die paarden. Ze waren behoorlijk prijzig, dus de meeste kinderen hadden er niet zoveel, maar omdat mijn vader me er bijna elke maand eentje gaf, had ik de grootste verzameling van de hele klas. Verder had ik nauwelijks status, maar in dat ene opzicht was ik de beste.

Wat ik natuurlijk het allerliefste wilde, was bij mijn vader en broers wonen. Al was ik nog zo tevreden in het huis aan het meer bij de familie Mecks, het was toch anders dan wat andere kinderen hadden, en anders is een ramp als je klein bent. Ik vond het verschrikkelijk om telkens weer te moeten uitleggen waarom ik niet dezelfde achternaam had als zij, hoe het kwam dat ik bij hen woonde, waarom ik niet bij mijn eigen familie woonde. Dus droomde ik eindeloos van de dag waarop ik herenigd zou worden met mijn eigen familie. Papa vond dit ook een leuk spelletje, het idee dat ik slechts tijdelijk bij de familie Mecks was. Een van de fijnste rituelen van die zondagse bezoekjes bestond eruit dat hij me vertelde dat hij bijna altijd op het punt stond om me mee naar huis te nemen, en dan bespraken we vervolgens hoe het allemaal zou zijn als hij zo ver was. Hij zei altijd dat het over ongeveer zes maanden zo ver zou zijn. Zodra hij een nieuwe baan had of een huis met een tuin had gekocht, *dan* zou hij me komen halen. Of zijn favoriete reden: wanneer hij een nieuwe moeder voor me had. Hij vond het heerlijk om daarover te praten. Bij elk bezoekje trakteerde hij me op verleidelijke verhalen over alle actuele kandidaten en of ik hen zou goed- of afkeuren. Vervolgens maakten we allerlei wilde plannen over wat wij met deze nieuwe moeder zouden gaan doen zodra we met zijn allen bij elkaar waren.

Ik was ongelooflijk onnozel,' zei Laura luchtig. 'Ik heb *nooit* aan hem getwijfeld. Niet één keer. Maand in maand uit, jaar in jaar uit, maakte mijn vader me van alles wijs over waar hij allemaal mee bezig was om me terug te halen, en ik geloofde hem altijd. Ik moet zeker al negen zijn geweest voordat ik me ten volle realiseerde dat "over zes maanden" daadwerkelijk een tijdsaanduiding was en niet zomaar een synoniem voor "ooit".'

'Was je boos toen je daar achter kwam?' vroeg James.

'Nee, niet op dat moment. Hij was zo betrouwbaar in andere opzichten – hij kwam me altijd op de derde zondag van de maand opzoeken, bracht steevast een cadeautje voor me mee, en hij nam me altijd mee voor leuke uitjes. Zelfs toen ik me uiteindelijk realiseerde dat er een heleboel perioden van zes maanden waren verstreken, geloofde ik nog steeds dat hij zijn uiterste best deed om ons te herenigen.'

'En al die tijd had je die denkbeeldige vriendin? Die Torgon waar je me over hebt verteld?' vroeg James.

Laura knikte. 'Jazeker. Dat was nog maar het begin van Torgon en mij.'

7

'Hé, Becks!'

'Papa! Hoi! Weet je? Toen de telefoon ging, *zei* ik al dat jij het zou zijn! Dat heb ik tegen mama gezegd. Oom Joey en zij zouden vanavond met ons gaan schaatsen, maar ik zei tegen haar dat ik thuis wilde blijven omdat ik dacht dat jij misschien zou bellen. En dat was ook zo! Ik heb paranormale krachten, denk je niet?'

'Ja, waarschijnlijk wel, Becks,' zei James, en hij grinnikte. Hij bracht haar maar niet in herinnering dat hij meestal op vrijdagavond belde.

'Bedankt voor dat Ramona Quimby-boek dat je me hebt gestuurd, pap. Dat had ik nog niet. En het is echt super! Ik heb het al bijna helemaal uit, en ik ben er gisteravond pas in begonnen. Ik was zo blij toen ik je pakje openmaakte en zag wat erin zat.'

'En jij bedankt voor je gezellige lange brief vol nieuwtjes,' zei James. 'Ik kreeg hem afgelopen maandag. Wat een leuke verrassing in mijn brievenbus.'

'Hij was zo lang, het leek ook wel een boek van Ramona Quimby, vond je niet?' antwoordde Becky opgewekt. 'Mijn juf zegt dat ik waarschijnlijk schrijfster word als ik groot ben, omdat ik zo goed ben met details.'

'Nou en of. Ik ben dol op je details. En ik vind het fijn om te horen dat je gym ook zo leuk vindt.'

James' woorden werden onderbroken door gedempte geluiden van een worsteling aan de andere kant van de lijn. 'Ga weg!' mopperde Becky. 'Ik ben nog aan het praten!'

'Papa! Papa!' kwam Mikey's stem erdoorheen.

'Hé Mike, hoe gaat-ie?'

'Becky wil me niet aan de telefoon laten, en ik ben nu aan de beurt.'

Nog meer gedempt geworstel en Becky's stem die mopperde: 'Lelijke voordringer. Als je klaar bent, mag ik weer.'

'Heb je de kaart gekregen die ik je heb gestuurd, papa?' vroeg Mikey. 'Er staat een vuurtoren op.'

'Ja, die heb ik gekregen. Dank je wel hoor.'

'Ik heb alles zelf geschreven. Ik heb zelfs je adres erop geschreven.'

'En dat heb je fantastisch gedaan,' zei James. 'Het was heel goed te lezen. De postbode heeft 'm zonder problemen bij me bezorgd.'

'Papa?'

'Ja, Mike?'

'Wanneer mogen we weer bij jou komen? Ik mis je. Ik wil naar je toe.'

'Ja, ik mis jou ook, Mikey. Heel erg. En dat is een van de redenen waarom ik bel. Om te overleggen met mama of jullie naar mij toe kunnen komen met Thanksgiving.'

'Ik wil niet zo lang wachten. Ik mis je nu.'

'Ja, ik weet het. Ik jou ook,' zei James. 'Elke avond zeg ik: "Welterusten, Mikey. Welterusten, Becky" tegen die foto naast mijn bed.'

'Ja, en ik zeg elke avond: "Welterusten, papa" tegen *jouw* foto,' antwoordde Mikey. 'Maar ik wou dat jij het echt was.'

'Geef mama dan maar even aan de lijn, dan kunnen we iets afspreken.'

'Oké, papa. Kusje,' smakte hij in de telefoon. 'Je bent de allerliefste papa.'

'En jij bent de allerliefste Mikey.'

Er viel een korte stilte nadat Mikey de telefoon met veel kabaal op de tafel liet vallen. Toen Sandy's stem, diep voor een vrouwenstem, maar zacht en donker, vloeibaar als stroop.

'Moet je horen, ik heb je mailtje gekregen,' zei ze. 'En ik wil graag precies weten waar je op aanstuurt.'

'Dat lijkt me duidelijk, Sandy. Ik betaal me niet scheel aan de hypotheek voor dat huis zodat Joey er kan wonen, en ik weet dat hij er woont, want dat hebben de kinderen me verteld. Laat Joey die verdomde hypotheek maar betalen.'

'De afspraak was dat jij de hypotheek zou betalen, James.'

'Niet als hij er woont.'

'De afspraak was dat jij de hypotheek zou betalen,' herhaalde ze op korte, afgemeten toon die de betekenis van haar woorden onderstreepte. 'Want *onze* kinderen wonen in dit huis. Dat is nog steeds het geval. Dus waarom begin je nou weer met dit soort flauwekul?'

'Omdat ik een South Dakota-salaris verdien en betaal voor een West Side-villa. Joey is verdomme advocaat. In Manhattan, nota bene. Hij kan heus wel in zijn eigen onderhoud voorzien.'

'Nou, als je denkt dat jij de kinderen kunt krijgen wanneer je maar wilt en vervolgens met de mededeling komt dat je de hypotheek niet gaat betalen...'

'Dit heeft niets te maken met wanneer ik de kinderen krijg. We hebben die data vast laten leggen in het convenant, Sandy.'

'Ja, nou, we hebben de hypotheek ook vast laten leggen in het convenant.'

'*Sandy.*'

Ze smeet met een klap de hoorn op de haak.

'Je moet haar negeren, Jim,' zei Lars. 'Het is net als met voetbal. Als je een goede pass af wilt maken, tja, dan moet je gewoon nergens anders aan denken dan aan die pass. Je moet het andere team totaal negeren, want die doen niets anders dan proberen jou uit je concentratie te halen. Het is hetzelfde met Sandy. Ze wil niet dat jij een pass afmaakt, of het nou gaat om de kinderen met Thanksgiving hierheen te halen, of om tegen die gewiekste advocaat zeggen dat hij als de sodemieter je huis uit moet.'

'Ik weet het,' zei James gefrustreerd, en hij leunde achterover in zijn stoel. 'Maar als ze op dat neerbuigende toontje begint...'

'Het is ruis, James. Niets meer dan dat. Ze is gewoon ruis op de achtergrond. Je moet haar uit je hoofd zetten en aan positieve dingen denken. Aan wat je wilt bereiken.'

'Ze weet precies hoe ze het mes moet ronddraaien,' mompelde James. 'Ze weet dat ze me kan raken via de kinderen.'

'Jim, laat je niet gek maken door die vrouw.'

'Ze maakt dat ik me een stumper voel. Dat haat ik. Ze doet alsof het een vlucht is geweest om hierheen te gaan, terwijl het in feite juist het tegenovergestelde is geweest. Ik ben de confrontatie met mezelf aangegaan, met waar ik de mist in ben gegaan. Ik heb een aantal verkeerde beslissingen genomen en ben een paar keer de verkeerde richting ingeslagen, maar toen ik me dat realiseerde, heb ik actie ondernomen om een beter leven te creëren. Het was alleen niet het leven waarvoor zij dacht te hebben getekend.'

Heel geleidelijk begon Conor meer te praten. Het was moeilijk te zeggen of er enige betekenis in school of dat het simpelweg echolalie was, want het waren grotendeels zinnen die James eerst zelf had gebruikt, maar het werd wel steeds duidelijker dat Conor interactie wilde.

Op een ochtend toen hij arriveerde, zei Conor, terwijl hij in de deuropening van de speelkamer stond: 'Hier ben jij de baas.' Het klonk bijna alsof het een begroeting was.

'Goeiemorgen, Conor. Kom je niet binnen?' antwoordde James.

'Ehhh-ehhh-ehhh-ehhh.'

Conor bleef lange tijd in de deuropening staan. Hij drukte de kat tegen zijn gezicht, wreef ermee over zijn ogen, liet hem vervolgens zakken en wees ermee de kamer rond.

'Hier ben jij de baas,' zei hij nogmaals. 'Hier ga je de kamer rond.' Hij begon aan zijn gebruikelijke rondgang tegen de wijzers van de klok in. Eén, twee, drie keer ging hij de kamer rond.

'Waar is de oeros van de jongen?' zei hij plotseling. 'Hier ben jij de baas.'

'Ja,' zei James. 'In deze kamer mag je zelf beslissen of je met de plastic beesten wilt spelen.'

'Waar is de oeros van de jongen? Jij bent de baas.'

'Zal ik je helpen om de mand te zoeken?' vroeg James.

'Zoek de mand met de beesten,' antwoordde Conor. James kon niet zeggen of het werkelijk een antwoord was, of simpelweg een incomplete echo.

James stond op en liep naar de planken. 'Hier zijn de beesten,' zei hij, en hij tilde de rode draadmand eraf. 'Zal ik hem voor je naar de tafel brengen?'

'Hier ben jij de baas.'

'Dat klopt. Jij bepaalt of je wilt dat ik hem naar de tafel breng.'

'Breng hem naar de tafel.'

Conor volgde. De kat optillend, keek hij speurend in de mand, stak vervolgens zijn hand erin en pakte er een beest uit. 'Hier is een hond,' zei hij, en zette hem op tafel. Hij leek hier heel tevreden over. Er lag bijna een zweem van een glimlach om zijn lippen. 'Hier is een eend.' Ook die zette hij op tafel.

James sloeg hem gade terwijl hij de mand met beesten verder afwerkte. Hoewel de bewegingen van de jongen traag en obsessief waren, waren ze toch niet te vergelijken met het mechanische herhalen van een autistisch kind. Ze waren zodanig genuanceerd dat James heel zeker wist dat ze betekenis hadden, al kon hij op dat moment met geen mogelijkheid zeggen welke.

'*Hier* is de oeros van de jongen,' zei Conor met nadruk. 'De oeros mag bij de andere staan.' Hij bekeek ze aandachtig. 'Er zijn veel beesten. Hoeveel? Hoeveel is veel?' Toen begon hij ze te tellen. Dit was nieuw. James had hem nog niet eerder horen tellen. 'Zesenveertig. Zesenveertig is veel. Zesenveertig in totaal,' zei Conor.

'Je vindt het leuk om veel dieren te zien,' zei James. 'Ik hoor een tevreden stem die telt.'

'Er is geen kat.'

'Nee, er is geen kat bij.'

'Veel dieren. Zesenveertig dieren. Maar geen kat,' zei Conor.

'Nee. Allemaal dieren, maar geen ervan is een kat,' kaatste James terug, om aan te geven dat hij aandachtig luisterde.

'Nu gaan ze dood,' zei Conor nonchalant. 'De hond gaat dood.' Hij duwde de hond omver. 'De eend gaat dood. De olifant gaat dood.' Eén voor één ging hij de plastic beesten langs en duwde ze omver. Er klonk geen onrust in zijn stem. De dieren gingen allemaal dood met dezelfde gelatenheid als waarmee ze naast elkaar hadden gestaan.

'Dood. Veel dieren zijn dood,' zei Conor. 'Geen in-en-uit meer. Geen stoom.' Hij trok zijn pluchen kat onder zijn arm vandaan, waar hij hem al die tijd had bewaard. Hij bewoog de kat vluchtig over de omgevallen dieren heen, en duwde diens neus tegen elk ervan aan. 'De kat weet het.'

De kat weet het? dacht James bij zichzelf. Wat weet de kat?

'Waar is het kleed?' vroeg Conor plotseling, en hij keek naar James.

James keek niet-begrijpend op.

Conor draaide zijn hoofd en keek de kamer rond. Ineens lichtte zijn gezicht op, en hij liep achter James langs om de doos met tissues te pakken.

Toen Conor weer bij de tafel terugkwam, begon hij tissues uit de doos te trekken, die hij één voor één over de plastic dieren heen legde. Dit nam bijna het hele tafeloppervlak in beslag. En het merendeel van de tissues.

Toen hij klaar was, bekeek Conor zijn werk. 'Waar is de hond?' vroeg hij. Vervolgens tilde hij één tissue op. 'De hond is hier. Waar is de eend? De eend is hier.' Om de beurt ging hij alle dieren langs, vroeg waar een dier was en tilde vervolgens een tissue op om te zeggen dat het daar was. Zijn herhaling van vragen en antwoorden had iets zangerigs. Het deed James denken aan het spelletje kiekeboe. Het had echter ook iets van een plaat die bleef hangen, alsof hij niet meer kon ophouden als hij eenmaal begonnen was.

'Je bent bang dat de hond er niet meer zal zijn, dat de hond misschien niet meer onder de tissue ligt als je hem niet kunt zien,' interpreteerde James op de gok. 'Je wilt telkens opnieuw kijken omdat je het zeker wilt weten.'

Heel even keek Conor op en keek James recht aan, zijn ogen een mistige, onduidelijke kleur blauw. Hij had James' opmerking gehoord, en uit zijn reactie maakte James op dat zijn interpretatie juist moest zijn geweest.

'Je bent bang voor wat je onder de tissue zult vinden, dus je moet eronder kijken,' zei James opnieuw.

'De hond is dood,' antwoordde Conor.

'Je denkt dat de hond dood is, en daarom heb je er een tissue overheen gelegd.'

'Een kleed.'

'Daarom heb je er een kleed overheen gelegd.'

'De kat weet het.'

'De kat weet dat de hond dood is?' vroeg James.

'Ehhh-ehhh-ehhh-ehhh.'

'Je maakt je angstige geluid,' zei James.

'De hond is dood,' zei Conor heel zacht. 'De eend is dood. De oeros is dood.' Hij keek neer op de pluchen kat in zijn handen. 'Op een dag gaat de kat ook dood.' En terwijl hij ging staan, gleed er een enkele traan in een kronkelende baan langs zijn wang naar beneden.

8

'Wat gebeurde er nou precies met jou op die avond dat je Torgon voor het eerst zag?' vroeg James zodra Laura had plaatsgenomen voor haar volgende sessie. 'Toen je in je fantasie die intense ervaring had beleefd?'

Laura bleef een paar minuten zitten zonder iets te zeggen. 'Nou ja, toen ik achter Torgon aan liep in de richting van de seringenhaag, was ik in haar wereld. Het ene moment was ik op het pad over het landje van Adler, en het volgende moment bevond ik me op een soort hoge klif van witte kalksteen. De grond zelf was wit. Niet brokkelig zoals in de Badlands, maar echte rots die was opgeduwd in grote ribbels en zo een klif vormde, alsof een reus een handvol schoolbordkrijt had verpulverd. Onder ons bevond zich een enorm loofbos dat zich in alle richtingen uitstrekte. Een beetje zoals je zou verwachten dat het Amazonebekken eruitziet, als je het van bovenaf zou bekijken. Ik weet nog dat de bomen rusteloos deinden in de bries, bijna als golven in een oceaan. Daar komt de naam ook vandaan. Vanaf dat moment noemde ik het altijd het Bos vanwege dat uitzicht vanaf de klif.'

Laura zweeg nadenkend. 'Als ik zeg: "Ik ben ernaartoe geweest" of: "Ik ben met haar mee geweest", klopt dat niet helemaal, want ik was me ervan bewust dat "ikzelf" daar niet was. Dit was één aspect waarin het Bos verschilde van mijn andere fantasieën, waarin ik me altijd in het hart van de actie bevond. Ik verbeeldde me dat ik de hoofdrolspeelster was, en deed dingen met de personages die ik creëerde. Het Bos was totaal anders. Het was meer als kijken naar een film.

In eerste instantie kon ik er niet goed achter komen wat Torgons rol was. Het was direct duidelijk dat ze een soort leider was. Dat kon je meteen zien aan de manier waarop mensen met haar omgingen. In eerste instantie dacht ik dat ze een koningin was, maar later kwam ik erachter dat ze in feite een soort heilig iemand was. Niet echt een priesteres, maar wel zoiets. In de taal van de Bosmensen was het woord voor haar rol *benna.*'

'Dus ze hadden hun eigen taal?' vroeg James.

'Ja. Hoewel ik me daar alleen van bewust was bij woorden als *benna*, die geen tegenhanger in het Engels hadden. Die woorden "hoorde" ik dan.'

James luisterde gefascineerd. Hij had denkbeeldige vriendjes van kinderen altijd al intrigerend gevonden, deels omdat hij zelf geen vergelijkbare vriendjes had gehad, en hij het dus moeilijk vond om zich er iets bij voor te stellen. Becky had echter toen ze drie was een fase doorgemaakt waarin een onzichtbare tijger die Ticky heette haar overal vergezelde, en dat was voor hem een waardevolle ervaring uit de tweede hand geweest. Hij wist dat denkbeeldige vriendjes bij een normale, gezonde jeugd hoorden, al konden ze nog zo bizar lijken, en dat ze meestal duidden op bovengemiddelde intelligentie bij het kind. Het was ongebruikelijk dat Laura's fantasiewereld pas zo laat was ontstaan, aangezien de gebruikelijke leeftijd voor dit soort dingen tussen de drie en zes jaar lag, maar het kwam wel eens voor, voornamelijk bij zeer creatieve kinderen.

James keek naar Laura. Als ze over het Bos praatte, ontspande ze. De nervositeit van de vorige sessie was helemaal verdwenen, en ze leunde achterover in een open, comfortabele houding. Haar oogcontact was uitstekend, haar glimlach gul.

'Torgon woonde niet in het dorp waar de anderen woonden,' zei ze, 'omdat ze door haar volk als goddelijk werd beschouwd, een belichaming van hun god Dwr. Daarom woonde ze op een ommuurd terrein in het Bos, een soort klooster. Daar woonde ook nog een andere heilige met een hoge status. Zijn naam was Valdor, maar hij werd altijd de Ziener genoemd, omdat hij goddelijke visioenen had. Dat was ook de rol die hij had, een soort orakel. Hij droeg lange, zware, witte gewaden, afgezet met goudborduursel, en hij was al heel erg oud toen ik hem voor het eerst zag – misschien wel halverwege de zeventig. Er woonden ook nog andere vrouwen op het terrein. Vergelijkbaar met nonnen. En kinderen. Heel veel kinderen van alle leeftijden. Ze kwamen uit het dorp, voornamelijk uit rijke gezinnen, om er een opleiding te genieten. Ze werden acolieten genoemd, al deden ze nauwelijks religieuze dingen.

Die eerste avond dat ik erheen ging...' Laura produceerde een eigenzinnig glimlachje. 'Ik was eigenlijk een beetje teleurgesteld toen ik dit allemaal te weten was gekomen. Tot dan toe was mijn leven een en al stripboeken en tv geweest. Ik was helemaal wild van Roy Rogers en Dale Evans, en ik weet nog dat ik dacht: waarom kon het nou niet Dale Evans zijn die opeens op het landje van Adler opdook? Ik was echter binnen de kortste keren verliefd op Torgon. Ze was een fantastische persoonlijkheid. Heel charismatisch. En intelligent. Echt schrander, weet je? Door de wol geverfd. Maar ze was ook heel emotioneel. Haar stemmingen konden ineens abrupt omslaan, en ze was nooit ook maar enigszins geneigd om ze te temperen. Desondanks kon ze nog steeds aantrekkelijk zijn, charmant, al gedroeg ze zich nog zo onredelijk. Ik vond dat geweldig aan haar, dat gecompliceerde, dat wilde.'

'Wie wist er van Torgon? Heb je het aan iemand verteld? Je vader, bijvoorbeeld?'

'Min of meer,' antwoordde ze, en ze dacht even na.

'Ik hoor nog iets anders in je stem,' zei James. 'Keurde je vader het af?'

'Het was niet zozeer dat hij het afkeurde. Hij snapte het gewoon niet, dus het had weinig zin om het hem te vertellen. Ik heb er met hem over gepraat, maar hij "hoorde" me niet, als je begrijpt wat ik bedoel.'

'Kun je je iets nader verklaren?'

Ze dacht even na over James' verzoek en knikte toen. 'Ik herinner me bijvoorbeeld nog een keer toen ik acht was. Ik was voor mijn jaarlijkse bezoekje bij hem thuis, hier in Rapid City. Ieder jaar in augustus ging ik een week bij hem en mijn broers logeren. Dat was het hoogtepunt van mijn bestaan in die tijd. Niet Kerstmis, niet mijn verjaardag, maar die laatste week van augustus waarin mijn vader vakantie had en ik bij hem mocht logeren.

Ik sliep op zo'n onderschuifbed op wieltjes, dat hij in de hoek van zijn slaapkamer zette. Ik had inmiddels al geruime tijd de gewoonte om in die momenten tussen waken en slapen naar het

Bos te gaan. Dat was mijn favoriete tijdstip daarvoor, omdat het een heerlijk ontspannen moment van de dag was, en ik dan niet gestoord werd. Bij de familie Mecks merkte niemand er ooit iets van, omdat mijn kamer op zolder was, dus had ik nooit goed opgelet of ik hardop praatte of niet. Maar omdat papa zo'n klein appartement had, hoorde hij me natuurlijk en kwam hij kijken wat ik aan het doen was. Ik weet nog dat ik zijn silhouet in de deuropening afgetekend zag en dat hij vroeg: "Heb je het tegen een van ons?" Ik zei van niet, en dat ik gewoon aan het spelen was.

Vervolgens kwam hij de kamer binnen, ging op de rand van het bed zitten en zei: "Je lijkt het reuze gezellig te hebben hier in je eentje. Wat ben je aan het spelen?"

Torgon kwam in die tijd al ongeveer een jaar bij me, en ik wist inmiddels alles over haar. Dat ze de oudste was van twee dochters, bijvoorbeeld, en dat ze een zus had die vier jaar jonger was en Mogri heette, en ik wist alles over de dingen die ze in hun jeugd samen hadden gedaan. Ik wist ook nog een heleboel andere dingen. De samenleving in het Bos kende een ongelooflijk strikte hiërarchie van kasten, en de kaste waarin je werd geboren, was allesbepalend. Het bepaalde wie je was, wat voor werk je mocht doen, met welke andere leden van de samenleving je contact mocht leggen. De hoogste kaste was een religieuze heersende klasse die bestond uit de Ziener, de *benna*, en hun nageslacht. Het was bijna een soort koninklijke familie, want ze hadden de absolute macht. De op één na hoogste kaste werd gevormd door de ouderlingen, die wetten maakten en bemiddelden bij civiele kwesties. Daarna kwam de kaste van de krijgers, en daarna de kaste van de kooplui en de handelaars, enzovoort. De allerlaagste kaste bestond uit arbeiders, de mensen die lichamelijke arbeid verrichten. Die mochten niet in hetzelfde deel van het dorp wonen als degenen uit de hogere kasten. Ze werden letterlijk door middel van muren buitengesloten, en geweerd uit het dorp, behalve om hun werk te doen. Torgon en haar familie behoorden tot deze laagste klasse. Haar moeder was weefster, en haar vader bouwde en repareerde karren. Omdat ze van lage komaf was, was het een enorme schok geweest voor iedereen – en ook voor Torgon zelf – toen ze op haar negentiende werd aangewezen als de nieuwe *benna*. Ineens werd ze van de allerlaagste klasse naar de allerhoogste gelanceerd. Op het moment dat ze op het landje van Adler aan mij was verschenen, was ze drieëntwintig geweest, en zelfs toen nog had ze het moeilijk gevonden om haar draai te vinden in haar werk.'

'Goh, dat is allemaal wel érg gecompliceerd,' zei James, en hij dacht bij zichzelf dat dit hoogst ongebruikelijke gedachten waren voor een kind van acht. Als hij zich probeerde voor te stellen dat Becky zulk soort dingen tegen hem zei, kon hij zich makkelijk indenken hoe ontdaan hij zich zou voelen als één-keer-in-de-maand vader, als hij tot de ontdekking zou komen dat Becky het grootste deel van haar tijd doorbracht met fantasiespelletjes over heilige mensen en kastenstelsels, en zich druk maakte over de worsteling van een denkbeeldige drieëntwintigjarige met haar roeping.

'Weet je,' zei Laura, 'dat wist ik ook wel. Tegen de tijd dat ik acht was, had ik al begrepen dat andere kinderen niet over dit soort dingen nadachten, of, als ze dat wel deden, dan niet in zoveel details. Ik wist niet waarom ik dat wel deed. Ik wist niet waarom het in mijn hoofd zat en niet in dat van iemand anders, maar het was nou eenmaal zo. Toen mijn vader me vroeg wat ik aan het doen was die avond, was het alsof hij halverwege een film was binnengekomen. Ik had de verhaallijn gevolgd en alles was voor mij volkomen logisch, maar hoe moest ik hem vertellen van het wat en hoe als hij niet wist wat er allemaal aan vooraf was gegaan?

En ik herinner me dat gevoel van verwarring nog. Ik lag daar maar in het halfduister naar zijn gezicht te kijken zonder iets te zeggen, omdat ik niet wist wat ik moest zeggen. Ik kon aan zijn gezicht zien dat hij gekwetst was. Hij dacht dat ik bewust dingen voor hem verzweeg, dat ik deze verhalen waarschijnlijk wel deelde met de familie Mecks omdat zij in de dagelijkse praktijk mijn ouders waren, maar niet met hem, omdat ik hem niet vaak genoeg zag. Hetgeen helemaal niet waar was, want ik deelde ze met niemand, maar ik kon zien dat hij dat dacht. Dus ik zei tegen hem dat ik een fantasiespelletje aan het doen was omdat ik nog geen slaap had.

Mijn vader schonk me het speciale glimlachje dat hij altijd bewaarde voor als hij iets ging doen waarvan hij dacht dat ik het heel erg leuk zou vinden, en hij zei: "Weet je? Ik heb een goed idee. Ik vind dat je later naar bed mag. Van nu af aan mag je 's avonds een halfuurtje langer opblijven. Dat zou je wel fijn vinden, hè? Langer opblijven?"

Ik zei ja omdat ik kon zien dat hij wilde dat ik er heel blij om was, hoewel ik in werkelijkheid helemaal niet later naar bed wilde. Ik ging liever op mijn vaste tijd naar bed, omdat ik bij Torgon wilde zijn.

Hij glimlachte warm. "En binnenkort ben je volwassen, Laurie. Als je klein bent, is fantaseren heel erg leuk, maar als je ouder wordt, hoef je niet meer te fantaseren, want dan heb je echte dingen om aan te denken, en echte dingen zijn altijd veel leuker."'

Laura leunde achterover in de stoel. 'Ik weet nog dat mijn vader me toen een kus gaf en de dekens over me heen trok. Me instopte en wegging. Torgon was voorlopig verdwenen, en ik lag daar maar in mijn eentje in het donker.

Ik had natuurlijk altijd al geweten dat mensen op een gegeven moment hun fantasiespelletjes ontgroeien. Op mijn achtste was dat bij het grootste deel van mijn vriendinnen al het geval. Ik had mezelf er echter van overtuigd dat ik in dit opzicht een uitzondering zou vormen, en dat het mij nooit zou overkomen. Ik zou Torgon en het Bos voor altijd vasthouden. Die avond drong het echter voor het eerst tot me door dat ik me misschien wel vergiste. Misschien zou ik niet anders blijken te zijn dan anderen en zou Torgon op een dag verdwenen zijn.

Op dat moment werd ik overspoeld door een immens en pijnlijk gevoel van eenzaamheid, en ik begon te huilen. Ik dacht bij mezelf: als groot worden betekent dat ik dit allemaal kwijtraak, dan hoeft het voor mij niet. Maar wat als ik geen keuze had? Wat als het moment kwam waarop ik het Bos niet meer kon zien? Wat als mijn geest op een dag niet langer in staat bleek om zich te vullen met de aanblik, de geluiden en de geuren ervan? Wat als ik niet langer een ingewijde was in de details van Torgons leven? Ik weet nog dat ik dacht dat ik te veel geest had voor mijn hoofd als Torgon er niet in zat. Ze was anders dan mijn fantasiespelletjes zoals Vlinder, de slimme pony. Torgon was organisch. Ze was niet zozeer iets wat ik had gecreëerd als iets wat ik had ontdekt.

Ze was mijn wederhelft, het deel van mij dat ik nodig had om compleet te zijn. Ze was de samensmelting van mij en niet-mij.'

Laura's sessie bleef nog ongebruikelijk lang door James' hoofd spoken. Dit kwam ongetwijfeld voor een deel door het ongewone van deze denkbeeldige metgezel. Mensen die in therapie gingen vanwege het stranden van een huwelijk, praatten meestal over relaties. James had al gemerkt dat Laura zich niet liet verleiden tot een gesprek over Conor. Hij kon ermee leven dat die relatie misschien al zo ver was afgebroken dat er een heel nieuw fundament zou moeten worden gelegd voordat Laura kon worden overgehaald om opnieuw een band aan te gaan met haar zoon. Maar aangezien het stranden van haar relatie met Alan de reden was die zijzelf had opgegeven voor het instemmen met therapie, was James ervan uitgegaan dat ze daar zouden beginnen. Dat ze in plaats daarvan ervoor had gekozen om te praten over de band die ze in haar kinderjaren had gehad met een denkbeeldige persoon, was merkwaardig en tegelijkertijd fascinerend.

Het feit dat de sessie hem nog zo lang bijbleef, had ook te maken met de manier waarop Laura praatte. Toen hij nog in New York woonde, had James verscheidene schrijvers tot zijn kennissenkring mogen rekenen, voornamelijk omdat Sandy vond dat schrijvers het zo leuk deden als gasten bij etentjes. Hij was allesbehalve onder de indruk geweest. De meesten van hen hadden vreugdeloos en onaangenaam pretentieus geleken, en liepen altijd te mekkeren over de beproevingen van hun 'gave' en, in evenredige mate, het gebrek aan waardering voor deze gave door de rest van de wereld. Het was al meteen heel duidelijk dat Laura totaal anders was dan die dinergasten uit het verleden. Ze was zo'n geboren verteller dat James, die weliswaar geen moeite had om zijn professionele objectiviteit ten opzichte van Laura zelf te handhaven, zijn uiterste best moest doen om ook objectief te luisteren naar haar verhaal, om eraan te denken haar af en toe te onderbreken om vragen te stellen of te analyseren wat er werd gezegd in plaats van zich er helemaal door te laten meeslepen.

James zocht op de boekenplank in zijn kantoor en pakte er een van Laura's romans vanaf. Hij bekeek de omslag, die opmerkelijk sober was. Het bovenste gedeelte, dat ongeveer vier vijfde in beslag nam, was lichtblauw, en het onderste gedeelte gebroken wit. Al was het ontwerp nog zo sober, toch riep het bij James de associatie op met de open vlaktes van South Dakota. Te veel lucht boven een vlakke, kale aarde. Laura's naam stond met grote, strakke letters over de volle breedte bovenin. De titel, *The Wind Dreamer*, stond er in een kleinere, quasi-handgeschreven letter onder, in een neerwaartse hoek dwars door het blauw heen naar de minimalistische aarde, als een afgeschoten pijl.

James draaide het boek om en zag een foto van Laura op de achterkant. Ze keek glimlachend recht in de camera met een heel aantrekkelijke gezichtsuitdrukking. Heel open. James was verrast door deze openheid, aangezien het geen gezichtsuitdrukking was die hij in het echt bij haar had gezien. De gedachte schoot door zijn hoofd dat Laura misschien in haar boeken werkelijk zichzelf was.

Hij ging in zijn kantoor zitten en sloeg het boek open.

'Hé, jij daar!' De deur van James' kantoor werd opengeduwd, en Lars stak zijn hoofd naar binnen. 'Ik ga ervandoor,' zei hij. 'Wat zit je te lezen?'

James hield het boek op.

Lars trok geamuseerd een wenkbrauw omhoog. 'Bezig fan te worden?'

'Nee hoor. Ik doe gewoon mijn huiswerk.'

'Hoe is ze nou in het echt?' vroeg Lars nieuwsgierig.

'Interessant,' antwoordde James. 'Complex.'

'Tja, dat verbaast me niets.' Lars zweeg even. 'Mijn neef kent haar broer vrij goed. Volgens hem was het een doodgewoon gezin. Intelligent. Ze deden het allemaal extreem goed op school. Maar geen literaire achtergrond, niets buitensporig creatiefs. Haar broer zit in het verzekeringswezen. Maar dat is wat hij ook al zei. "Ze is complex."'

James knikte.

'Buitengewoon talent fascineert me. Vooral als het uit het niets komt,' zei Lars. 'Ik vraag me altijd af hoe zoiets komt.'

'Ja.'

Stilte.

Lars haalde zijn schouders op. 'Zeg, wat ik eigenlijk wilde vragen, was of je de molen voor die hengel die je hebt gekocht wilt meebrengen als je vanavond komt. Die ene waarvan je zei dat je hem niet goed bevestigd kon krijgen. Ik heb gisteravond de rest van mijn ijsvisspullen tevoorschijn gehaald, en als we die molen niet aan de praat krijgen, heb ik nog een andere gevonden die je kunt gebruiken.'

James grijnsde. 'Je bent vastbesloten om me mee te slepen om een of ander onschuldig wezen te vermoorden, hè?'

'Nou ja, ach, het is meer dat ik nog steeds aan het proberen ben om de stank van de stad van je af te krijgen,' zei Lars, en hij lachte. 'Hoe dan ook, de wedstrijd op tv begint om acht uur, dus de andere mannen komen rond kwart voor. Als jij nou ietsje eerder komt met die molen, kan ik er nog even naar kijken.'

'Oké, tot straks,' antwoordde James.

Toen Lars weg was, nam James het boek mee naar het conversatiecentrum. Hij ging onderuitgezakt op de bank zitten, legde zijn voeten op de salontafel en begon te lezen.

Het was het verhaal van een jonge Sioux die Billy heette, en die werd achtervolgd door de cultuur van zijn voorouders. Als kind van ouders die het reservaat hadden verruild voor de faciliteiten van de stad, en met de voornaam en de opleiding van een blanke, was Billy het toonbeeld van 'moderne integratie' toen hij een baan kreeg als leraar op een middelbare school. Zijn cultureel erfgoed, in het verhaal in toenemende mate gesymboliseerd door de South Dakota Badlands, brak echter door zijn hedendaagse, stadse leefwijze heen. Hij begon stemmen te horen van 'de anderen', van de lucht en het land en de geest van zijn voorouders.

Het boek opende met Billy's ontroerende pogingen om zichzelf een indianennaam te geven op zijn veertiende. Aangezien hij geen praktijkervaring had met de spirituele tradities van zijn voorouders, was de enige naamgevingsceremonie die hij ooit had gezien in een aflevering van 'Star Trek' geweest. Dus was het eerste officier Chakotay die hem begeleidde toen hij zijn naam 'ontving' van het enige natuurlijke element waar hij op dat moment wel eens mee in aanraking kwam in zijn stadsappartement: de wind.

Wat ingenieus was aan de manier waarop Laura schreef – afgezien van de uiterst boeiende vertelstijl waardoor de lezer al snel werd gegrepen – was dat ze in staat was om een heel substantiële realiteit uit Billy's gedachten te creëren. In eerste instantie kon James niet zeggen of deze 'anderen' waar Billy mee werd geconfronteerd letterlijk waren en Billy dus een paranormale ervaring beleefde, of dat ze figuurlijk waren en simpelweg een personificatie van Billy's identiteitsconflict.

Dit niet-weten stoorde James aanvankelijk. Al was de schrijfstijl nog zo boeiend, het irriteerde hem dat hij niet kon zeggen of hij een realistische verkenning van de menselijke geest aan het lezen was, of gewoon een fantasie. Sterker nog, het stoorde hem zodanig dat hij opstond en even snel op internet een paar recensies ging zoeken om te zien hoe anderen dit vraagstuk hadden opgelost.

De recensies legden stuk voor stuk het zwaartepunt bij Billy's indianenachtergrond en de gewoonte in deze sjamanistische culturen om visioenen en spirituele contacten, vaak teweeggebracht door drugsgebruik, slaapgebrek of vasten, te integreren in hun religieuze opvattingen. Geen van de recensies bestempelde het boek als fantasie of 'magisch realisme', dus James nam aan dat dit betekende dat de geesten zich allemaal in Billy's hoofd bevonden, en dat dit tijdens het lezen van de rest van het boek vanzelf duidelijk zou worden.

James had echter iets wat de recensenten niet wisten, en dat was zijn kennis over Torgon. Laura's levendige beschrijving van de ontmoeting in haar jeugd hing als een schaduw over Billy's ervaringen met het 'horen' van de lucht of het 'zien' van zijn voorouders die voor de donderwolken uit over de prairie vlogen. Was de roman voor Laura een aanvaardbare manier geweest om haar eigen ervaringen met Torgon verder uit te diepen?

Gegrepen door het verhaal las hij verder.

Toen James weer opkeek, was het kwart voor tien. Verbijsterd staarde hij naar de klok. Hoe kon het ineens *zo* laat zijn? De lang geplande avond van bier en voetbal met de vrienden van Lars was inmiddels natuurlijk al bijna voorbij, om nog maar te zwijgen over Lars' ongerustheid omdat hij niet was komen opdagen en niet thuis was of zelfs maar bereikbaar op zijn mobieltje, aangezien hij dat altijd uit had staan als hij in de praktijk was.

Was de telefoon in het kantoor op enig moment gegaan? Als

dat het geval was, had hij het niet gehoord. James sloeg het boek dicht en staarde naar de misleidend saaie omslag.

Het beangstigde hem, deze onverwachte betovering. Hij vond het zeer verontrustend dat Laura Deightons fantasie met zoveel succes zijn eigen wereld naar de achtergrond had weten te dringen.

9

‘Doe de deur dicht,’ zei Conor abrupt. Hij stond net over de drempel van de speelkamer. Dulcie had de deur al dicht gedaan en was vertrokken.

‘Vandaag wil je de deur dicht hebben,’ zei James.

‘Vandaag wil je de deur dicht hebben,’ echode Conor. Er viel een stilte. Zijn ogen vlogen over James’ gezicht en toen verder. ‘Sluit de deur,’ zei hij.

James hoorde de kleine grammaticale verandering, en het intrigeerde hem. Conor echode niet altijd. Vaak manipuleerde hij zinnen, veranderde heel subtiel de structuur. Het was makkelijk om ten onrechte te geloven dat het slechts napraten was, omdat je normaal gezien enkel bewust aandacht schonk aan de inhoud van een gesprek en niet aan de grammatica, tenzij daar iets aan schortte. James merkte echter steeds vaker dat Conor dit deed.

Het veranderen van de grammaticale structuur was een teken dat Conor de betekenis van de woorden begreep. Maar waarom dan dat woordelijk herhalen? Was dat omdat het veilig voelde? De woordelijk herhaalde zin was veilig omdat iemand anders deze eerst had gezegd. Conor wist dat hij geen enkel risico nam door woordelijk te herhalen. Door de zin vervolgens op subtiele wijze anders te formuleren, maakte hij zich die eigen.

James besloot deze mogelijkheid verder uit te diepen. ‘Dat klopt,’ zei hij. ‘Sluit de deur. Jij weet wel hoe je woorden moet gebruiken, hè?’

‘Jij weet wel hoe je woorden moet gebruiken, hè?’ echode Conor.

‘Soms is het eng om dingen te zeggen die anders zijn.’

‘Ehhh-ehhh-ehhh-ehhh,’ antwoordde Conor.

‘Wees maar niet bang. Hier ben jij de baas. Als je je eigen

woorden wilt gebruiken, mag dat. Maar als je liever mijn woorden gebruikt, is het ook goed. Je mag het zelf weten.'

'Ehhh-ehhh-ehhh-ehhh.'

James sloeg zijn notitieboek open om iets op te schrijven.

'Sluit de deur,' zei Conor aarzelend.

Er was een stilte.

'Doe de deur dicht,' zei Conor.

'Sluit de deur. Doe de deur dicht. Ja, dat klopt,' zei James. 'Twee verschillende woorden kunnen hetzelfde betekenen. Jij bent best slim met woorden, hè?'

'Ja, dat klopt,' antwoordde Conor, en James vermoedde dat het geen woordelijke herhaling was.

'Wat ik zo deprimerend vind,' zei Alan aan het begin van zijn sessie, 'is dat ik al één huwelijk heb verkloot. Ik heb al die ellende al een keer gehad, ruzies met een ex, kinderen kwijtraken, ze niet kunnen zien opgroeien. Dat heb ik allemaal al eens meegemaakt. Dus ik snap werkelijk niet hoe het mogelijk is dat ik me weer in zo'n situatie bevind. Ik dacht echt dat ik het goed voor elkaar had deze keer.'

'Hoe zag je leven vóór Laura eruit?' vroeg James.

'Ik kom uit een gezin van hoogvliegers die al sinds de vroege pionierstijd in Wyoming wonen. Mijn overgrootvader heeft de eerste bank in Gillette opgericht. Toen hij met pensioen ging, werd zijn zoon – mijn opa – directeur van de bank. Toen vervolgens het moment daar was, nam mijn vader, die weer *zijn* zoon was, het stokje over. Daarom werd er natuurlijk vanuit gegaan dat ik ook het bankwezen in zou gaan.

Ik heb het inderdaad geprobeerd. Ik ben gaan studeren en heb de vereiste bul gehaald. Ik vond mijn representatieve bankiersvrouw in Fran. We zijn getrouwd in de maand juni van het jaar waarin ik afstudeerde, en in juli was ze zwanger van onze eerste dochter. In augustus werkte ik op de bank. Ik deed alles wat er van me werd verwacht. Maar ik haatte mijn leven. Ik vond het bankierswezen zo afgrijselijk saai en stoffig. Ik bracht er niks van terecht, puur omdat het me niets interesseerde.

Via de bank ben ik in de veehandel terechtgekomen. Het begon met het verstrekken van leningen. Dat was een van de redenen waarom ik er niks van terecht bracht, omdat ik alsmaar geld leende aan straatarme veehouders die stommiteiten wilden begaan zoals het aanschaffen van een of andere dure Europese stier, een Charolais bijvoorbeeld, die totaal ongeschikt was voor de leefomstandigheden in Wyoming. Al snel trok ik erop uit om het vee te gaan bekijken. In het begin puur om onze investering in de gaten te houden, maar ik vond het leuk om te doen. Ik vond het fijn om niet op de bank te hoeven zijn. Voor ik het wist, had ik zelf een bescheiden hoeveelheid vee gekocht. En vervolgens kocht ik een kleine ranch om de dieren te kunnen houden. Dat gaf voor mij de doorslag. Tot op dat moment kon ik de schijn ophouden dat ik in werkelijkheid bankier was. Maar ik was *goed* met vee. Ik kon met vee wat mijn vader met cijfertjes kon, en ik vond het heerlijk. Dat was een nieuwe gewaarwording voor me – iets doen wat ik heerlijk vond – en ik vond werkelijk alles eraan heerlijk. De geluiden, de geuren, in de buitenlucht bezig zijn. Succesvol zijn.

Toen mijn vader hoorde van de ranch, reageerde hij ijzig. Voor hem draaide alles om de bank, en om wie het stokje van hem zou overnemen, wie ervoor zou zorgen dat de naam McLachlan op de deur bleef staan, en ik liet hem in de steek. Ik kwam mijn verplichtingen niet na. Ik was er zelfs niet eens in geslaagd om een zoon te krijgen, alleen drie dochters.

Voor Fran was de ranch een belediging. In haar ogen was het minderwaardige arbeid. Ze zei alsmaar: "Maar ik ben getrouwd met een *bankier*," alsof ik een soort contractbreuk had gepleegd door die ranch te kopen. Ze weigerde resoluut om naar het platteland te verhuizen, terwijl ik uiteraard niets liever wilde. Het was bovendien pure noodzaak als ik er een fatsoenlijke boterham mee wilde verdienen.

Ik hield mijn poot stijf. Ik was inmiddels bijna dertig. Oud genoeg om in te zien dat er een grens is aan hoe ver je kunt gaan om andermans dromen te verwezenlijken, al wil je die ander nog zo graag gelukkig maken. Maar bij het leren van die les ben ik heel veel kwijtgeraakt. De band met mijn vader is nooit meer hersteld. En Fran en ik hebben het nog hooguit een jaar volgehouden. Toen ontmoette ze iemand anders, en was het gebeurd. Ik vond dat onverteerbaar, want ik had drie schatten van meiden die ik sindsdien bijna nooit meer heb gezien.

Dus ditmaal was het totaal anders. Ik ben met open ogen dit huwelijk in gegaan en heb mijn uiterste best gedaan om te voorkomen dat ik dezelfde fouten zou maken als in mijn eerste huwelijk.'

'Hoe heb je Laura leren kennen?' vroeg James.

Onverwacht begon Alan te lachen. 'Ik ben over haar voet heen gereden bij de benzinepomp!' Opnieuw lachte hij, een diepe, bulderende lach. 'Echt waar. Zo is het gegaan. Ik was gestopt bij een tankstation op het Pine Ridge-reservaat om benzine te tanken. Zij stond er al, maar ze had haar auto aan de verkeerde kant van de pomp neergezet. Dus ze stond aan de benzineslang te sjorren om hem bij haar tankdop te krijgen. Ik dacht bij mezelf: Dom wijf, want ze blokkeerde de doorgang naar de andere pomp. Ik probeerde mijn pick-up erlangs te wurmen en reed toen zo over haar voet heen.'

James' ogen werden groot.

'Hij was nog gebroken ook,' zei hij opgewekt. 'Dus het leek me wel zo netjes om haar mee uit eten te vragen.'

'Het verbaast me dat ze dat wel wilde na die actie van jou!'

Alan lachte nogmaals. 'Ja, dat dacht ik toen ook. Maar ze wilde wel. Je kunt van alles over Laura zeggen, maar ze is een best mens.'

Er viel een korte, weemoedige stilte. 'Ik kan me ons eerste afspraakje nog herinneren, die avond dat ik haar mee uit eten nam. We gingen naar een tentje dat The Mill heette. Haar voet zat nog in het gips, dus we konden niet dansen of zo. We hebben alleen maar wat gegeten en gepraat, maar het was er heel lawaaierig, dus ik zei: "Laten we ergens anders heen gaan." Ik zat te denken aan de Bear Butte Lounge aan de snelweg, omdat het daar zo lekker rustig is, maar toen we in de auto zaten, zei Laura: "Laten we naar de Badlands rijden." Dat vond ik maar een raar idee, maar ik dacht bij mezelf: Wat kan mij het schelen? Waarom ook niet? Het was een mooie voorjaarsavond. Sterrenhemel enzo. Dus we zijn naar Wall gereden en hebben geparkeerd bij een van de uitkijkpunten en zijn gewoon in de auto blijven zitten praten.

We hebben gepraat en gepraat.' Hij kreeg een in zichzelf gekeerde glimlach op zijn gezicht. 'En weet je wat er gebeurde? We hebben letterlijk de hele nacht gepraat. Voornamelijk over de Black Hills. Ik weet nog dat ik haar vertelde over mijn ranch en mijn vee, en zij begon me allerlei verhalen te vertellen over dat het land waar de ranch stond heilige grond was geweest voor de Sioux. Ze werkte in die tijd in het reservaat, dus ze was heel erg goed op de hoogte van al die indianendingen. En Laura kan ontzettend goed verhalen vertellen als ze eenmaal op dreef is.'

Hij lachte. 'Ik was diep onder de indruk. Het enige wat ik kon denken, was dat er iemand naast me zat die net zo over het land dacht als ik, die van dit land *hield*, weet je, tot in het diepst van haar wezen. Dus we hebben alleen maar zitten praten en verder niets. We hebben niet eens gezoend die avond. Niet één keer – je zou denken dat we een stel brave sukkels waren, maar het was gewoon zo fijn om op dat niveau met iemand te kunnen praten.

Nou ja, voor ik het wist, was het halfzes 's morgens en zaten we nog steeds bij het uitkijkpunt in de Badlands, en ik dacht bij mezelf: Allemachtig, wat moet ik in godsnaam tegen Patsy zeggen? Patsy is mijn middelste dochter, en ze logeerde een paar dagen bij mij op de ranch omdat het paasvakantie was op de universiteit. Ik wist gewoon dat ze thuis tegen mijn ex-vrouw zou zeggen dat ik de hele nacht met de vrouwtjes op stap was! Ik was pas na achten thuis, want het is ruim anderhalf uur rijden van de Badlands naar de ranch, en Patsy zat in de keuken toen ik binnenkwam. "Leuk afspraakje gehad?" vraagt ze. En ik zei: "Moet je horen, Pats, het is niet wat het lijkt." En ze begint te lachen. Ik kon zien dat ze er geen woord van geloofde. Ze zegt: "Maak je geen zorgen, papa. Ik begrijp het." Maar ik wist dat dat niet zo was.

Ik voelde me heel beschermend ten opzichte van Laura. Ik wilde niet dat Patsy zou denken dat Laura het type vrouw was waar je tijdens het eerste afspraakje mee in bed duikt. Dus ik zei: "Pats, als je van plan bent om dit allemaal aan je moeder te vertellen, dan kun je maar beter gelijk weten dat ik met Laura ga trouwen. Zeg dat dan ook maar tegen je moeder."' Alan lachte hartelijk. 'Dat was het moment waarop ik besloot dat Laura mijn vrouw zou worden, ook al duurde het daarna nog bijna twee jaar voordat ik Laura daar zelf van op de hoogte bracht!'

'Het klinkt alsof je je vrijwel meteen tot haar aangetrokken voelde,' zei James.

'Dat klopt. Ik wist gewoon dat het goed zat. Direct.' Alan keek naar James. 'Dus nu breek ik me het hoofd over de vraag hoe het toch zo mis heeft kunnen gaan.'

10

Conors merkwaardige relatie met het gesproken woord deed James' gedachten afdwalen naar Laura, terwijl hij zat te kijken hoe de jongen zich door de speelkamer bewoog. De mysterieuze wereld uit *The wind Dreamer* spookte nog steeds door James' hoofd en hing als spinnenwebben in de stille hoeken van zijn geest om op onverwachte momenten zijn gedachten te vangen en mee te sleuren naar de spookachtige wereld van de Badlands en de ervaringen van de jonge man op zijn zoektocht. Interessant, dacht James, dat ze zoiets krachtigs kon creëren met enkel woorden. Interessant ook, dat Conor woorden zo gevaarlijk leek te vinden dat hij zich beperkte tot het benoemen van dingen, het beschrijven van hun uiterlijke kenmerken of het herhalen van dingen die anderen al hadden gezegd.

Tijdens zijn gebruikelijke rondgang door de speelkamer was Conor blijven staan bij een grote mand met lego op de grond. Hij wachtte even en duwde toen de neus van de kat erin. Vervolgens stak hij zijn hand erin en pakte er een lego-poppetje uit. Hij bestudeerde het aandachtig. 'Hier is een man. Met zwart haar en geel shirt.' Hij nam het poppetje in dezelfde hand als de pluchen kat, bukte zich en keek nogmaals in de bak.

'Tuindingen!' riep hij uit met onverwachte verrukking. Hij hield een paar lego-bloemen in de lucht.

'Je klinkt alsof je blij bent dat je bloemen hebt gevonden,' zei James.

Conor boog zich weer over de bak. 'En bomen. Bloemen en bomen. Dingen voor een tuin.' Energiek groef hij in de bak.

Verbijsterd door Conors plotselinge enthousiasme boog James naar voren om te kijken.

'Veel bomen. Kijk,' zei Conor. Hij maakte geen oogcontact, maar er was beslist sprake van interactie met James. Alles wat hij uit de bak haalde, zette hij op de rand van de boekenplank.

'Ja, er zitten heel veel bomen in de bak, en jij haalt ze eruit.'

'Er zijn bomen op de maan,' antwoordde Conor.

Dit werd met berusting gezegd, tussen neus en lippen door, alsof het zomaar een van zijn beschrijvende opmerkingen was. 'Drie bomen op de maan.'

Toen de speelgoedbomen op waren, begon Conors opgewektheid af te nemen. Hij groef in de bak met lego voor het geval hij er eentje over het hoofd had gezien, maar hij zei niets meer.

Uiteindelijk ging hij rechtop zitten en begon de exemplaren die hij gevonden had in een keurige rechte lijn op de boekenplank te zetten. Hij telde ze, niet hardop, maar met zijn vinger.

'Wat is dit?' vroeg hij. Het was het plastic autokleed, opgevouwen op de plank waar hij zijn bomen op een rij aan het zetten was.

'Dat is het plastic kleed met wegen erop getekend,' zei James. 'Weet je nog? We hebben er al eens naar gekeken. Als het op de grond ligt, rijden kinderen graag met speelgoedautootjes over de wegen of maken ze huizen en wijken van lego.'

Met de kat in één hand tegen zich aan geklemd, gebruikte Conor zijn andere hand om het stuk plastic van de plank te trekken en op de grond te laten vallen. Het was plastic van zware kwaliteit, dus het viel gemakkelijk open, maar het viel ondersteboven. Dat leek hem te fascineren. Hij bukte zich en streek het omgekeerde kleed glad.

'De wegen staan op de andere kant,' merkte James op.

Conor leunde naar achteren op zijn hielen en keek naar het kleed. 'Volgens mij is het de maan.'

James herinnerde zich Conors eerdere kennismaking met het plastic kleed en zijn merkwaardige echolalische opmerkingen over de maanlanding. Het had een bizarre reactie geleken. James zag geen enkel verband tussen het witte kleed of zelfs maar de plastic lego-bomen, en de maan.

Terwijl hij het lego-poppetje naar zijn andere hand overbracht, probeerde Conor het rechtop te zetten op het kleed. Het plastic was niet helemaal vlak, dus het poppetje viel om. Hij probeerde het nog een keer. Weer viel het om. Gefrustreerd duwde hij het mannetje onder het kleed tot het volledig uit het zicht was verdwenen.

Dit leek hem te plezieren. Conor trok hem eronderuit en legde hem er toen weer onder op een manier die James deed denken aan zijn eerdere fascinatie voor het bedekken van de speelgoed-dieren met tissues. Net als met zoveel andere dingen die Conor in de speelkamer had gedaan, begonnen zijn handelingen iets krampachtigs te krijgen en herhaalde hij het gedrag verscheidene keren obsessief.

Obsessief en dwangmatig gedrag wordt normaal gesproken geassocieerd met angst, en James zag dat de spieren van de jongen strak gespannen waren terwijl hij de figuurtjes verplaatste. Conor hief een hand op en flapperde verwoed met zijn vingers.

'Ehhh-ehhh-ehhh-ehhh-ehhh. Ehhh-ehhh-ehhh-ehhh-ehhh. Ehhh-ehhh-ehhh-ehhh-ehhh,' schreeuwde hij.

'Ik hoor je angstige geluid. Je bent bang als je aan de maan denkt,' probeerde James.

De jongen begon heen en weer te wiegen. Hij bracht zijn hand omhoog en wapperde met zijn vingers voor zijn gezicht.

'Conor?'

'De kat weet het,' mompelde de jongen.

James sloeg hem gade. *Wat weet-ie? Wat weet die verdomde kat?*

Bij het bepalen van zijn therapeutische filosofie had James zijn mantra 'jij bent hier de baas' bedacht. Het was zijn ervaring dat mensen alleen substantiële en blijvende veranderingen in hun leven aanbrachten als ze daar zelf actief toe besloten, en wat nog belangrijker was, als ze het gevoel hadden dat ze er zelf de controle over hadden. Veel ingewikkelde levenskwesties hadden dus te maken met controle.

Dit was de hoeksteen van zijn werkwijze met kinderen, die per definitie machteloos waren, maar hij vond het net zo belangrijk om dit principe toe te passen op zijn volwassen patiënten. Daarom probeerde hij niets tegen Laura of Alan te zeggen dat hen het gevoel zou geven dat hij ze in een bepaalde richting wilde duwen.

Toen Laura voor haar volgende sessie kwam, besloot James niet te vertellen dat hij *The Wind Dreamer* had gelezen, voor het geval ze daardoor het gevoel zou krijgen dat ze als schrijfster in de kijker stond.

'Ik ben nieuwsgierig naar die fantasie van jou,' zei hij in plaats daarvan. 'Afgaand op wat je me laatst vertelde, is het duidelijk dat je veel tijd doorbracht met Torgon en haar wereld. Maar hoe zat het dan met andere kinderen? Kinderen op school, bijvoorbeeld. Had je veel vriendinnen op die leeftijd?'

'Als je hoort wat er allemaal in mijn hoofd gebeurde, klinkt het waarschijnlijk alsof ik een eenzaam kind moet zijn geweest, zonder vriendinnetjes, maar zo was het eigenlijk niet,' zei Laura. 'Ik had niet veel vriendinnen, maar dat wilde ik ook niet. Ik was graag op mezelf. Met zoveel fantasie als ik heb, hoefde ik me nooit te vervelen.

Ik had wel één heel goede vriendin, en ik denk dat dat kwam omdat zij net zo van fantaseren hield als ik. Ze heette Dena. Ik leerde haar kennen in groep drie, en vanaf dat moment waren we absoluut beste vriendinnen.

In sommige opzichten waren we een vreemd stel. Hoewel mijn thuissituatie ietwat ongewoon was, was de familie Mecks een degelijk gezin uit de middenklasse, en had iedereen degelijke middenklasse-verwachtingen van mij. Mijn beide broers waren uitblinkers op school, dus mijn vader verwachtte van mij ook negens en tienen op mijn rapport. Voor Dena lag dat totaal anders. Zij was de middelste van zeven kinderen en kwam uit een gezin van brallende, bier drinkende cowboys die met zijn allen op elkaar gepakt in een armzalig huisje woonden in de steeg achter Arnott Street. Elke vrijdagavond kwamen al haar ooms en tantes van het platteland; dan stroomde de hele tuin vol, maakten ze cowboymuziek op hun gitaren en werden ze dronken. Dena was hopeloos op school. Ze snapte nooit iets van rekenen en zat altijd in de laagste leesgroep, en toch was ze volmaakt gelukkig. Bij haar thuis maakte niemand zich ooit druk over haar rapportcijfers. Het gebeurde regelmatig dat ze haar moeders handtekening eronder zette, en haar ouders het hele rapport niet eens hadden gezien. Kennelijk merkten ze het niet eens.

'Wat Dena en ik wel gemeen hadden, was onze fantasie. Toen Torgon kwam, heb ik het meteen aan Dena verteld. Ik wist dat ze het zou begrijpen. En dat was ook zo. Ze vond het geweldig. We verzonnen vrijwel onmiddellijk ons eigen spel gebaseerd op Torgon. We speelden het in een reusachtige populier in het steegje naast Dena's huis. Slingerend zochten we ons een weg tot op grote hoogte, waar we vochten met vijandige inboorlingen en tijgers en beren en alle andere kwaadaardige wezens die we maar konden verzinnen, ook al leken deze dingen niet echt te bestaan in Torgons wereld. Paarden bestonden er ook niet, maar toch gaf ik Torgon in ons spel een beeldschoon paard om op te rijden dat dezelfde kleur grijs had als haar ogen.'

Laura glimlachte. 'Dat was natuurlijk allemaal niet de echte Torgon. Het was gewoon onze speelversie. Het is moeilijk uit te leggen – hoe het spel dat we speelden anders kon zijn dan de echte Torgon en haar wereld, ook al bestonden ze allebei alleen in mijn hoofd. Maar Dena had nooit moeite met het onderscheid.'

James knikte. 'Het klinkt alsof ze echt een goede vriendin was.'

'Ja, dat was ze ook. Ik ben haar uit het oog verloren toen ik op mijn twaalfde ging verhuizen. Dat heb ik altijd jammer gevonden.'

Het schrijnende verlangen naar andere tijden en niet ingeslagen wegen, stak de kop op. De korte stilte werd peinzend naarmate hij langer aanhield.

'Ik geloof dat ik best wel meer vriendinnen wilde,' zei Laura. 'In zekere zin. Ik bedoel, ik kan me niet herinneren dat ik er bewust naar verlangde, maar dat was misschien gewoon omdat ik diep vanbinnen wel wist dat het toch niet zou gebeuren.'

Laura ging verzitten in de stoel en leunde even stilletjes achterover. 'Er is één meisje in het bijzonder dat ik me nog goed kan herinneren. Ze heette Pamela. Ze was echt zo'n type dat "perfect" was. Je kent hen wel. Ze doen alles goed. Ze worden door iedereen aanbeden, en iedereen wil zijn zoals zij.

Ik fantaseerde wat af over een vriendschap met Pamela. Ze was net als ik een van de besten met rekenen, dus ik wist zeker dat ze het te gek zou vinden om mijn wetenschappelijke experimenten op zolder te zien. Ze las veel, dus ik droomde ervan om samen met haar toneelstukken te maken van verhalen die we hadden gelezen. En ik wist gewoon dat ze het zou snappen van Torgon, de echte Torgon, die zoveel meer was dan een fantasiespel in een populier.

Mijn kans diende zich aan in het voorjaar van groep zes. Toen ik buiten aan het spelen was, had ik een eend gevonden die op een nest eieren zat in de bosjes bij het meer. Tijdens het kringgesprek in de klas vertelde ik aan iedereen dat de eieren zouden uitkomen als de eend maar lang genoeg bleef zitten, en dat er dan over achtentwintig dagen jonge eendjes zouden zijn. Ik moet er een heel mooi verhaal van hebben gemaakt, want na afloop mocht ik van de juf voor de klas komen staan en vragen beantwoorden van de andere kinderen. Eén dag lang was ik een soort beroemdheid in de klas.

In de pauze waren Dena en ik aan het hinkelen, toen Pamela naar ons toe kwam slenteren. Ik weet nog dat ze naast de hinkelbaan naar ons stond te kijken, haar handen in de zakken van haar jas geduwd.

"Wil je meedoen?" vroeg Dena.

"Nee," zei ze op ietwat verveelde toon. Toen Dena aan de beurt was, wenkte Pamela me bij zich. "Kom eens. Ik wil je wat vragen."

Ik liet Dena zonder aarzelen in de steek.

"Mag ik vanmiddag na schooltijd mee naar jouw huis?" vroeg Pamela. "Ik zal tussen de middag aan mijn moeder vragen of het mag, maar dat denk ik wel. Ik wil de eend zien. Kan dat?"

Natuurlijk zei ik ja. Sterker nog, ik was door het dolle heen. Tussen de middag stoof ik ervandoor en rende de hele weg naar huis om ma het nieuws te vertellen. Pamela, die op het schoolplein nog nooit een woord met me had gewisseld, wilde bij *mij* thuis komen spelen! Ik kreeg geen hap door mijn keel tijdens de lunch, want ik moest nog zoveel regelen. Ik vloog de trap op naar mijn slaapkamer om mijn spullen op te ruimen en mijn bed op te maken. Misschien zou Pamela mijn verzameling paarden willen zien, of mijn stenen, of mijn gedroogde bladeren. Misschien zou Pamela willen zien hoe ik blauw water op magische wijze doorzichtig kon maken met de oude scheikundeset van mijn pleegbroer. Misschien zou Pamela willen tekenen. Voor de zekerheid klauterde ik op de bovenste plank, waar ik de doos met tekenpapier bewaarde. Vervolgens vroeg ik aan ma of ze wat van haar speciale pindakaaskoekjes wilde bakken in de vorm van een poezenkop.

Pamela kwam inderdaad. Ze liep met me mee naar huis. Ze ging mee naar binnen, bekeek mijn kamer en nuttigde een glas melk met een paar koekjes aan mijn tafel. Ze wilde geen pindakaaspoes, want ze zei dat ze geen pindakaaskoekjes lustte, dus ma opende een pak Oreo's voor haar. Toen zei Pamela: "Mag ik nu de eend zien?"

Ik nam haar mee naar het meer. We kropen op handen en knieën door de donkere takken, en Pamela mopperde over de vreselijke stank van eendenpoep. De eend zat op haar nest en siste naar ons.

"Ik wil de eieren zien," zei Pamela. Ik joeg de eend weg en pakte er eentje voor haar. Pamela bekeek het ei aandachtig. "Mag ik hem hebben?" vroeg ze. Het kwam niet in mijn hoofd op om nee te zeggen of me zelfs maar af te vragen wat ze ermee moest omdat ze het op geen enkele manier zou kunnen uitbroeden. Ik gaf het haar gewoon. Toen kropen we weer terug door de struiken.

Pamela stopte het ei in haar jaszak. "Oké," zei ze terloops, "tot morgen." Ze draaide zich om en wilde weglopen.

"Hé!" riep ik. "Wacht even! Wil je niet spelen?"

Ze schudde haar hoofd. "Nee, ik moet om kwart over vier thuis zijn. Ik moet mijn piano-oefeningen doen. Ik heb mijn moeder beloofd dat ik niet zo laat thuis zou zijn."

"Maar... maar, we hebben nog niks gedaan," zei ik.

"Ik wilde alleen even je eendeneieren zien, Laurie. Ik heb ze gezien, dus nu ga ik weer."

"Maar wil je dan niet iets samen doen?"

"Ik heb toch gezegd dat ik mijn piano-oefeningen moet doen."

"Wil je dan een andere keer komen spelen? Mijn verzameling paarden ziet er meestal nog veel mooier uit. Ik poets ze met handcrème zodat ze heel erg gaan glimmen. Wil je een keertje komen kijken nadat ik ze heb gepoetst? Dan mag je met Stormfire spelen. Hij is die witte die steigert op zijn achterbenen. Hij is mijn beste paard. Als Dena bij me speelt, bewaar ik hem altijd voor mezelf. Zij mag nooit met hem spelen, maar jij wel."

"Nee."

"Ma maakt niet altijd pindakaaskoekjes. Meestal maakt ze chocoladekoekjes. Lust je die wel?"

Pamela zei: "Laurie, heb je me niet gehoord? Ik wilde alleen je eendeneieren zien. Ik heb ze gezien, dus nu wil ik naar huis."

Ik staarde haar wezenloos aan.

"Waarom denk je dat ik met jou zou willen spelen?" zei ze. "Jij bent gek. Iedereen op school weet dat je gek bent."

"Dat is niet waar!"

"Echt wel," zei Pamela. "Je praat tegen jezelf en dat betekent dat je gek bent. Daarom wil niemand met je spelen."

"Ik ben niet gek," kaatste ik verontwaardigd terug. "En er zijn er zoveel die met mij willen spelen."

"Alleen Dena. En weet je wat haar vader doet? Hij werkt bij het waterzuiveringsbedrijf. Hij staat de hele dag in de poep van andere mensen." Ze kneep haar neus dicht. "Daarom speelt *zij* wel met jou, omdat ze te veel stinkt om met iemand anders te spelen."

"Ze stinkt niet," zei ik. "Bovendien is zij niet mijn enige vriendin. Ik heb een heleboel vriendinnen. Vriendinnen waar jij niet eens iets van weet. Vriendinnen die jou niet eens aardig zouden vinden."

"Ja hoor, Laurie. Vast. Wie dan, bijvoorbeeld?" vroeg ze.

"Je kent ze niet."

"Nee, omdat je ze waarschijnlijk gewoon hebt verzonnen."

"Nee hoor. *Echte* vriendinnen."

"Mensen die gek zijn, denken dat alles echt is. Die weten niet beter. Daarom zijn ze gek," zei Pamela, en ze schonk me een hooghartig glimlachje. Toen draaide ze zich om, stapte door het hek onze tuin uit en liep de straat in.'

Laura zweeg even. Ze leunde achterover in de zachte kussens van de stoel en bleef zo een poosje in diepe stilte zitten.

'Weet je, het was *niet* gelogen,' zei ze. 'Dat is waar mensen me altijd van beschuldigden. Dat wat ik ervoer niet echt was, en dus moesten het wel leugens zijn. Zwart-wit voor hen. Echt of niet echt. Waarheid of leugen. Maar zo was het niet. Ik zat het *niet* te verzinnen. Het was niet gelogen. Er was *echt* een andere wereld. Net als die van ons, maar dan anders. Ik kon het zien, maar om de een of andere reden konden zij dat niet. Ik weet niet waarom. Maar dat maakte het nog niet onecht.'

Er viel een lange, peinzende stilte.

'Ik weet nog dat we toen ik in groep zeven zat over bijen leerden,' zei ze zacht. 'Over dat bijen meer zien dan het zichtbare kleurenspectrum. Mensen kijken naar een witte roos, en nemen deze waar als effen wit. Voor ons is dat de waarheid. Maar als een bij naar dezelfde bloem kijkt, ziet hij complexe patronen op de bloemblaadjes. Dat komt doordat bijen kleuren waarnemen in het kleurenspectrum die buiten het menselijk bereik liggen. Het patroon is er wel, maar het is onzichtbaar voor onze ogen. En toen ik dat las, dacht ik bij mezelf: Dat is *precies* hoe het is met het Bos. Het simpele feit dat wij het patroon op de bloem niet kunnen zien, betekent nog niet dat de bij liegt. Het feit dat ik het Bos kan zien en andere mensen niet, betekent nog niet dat ik lieg.'

Laura hield op met praten en keek naar James. Weer die stilte die zich als een draad om hen heen spon.

'Ik heb me afgevraagd hoe ik dit hele verhaal over Torgon zo kan overbrengen dat je de levendigheid ervan voelt; hoe iets tegelijkertijd echt en niet echt kan zijn, en zo ontzettend mooi. Want als je die sfeer niet kunt proeven, blijft er weinig over van alles wat ik vertel...'

Haar adem stokte, en James voelde dat ze ineens emotioneel werd. Hij zei niets. Hij liet haar één zijn met haar gevoelens zonder druk uit te oefenen.

Uiteindelijk boog Laura zich naar voren en tilde haar handtas van de grond. 'Ik schreef heel veel toen ik jong was. Om Torgons wereld vast te leggen. Zo heb ik leren schrijven, door mijn pogingen om dat allemaal vast te leggen. Dus ik zat te denken... Misschien zou ik je een paar van die verhalen kunnen geven...' Ze pakte een stapeltje papier met getypte tekst uit haar tas. 'Ik dacht dat dit misschien een indringender beeld van haar wereld zou geven dan mijn verslag in de derde persoon van wat er allemaal speelde... Het zou het makkelijker voor je maken om te begrijpen wat ik vertel...'

James stak zijn hand uit. 'Ja, dat is een goed idee. Dat lijkt me wel wat.'

'Het is niet allemaal even goed geschreven. Het grootste deel heb ik geschreven toen ik nog een tiener was.'

'Het zal vast wel goed zijn.'

'Het zijn maar verhalen. Dingen die gebeurden in Torgons wereld. Ik zag ze, en vervolgens schreef ik erover om op die manier tot een beter begrip ervan te komen. Die functie heeft schrijven altijd voor me gehad. Dingen beter leren begrijpen.'

11

Pas toen James die avond thuis was, had hij tijd om te kijken naar het materiaal dat Laura hem had gegeven. Het was oud. James herkende de onregelmatige druk van een typemachine bij het vormen van de woorden, en zag dat de randen van de pagina's vergeeld en gevlekt waren, alsof ze al talloze keren waren omgeslagen.

Nadat hij een glas wijn voor zichzelf had ingeschonken en nog een blok hout op het vuur had gegooid vanwege een onverwacht stormachtige herfstavond, ging James zitten en begon te lezen.

Ze klopte op de deur, maar zonder een antwoord af te wachten duwde de acoliet hem open.

'Het is hier donker,' zei ze verrast. Het was Loki. Ze was pas acht en was kortgeleden naar het klooster gestuurd om te beginnen aan haar leven als ingewijde. Ze kende de regels nog niet.

'Normaal gesproken wacht men buiten de vertrekken van de benna totdat het bevel om binnen te komen wordt gegeven,' zei Torgon, 'en als een acoliet dan daadwerkelijk binnenkomt, is een reverence maken het eerste wat ze doet.'

Loki wapperde gefrustreerd met haar handen. 'O, het spijt me. Ik doe het altijd verkeerd. Wat wilt u dat ik nu doe? Naar buiten gaan en opnieuw binnenkomen?'

'Nee, als je het maar onthoudt voor de volgende keer.'

Loki keek onderzoekend om zich heen. 'Het is hier erg donker, heilige benna. Hebt u dat niet gemerkt? Mijn moeder zegt dat je niet in het donker moet werken omdat dat slecht is voor je ogen.'

'Je moeder heeft gelijk,' zei Torgon, en ze sloeg de beddensprei terug om op te staan.

Loki's ogen werden groot. 'Heilige benna! U hebt geen broek en geen schoenen aan!'

'Ik ben teruggekeerd tijdens zware sneeuwval. Mijn broek is

nat geworden, dus die heb ik uitgetrokken om hem sneller te laten drogen.'

'Ik wist niet dat u benen had zoals wij allemaal,' zei Loki verbijsterd. 'Of voeten. Want voeten zijn erg lelijk, vindt u niet?'

Torgon lachte. 'Ik ben van top tot teen net zoals andere vrouwen, Loki, compleet met lelijke voeten.'

Het meisje bloosde. 'O, het was niet mijn bedoeling uw voeten te beledigen!'

'Mijn voeten zijn niet beledigd. En ik evenmin, niet door je woorden noch door mijn voeten. Voordat Dwr mij uitkoos als zijn benna, was ik een arbeidersdochter en had ik mijn voeten hard nodig om op te staan tijdens mijn zware arbeid in de velden.'

'U was een arbeidersdochter? Eerlijk?'

'Jazeker. Dus daarom moet men zich altijd met trots kwijten van zijn taken: Dwr schept net zoveel behagen in goed werk als in een goede komaf.'

Loki knikte.

'Hoe het ook zij,' zei Torgon, 'ik neem aan dat je hier bent gekomen met een reden, Loki, want ik heb je niet ontboden.'

'Ik ben gestuurd om te zeggen dat het avondmaal klaar is.'

'Aha. Wel, zeg tegen de Ziener dat ik vanavond geen voedsel tot mij zal nemen.'

'Waarom niet? Bent u ziek?'

Torgon grinnikte. 'Jij bent wel erg nieuw hier, is het niet?'

Het meisje boog haar hoofd. 'Het spijt me. Mag ik u geen vragen stellen?'

'Misschien niet zoveel.'

Binnen luttele seconden na Loki's vertrek kwam de Ziener binnen. 'Bent u onwel? Wat scheelt eraan?'

'Geen echte ziekte. Niet meer dan wat licht gerommel, maar mijn maag kan geen eten verdragen.'

De Ziener kwam dichterbij en boog zich heel dicht naar Torgon toe om haar gezicht aandachtig te bekijken. Ze keek naar hem en bestudeerde zijn waterige oude-mannenogen, aangezien het ongepast zou zijn om zijn blik te mijden. Haar hoofd stevig tussen zijn handen klemmend, bevoelde hij haar kaaklijn met zijn vingers. 'We zullen vanavond de zuiverende oliën branden,' zei hij. 'Ik voel een groeiend kwaad in uw botten.'

'Ik mankeer niets, echt niet,' wist ze uit te brengen terwijl hij haar gezicht omklemd bleef houden.

'Dan komt u naar de eetzaal, net als anders. De soep is licht en zal dus probleemloos verdragen worden door uw maag.'

Torgon zei: 'Ik heb geen honger en vrees een verslechtering van mijn toestand als ik iets zou eten. Stuur een acoliet met een kom soep naar mijn privé-vertrekken, en als ik me goed genoeg voel, zal ik eten.'

'U moet eten,' verkondigde hij.

'Als ik me goed genoeg voel.'

'U zult eten. U bent veel te dun geworden sinds uw komst hier, en ik vrees dat u vol wormen zit. Dus het doet niet ter zake of u de soep weer opgeeft. Beter van wel, zelfs, want dan zal ik in de gelegenheid zijn om te zien door welke worm u wordt geplaagd.'

Het was Loki die kwam. Ze schoof de grendel van de deur en liep toen achteruit de kamer binnen, de houten kom voorzichtig in haar handen houdend terwijl ze probeerde niet te morsen met de dunne bouillon.

'Je bent weer vergeten te kloppen,' zei Torgon vriendelijk.

'O!' riep het meisje wanhopig uit. 'Neemt u me niet kwalijk.' Ze liet haar schouders hangen. 'Er zijn ook zoveel regels hier, en ik ben er nog niet aan gewend. Zal ik weer naar buiten gaan en kloppen?'

'Nee,' zei Torgon. 'Maar nogmaals, probeer alsjeblieft je best te doen om het te onthouden. Je zult een lelijke draai om je oren krijgen als een heilige vrouw je erop betrapt dat je niet wacht op toestemming.'

'Waarom geeft u me geen draai om mijn oren?'

Torgon wist een glimlachje te produceren. 'Misschien zal ik dat wel doen als ik me wat beter voel.'

Het meisje glimlachte terug. 'Ik denk het niet. Ik denk dat u niet graag een draai om de oren geeft, want ik heb het u nog nooit zien doen.'

Opnieuw werd Torgon overspoeld door een golf van misselijkheid, en ze haalde diep adem om deze te onderdrukken.

'U ziet er beslist ziek uit, heilige benna,' zei Loki, en ze zette de

kom soep op het tafeltje bij het raam. 'Ik heb eens een keer de kokhalsziekte gehad,' voegde ze er opgewekt aan toe. 'Ik heb twaalf keer overgegeven in één avond tijd. En daarna kregen mijn broers het allemaal. Ik heb vier broers.'

'Je hebt een grote familie. Je ouders zijn gezegend.'

'Mijn vader is een machtig krijger van de benita-*bende en blij dat hij zoveel zoons heeft.'*

'Hij zal ook blij zijn dat hij jou heeft, want het ligt in de aard van vaders om hun dochters innig lief te hebben. En je moeder zal dankbaar zijn voor je hulp bij de verzorging van zoveel mannen.'

Loki glimlachte.

'Je zult je familie wel missen nu je hier bent,' zei Torgon.

'Ja, een beetje wel,' zei ze, en ze keek toen nerveus op. 'Is het verkeerd van me om dat te zeggen?'

'Nee. Het is logisch, want je houdt van hen. Ik miste mijn familie ook toen ik nog maar net in het klooster was. Sterker nog, ik moest er 's nachts vaak van huilen.'

'Echt waar?' *zei Loki geschokt. 'Heeft uw moeder u niet geleerd dat dat niet mag? Heeft ze niet gezegd dat u uw vader te schande zou maken als u huilde?'*

'Mijn vader is arbeider. Die laat zich niet zo makkelijk te schande maken.'

'Als ik heel eerlijk ben, heilige benna, krijg ik soms inderdaad wel eens vochtige ogen. Ik heb het u niet verteld uit angst dat u boos op me zou worden.' Een stilte. 'Als ik heel eerlijk ben, heilige benna, bent u heel anders dan ik had gedacht.'

'Je dacht om te beginnen dat ik geen benen zou hebben!'

Loki lachte. 'Ik had gewoon gedacht dat u nog veel angstaanjagender zou zijn dan de Ziener, aangezien u heiliger bent dan hij. Ik dacht dat u geen zin zou hebben om met kleine kinderen te praten.'

'Integendeel. Ik merk dat ik wat ben opgeknapt van het praten met jou.'

'Werkelijk?' vroeg Loki met een verbaasde glimlach. Toen klaarde haar gezichtje op. 'Weet u wat u moet doen? Aan de heilige Dwr vragen om te zorgen dat u niet ziek wordt. Dat zou slim zijn, nietwaar?'

'Jawel, maar dat zou ik niet kunnen,' antwoordde Torgon.

'Waarom niet? U bent goddelijk. En naar mijn idee is het niet erg goddelijk om over te geven.'

Torgon glimlachte. 'Maar ik ben geen god.'

'In de wetten staat dat u "god van vlees en bloed" bent. Daarom moeten we u respect betuigen.'

'Jawel, maar god van vlees en bloed betekent dat ik hetzelfde ben als ieder ander mens.'

Loki fronste haar wenkbrauwen. 'Hoe kan dat nou?'

'Wat heeft het voor zin om van vlees en bloed te zijn als een god niet precies ervaart wat het behelst om van vlees en bloed te zijn? Daar hoort ziek worden ook bij. En je eten opgeven. Dus je begrijpt dat het niet juist zou zijn als ik Dwr zou vragen me te sparen, want dit is hoe Dwr wil dat ik ben.'

Loki, die niet overtuigd was, dacht na.

'Bovendien, ziekte is niet Dwrs terrein. Dwr heerst over het bewustzijn, over goed en kwaad en keuzes maken. Alles wat daarbuiten valt, behoort tot het uitgestrekte rijk der Natuur, en zelfs de heilige Dwr kan de wetten der Natuur niet veranderen.'

'Maar is ziek zijn niet iets duivels?' vroeg Loki. 'Want waarom roepen we anders de hulp in van de wijze vrouwen om kwade geesten te verjagen? Zijn dat geen duivels? Zou het daarmee dan niet tot Dwrs terrein behoren? En zouden we er om die reden dan niet tegen moeten vechten en proberen het te veranderen om zo een betere wereld te creëren?'

Torgon trok een wenkbrauw op. 'Pas op je woorden, kleintje.'

Loki boog haar hoofd. 'Het spijt me,' zei ze vlug. 'Heb ik weer iets verkeerds gezegd? Dat doe ik zo vaak. Er is hier zoveel wat ik nog moet leren. Zoveel regels. Ik ben er niet goed in. Ik vrees dat ik niet bepaald slim ben.'

'Het is niet dat je niet slim bent, kind. Je probleem is dat je het juist wel bent.'

'Hoe oud was je toen je dat verhaal hebt geschreven?' vroeg James aan het begin van Laura's volgende sessie.

'Dat kan ik me niet meer precies herinneren,' zei Laura. 'Ik ben de verhalen pas halverwege mijn tienerjaren op papier gaan zetten, maar ik weet nog precies hoe oud ik was toen ik voor het eerst voelde dat ik in twee werkelijkheden leefde. Elf. Ik weet zelfs nog wat voor dag het was. Een zaterdagochtend in de herfst, en Dena en ik zouden samen naar het park gaan. Ik weet nog dat we hoog op de bovenste sport van het klimrek zaten te praten, als een stel matrozen in een kraaiennest. Dena was inmiddels heel erg bezig met de puberteit. Ze vertelde me dat ze haar schaamharen had geteld, en vroeg vervolgens aan mij of ik ook al schaamhaar kreeg. Ik weet nog dat ik over het park uit staarde naar de bomen die goudkleurig oplichtten in het zonlicht. Torgon was op dat moment niet bij me, maar om de een of andere reden deed de glinsterende zon op de gekleurde bladeren me aan haar denken.

Ik zei: "Ik heb soms het gevoel dat ik ontplof."

"Hoe komt dat? Wat is er aan de hand?" vroeg ze.

"Torgon enzo. De manier waarop Torgons wereld zo'n beetje over alles heen ligt wat ik zie. Het is een soort doorzichtigheid. Zodat er overal een soort laagje van die wereld overheen ligt."

"Speel je dat nog *steeds*?" vroeg Dena verbaasd. Want dat had ze zich niet gerealiseerd. Onze vriendschap was inmiddels al lang niet meer wat het was geweest. Tegen de tijd dat ze een jaar of negen was, had Dena de interesse voor fantasiespelletjes verloren, dus dat hield langzaam op deel uit te maken van wat we samen deden. Ik moest uitleggen dat ik dat inderdaad nog steeds allemaal in mijn hoofd had.

Ik zei: "Het is nooit weg geweest. Ik hoor ze nog steeds voortdurend met elkaar praten. Ik hoor alles wat Torgon zegt. Zelfs wat ze denkt en niet hardop zegt. Ik hoor haar gedachten. Ik voel wat zij voelt."

"Maf," zei Dena. "Hoe doe je dat?"

Ik haalde mijn schouders op. "Weet ik niet. Het gebeurt gewoon."

"Weet je?" zei ze opgewekt. "Ik stel me jouw hoofd voor als zo'n grote schotelantenne waar ze satellieten en buitenaardse ruimteschepen enzo mee opsporen, die zo'n beetje heen en weer draait en al die rare stemmen opvangt."

"Nee, het is veel simpeler dan dat," zei ik. "Meer alsof ik gewoon in de kamer ernaast zit en ze kan horen praten door de muren heen, en als ik wil, kan ik ook hun kamer binnengaan."

"Oké, doe dat nu dan eens," zei Dena. Het was geen uitdaging. Ze was gewoon nieuwsgierig. Ze zei: "Ga naar de plek waar Torgon nu is zodat ik kan zien hoe je dat doet."

Ik was meteen in het Bos. Ik hoefde er niet eens iets voor te doen. Het verscheen gewoon voor me. Torgon was in de altaarkamer met de Ziener. Het was later op die avond dat ze met Loki had gepraat, maar nu was ze druk bezig met een van de heilige rituelen. Ik keek weer naar Dena en zei: "Ziezo."

Ze zei: "Ach, toe nou, Laurie. Je hebt niks gedaan."

Ik zei: "Jawel. Je vroeg of ik naar de plek toe kon gaan waar ze nu is, en dat heb ik gedaan."

"Ach, *toe* nou, Laurie."

Ik was geïrriteerd omdat ik wist dat ze dacht dat ik het ter plekke zat te verzinnen. Ik zei: "Oké, dan zal ik je het hele verhaal vertellen over wat er sinds vanochtend allemaal is gebeurd. Over dat Torgon in haar kamer was toen er een klein meisje dat Loki heet binnenkwam, en dat Torgon zich niet lekker voelde. Ze was misselijk. En weet je, Dena? Toen zij misselijk was, voelde ik me ook een beetje misselijk. Ik kon voelen wat zij voelde."

"Heeft ze gekotst?" vroeg Dena. "Heb je haar zien kotsen?"

"Dena, hou op. Ik probeer je iets serieus te vertellen."

"Ja, nou, heeft ze gekotst of niet? Dat is wat *ik* graag wil weten."

"Uiteindelijk wel, ja, maar wat maakt dat uit?"

Dena's ogen werden groot. "Wauw. *Dat is maf*. Er zit gewoon iemand te kotsen in je hoofd." Ze zweeg even en schudde met haar hoofd. Toen keek ze me weer aan. "Ik moet je iets vertellen," zei ze.

"Wat dan?"

"Nou, ik denk dat je hier beter niet met al te veel mensen over kunt praten. Mij maakt het niets uit. Ik begrijp je wel, want ik ben je beste vriendin."

"Ik praat er helemaal niet met mensen over," zei ik. "Alleen met jou."

"Ja, nou ja, de reden waarom ik dit zeg, is... ik vind het vreselijk om dit te moeten zeggen, Laurie, maar het klinkt soms *echt* alsof je gestoord bent als je hierover vertelt."

"Maar dat ben ik niet. Dat weet je."

"Ja, dat weet ik wel," zei ze, "maar soms als je zo praat, moet ik mezelf er steeds aan helpen herinneren."

Vervolgens, zonder zelfs maar een pauze, zei Dena: "Weet je wat Keith Miller gisteren heeft gedaan bij mevrouw MacKay in de klas? Hij ging achter Sally staan en liet zijn hand over haar rug naar beneden glijden om te voelen of ze een beha aanhad."

Ik weet nog dat ik weer zat te kijken naar het licht tussen de bladeren terwijl Dena praatte, herfstgoud tegen herfstgroen, vluchtige, flakkerende kleuren, en ik vroeg me af: *wat is echt?* Wat bepaalt of iets bestaat? En ik weet nog dat ik me nog steeds een beetje misselijk voelde.'

12

Aan het eind van zijn volgende sessie zei Alan: 'Ik wil het even hebben over de mogelijkheid dat Morgana hier ook onder behandeling komt. Dat was toch de afspraak, hè? Zo werkte het toch hier?'

James knikte.

'Mooi. Want zoals ik tijdens die eerste sessie al heb gezegd, begint Morgana nu al dingen te doen waarvan ik niet wil dat ze een gewoonte worden.'

Alan zweeg even. 'Shit, is het niet afschuwelijk om me dat te horen zeggen?' Er kwam een grijns op zijn gezicht. 'Om zelfs maar rekening te houden met de mogelijkheid dat we twee prachtige, onschuldige kinderen hebben verziekt? Dat zegt toch wel iets over ons als ouders, hè?'

'Zo moet je dat niet zien,' antwoordde James. 'Het is belangrijk om problemen niet te zien in termen van bezit. Ik weet dat dat tegenwoordig een heel populaire benadering is, maar het is bekrompen, want er gebeurt niets in een vacuüm. Het gezin is een milieu, en Morgana maakt deel uit van dat gezin. Dus is het logisch dat ze zowel wordt beïnvloed door als invloed uitoefent op wat er gaande is.'

'Oké.'

'Daarom vind ik het zo belangrijk om ouders en broertjes en zusjes te betrekken bij de therapie als ik met een kind werk.'

Alan zei: 'Het is ook omdat ik merk dat Conor baat heeft bij wat je doet, en dat wil ik voor Morgana ook.' Hij glimlachte. 'Ik begin *echt* veranderingen te zien. Kleine dingetjes, maar ze zijn er wel degelijk. Soms merk ik bijvoorbeeld dat Conor naar me luistert. Hij is lang niet meer zo vaak in zijn eigen wereld.'

'Conor doet het hier heel goed,' zei James. 'Het gaat heel langzaam, maar er is nog steeds vooruitgang. Hij begint beslist meer respons te tonen.'

'Dat is geweldig om te horen,' zei Alan ontroerd. 'Het zou echt het allermooiste moment van mijn leven zijn als we voor Conor het tij zouden kunnen keren.'

Aan het begin van de volgende sessie liep Conor direct naar de planken en haalde het plastic autokleed tevoorschijn. Hij liet de kat er onderzoekend overheen glijden en legde het toen ondersteboven op de grond, zodat de witte kant boven lag. Hij streek het glad met zijn hand. 'Eh-eh-eh. Rrrr. Brr-brr-brr.'

Conor duwde zijn hand onder het kleed en bleef een paar seconden zo zitten. Toen begon hij zijn hand kriskras heen en weer te bewegen, als een kitten onder een deken.

'Terria,' mompelde hij, en hij haalde zijn hand eronder vandaan.

'Wat zeg je?' vroeg James.

'De Taurus-Littrow landing,' antwoordde hij en streek het kleed glad met zijn hand. 'Er is hier geen graf. Waar is de man?'

James was totaal niet in staat de gedachtekronkels van de jongen te volgen. Hij noteerde 'Taurus-Littrow' en het woord 'terria', fonetisch geschreven, in zijn notitieboek.

Conor keek op en keek James recht aan. 'Hier is terria.' Hij sprak met een stelligheid die James nog niet eerder had gehoord, en op ietwat dringende toon, alsof hij in de gaten had dat James geen woord begreep van wat hij zei en dit hem zorgen baarde. Hierdoor kregen Conors woorden onmiskenbaar een communicatieve klank.

'Hier is terria,' zei Conor nog een keer. Hij klopte op het omgekeerde autokleed. '*Terria*. Ja, dat is terria. Waar is de man?'

'Bedoel je het speelgoedpoppetje? Waar je de vorige keer mee hebt gespeeld?' vroeg James. 'Dat ligt vast bij de andere lego. Daar. In de mand.'

Conor liet zijn schouders hangen in zo'n onmiskenbaar gebaar van verslagenheid dat James wist dat hij verkeerd had geraden. Zelf voelde hij zich ook enigszins verslagen, want ondanks het feit dat Conor hem zo overduidelijk iets probeerde te vertellen, snapte hij gewoon niet wat.

Conor gaf het op, ging staan en liet het plastic kleed op de grond liggen. Met de kat tegen zijn borst geklemd, liep hij naar de grote ramen. Tot nu toe had hij die altijd genegeerd. Nu ging hij ervoor staan en keek naar buiten. Er verstreken een aantal seconden in stilte.

'Waar is de man op de maan?' vroeg Conor.

'Die kunnen we op dit moment niet zien omdat de maan nog niet aan de hemel staat.'

Conors gezicht kreeg een gealarmeerde uitdrukking. Hij bracht de pluchen kat omhoog en drukte deze tegen zijn gezicht. 'Eh-eh-eh-eh-eh-eh.'

'Ik hoor je angstige geluid,' zei James. 'Vind je het niet prettig dat je de maan niet kunt zien?'

'Waar is de maanman gebleven?'

'Je bedoelt de mannen die op de maan zijn geland? Ze zijn daar niet meer. Ze zijn heel lang geleden op de maan geland, maar nu zijn ze weer terug op aarde.'

'De man op de maan kan ons zien, maar wij kunnen hem niet zien. Hij kan ons zien. Eh-eh-eh-eh-eh.'

'Ben je bang voor de man op de maan?' zei James zacht. 'Hij bestaat niet echt, Conor. Er is daar geen echte man. Het zijn gewoon patronen op het maanoppervlak, en als we daar vanaf de aarde naar kijken, lijkt het net alsof het een gezicht is. Maar dat is niet echt zo.'

'De Taurus-Littrow landing, 1971,' riep Conor uit.

'Het is verwarrend, hè?' zei James in een poging Conors angst te interpreteren. 'We zeggen "mannetje in de maan" als we willen uitdrukken hoe de maan er vanaf de aarde voor ons uitziet, maar dan hebben we het niet over een echt mannetje. Het is gewoon een uitdrukking. Maar aan de andere kant zijn er wel astronauten geweest die op de maan hebben gelopen, en dat zijn wel echte mannen. Maar ze zijn niet op de maan gebleven. Het is er te dor. Niemand zou daar kunnen wonen. Dus nu zijn ze allemaal weer terug op de aarde.'

De jongen begon te huilen. 'Nee! Wil niet dat de man op de maan terugkomt!' Hij drukte de pluchen kat tegen zijn gezicht en zakte snikkend op de grond in elkaar.

In schril contrast met het onstuimige, zelfverzekerde kind dat James achter Becky aan had zien rennen door zijn appartement, stond Morgana in de wachtkamer met haar vaders hand stevig in de hare geklemd terwijl ze James achterdochtig aankeek.

'Hallo,' zei James. 'Wat leuk je weer te zien.'

Ze drukte zich tegen Alans been aan.

James stak zijn hand uit. 'De speelkamer is deze kant op. Kom maar mee, dan laat ik het je zien.'

Met tegenzin gaf Morgana haar vader een kus en pakte James' hand. Hij liep met haar door de korte gang van de wachtkamer naar de speelkamer en deed de deur open. Ze bleef even staan, gluurde naar binnen en stapte vervolgens behoedzaam over de drempel. Ondanks zijn aansporingen kreeg James haar niet zover dat ze verder binnenkwam. Zachtjes deed hij de deur dicht. Hij liep naar het kleine tafeltje en ging zitten.

'Ik heb nog nooit een dokterskamer gezien die er zo uitziet,' zei Morgana sceptisch terwijl ze om zich heen keek. 'Die van dokter Wilson ziet er heel anders uit.'

'Dokter Wilson en ik zijn ook allebei een ander soort dokter. Hij is een dokter die helpt om je lichaam gezond te houden. Ik ben een dokter die helpt om je gevoel gezond te houden.'

Ze keek hem even aan. 'Geeft jouw soort dokter ook prikjes?'

'Nee, meestal niet.'

Er gleed een blik intense opluchting over haar gezicht. 'O, *gelukkig*.'

'Was je bang dat ik je misschien een prikje zou geven?' vroeg James.

Verwoed knikkend zei ze: '*Ja*, want ik dacht dat *alle* dokters prikjes geven.' Ze glimlachte schaapachtig. 'Dus ik vond het niet fijn om hier in mijn eentje naartoe te moeten. Als ik een prikje moest, wilde ik dat papa erbij was.'

Ze keek met meer zelfvertrouwen de kamer rond. 'Wat veel speelgoed is er hier. Is dat allemaal van Becky en Mikey?'

'Nee. Hun speelgoed staat bij mij thuis. Het speelgoed in deze kamer is voor de jongens en meisjes die hier bij mij komen.'

'Zoals mijn broer?'

'Ja,' zei James, 'en zoals jij, vandaag. Dus in de tijd dat je hier bent, mag je spelen met alles wat je leuk vindt. Je mag het helemaal zelf weten. Hier bepalen kinderen zelf wat ze willen doen.'

'*Dat* klinkt goed.' Ze grijnsde vrolijk naar hem. 'Wat is dat?'

'Mijn notitieboek. Ik maak graag aantekeningen zodat ik niet vergeet waar we het over hebben gehad.'

'Waarom dan?'

'Omdat we misschien wel hebben gewerkt aan het oplossen van een probleem, en ik niks belangrijks zou willen vergeten wat een kind me heeft verteld,' zei James.

Morgana legde haar handen plat op tafel, leunde naar voren en keek James aandachtig aan. Haar ogen twinkelden. 'Weet je wat mijn broer doet?' Haar toon was samenzweerderig. 'Hij plast in de prullenbak in de keuken omdat hij denkt dat het een wc is.' Ze lachte hartelijk. 'Maar dat is een geheim. Niet tegen mama zeggen dat ik het heb verteld.'

'Waarom niet?'

'Omdat mijn mama zou zeggen dat het niet aardig is om jou dat te vertellen.' Ze lachte opnieuw.

James moest ook lachen.

'Ik heb het aan Becky verteld. Ze zei dat Mikey een keer in bad heeft geplast. Ze zei dat hij zelfs een keer in bad heeft gepoept, en dat-ie bleef drijven.'

'Ja, ik vrees dat het waar is wat ze zegt.'

'Jongens kunnen echt *zo* smerig zijn.'

James knikte.

'Hoe komt het dat Becky niet altijd bij jou woont?'

'Omdat Becky's moeder en ik gescheiden zijn. Becky woont het grootste deel van de tijd bij haar moeder in New York, omdat haar school daar is, en haar opa en oma, en haar neefjes en nichtjes. Maar ook al zijn Becky's moeder en ik uit elkaar, ik houd nog net zo veel van Becky – en Mikey – als altijd, dus we willen ook graag bij elkaar zijn. Daarom komen Mikey en zij soms hier.'

Morgana's gezicht was betrokken. 'Mijn vader en moeder gaan dat ook doen. Scheiden, bedoel ik.'

'Wat vind je daarvan?' vroeg James.

'Ik wil dat niet.'

'Kun je me er iets meer over vertellen?'

'Bij mij op school zit een meisje dat Kayla heet, en toen we in groep één zaten, zijn haar ouders gescheiden. Nu ziet ze haar vader nog maar twee keer in de maand, en soms vergeet hij het ook. Ik wil niet dat dat bij mij ook gebeurt. Ik hou heel veel van mijn papa.'

'Natuurlijk,' zei James.

'Jij vergeet Becky toch ook nooit?'

'Nee. Vaders vergeten hun kinderen nooit, zelfs al kunnen ze niet altijd bij hen zijn.'

'Er is nog iets anders waarom ik niet wil dat ze gaan scheiden,' zei Morgana.

'Wat dan?'

'Onze ranch. Omdat ik het zo fijn vind op onze ranch. Onze ranch is de aller-, aller-, allerfijnste plek op aarde, en ik wil er voor altijd blijven wonen. Zelfs als ik groot ben. Ik word veefokker, net als mijn papa. Maar mijn moeder zegt dat Conor en ik niet meer op de ranch kunnen wonen als papa en zij gaan scheiden, omdat we dan ergens anders gaan wonen. Maar dat wil ik niet. Maar ik wil ook wel graag bij mijn moeder zijn.'

'Dat zijn een paar grote zorgen die je daar hebt.'

'Ja,' antwoordde Morgana, en ze fronste haar voorhoofd. 'Nou en of.'

Ze keek naar James' pen terwijl hij zat te schrijven. 'Maar weet je?' zei ze. 'Kayla zegt dat ze nu wel twee keer Kerstmis viert. Eerst een keer bij haar moeder, en dan nog een keer bij haar vader en zijn vriendin. En weet je wat nog meer? De Kerstman komt naar *alle twee* de huizen!' Morgan glimlachte ondeugend. '*Dat* zou ik helemaal niet erg vinden.'

James glimlachte terug.

Morgana keerde zich van de tafel af en keek de kamer rond. 'Je hebt hier wel erg veel speelgoed. Het lijkt bijna wel een speelgoedwinkel.' Ze liep de kamer in om te zien wat ze kon vinden.

Nadat ze de veelheid aan speelgoed en materialen in de kamer had bekeken, koos Morgana voor niets spannenders dan een vel papier en een doos krijtjes. Ze nam ze mee naar de tafel en ging toen tegenover James zitten. Ze zocht een blauw krijtje uit en schreef zorgvuldig haar naam in grote, ronde letters.

'Ziezo. Dat heb ik goed gedaan, hè?' zei ze tevreden, en ze liet het aan James zien. Toen zocht ze een groen krijtje uit. Ze leek op het punt te staan om iets te gaan tekenen, maar in plaats daarvan trok ze de letters van haar naam om met de tweede kleur.

'Weet je?' zei ze. 'Ik kan al lezen.'

'Dat is heel knap.'

'Ik zit in de beste leesgroep op school. Ook al zit ik pas in groep drie, ik mag al echte boeken lezen. Niet die kleuterboekjes waarmee je het moet leren.'

'Ja, echte boeken zijn interessanter, hè?'

'Ik kon al lezen toen ik pas drie was.'

'Je bent dus goed in lezen,' zei James.

'En weet je?' zei Morgana opgewekt. 'Mijn beste vriend kan helemaal niet lezen.'

'Als je zes bent en nog maar net begint, kan lezen soms heel moeilijk zijn,' zei James.

'O, maar hij is geen zes. Hij is acht.'

'Sommige kinderen hebben meer moeite met lezen dan andere.'

Morgana zocht een derde kleur uit en trok de letters van haar naam nog een keer om. 'Nee, het is niet omdat hij het moeilijk vindt. Het is omdat hij en zijn nichtje thuisonderwijs krijgen, maar lezen leren ze niet. Hij zegt dat niemand kan lezen bij hem thuis.'

'Dat is heel ongebruikelijk,' merkte James op.

'Ja, dat dacht ik ook. Eerst geloofde ik hem niet. Want ik dacht: grote mensen die niet kunnen lezen, bestaan niet. Maar het is echt waar. Hij kan echt niet lezen. Hij kent het alfabet niet eens. En weet je?'

'Nou?' zei James.

'Ik heb gezegd dat ik het hem wel zal leren. Ik ga een van de boeken van school voor hem meenemen.'

'Je bent een heel zorgzame vriendin.'

'Dat is omdat hij en ik beste vrienden zijn. We spelen altijd samen. Bijna elke dag.'

'Wat spelen jullie dan samen?' vroeg James.

'Koning en koninginnetje, meestal. Dat is ons favoriete spelletje.' Ineens barstte ze in lachen uit. 'Hij is *zo'n* oen. Weet je wat hij zegt? Hij zegt dat hij koning wordt van beroep als hij later groot is. Serieus. Dat denkt hij echt! Ik heb tegen hem gezegd dat dat niet kan, omdat er geen echte koningen meer bestaan, want die heb je alleen in sprookjes. Maar hij zei dat ik het mis heb. En weet je? Ik heb het aan mijn moeder gevraagd en zij zei dat het waar is. Er bestaan *nog steeds* echte koningen, al heeft ze erbij gezegd dat ze niet dacht dat iemand uit South Dakota koning kon worden.' Morgana lachte vrolijk. 'Dus nu plaag ik hem ermee. Ik noem hem de Leeuwenkoning.'

'Waarom noem je hem zo?'

'Dat heb ik je net verteld. Omdat hij koning wil worden als hij groot is.'

'Ik bedoel dat van die "leeuwen",' zei James.

'Om twee redenen. Eén: omdat hij lang haar heeft zoals een leeuw. Zijn haar komt helemaal tot zijn schouders, kijk, tot hier.' Ze wees het aan. 'Het lijkt echt net het haar van een meisje, maar ik wil niet dat hij zich schaamt, dus ik noem het leeuwenhaar. En de tweede reden: omdat hij altijd een kat is.'

'Een kat?' zei James, geïntrigeerd. 'Hoe doet hij dat dan?'

'Het is alleen maar *net alsof*, natuurlijk,' zei ze lachend. 'We spreken altijd af bij het beekje. Daar spelen we altijd. Als hij er als eerste is, verstopt hij zich tussen de rotsen en springt hij tevoorschijn om me te laten schrikken. Dan roept-ie: "Wrrrauw! Pas maar op! Ik ben de Grote Kat!" Hij bedoelt een poema. Maar ik ben nooit bang. Ik ren hem gewoon achterna!' Opnieuw lachte ze vrolijk en gebaarde ze met haar handen.

Er volgde een stilte. Morgana keek neer op haar papier. Gedurende het gesprek was ze haar naam blijven versieren met verschillende kleuren. 'Kijk. Ik heb er een soort regenboog van gemaakt.' Ze hield het papier op om het aan James te laten zien. 'Zie je, ik ken de kleuren van de regenboog. Ik ken de kleuren in de goede volgorde. Zal ik ze opnoemen? Rood, oranje, geel, groen, blauw, indigo en violet.'

'Dat is heel knap van je,' antwoordde James.

'Ja, ik ben intelligent. Ik kan je mijn IQ vertellen. Het is 146. Dat weet ik omdat mijn ouders het hebben laten testen.' Ze tuitte haar lippen. 'Ik mag het alleen niet aan mensen vertellen, want mijn mama zegt dat ik er van naast mijn schoenen ga lopen. Maar jij bent dokter, dus ik dacht dat je het misschien wel wilde weten.'

James glimlachte naar haar. 'Weet je wat een IQ is?'

Morgana zoog haar lippen naar binnen tussen haar tanden en rolde met haar ogen, gevolgd door een schouderophalen en een grijns. 'Niet echt.' Toen rimpelde ze haar voorhoofd in een nadenkende frons. 'Maar ik weet wel dat je er eentje moet hebben als je intelligent bent. En dat je daardoor goede cijfers haalt op school.'

'Ja, zo zou je het kunnen zeggen,' antwoordde James.

Een korte stilte.

'Mag ik iets vragen?' Vragend hield Morgana haar hoofd scheef.

'Jazeker,' zei James.

'Ik weet niet wat Conors IQ is, maar ik weet wel dat hij er ook eentje heeft, want weet je? Hij kon al lezen toen hij nog jonger was dan ik. Hij was pas *twee*. Dat heeft mijn papa me verteld.'

'Dat is heel bijzonder,' zei James.

'Maar een jongen bij mij in de schoolbus zegt dat Conor achterlijk is.'

'Wat vind je daarvan?'

'Het kan me niet schelen dat hij dat zegt, want het is niet waar. Conor kon al lezen toen hij nog maar twee jaar was. Dus het kan niet waar zijn, en je kunt wel van alles zeggen, maar daarmee is het nog niet waar.'

'Ja, daar heb je gelijk in.'

'Maar wat ik wil weten, is hoe het dan komt dat Conor niet net als ik naar school gaat en goede cijfers haalt? Als hij een IQ heeft, hoe komt het dan dat hij is zoals hij is?' vroeg ze.

'Dat is een moeilijke vraag,' antwoordde James. 'We zijn gemaakt van een heleboel verschillende dingen, en ons IQ is er maar één van. Dus soms is ons IQ misschien wel goed, maar hebben we hulp nodig bij andere dingen.'

'Ik wou dat hij meer als een echte broer kon zijn,' zei Morgana weemoedig.

'Je zou graag een echte broer willen hebben,' herformuleerde James.

Ze knikte. 'Ik wou dat hij een beetje voor me zorgde. Hij is negen. Drie hele jaren ouder dan ik, maar weet je? Meestal moet *ik* voor *hem* zorgen.'

'Ik begrijp dat dat moeilijk is,' zei James.

'En hij maakt me bang.'

'Hoe doet hij dat dan?'

‘’s Avonds in zijn slaapkamer praat hij tegen zichzelf, en ik kan hem door de muur heen horen.’

‘En dat maakt je bang?’ vroeg James.

Ze knikte. ‘Ja, want hij praat altijd over de spookman. Daarom moet Conor alsmaar zijn draden aanpassen – omdat zijn kat ziet dat de spookman eraan komt. Dus Conor blijft altijd wakker, blijft altijd zitten praten en aanpassen. Soms ga ik naar hem toe en probeer ik te zorgen dat hij weer gaat slapen, maar dan wil hij dat ik bij hem tussen zijn draden kom zitten. Hij zegt dat als we tussen de draden zitten, de kat ons zal beschermen tegen de spookman.’

‘Het klinkt alsof Conor en jij heel wat af praten,’ zei James.

Morgana knikte. ‘Dat komt omdat ik luister.’

‘En zegt Conor ook wie die spookman is?’ vroeg James.

‘Het is de man die onder het kleed woont.’

‘Aha. En heb je ooit iemand gezien die onder een van de kleden bij jullie thuis woont?’

‘Nee,’ zei Morgana. ‘Het zijn gewoon normale kleden.’

‘Ja, dat denk ik ook. Conor raakt soms een beetje in de war,’ zei James vriendelijk. ‘Het is waarschijnlijk het beste om er niet te veel aandacht aan te besteden.’

‘Ja. Dat zegt mijn papa ook altijd. Hij zegt dat het gewoon Conors woorden zijn voor wat hij voelt in zijn hoofd. Maar toch word ik er bang van. Ik ben klein en hij is groot, dus eigenlijk moet hij flink zijn voor mij, maar in plaats daarvan ben ik flink voor hem. En het maakt niet uit wat ik zeg. Conor wordt toch alsmaar ongerust wakker ’s nachts. Hij zegt alsmaar dat de kat de spookman heeft gezien in de gang, en dat de man ons komt halen als we niet oppassen.’

13

'Alles werd anders toen ik twaalf was,' zei Laura aan het begin van de volgende sessie. 'Ik ging naar de middelbare school. De nieuwe school was in de tegenovergestelde richting van de basisschool, dus als Dena en ik samen naar huis liepen, kwamen we eerst langs haar huis, en moest ik de laatste twee blokken in mijn eentje lopen.

Mijn pleegbroer Steven begon me in het steegje tussen Kenally en Arnott Street op te wachten. We konden het van het begin af aan al niet goed vinden samen. Hij was een jaar ouder dan ik en de enige van mijn pleegbroers met wie ik problemen had, en hij kon echt heel gemeen zijn. Mijn vader zei dat ik het gewoon moest negeren, dat het waarschijnlijk jaloezie was, omdat hij de vierde was van vier jongens, en daarna was ik gekomen en had alle aandacht naar me toe getrokken; het was echter een feit dat Steven met heel veel mensen overhoop lag. Op school werkte hij zich ook altijd in de nesten.

Toen ik kleiner was, ging het nog wel tussen Steven en mij, voornamelijk omdat ik net zo sterk was als hij en veel gecoördineerder, dus als het nodig was, kon ik mijn mannetje staan. Maar tegen de tijd dat we naar de middelbare school gingen, was hij zoveel groter en sterker dan ik, dat hij echt in het voordeel was.

Hoe het ook zij, hij begon me dus op te wachten in die laatste twee blokken van school naar huis. Als er andere jongens bij hem waren, deden ze meestal niet veel meer dan me op de grond duwen en dan gauw wegrennen. Eén keer heeft een joch dat Bruce heette mijn broodtrommel weggeschopt en mijn thermosfles kapotgemaakt, maar meestal bleef het beperkt tot wat schrammen en blauwe plekken.

Maar als Steven alleen was, was het erger. Het enige waar hij aan kon denken, was seks. Dus als hij me op de grond duwde, ging hij boven op me zitten en probeerde mijn slipje uit te trekken. Meestal kon ik wel ontsnappen door me eruit te wurmen, maar dan rende hij me achterna, zwaaiend met mijn slipje, dat hij vervolgens zo maar ergens neergooide.

Op een dag zag ik Steven met twee andere jongens, Jimmy Hill en Loring Bardon, staan wachten. Ik wist dat dit niet veel goeds voorspelde, dus ik probeerde ze te ontlopen door de weg langs het meer te nemen. Ik kon echt heel snel rennen in die tijd, veel sneller dan Steven, en ik kende veel meer sluipweggetjes dan hij, dus normaal gesproken lukte het me meestal wel om veilig thuis te komen. Ik dacht dat het me dit keer ook zou gaan lukken, omdat ik een geheim pad langs het meer had genomen dat bijna niemand kende. Maar precies op het moment dat ik door het achterstraatje het hek van ons huis naderde, hoorde ik Steven roepen: "Aanvallen!" Ik smeet mijn schoolboeken op de grond en rende terug de helling af naar het meer, hetgeen een grote vergissing was, want ik struikelde in het hoge gras en viel.

Meteen doken ze boven op me. Loring hield mijn armen vast en Steven klom boven op me. Jimmy stond lachend op ons neer te kijken en schopte zand in mijn gezicht. Toen zei Steven: "*Laten we het doen.*"

Jimmy zei meteen nee, maar Steven was al bezig zijn riem los te maken.

Ik begon te huilen. Steven was inmiddels een grote jongen. Hij was al dertien en had de bouw van een bulldozer, dus ik kon hem met geen mogelijkheid van me af duwen. Bovendien waren ze met zijn drieën. Maar Jimmy hield voet bij stuk. Hij zei: "Ik denk dat we dit beter niet kunnen doen, Steve."

Steven zei: "Wat mankeert jou? Kun je geen stijve krijgen?" En hij verspilde geen moment. Hij trok mijn slipjc omlaag en haalde zijn pik tevoorschijn en hij deed het naar beste vermogen.

Ik schreeuwde toen hij het probeerde. Daar schrok Loring zo van dat hij mijn armen losliet, maar dat maakte geen verschil voor Steven. Hij legde een hand over mijn mond en bracht zijn gezicht heel dicht bij het mijne en zei: "Je zult het aan niemand vertellen, hè?" en zoals hij het zei, klonk het als een dreigement. Toen glimlachte hij naar me, zo'n beetje maar, en zei: "Want jij bent niemand. En er is niets gebeurd, als het gebeurd is bij niemand."'

'Wat afschuwelijk voor je,' zei James meelevend. 'Het moet

heel beangstigend zijn geweest. Heb je het aan iemand verteld?'

'Twee zondagen later kwam mijn vader zijn gebruikelijke bezoekje brengen. Hij was alleen, zoals in die tijd meestal het geval was. Mijn broer Russell was al afgestudeerd en had een baan in Sioux Falls. Grant studeerde aan Stanford. Dus ik zag hen bijna nooit meer. Mijn vader en ik waren nog maar met zijn tweetjes. Maar er was niets veranderd. Mijn vader nam me nog altijd mee naar hetzelfde restaurant voor hetzelfde maal van rosbief en appeltaart. Ik weet nog dat we op die bewuste zondag tegenover elkaar zaten op de banken van groen vinyl. Het formica tafelblad tussen ons in voelde als een eindeloze vlakte.

"Wat ben je stilletjes vandaag," zei mijn vader nadat we onze maaltijd hadden besteld. Ik gaf geen antwoord, dus hij vroeg of ik me wel goed voelde. En ik zat daar maar. Al twee weken lang was ik van plan om hem te vertellen wat Steven die dag had gedaan. Ik had de gebeurtenissen in gedachten telkens opnieuw in mijn hoofd afgespeeld en geprobeerd te bedenken wat ik zou gaan zeggen, hoe en wanneer, maar toen papa er eenmaal was, wist ik niet hoe ik moest beginnen.

Uiteindelijk zei ik: "Papa? Komt er echt ooit een dag dat ik bij jou mag komen wonen?"

Hij zei: "Jazeker. Natuurlijk, Laurie. Ik ben er heel hard mee bezig."

"Wanneer?"

"Nou, het is niet zo groot waar ik nu woon. Jij bent gewend aan een mooi huis en een gigantische lap grond om te spelen en het meer..."

Ik zei: "Daar geef ik allemaal niet echt om. Iets kleiners zou ik ook prima vinden."

"Bovendien moeten we een leuke moeder voor je vinden," voegde hij eraan toe.

"Ik ben al zo oud dat ik geen moeder meer nodig heb om voor me te zorgen," antwoordde ik. "Grant en Russell waren net zo oud als ik toen ze bij jou woonden, en zij hebben het ook gered zonder moeder. Ik zou je niet tot last zijn, papa, dat beloof ik. Mag ik alsjeblieft bij jou komen wonen?"

"Waarom? Ik dacht dat je het naar je zin had bij de familie Mecks."

"Ik haat Steven," zei ik. "Steven Mecks. Ik noem hem Steven Seks."

Mijn vader vroeg niet waarom.

Toen kwam de serveerster onze rosbief brengen. Papa deed ketchup op zijn vlees en begon te eten. Ik had geen honger. Ik dacht dat ik misschien iets onder de leden had, want ik had ineens het gevoel dat ik moest overgeven. Maar dat gebeurde niet. Ik zat daar maar en staarde naar mijn eten.

Ineens glimlachte mijn vader en leunde over de tafel heen. Op samenzweerderige toon zei hij: "Maar ik heb wel bijzonder nieuws. Er *is* iemand met wie ik heel goed kan opschieten, Laurie. Ze heet Marilyn en ik weet zeker dat je haar aardig zult vinden. Ze heeft mooi zwart haar en ze is heel knap."

Toen hij begon over zwart haar, zag ik direct Torgon voor me. De gedachte dat Torgon me zou komen redden, voelde goed. Daar werd ik vrolijk van. Mijn vader zei: "Maar je moet me nog iets meer tijd geven, Laurie. Nog zes maanden. Misschien dat je dan kunt komen."

Nog geen twee weken na die zondag met mijn vader, was ik boven in mijn slaapkamer. Het was vrijdagavond en vrij laat. Ik had in bed liggen lezen en daarna deed ik het licht uit om te gaan slapen. Dat was nog steeds het beste moment van de dag om naar het Bos te gaan, die periode tussen het uitdoen van het licht en het in slaap vallen, omdat ik dan ontspannen was en vaak moeiteloos de overgang maakte van Torgons wereld naar dromenland.

Toen ging heel zachtjes mijn deur op een kiertje open. Stevens schimmige gestalte doemde op uit het donker. Ik ging rechtop zitten en zei direct tegen hem dat hij niet in mijn kamer mocht komen. Dat was mijn domein, en ik had het recht om tegen hem te zeggen dat hij weg moest gaan. Hij negeerde me totaal en kroop op mijn bed.

Ik zei dat ik pa en ma zou roepen. Hij stak zijn arm uit, en met zijn ene hand greep hij me bij mijn haar terwijl hij de andere hand over mijn mond klemde. Hij zei: "Als je gaat schreeuwen, heb je pas echt een probleem."

Ik rukte me los en probeerde uit bed te springen, maar hij greep me vast bij mijn pyjamajasje. "Luister, Laurie," zei hij, "doe wat ik zeg. Als je dat niet doet, vermoord ik Felix. Ik meen het. Als je niet doet wat ik zeg, vind je zijn bloederige lijfje morgenavond op je bed."

Felix was mijn kitten. Hij was de kleinste uit het nest, een klein balletje zwart-wit bont dat ik urenlang had vertroeteld in de zomer om hem op krachten te helpen komen. Ik aanbad hem werkelijk. Hij was zo lief. En zo goed van vertrouwen. Hij zou geen seconde in de gaten hebben dat hij zich niet door Steven moest laten optillen.

Dus toen Steven me die avond neerdrukte tegen het bed, liet ik hem begaan vanwege Felix. Hij trok zijn pyjamabroek omlaag. Zijn pik stak naar voren als een kapstokhaakje. Een miezerig klein kapstokhaakje. Het ding was nog amper gegroeid. Hij was zo'n grote, uit de kluiten gewassen jongen, en dan had-ie zo'n miezerig klein pikkie. Maar het interesseerde hem geen moer, en de grootte maakte voor mij niets uit. Het was evengoed verschrikkelijk, al had hij een kleintje.

Toen hij klaar was, ging hij weg, en ik bleef alleen achter in het donker. Wat voor mij nog het allerergste was, was niet dat Steven me had verkracht, want dat had hij al eerder gedaan. Het was dat hij Felix had bedreigd. Felix zou nooit meer veilig zijn. En ik evenmin. Ik was nu gedoemd om alles te doen wat Steven wilde. Ineens drong het heel sterk tot me door dat alles voorgoed veranderd was in Kenally Street. Ik wist dat ik niet langer kon blijven.

Ik wachtte ademloos in het donker totdat ik geen enkel geluidje meer hoorde beneden in huis. Toen kwam ik voorzichtig mijn kamer uit en liep op mijn tenen de trap af. Het was inmiddels bijna twee uur 's nachts. Ik liep naar de keuken en pakte de telefoon. Ik draaide het nummer van mijn vader.

Een slaperige vrouwenstem nam op.

Denkend dat ik me had vergist, hing ik meteen op en draaide het nummer heel zorgvuldig nog een keer. Er werd weer door dezelfde vrouw opgenomen, haar stem klonk nog steeds slaperig, maar nu ook geïrriteerd. "Wat wil je?" vroeg ze. "Is mijn vader er ook?" Ze zei: "Je hebt het verkeerde nummer gedraaid. Bel alsjeblieft niet meer," en hing op.

Ik deed het licht in de keuken aan om te kunnen zien wat ik deed en draaide het nummer toen nog een keer, uiterst zorgvuldig.

Weer nam de vrouw op. Voordat ze op kon hangen, zei ik: "Mijn vader heet Ronald Deighton. Is hij thuis?"

Er viel een stilte. Ik kon de vrouw horen zeggen: "Ron? Ron? Word eens wakker. Het is voor jou."

Toen "Hallo?" en het was de stem van mijn vader. Ik begon te huilen van opluchting. Ik zei: "Papa, je moet me komen halen. Nu meteen."

De hel barstte los toen ik mijn vader vertelde wat er was gebeurd. Toen ik hem belde, was het kwart over twee 's nachts, en om acht uur 's morgens stond hij bij de familie Mecks op de stoep. Er volgde een werkelijk afgrijselijke scène met een huilende ma Mecks en mijn vader die tegen pa Mecks riep dat hij de politie erbij ging halen. Steven zat op een stoel aan de keukentafel en keek zo angstig dat ik gewoon met hem te doen had.

"Pak je spullen, Laura. Je gaat met mij mee," zei mijn vader uiteindelijk.

Wat had ik ernaar *verlangd* om hem die woorden te horen zeggen. *Je gaat met mij mee.* Verdrietig schudde ze haar hoofd. 'Ik stoof de trap op met een koffer en begon er kleren in te proppen. Ik stopte er een paar van mijn plastic paarden in. Er pasten er niet veel in, maar dat vond ik niet zo erg. Dat kwam later wel.

De omvang van wat er stond te gebeuren begon pas tot me door te dringen toen ik een mobile voor het raam van het dakkapelletje weghaalde. Ik zag het meer door het raam, de zon die bij het strand over het rimpelende water danste. Ineens vroeg ik me af hoe het zou zijn om niet meer aan het meer te wonen. Op dat moment werd ik overspoeld door een verschrikkelijk gevoel van verlies. Toen schreeuwde mijn vader naar boven en was het gevoel weer weg. Al snel was ik bezig mijn koffer naar de auto te sjouwen.

Mijn vader zei dat ik op moest schieten, dat hij tussen de middag terug moest zijn in Rapid City, dus zette ik mijn koffer in de auto. Toen zei ik: "Wacht even. Felix moet ook nog mee."

Mijn vader zei: "Wie is Felix?"

"Mijn kitten. Je weet wel. Ik heb je van de zomer over hem verteld," zei ik. "Ik ben zo terug. Even een doos voor hem halen."

Mijn vader schudde zijn hoofd. "Je kunt die kat niet meenemen, Laura. We wonen in een appartementencomplex. Huisdieren zijn er niet toegestaan."

Op dat moment begon ik te huilen. Ik had dit juist allemaal voor Felix gedaan. Hij was de enige reden waarom ik had verteld wat Steven had gedaan. Dan kon ik hem nu toch niet achterlaten? Maar ik moest wel. Ik had geen keus.

De familie Mecks kwam niet naar buiten om afscheid te nemen toen het tijd was om te gaan. Ze bleven binnen. Maar toen ik bij papa in de auto stapte, zag ik dat ze met zijn allen voor het raam in de woonkamer stonden, zelfs Steven. Ze zwaaiden niet; ze keken alleen maar. Op de veranda zat Felix met zijn oortjes naar voren gedraaid, ook te kijken.

Ik weet nog dat ik even bleef staan bij het hek om naar het huis te kijken, naar Felix op de veranda, en op dat moment wist ik dat wat ik ook nog allemaal zou meemaken, hoe gelukkig ik in de toekomst misschien ook weer zou worden, ik nooit meer gelukkig zou zijn zoals ik dat daar was geweest. Mijn vertrek uit Kenally Street was voor mij het einde van mijn jeugd. Zelfs als kind van twaalf was ik me daarvan bewust.

"Ik moet je iets vertellen," zei mijn vader tegen me zodra we de Black Hills achter ons hadden gelaten en ons over de snelweg naar Rapid City spoedden. "Weet je nog dat ik je vorige week heb verteld over Marilyn?"

"Ja," zei ik.

"Nou, Marilyn en ik hebben besloten om te gaan trouwen."

"Super! Wanneer?"

"Nou," zei hij, "we zijn eigenlijk al getrouwd."

"*Wanneer?*" vroeg ik verbijsterd.

"Ik had het je willen vertellen. Er is alleen nog steeds geen goede gelegenheid voor geweest."

"Hoe heb je me zoiets nou *niet* kunnen vertellen, pap?"

"Ik was het echt van plan."

De rest van de reis heb ik verwilderd voor me uit zitten staren. Het was onmogelijk om te proberen deze onbekende Marilyn in te passen in mijn lang gekoesterde fantasie over een leven met mijn vader, omdat ik werkelijk niets van haar wist, behalve dat ze zwart haar had.

Dat bleek uiteindelijk maar beter te zijn ook, want er was niets wat me adequaat had kunnen voorbereiden op degene die ons aan het eind van de reis opwachtte. Toen we de parkeerplaats op draaiden van mijn vaders appartementengebouw, kwam er een *meisje* naar buiten. Ze was maar vijf jaar ouder dan mijn broer Russell, lang en slank en knap op een onwerkelijke manier. Ze had een bos zwart haar op haar hoofd, hoog opgekamd van boven, met losse lokken aan de zijkanten à la Jackie Kennedy, en haar ogen waren erg rond en gevuld met een soort verdwaasde gelukzaligheid, als de gezichtsuitdrukking van een Tiny Tears-pop.

Toen ze me zag, riep ze net een tikje te enthousiast: "Welkom! O, welkom, welkom! Dus jij bent de kleine Laurie! En wat een dotje ben je! Kijk toch eens wat een mooi haar!"

Ik staarde haar ongelovig aan. Ze was waarschijnlijk de enige op de hele wereld die ooit tegen me had gezegd dat ik mooi haar had, want welbeschouwd was het een lange, vettige ragebol met de kleur van hondenkots.

Mijn vader had tegen me gezegd dat ik de kamer van mijn broers mocht hebben aangezien zij inmiddels allebei het huis uit waren. Hij bracht mijn koffer naar binnen en zette hem op een van de bedden, terwijl hij zei dat ik zelf mocht kiezen welk bed ik wilde. De kamer was kleiner dan onze badkamer in Kenally Street en stond propvol met spullen van Grant en Russell. Het raam keek uit op de stenen muur van het naastgelegen appartementengebouw. Ik weet nog dat ik op het bed ging zitten en om me heen keek en bij mezelf dacht dat er op de een of andere manier ergens iets niet klopte.

Ik ben nooit meer terug geweest in het huis in Kenally Street. Nooit meer. De familie Mecks heeft de rest van mijn spullen ingepakt, en mijn broer Grant is ze voor me gaan ophalen. Ik ben niet met hem mee geweest. Ik heb pa en ma en Steven en Felix nooit meer gezien.

Toen ik eenmaal mijn draai had gevonden bij mijn vader in huis, moest ik al mijn spullen uitzoeken en een heleboel weggooien omdat mijn nieuwe slaapkamer gewoon te klein was. Er was geen plaats voor mijn verzamelingen of mijn projecten. Een stel van mijn paarden heeft nog een tijdje op de ladekast gestaan naast Grants modelvliegtuigen, maar ik kreeg altijd een wee gevoel in mijn maag als ik ernaar keek. Op een avond, toen mijn vader en Marilyn uit waren, heb ik alle paarden bij elkaar gezocht en ze een voor een naar beneden gegooid in de vuilstortkoker van het appartementengebouw. Ik weet ook niet waarom. Misschien was ik er gewoon te groot voor geworden. Ik weet het niet precies. Het enige wat ik weet, is dat ik de overweldigende behoefte had om ze weg te gooien, dus dat heb ik gedaan, en sindsdien heb ik paarden nooit meer echt leuk gevonden.'

14

Een kreet van pure paniek doorkliefde het donker, plotseling en geladen. Deze bliksemflits van geluid schudde James wakker uit een diepe, droomloze slaap, en hij stoof al naar de deur nog voordat hij wakker genoeg was om te begrijpen wat er aan de hand was. Als een bezetene tastte hij naar het lichtknopje in de gang.

'Becks? Becks? Wakker worden, liefje. Je hebt eng gedroomd,' zei James terwijl hij de logeerkamer binnenliep waar Mikey en zij lagen te slapen.

Mikey zat al rechtop in bed. 'Het is geen droom, papa,' zei hij in het donker. 'Ze heeft een angstaanval.'

'Becks?' James ging op de rand van het bed zitten en trok zijn dochtertje dicht tegen zich aan. 'Papa is bij je.'

'Ik ga het licht aandoen,' zei Mikey, en hij klauterde uit bed. 'Dat doet mama ook altijd.'

Becky klauwde naar James en pakte zijn pyjamajasje zo stevig vast dat zelfs de haren op zijn borst gevangen raakten in haar greep. Het licht in de kamer ging aan. Becky had haar ogen wijd opengesperd, maar ze keek niet naar James. Ze reageerde niet op zijn stem. In plaats daarvan haalde ze krijsend naar hem uit.

'Sst-sst-ssst,' fluisterde James. 'Ik ben bij je. Papa is bij je.'

Mikey ging naast het bed staan, zijn gezicht vertrokken van ongerustheid. 'Ik wou dat ze dat niet deed,' mompelde hij.

'Het komt wel goed. Ze valt zo weer in slaap, en dan weet ze er daarna niets meer van.'

'Hoe komt het dat ze er daarna nooit meer iets van weet?'

'Zo werkt het nu eenmaal,' zei James. 'Weet je hoe ik dat weet? Omdat ik vroeger, toen ik klein was, zelf 's nachts ook wel eens een angstaanval had.'

'Hoe komt dat dan?' vroeg Mikey.

'Nou, bij mij gebeurde het meestal wanneer ik heel moe was,

en dat is nu misschien bij Becky ook wel het geval. Jullie hebben vandaag een lange reis achter de rug, en we zijn veel te laat opgebleven.'

'O.'

'Maar soms had ik het ook,' zei James, 'wanneer ik ergens door van streek was en ik niet wist hoe ik dat moest zeggen. Zijn er de laatste tijd dingen geweest waar Becky door van streek is geraakt?'

Mikey haalde met een overdreven gebaar zijn schouders op. 'Ik weet niet.'

Langzaam kwam Becky weer een beetje tot bedaren. Ze knipperde met haar ogen en James wist dat ze nog steeds niet wakker was. 'Sst-sst-ssst,' fluisterde hij, en hij streek het haar uit haar gezicht naar achteren. 'Doe je ogen maar dicht, lieverd. Het is tijd om te slapen.'

Uiteindelijk vielen haar ogen langzaam dicht en werd ze stil. Uiterst behoedzaam legde James haar weer in bed en trok de dekens over haar heen.

Hij kwam overeind en draaide zich om naar Mikey. 'Jij ook, kerel. Vooruit. Onder de dekens.' Hij stopte zijn zoontje in en trok de deken helemaal op tot aan zijn neus.

'Wil je het licht aan laten?'

'Laten we het licht hier in de kamer maar uitdoen, want dat is veel te fel. Ik zal in plaats daarvan het licht in de gang aan laten. Oké?'

'Oké.'

James lachte. 'Je ziet eruit als een grote Furby, zoals je daar ligt. Ik zie alleen maar een enorme bos haar boven de rand van de deken uitsteken, en twee grote ogen.' Hij bukte zich en gaf Mikey een kus op zijn voorhoofd.

Mikey beantwoordde zijn glimlach niet. 'Ik zie eruit als een Furby omdat ik bang ben.'

'En waar is een Furby dan zoal bang voor?' vroeg James zacht.

'Ik vind het niet fijn als Becky dat doet. Ik ben er wakker van geworden en nu ben ik bang, hier helemaal alleen.'

'Maar je bent niet helemaal alleen, kerel, want Becky is vlak bij je. En ik ben aan de andere kant van de gang. Heel dichtbij.' Hij streek Mikeys haar glad. 'Maar weet je wat we doen? Jij schuift een eindje op, en dan kom ik bij je liggen tot je niet meer zo bang bent als een Furby, oké?'

'Blijf je dan tot ik in slaap val?' vroeg Mikey.

'Ja hoor, tot je weer lekker ligt te dromen.'

James ging in het bed liggen en trok de dekens over zich heen. Mikey kroop dicht tegen hem aan. Met zijn wang tegen Mikeys hoofd gedrukt, vulde James' neus zich met de geur van kleine jongetjes, een vaag zilte mengeling van babyshampoo en iets warmers, als de geur van zonneschijn op een oude houten vloer.

Zo lagen ze een paar minuten knus en stilletjes tegen elkaar aan. Mikey bleef zelfs zo lang stil dat James vermoedde dat hij weer in slaap was gevallen. Hij maakte aanstalten om terug te gaan naar zijn eigen bed.

'Niet weggaan, papa,' klonk Mikeys kleine stemmetje.

'Ben je nog steeds wakker?'

'Ja. Ik kan niet slapen.'

'Waarom niet?'

'Ik ben bang.'

'Met papa vlak naast je?' vroeg James, en hij trok zijn zoontje nog dichter tegen zich aan. 'Er is niets om bang voor te zijn.'

'Papa?' vroeg Mikey na een paar seconden stilte.

'Ja, Mikey.'

'Ik wou dat we hier woonden.'

James omhelsde hem stevig. 'Ja, dat wou ik ook. Met heel mijn hart. Jullie zijn mijn allerliefste jongetje en mijn allerliefste meisje van de hele wereld.'

'Waarom kan dat dan niet?'

'Omdat jullie thuis bij mama alles hebben wat voor jullie belangrijk is. Mama is daar, en jullie school, en al jullie vriendjes.'

'We zouden best hier naar school kunnen,' zei Mikey.

'Maar dan zouden jullie opa en oma missen. En alle neefjes en nichtjes. En het strand.'

'Ik vind oom Joey niet lief,' zei Mikey.

'Waarom niet?'

Mikey zuchtte. 'Dat weet ik niet.'

'Doet hij dingen waardoor je hem niet lief vindt?' vroeg James.

'Nee. Ik vind hem gewoon niet lief. Overdag is hij best aardig, want dan koopt hij van alles voor ons. Maar 's avonds niet. Dan wil ik dat jij er bent.'

'Ja, dan wil ik ook dat jullie er zijn,' zei James. 'En overdag ook. Het is moeilijk, hè, dat papa en mama niet meer bij elkaar wonen. Dat ik hier woon en we elkaar niet zo vaak meer zien. Daar word ik verdrietig van.'

'Ja,' zei Mikey. 'Ik ook.'

Nog lang nadat Mikey uiteindelijk in slaap was gevallen, bleef James naast hem liggen in het smalle bed. Nu was hij degene die klaarwakker was.

Hij had Becky's angstaanval onmiddellijk als zodanig herkend, niet alleen omdat het een veelvoorkomend fenomeen was bij de kinderen waar hij mee werkte, maar omdat hij daadwerkelijk, zoals hij tegen Mikey had gezegd, als kind zelf angstaanvallen had gehad. Hij kon zich er niets anders van herinneren dan vage, vormeloze gevoelens van angst. De ongerustheid van zijn ouders als hij vertelde over zijn nachtelijke angsten had hem altijd veel meer van streek gemaakt dan de ervaring zelf.

Maar sinds wanneer had Becky er last van? Hoe was het mogelijk dat Sandy het nooit belangrijk genoeg had gevonden om het er met hem over te hebben? Het maakte dat hij zich buitengesloten en machteloos voelde.

En het gesprekje daarna met Mikey had het er niet beter op gemaakt. Wat deed hij hier, zo ver bij zijn eigen kinderen vandaan? Hoe kon hij zijn dagen doorbrengen met het helpen van andere kinderen en de problemen van zijn eigen kinderen zo totaal negeren? Hoe vond hij een evenwicht tussen zijn eigen behoeften, en die van zijn kinderen en die van anderen? Dat was de grote vraag.

Ten slotte glipte James heel stilletjes Mikeys bed uit. Hij bleef nog heel even naar de twee slapende kinderen staan kijken. Nadat hij Becky's beddengoed had gladgestreken, boog hij zich over haar heen en kuste haar. Ze keerde zich in het donker van hem af. Vervolgens kuste hij Mikey, die geen vin verroerde.

Hij ging naar de keuken om warme chocolademelk te maken. Terwijl de melk op het vuur stond, zag hij de map met verhalen die Laura hem had gegeven op de keukentafel liggen. James pakte de map van tafel en bladerde door de vellen met getypte tekst. Hij kon niet slapen. Dit leek een goed moment om even uit de realiteit te stappen. Dus nam hij zijn beker warme chocolademelk mee naar de woonkamer, ging in zijn luie stoel zitten en begon te lezen.

In het jaar dat Torgon negentien werd, vierden Meilor en zij hun verloving op het midwinterfeest. Toen kwam de sneeuwmaand, en daarmee ook de hoestziekte die bekend stond als Oude Mannen Borst. Onder de arbeiders ging het gerucht dat de ziekte welig tierde in het heilige huishouden, en dat niemand minder dan de benna eraan ten prooi was gevallen. En zo gebeurde het dat de heilige benna stierf in de laatste maand van de winter.

Alle acolieten werden naar huis gestuurd om de officiële rouwperiode in acht te nemen met hun families en de aanwijzing van de nieuwe benna af te wachten. Toen Mogri terugkeerde naar haar ouderlijk huis in het arbeiderskwartier, trof ze tot haar ontzetting haar moeder aan achter het weefgetouw, waar ze uitgerekend nu het feestgewaad voor Torgons bruiloft zat te maken.

'Moeder, het is niet gepast dat u aan het werk bent. Het is de periode van rouw voor de benna.'

'Dwr houdt net zoveel van vlijtige handen als van benna's,' zei moeder nonchalant, en ze ging verder met weven. Toen er geen antwoord kwam, draaide ze zich om. Bij het zien van Mogri's bezorgde gezicht, stak ze uitnodigend haar arm uit. 'Neem niet alles klakkeloos aan wat ze je daar leren. Wat er de komende dagen gaat gebeuren, is alleen bestemd voor de hooggeborenen. Het zal voor ons nauwelijks consequenties hebben.'

Wat Mogri's moeder uiteraard bedoelde, was dat de arbeiders nauwelijks betrokken zouden worden bij de heilige uitverkiezing. Ze zouden naar de ceremonie mogen kijken vanaf de palissades, en als ze geluk hadden, zouden 's avonds de poorten van het klooster opengaan en zouden de arbeiders naar binnen mogen om zich te ontfermen over de restanten van het feestmaal, die de hogere kasten hadden overgelaten. Maar dat was dan ook alles.

Toen gebeurde het ondenkbare.

Mogri en Torgon hadden in de achterkamer liggen slapen te

midden van de balen wol voor moeders weefgetouw, die hoog opgestapeld lagen rond hun stromatras om de winterkou op afstand te houden. Een middernachtelijke klop op de deur had hen de stuipen op het lijf gejaagd. Ervan overtuigd dat het dronken krijgers zouden zijn die waren gekomen om bij de arbeidersmeisjes hun gerief te zoeken, hadden de zusjes zich aan elkaar vastgeklampt en de huiden over hun hoofd getrokken in de hoop dat niemand hen daar zou vinden als hun vader de grendel niet voor de deur zou weten te houden.

Geen van beiden hadden ze verwacht het licht van heilige kandelaars op de lemen vloer te zullen zien, noch een glimp op te zullen vangen van de heilige Ziener, gehuld in een golvend gewaad, die er met de gouden diadeem op zijn hoofd uitzag als een ware god toen hij de kamer betrad. Daar stond hij dan. Pa trok de huiden opzij om hem te laten zien waar ze lagen, en de heilige dolk van de Ziener glinsterde in het licht. Hij reikte omlaag en vlocht zijn vingers door Torgons haar. De herinnering aan die nacht stond in Mogri's geheugen gegrift, en vooral de blik op Torgons gezicht toen de Ziener haar tegen de grond drukte om haar haar af te knippen: een totaal verwilderde blik, een blik als van een haas die in de val loopt en weet dat hij een zekere dood tegemoet gaat.

Het kwam Mogri bij haar terugkeer naar het klooster als hoogst ongewoon voor dat Torgon nu in de heilige vertrekken als de goddelijke benna resideerde. Ze kwamen uit een hecht gezin, en Torgon en zij waren onafscheidelijk geweest. Ze hadden samen gespeeld en hun eten gedeeld, gevochten en ruzie gemaakt en geleden onder de kleinzielige jaloezie waar alle zussen nu eenmaal last van hebben. Mogri had in hun jeugd in allerlei termen over Torgon gedacht, maar heilige was er daar geen van geweest.

Drie maanden verstreken, en in die periode zag Mogri haar zus niet één keer. De Ziener legde uit dat de nieuwe benna communiceerde met Dwr en wachtte op de komst van de Kracht. Dit verontrustte Mogri. De nieuwe benna klonk onbekend en ascetisch, alsof ze iemand was die Mogri nooit had gekend. Toen, op een avond, toen Mogri op haar stromatras lag in de slaapruimte van de acolieten, hoorde ze een geluid in de wasruimte, een merkwaardig, ongelijkmatig raspend geluid dat in onduidelijke flarden door de dikke stenen muren heen drong. Mogri hees zich op één elleboog overeind om het beter te kunnen horen.

Op het stromatras naast de hare bewoog Linnet. 'Wat doe je?' fluisterde ze in het duister.

'Ik lig te luisteren naar dat geluid in de wasruimte.'

'Ja, ik weet het. Ik ben er ook wakker van geworden.'

Toen vroeg Minsi aan de andere kant slaperig: 'Waarom praten jullie?'

'Er maakt iemand lawaai in de wasruimte,' zei Linnet.

'Negeer het.'

'Dat heb ik geprobeerd. Het lukt me niet. En Mogri is er ook wakker van geworden. Degene die daar binnen is, zou een draai om de oren moeten krijgen.'

'Doe niet zo raar,' antwoordde Minsi. 'Het zal de goddelijke benna of de Ziener wel zijn, en die kun je geen draai om de oren geven.'

'Ik heb de goddelijke benna in mijn jonge jaren vaak genoeg een draai om de oren gegeven,' merkte Mogri op.

'Ja, als zus. Maar nu is ze je zus niet meer. Dus ga nou maar weer slapen. Jullie allebei. En niet meer praten, anders krijgen wij nog een draai om de oren.' Vervolgens rolde Minsi zich op haar andere zij en trok de deken over haar oren.

Wat was dat voor geluid? Mogri kon het niet negeren. Het klonk nu als een meer aaneengesloten geluid, maar het bleef te gedempt om er iets van te kunnen maken.

Misschien was de Kracht tot Torgon gekomen, dacht Mogri. Ze had geen idee wat de Kracht werkelijk was, alleen dat de heilige benna die bezat. Dus wie weet hoe die zich misschien wel openbaarde? Misschien zou Torgon ervan op de grond vallen en gaan liggen kronkelen zoals Mogri een man op het marktplein een keer had zien doen.

Of misschien was het niet de Kracht. Misschien was Torgon ziek geworden en waren dit de geluiden van haar maag die zich leegde.

Als Torgon ziek was geworden, zou moeder erg overstuur zijn. Ze had zich altijd zo'n zorgen gemaakt om Torgon. Bij het minste niesje werden er al meteen zuiverende oliën gebrand tot het huis en al hun kleren ernaar stonken, en één keer had ze zelfs de wijze vrouw laten komen voor Torgons borst. Het had pa meer eieren gekost dan hij in een volledige wende van de maan had kunnen vinden. Mogri wist nog goed dat ze met hem mee was gegaan naar de kliffen om te stelen uit de nesten van de hoog vliegende haviken.

Als er iets aan de hand was, wist Mogri, moest ze proberen te helpen. Dat zou moeder van haar verwachten.

Durfde ze het aan? Het was verboden de slaapvertrekken te verlaten zonder toestemming.

Behoedzaam kwam ze overeind en liep geluidloos, op haar tenen, tussen de rijen slapende acolieten door naar de deur. Stil als een schaduw sloop ze langs de kamers waar de heilige vrouwen sliepen, langs de vertrekken van de Ziener.

Er kierde licht onder de deur van de vertrekken van de heilige benna door. Mogri stond even stil, en tilde toen zonder kloppen simpelweg de grendel op en ging naar binnen.

Torgon was in het binnenste vertrek. Toen ze Mogri zag, sprong ze verrast op en slaakte een verschrikte kreet. Mogri schrok zelf ook, omdat ze haar zus in eerste instantie niet herkende.

'Ben jij *dat?' vroeg ze, met haar ogen knijpend tegen het felle licht.*

Torgon was bleek en mager geworden, en haar haar, dat helemaal afgeschoren was in de nacht dat de Ziener bij het gezin in het huisje was geweest, was nu niet veel meer dan stoppelig dons, hetgeen haar een jongensachtig uiterlijk gaf. Alleen aan haar ogen, die nog steeds licht waren als de winterhemel, kon Mogri zien dat het haar zus was, en bij het zien ervan wist ze ook meteen wat de bron was geweest van het geluid. Torgon had gehuild.

'Wat doe jij hier in vredesnaam?' siste Torgon. 'Je moet weggaan. Onmiddellijk. Dit zijn mijn privé-vertrekken. Hier mag niemand komen behalve ik.'

'Maar ik ben je zus, Torgon.' Nee. Nee, dat was ze niet. Niet meer. Dwr had Torgon ontdaan van alle menselijke banden toen hij een god van haar had gemaakt.

'Je mag mijn naam niet gebruiken,' zei Torgon, en haar stem was zachter geworden. 'Dat moet je jezelf aanwennen, anders krijg je van de Ziener met de stok.' Ze bracht een hand naar haar

gezicht en veegde in haar ogen. 'En je moet gaan. Anders krijg ik met de stok.'

'Ik hoorde je in de wasruimte en vreesde dat je ziek was. Ik ben alleen gekomen omdat ik ongerust was.'

Met gebogen hoofd zei Torgon vermoeid: 'Bedankt voor je medeleven, maar ik voel me goed. Ga nu, vlug, voordat iemand merkt dat je weg bent.'

'Je ziet er helemaal niet goed uit. Sterker nog, je ziet er doodongelukkig uit. Hier. Aanvaard de troost van mijn armen.'

'Mogri, dit is geen spelletje. Ik ben nu de heilige benna. Je mag me niet aanraken.'

'Er is niemand die het ziet. Dan kan het toch tussen ons blijven?'

'De dingen zijn nu anders.'

'Wil jij dat ze anders zijn, Torgon?'

'Nee,' zei ze diepbedroefd, en ze begon weer te huilen. 'Maar als de Ziener me nog één keer te lijf gaat, dan breek ik, dat weet ik zeker.'

Mogri liep naar het bed toe, nam erop plaats en sloeg liefdevol een arm om Torgons schouder. 'Je bent een arbeidersdochter en taaier dan hij.' Ze boog zich naar haar zus toe en kuste haar wang. 'En je bent ook gewoon nog steeds mijn zus, ongeacht wat er in de leer staat. Pa's bloed stroomt nog steeds door ons beider aderen, en daar kan zelfs Dwr niets aan veranderen. Ik ben niet van plan om afstand te doen van het recht om je bij je naam te noemen. Daarvoor houd ik veel te veel van je.'

Torgon antwoordde niet. Ze zat daar alleen maar, haar hoofd nog steeds gebogen.

Mogri wierp een zijdelingse blik op de fijne, geborduurde stof van het benna-hemd. Ze keek naar Torgons stoppelige haar en bracht aarzelend een vinger omhoog om het aan te raken. 'Jeukt het nu het weer begint te groeien?' vroeg ze.

Torgon draaide onwillekeurig haar hoofd en glimlachte. 'Rare vraag, Mogri. Alleen jij zou zo'n vraag kunnen stellen op een moment als dit.'

'Nou en? Jeukt het of niet? Het ziet eruit alsof het dat doet. En ik moet toegeven, ik vind het niet echt mooi. Zo'n kapsel past niet bij jouw gezicht.'

'Ben je vergeten dat ik geen keus had?'

Toen viel er een korte stilte. Torgon snufte luidruchtig en wreef nog een laatste keer in haar ogen, de tranen op haar vingertoppen bekijkend voordat ze ze afveegde aan haar hemd.

'Hoe is het?' wilde Mogri weten. 'Om de goddelijke benna te zijn, bedoel ik. Om heilig te zijn. Voel je je nu heel anders dan toen je nog bij ons woonde?'

'Nee.'

'Nee? Heb je je dan altijd al *heilig gevoeld?' vroeg ze verrast. 'Want als dat zo is, heb je het heel goed verborgen weten te houden.'*

Torgon grijnsde. 'Nee. Niet echt, Mogri. Ik heb me nooit een heilige gevoeld. Sterker nog, ik voel me nu ook geen heilige.'

'Het is een verbijsterende kwestie. Dat moet je toegeven. Moeder kan nog steeds niet geloven dat het is gebeurd. Maar pa heeft zich al snel aangepast, en hij is zo trots op je.'

'Praat er maar niet over. Je maakt me weer aan het huilen.' Ze boog haar hoofd en sloeg een hand voor haar ogen. 'Weet je wat het vanavond zou zijn geweest? Mijn huwelijksnacht. Op dit moment zou ik dat prachtige gewaad aan hebben gehad dat moeder op het weefgetouw had, dansend met Meilor op onze bruiloft. En kijk nou toch, in plaats daarvan zit ik hier, niet wetend wat te doen, niet wetend wie ik ben. Zelfs de titel vrouw ben ik niet waardig,' zei ze, gebarend naar haar kaalgeschoren hoofd.

'Vertelt de Kracht je niet wat je moet doen?' vroeg Mogri. 'Want daar was ik wel vanuit gegaan.'

'Kracht? Welke *Kracht? Wat is de Kracht eigenlijk?' vroeg Torgon. 'Ik weet het niet. Dat hebben ze me nooit geleerd in de velden, en evenmin toen ik achter het weefgetouw zat.'*

Mogri hoorde haar verbluft en in stilte aan.

'Weet je hoe mijn leven eruitziet?' vroeg Torgon. 'Als het dag is, mag ik deze vertrekken niet verlaten. Als het nacht is, mag ik niet slapen. Ik mag niet eens in de buurt van het raam komen, tenzij het de wens van de Ziener is. Hij is de enige sterveling die ik zie. Het enige menselijke vlees dat ik voel, is het zijne wanneer hij onder het mom van heilige riten zijn lust op mij botviert. Verder zit ik enkel te zitten. Alleen. Elke dag, de hele dag, dag in dag uit. "Communiceren met Dwr," noemt de Ziener het. Maar wat is dat? Ik wou dat ik het wist. Voor mijn gevoel zit ik alleen maar

te zitten. En als ik niet zit te zitten, ben ik bij hem. En als ik niet precies doe wat hij zegt, krijg ik slaag met zijn staf, alsof ik niets meer ben dan een domme koe die aan het juk moet wennen.'

'En Dwr staat dit toe? De heilige benna is immers heiliger dan de Ziener.'

'Ik weet niet wat Dwr toestaat. Ik weet niets anders dan dat ik lijd. Waarom is mij dit overkomen, Mogri? Ik heb nooit hogere ambities gehad dan een dochter te zijn van mijn moeder, die haar werk met plezier deed. Hoe kan het toch dat ik nu een ander pad bewandel?'

15

'Moet je die knikkers zien!' zei Morgana, een glazen pot in de lucht houdend.

James grinnikte en knikte.

'Je hebt zulke mooie spullen in deze kamer.' Ze nam de pot mee naar de tafel. 'Ze hebben wel een miljoen kleuren. Mooi hè?' Ze haalde het deksel van de pot en stak haar hand erin om de knikkers met haar vingers in het rond te draaien. 'Ik heb er ook een paar, maar die zijn niet zo mooi. Ik heb de mijne in de vissenkom gedaan.'

Morgana hield de pot op ooghoogte en tuurde erin. 'Weet je? Als je er zo doorheen kijkt, ziet alles er wiebelig en groen en roze en blauw uit. Wil jij het ook eens proberen?' Ze stak James de pot toe. 'Hier. Moet je zien hoe alles er dan uitziet.'

James gehoorzaamde.

Morgana hield haar hoofd scheef en sloeg hem gade. 'Kun jij me iets vertellen?' vroeg ze.

'Wat dan?'

'Wat moet je eigenlijk doen met knikkers?' vroeg ze.

'Vroeger had je een spelletje met knikkers. Ik weet niet of kinderen dat nog steeds spelen, maar ik heb het vaak gespeeld toen ik zo oud was als jij,' antwoordde James.

'O, ik ben gek op spelletjes!' zei Morgana enthousiast. 'Wil je me laten zien hoe het moet?'

James stond op uit zijn stoel en gebaarde naar haar dat ze op het kleed moest komen zitten. Hij nam een handvol knikkers en werd overvallen door een onverwacht gevoel van blijdschap bij het voelen van de glazen balletjes in zijn hand. Knikkers waren harde valuta geweest op het speelplein van zijn jeugd, en hij was goed geweest in het knikkerspel. Hij wist nog precies hoe het voelde, de voldoening van het winnen van de andere jongens, van het klinkende gewicht in zijn zak.

Morgana was niet bepaald onder de indruk. Met haar zes jaar had ze nog niet de noodzakelijke coördinatie voor een goede controle, en haar pogingen om te schieten resulteerden erin dat de knikkers in een onvoorspelbare richting van haar vingers af rolden. Na het een paar tellen geprobeerd te hebben, zei ze uit geforceerde beleefdheid: 'Best een leuk spelletje.'

James stond op en sloeg het stof van zijn broekspijpen.

'Ik kan je vertellen wie deze *echt* vet zou vinden,' zei ze, de pot met knikkers nogmaals ronddraaiend in haar hand. 'De Leeuwenkoning. Hij is echt gek op dit soort spelletjes. Er is een spelletje dat hij thuis altijd speelt met zijn nichtje, en dat heeft hij me geleerd. Je hoeft er niks voor te kopen. We waren bij de beek en hij heeft me laten zien hoe je het kunt spelen met steentjes en een bord dat je tekent in het zand. Ik durf te wedden dat hij deze knikkers echt heel mooi zou vinden.'

Morgana draaide het deksel weer op de pot en zette hem terug op de plank.

'Weet je?' zei ze toen ze terug liep naar de tafel.

'Nou?'

'De Leeuwenkoning en ik hebben heel erg ruzie gehad. Ik ben boos op hem geworden.'

'Waarom?' informeerde James.

'Omdat hij soms heel koppig kan zijn.' Morgana trok een stoel naar achteren en ging aan tafel zitten. 'Als je het niet met hem eens bent, wil hij niet luisteren.'

'Dat klinkt irritant.'

'Dat is het ook. Ik wilde iets heel aardigs voor hem doen. We hebben thuis een boek over tijgers en dat ze bedreigd worden enzo, en daar staan een heleboel mooie foto's in, en ik wist dat hij het leuk zou vinden om te zien. Eigenlijk moest ik het boek terugzetten, want mama zei dat ik het niet mee naar buiten mocht nemen, maar dat heb ik toch gedaan. Ik heb het stiekem onder mijn trui gestopt, kijk, zo,' zei ze, het voordoend met haar handen. Ze lachte samenzweerderig. 'Toen ben ik heel snel naar buiten gelopen en naar de beek gegaan, waar ik met de Leeuwenkoning had afgesproken.

Dus toen hij daar kwam, zei ik: "Ik heb dit boek voor je meegebracht," en ik vertelde dat het eigenlijk niet mocht, maar dat ik het toch had gedaan omdat ik wist dat hij het leuk zou vinden. En weet je wat hij zei? Hij zei: "Je had het niet mogen stelen." Ik zei: "Ik *heb* het niet gestolen. Het is van mijn familie en ik hoor bij mijn familie, dus het is geen stelen." Hij zei: "Toch had je het niet mee mogen nemen." Dus toen ben ik heel boos op hem geworden.'

'Je hebt een risico genomen door iets moois voor hem mee te brengen en het voelde alsof hij het niet waardeerde,' zei James.

'Ja.'

'En hoe is het nu?' vroeg James.

'Ik ben nog steeds boos op hem omdat hij het niet snapt. Hij vindt het leuk om foto's te zien van leeuwen en tijgers en zo, en deze waren heel mooi. Maar hij heeft het verpest. Hij wilde niet eens naar de foto's kijken. We hebben alleen maar ruzie gemaakt.'

'Je zult ook wel teleurgesteld zijn geweest, en niet alleen maar boos,' zei James.

Ze knikte. 'Hij geeft me altijd een standje. Hij zegt dat als je geboren wordt, er een plan is waarin je deel bent van de dingen en dat je je daaraan moet houden. Je kunt ervoor kiezen om je er *niet* aan te houden, en dat heet dan vrije wil. Maar eigenlijk moet je je vrije wil gebruiken om ervoor te *kiezen* om je eraan te houden omdat dat het enige juiste is.'

'*Hoe* oud zei je dat de Leeuwenkoning was?'

'Hij is acht.'

'Hij klinkt als een heel bijzondere jongen.'

'Dat zijn gewoon de dingen die hij en zijn nichtje leren. Er komt een man bij hen thuis om les te geven, maar volgens mij leert hij hen alleen maar over goed en kwaad. De Leeuwenkoning zegt dat hij dat moet leren om een goede koning te zijn als hij later groot is.'

'En toch leert hij geen lezen van deze man?' vroeg James.

'Nee. De man kan niet lezen.' Ineens klaarde Morgana's gezicht op. 'Maar weet je? De Leeuwenkoning kent alle letters al. Ik heb hem het alfabetlied geleerd.'

'Komt zijn nichtje ook mee om met jou te spelen?'

'Nee, zij blijft altijd thuis. We willen haar er trouwens ook niet bij hebben. Het is een geheim, dat hij en ik samen spelen.'

'Waarom dan?' vroeg James.

'We willen niet dat iemand weet dat wij elkaar zien. Dus niet verder vertellen, oké? Ik heb het je alleen maar verteld omdat je zei dat ik je geheimen kon vertellen.'

'Je ouders weten niets van dit jongetje?'

'Nee.'

Verontrust zei James: 'Ik weet niet of dat wel zo'n goed idee is, zoiets geheimhouden voor je ouders.'

'Mijn vader zou hem niet aardig vinden.'

'Waarom niet?'

'Hij heeft lang haar,' antwoordde Morgana. 'Papa zegt dat jongens met lang haar hippies zijn, en hij houdt niet van hippies omdat ze zonder het te vragen op zijn land kamperen. Dus hij zou zeggen dat ik niet met hem mocht spelen. Dan zou hij vragen: "Waarom speel je trouwens met een jongen?" Hij zou willen weten waarom hij geen vriendjes van zijn eigen leeftijd heeft om mee te spelen. Het is veel te lastig om mijn vader dingen uit te leggen.'

'Kun je het dan niet aan je moeder vertellen?'

'Mijn moeder heeft al genoeg aan haar hoofd. Bovendien vind ik het leuk om geheimen te hebben.'

'Sommige dingen kun je beter niet geheimhouden,' zei James. 'Ik denk dat je ouders misschien heel ongerust zullen zijn als ze erachter komen dat je vrienden hebt waar zij niks van weten. Ik vind eigenlijk dat ze het moeten weten.'

'Nee, ik vind van niet. Ik ga nooit ergens heen waar ik niet mag komen. Ik ben gewoon bij de beek. Daar mag ik komen, want het is er niet zo diep, en ik zeg het altijd als ik buiten ga spelen. En de Leeuwenkoning zou me nooit, nooit pijn doen.'

'Hier is verf,' zei Conor. 'Coleman School Supplies,' las hij op de zijkant van de pot. 'Blauw. Blauwe vingerverf. Coleman School Supplies.'

'Je kunt goed lezen,' zei James.

'Je kunt goed lezen,' echode Conor.

'Misschien heb je vandaag zin om te vingerverven. Heb je dat wel eens eerder gedaan?' vroeg James.

Conor keek even op. 'Blauw en rood en groen wordt bruin.'

'Ja, waarschijnlijk wel.'

Conor pakte een pot met rode vingerverf en draaide het deksel eraf. Hij rook eraan. Heel voorzichtig raakte hij met één vinger het oppervlak van de verf aan. 'Pudding.'

'Omdat het vingerverf is, is het erg dik,' legde James uit.

'De jongen gaat verven,' zei Conor beslist.

'Zal ik papier voor je pakken?' vroeg James. 'Of wil je het zelf pakken? Het papier om te vingerverven ligt daar. Dan moeten we het eerst een beetje nat maken om te zorgen dat de verf het goed doet.'

'Een kwast!' antwoordde Conor abrupt. 'De jongen gebruikt geen kliederverf.'

'Je wilt niet vingerverven vandaag. Je verft liever met een kwast.'

'Ja.' Hij zette de pot met rode vingerverf op de plank.

'De verfkwasten staan daar in de bak bij de ezel,' zei James, wijzend.

Zacht snorrend liep Conor naar de ezel. Hij pakte een kwast met gele verf en maakte een brede veeg over het papier.

'Hier is wat niet is,' zei hij en voegde nog een veeg kleur toe.

James begreep het niet helemaal, dus hij zei niets.

Conor keerde zich half naar hem toe. Hij leek zich bewust van James' verwarring, want hij zei: 'Hier is wat *niet is*. Nu is het er. Nu is er kleur. Nu is "niet is" er niet.'

'Bedoel je dat er eerst niets was?' vroeg James. 'Maar nu heb je iets gemaakt. Je hebt iets gecreëerd wat er eerst niet was.'

'Ja. "Niet is" is er niet.'

Er was een vage ondertoon van tevredenheid te bespeuren in Conors stem bij deze woordherhaling. Een sprankje van een gevoel voor humor? Bewust spelen met woorden? Dit was complex denken.

Conor deed een stap naar achteren om zijn schilderij te bekijken en zei: 'Waar is "niet is" gebleven?'

Toen James geen antwoord gaf, draaide Conor zich om. Zijn ogen bleven kortstondig op James' gezicht rusten. 'Is er niet,' zei hij. "Niet is" is er niet.' En hij glimlachte.

Toen Alan Conor na afloop van de sessie kwam ophalen, vroeg hij: 'Kan ik je even spreken? Heb je even?'

James knikte. 'Ja, loop maar even mee naar mijn kantoor. Dulcie? Wil jij heel even op Conor letten?'

Alan zei: 'Ik heb geweldig nieuws. Afgelopen weekend was ik in de kraal bij het huis een van de watertroggen aan het repareren. Conor liep wat om me heen te scharrelen, en ineens werd er een afgevallen blaadje in het water in de trog geblazen. Ik zag het niet meteen, maar toen zei Conor: "Daar is een esdoornblad." Glashelder. Doodgewoon. Zo zei hij het. Toen pakte hij een stokje en viste het eruit.

Ik heb hem in jaren niet meer op die manier – *communicatief*, weet je wel – horen praten. Sterker nog, niet meer sinds hij een peuter was. En hij zei het zo gewoon – "Daar is een esdoornblad."'

'Dat is fantastisch nieuws,' zei James hartelijk. 'Dat is een echte doorbraak.'

Alan glimlachte onzeker. 'Ik bedoel, het is misschien niet veel. Mijn kind van negen produceert een complete volzin. Het is niet zo dat hij klaar is voor Harvard. Maar... je hebt geen idee hoe geweldig het is om hem iets normaals te horen zeggen.'

'Ik wil niet al te optimistisch klinken,' zei James, 'maar ik begin serieus te twijfelen aan de diagnose autisme. Het is begrijpelijk dat die diagnose er is, gezien zijn starre gedrag en het vele herhalen. Maar de waarheid is, dat hoe langer ik met Conor werk, hoe meer ik ervan overtuigd raak dat we verder moeten denken dan binnen dit hokje.'

Alans ogen werden groot.

'Hoewel hij in sommige opzichten inderdaad onmiskenbaar autistisch gedrag laat zien, is hij over het algemeen flexibeler en creatiever van geest dan jonge kinderen in het autismespectrum gemiddeld zijn. Er zijn momenten van abstract denken die zelfs voor een gewoon kind van negen buitengewoon te noemen zouden zijn. En ik heb ze beslist nog nooit meegemaakt bij een autistisch kind.'

'Begrijp ik het goed?' vroeg Alan, en zijn stem werd zacht en hoopvol. 'Zou hij kunnen genezen?'

'Misschien is het verstandiger om gewoon te zeggen dat ik elke keer dat ik Conor zie positiever word.'

'*Wauw*. Dat is *echt* fantastisch nieuws. Werkelijk waar,' antwoordde Alan.

'Ik zou alleen dringend weer eens met jou van gedachten willen wisselen,' voegde James eraan toe. 'Vanochtend heb ik Conors dossier nog eens doorgelezen en een aantal van die verslagen erbij gepakt waarin de diagnose autisme wordt gesteld. Maar ik heb het gevoel dat een helder beeld ontbreekt van hoe Conor er op dat moment voor stond. Niet zozeer zijn gedrag als wel wat er in de wereld om hem heen gebeurde. Je hebt me wel een indruk gegeven tijdens onze eerste ontmoeting, maar ik zou het erg nuttig vinden als we het er nog eens wat uitgebreider over zouden kunnen hebben.'

'Tuurlijk,' zei Alan, en hij liep naar de andere kant van de kamer om te gaan zitten in het conversatiecentrum. Na een bedachtzame stilte zei hij: 'Het was een hel. Voor mij was het de ranch. Het begon met een ongewoon koud voorjaar, zodat ik al kalveren kwijt was geraakt en hoog opgelopen voederkosten had. Toen brak er in juni op grote schaal tbc uit onder mijn vee en moest de ranch in quarantaine. Ik moest bijna een kwart van mijn veestapel afmaken en ik mocht geen dieren verkopen totdat ik daar officieel groen licht voor had gekregen. Je kunt je wel voorstellen dat ik heel snel in de rode cijfers raakte. Serieus in de rode cijfers.

Tot op dat moment hadden Laura en ik onze financiën altijd min of meer gescheiden gehouden. Dat was gewoon vanzelf zo gegroeid, en ik voelde me er prettig bij, want ik wilde niet dat mensen zouden denken dat ik met haar was getrouwd vanwege haar roem of haar geld. Niet dat Laura ooit echt rijk is geweest, maar je weet hoe mensen denken. Hoe dan ook, het kwam dat jaar zover dat ik aan haar moest opbiechten hoe slecht het ervoor stond omdat ik anders failliet zou gaan. Ik moest geld lenen van Laura om de zaak draaiende te houden totdat de quarantaine werd opgeheven, en daar voelde ik me echt klote onder.

Voor die tijd was Conor nooit echt een probleem geweest. Hij was een gevoelig kind. En misschien een beetje een moederskindje. Laura aanbad hem, dus ze was constant met hem in de weer. Ik besloot hem af en toe eens mee te nemen naar de ranch, puur om te zorgen dat hij zo nu en dan ook in een mannenwereld vertoefde. Dan zette ik hem voor me in het zadel en gingen we samen uit rijden.'

‘Hoe oud was Conor toen?’ vroeg James.
‘Weet ik niet. Hij kon nog maar net lopen. Anderhalf misschien? Maar hij vond het geweldig. Het was gewoon zo’n enthousiast knulletje toen. En intelligent. Ik zeg dit niet alleen maar omdat ik zijn vader ben. Hij pikte dingen heel snel op, en hij onthield alles wat je hem leerde. Hij was bijvoorbeeld gek op de wilde vogels, dus ik vertelde hem hoe ze heetten. Dan zat hij in het zadel en dan zei hij: “Zwaluw, papa! Leeuwerik!” en het klopte altijd. Hij was net een klein sponsje.’
Alans gezicht betrok. ‘Toen werd alles anders...
Het was heel eigenaardig hoe de verandering zich voltrok,’ zei hij. ‘Het eerste wat me opviel, was dat Conor wel erg aanhankelijk begon te worden. Niet van de ene op de andere dag, maar steeds een beetje erger, totdat het ernstige vormen begon aan te nemen. Totdat het zelfs zo erg was dat Laura niet permanent achter hem aan drentelde, maar andersom.’
Alan streek met een hand over zijn gezicht en slaakte een diepe zucht. ‘Laura en ik waren inmiddels drie jaar getrouwd, en de wittebroodsweken waren definitief voorbij. Ik wil niet zeggen dat ons huwelijk in de gevarenzone verkeerde of zo. Het ging best goed. Maar ik had me inmiddels gerealiseerd dat de vrouw met wie ik een hele avond had zitten praten in de Badlands niet de vrouw was waarmee ik was getrouwd.’
‘Hoe bedoel je?’ wilde James weten.
‘Wat ik die avond zo bijzonder aan haar vond, was hoe makkelijk in de omgang en hoe openhartig ze was. Maar zodra de eerste betovering begon weg te ebben, realiseerde ik me dat negen tiende van Laura zich net als bij een ijsberg onder de oppervlakte bevindt, dat het grootste deel van haar gewoon nooit zichtbaar zal worden voor mij.’
‘Als je zegt dat negen tiende niet zichtbaar is, bedoel je dan dat je het gevoel hebt dat Laura je buitensluit uit een groot deel van haar leven?’
‘Nou, ik weet niet of dat met opzet is. Dat is het probleem. Ik denk niet dat ze het doet om te kwetsen. Het is gewoon dat alles een verhaal is voor haar. Echt en niet echt gaan zo naadloos in elkaar over in haar hoofd, dat je nooit weet wat wat is. Je weet nooit of wat ze zegt authentiek is of simpelweg haar versie van

de dingen zonder iets werkelijks. Het is net een spiegelbeeld. Een weerspiegeling van wat echt is.

Toen we nog maar net getrouwd waren, had ik niet eens in de gaten dat het gebeurde, maar na een poosje begon ik haar erop te betrappen. En het zijn vaak de onnozelste dingetjes, maar ze lijkt gewoon een labyrintisch doolhof om zich heen te willen creëren, puur voor de sport. Je vraagt haar iets en als ze ervoor in de stemming is, vertelt ze je de waarheid; zo niet, dan vertelt ze je een willekeurig verhaal dat ze in haar hoofd heeft. Na een poosje begon ik het gewoon ontwijkend gedrag te vinden. Het geeft mij het gevoel dat ze niet *wil* dat ik weet wat er werkelijk in haar omgaat.'

'Kun je een voorbeeld geven van dit soort leugenachtig gedrag?' vroeg James.

'Ik kan je een heel goed voorbeeld geven. Het was in die periode dat er van alles aan de hand was op de ranch en ik mijn financiële problemen had dat het met Conor bergafwaarts begon te gaan. Ik ontdekte iets heel raars. Op een dag nam ik de telefoon op en had ik ineens een politieagent aan de lijn. Ze wilden met Laura praten over een dwangbevel dat ze onlangs had laten opleggen. Ik had zoiets van, *wat?!*' Alan staarde James aan. 'Het bleek dat Laura werd bedreigd door een of andere geflipte fan. Hij stalkte haar zelfs. Maar ze had er tegen mij nooit met *één* woord over gerept. Niet één keer. Kun je het je voorstellen? Dat is toch niet normaal?'

'Zou het niet kunnen dat ze je misschien gewoon wilde beschermen omdat het toch al niet zo lekker liep, met Conor en je financiële problemen enzo?' vroeg James.

'Die kerel dreigde haar te *vermoorden*. En ik ben verdomme haar *man*. Ze had mij zo onvoorwaardelijk gesteund tijdens die financiële crisis op de ranch. Ze uitte nooit kritiek en ze gaf me nooit het gevoel dat ik tekortschoot, dus ik dacht dat we echt een heel hechte band hadden. Ik bedoel, vind je het niet bizar dat iemand waar je mee samenleeft, die ogenschijnlijk van je houdt, zoiets wezenlijks niet met je deelt? Dat is werkelijk het toppunt van zelfredzaamheid. En ik voelde me ronduit klote toen ik erachter kwam. Ik voelde me toch al een kerel van niets, en nu wilde ze me niet eens de ruimte geven om haar te beschermen.'

Er volgde een stilte.

'Ik denk dat dit heeft bijgedragen aan de problemen met Conor,' zei Alan. 'Het is zo'n gevoelig kind. Ik weet zeker dat hij iets moet hebben meegekregen van Laura's angst voor die kerel. Misschien was dat de reden waarom hij ineens zo aanhankelijk begon te worden, omdat hij voelde dat ze werd bedreigd en haar angst hem bang maakte.

Enfin, zodra ik eenmaal wist van die stalker, ben ik direct in actie gekomen. Ik heb zelf contact gezocht met de politie en gezegd dat ze er maar beter voor konden zorgen dat dat dwangbevel afdoende was, omdat mijn jachtgeweer naast de telefoon in de kast stond, en ik er absoluut geen moeite mee had om mijn gezin te verdedigen. Dat werkte, want daarna is die kerel afgedropen en hebben we nooit meer iets van hem vernomen.'

Alan leunde achterover in de zachte kussens van de bank. 'Dus je snapt wel dat ik het niet bepaald makkelijk heb.'

James knikt. 'Het klinkt alsof Laura's gedrag het nodige van je vraagt. En alsof dat een heel onrustige periode was in jullie leven.'

Alan zuchtte. 'En midden in al die toestanden raakte Laura in verwachting van Morgana. Dat was wel het laatste waar we op dat moment op zaten te wachten. We waren zo volstrekt afhankelijk van Laura's inkomen. Bovendien hadden we al besloten dat we niet nog meer kinderen wilden. Ik had eigenlijk wel gewild dat Conor een broertje of een zusje zou krijgen, maar één kind was genoeg voor Laura. Ze wilde weer gaan schrijven. Dat is haar echte wereld. Aangezien ik al drie meiden had uit mijn eerste huwelijk, en nu dan een jongetje, zwichtte ik. Ik stemde in met een vasectomie, en zo gezegd zo gedaan.

Enfin, ik geloof dat je geacht wordt na de ingreep nog drie maanden voorbehoedsmiddelen te gebruiken. Kennelijk duurt het een poosje voordat alle sperma is afgestorven. We hadden in eerste instantie helemaal niet in de gaten wat er aan de hand was. Ze was al vier maanden zwanger voordat de mogelijkheid van een zwangerschap zelfs maar in ons hoofd opkwam.

Laura was *zo* overstuur toen de test positief bleek. Ze was onvermurwbaar: ze wilde een abortus. Ik bleef maar zeggen dat we het wel zouden redden. Nee, het was geen gunstig moment voor gezinsuitbreiding, maar als ik heel eerlijk ben, was ik door het dolle heen toen bleek dat ze zwanger was. Toen werd de beslissing ons uit handen genomen, althans, dat dachten we, want voordat ze een afspraak had kunnen maken voor een abortus, kreeg ze een miskraam.'

Alan schudde ietwat verbijsterd zijn hoofd. 'Daaruit blijkt maar weer dat sommige dingen gewoon voorbestemd zijn. Het geval wil dat Laura *wel degelijk* een miskraam kreeg. Het was een afschuwelijke toestand. Heel veel pijn, heel veel bloedverlies. Daarna is ze nog zes weken doodziek geweest, dus het was een enorme schok toen we erachter kwamen dat ze nog steeds zwanger was. De dokter vertelde dat het een twee-eiige tweeling was geweest, en dat ze slechts één kindje was kwijtgeraakt; dat was iets wat we nooit voor mogelijk hadden gehouden. Maar Morgana bleek een taaie. Laura heeft haar voldragen, en ze was een sterke, gezonde baby. Ondanks alle ellende die eraan vooraf was gegaan, waren we onmiddellijk verliefd op Morgana. Allebei. En nu zijn we natuurlijk dankbaar dat ze er is. Morgana is gewoon echt een cadeautje.'

James glimlachte. 'Ja, ze is me er eentje, hè? Ik geniet met volle teugen van mijn tijd met Morgana hier.'

'Ik ben blij dat we hebben besloten haar ook in therapie te doen,' antwoordde Alan. 'Ik weet dat het voor haar ook niet makkelijk is geweest. Ze is zo van streek vanwege de scheiding. En ik weet dat Conor soms zoveel van onze aandacht opeist dat we Morgana tekortdoen.'

'Ja, ik kreeg de indruk dat ze heel veel alleen speelt,' zei James.

Alan knikte. 'Ja. Maar ik geloof niet dat ze eenzaam is. Morgana lijkt qua karakter heel erg op Laura. Ze is gewoon graag op zichzelf. We vragen altijd of ze geen vriendinnetjes te spelen wil vragen, maar Morgana speelt liever alleen.'

'Wie is dat jongetje waar ze vaak mee speelt?' vroeg James.

Er gleed een verbaasde blik over Alans gezicht. 'Een jongetje? Wat voor jongetje?'

'Een jochie van acht. Ik nam aan dat het een kind is van een van de buren,' antwoordde James.

'We wonen zo ver van de bewoonde wereld dat we eigenlijk geen buren hebben. Zeker niet op loopafstand. Heeft ze ook gezegd waar hij vandaan kwam?'

'Dat heb ik niet gevraagd. Maar ik kreeg de indruk dat ze niet ver weg wonen. Ze klinken nogal "alternatief" in hun levenswijze.'

'O, *shit*,' mompelde Alan. 'Alternatief? Die verdomde new age wildkampeerders zeker weer. Daar heb ik altijd gedonder mee. Vorige zomer hadden we er een stel in een tipi; ik ben bijna twee maanden bezig geweest om hen van mijn land af te krijgen.' Hij dacht na. 'Of misschien zijn het de mensen van Bob Mason. Zijn land grenst aan de noordkant aan het mijne. Hij heeft vorig jaar een lap grond verkocht aan een stel idioten uit de stad die pioniertje willen spelen. Anti-alles, weet je wel? Geen waterleiding, geen elektriciteit. Ik heb tegen hem gezegd dat hij niet goed wijs was, dat ze ons alleen maar last zouden bezorgen. Maar ze hadden geld en niemand hier uit de omgeving zou zoveel hebben betaald voor zo'n klein lapje grond.'

Alan zweeg even. Zijn gezicht betrok. 'Weet je, ik word echt helemaal niet vrolijk van de gedachte dat er iemand zo dicht bij het huis komt dat-ie bij Morgana kan komen als ze alleen is. Heeft ze je verteld waar dit zich afspeelt?'

'Ze zei iets over een beek waar ze van jullie mag spelen.'

'Beek? De enige beek waar Morgana mag spelen is Willow Creek. Die loopt vlak langs het huis. We kunnen haar zien als ze daar speelt, dus daar kan niemand bij haar komen zonder dat wij het in de gaten hebben.'

'Vreemd,' zei James verontrust.

Ineens knikte Alan begrijpend. Er brak een glimlach door op zijn gezicht. 'Weet je wat het is, durf ik te wedden? Ze doet alsof.' Hij lachte hartelijk. 'Geloof me, Morgana heeft net zo'n rijke verbeelding als haar moeder. Je hebt nog nooit een kind zien doen alsof zoals zij. Dus ik durf te wedden dat dat het is. Ik durf er heel wat om te verwedden dat die jongen niet echt bestaat. Het is gewoon een denkbeeldig vriendje.'

16

'Ik was geen schoonheid toen ik zestien was,' zei Laura. 'Mijn haar was slap en vettig. Mijn gezicht zat vol puistjes. Borsten had ik niet. Ik was een halve kop groter dan alle jongens uit mijn klas, en mijn kleren hingen om mijn lijf met de elegantie van een kleerhanger. Maar voor Marilyn was ik gewoon één grote, onweerstaanbare uitdaging.

Binnen een maand nadat ik bij mijn vader was komen wonen, was ik al meegesleept naar de kapper, opgegeven voor een make-upcursus in het plaatselijke warenhuis en ingeschreven voor balletles om me gracieus te maken. Als ik het in mijn hoofd haalde om hierover te klagen, antwoordde Marilyn altijd dat ik het nu misschien niet leuk vond, maar dat ik in de toekomst vreselijk dankbaar zou zijn dat ze me deze dingen had laten doen.' Laura keek zijdelings naar James en lachte spottend.

'Mijn sociale leven was haar volgende punt van zorg. "Waarom nodig je niet een paar vriendinnen uit, Laurie? Er is vrijdagavond een voetbalwedstrijd. Wat dacht je ervan om iedereen uit te nodigen voor een bescheiden feestje voorafgaand aan de wedstrijd?"

Ik was er nog maar net komen wonen. Ik had geen vriendinnen, maar ik wist wel beter dan dat op te biechten. Ik probeerde haar af te leiden door uit te leggen dat het een wedstrijd van middelbare scholieren was, en dat ik niemand kende die erheen ging. Dus het had niet veel zin om een feestje te geven.

"*Laurie*," riep ze op een toon die impliceerde dat ik kampte met een buitengewoon ernstig tekort aan grijze cellen, "*Lol!* Een feestje om *lol* te maken! Tienerlol! Dit zijn de beste jaren van je leven. Daar moet je van genieten!"

Het ergste was de schooldisco. In een misplaatste poging om ons nader tot elkaar te brengen organiseerde de middenschool om de week op vrijdag na schooltijd een schooldisco in de gymzaal. Ik had liever tandenborstels gedemonstreerd aan leeuwen dan dat ik een van deze disco's moest bijwonen, maar toen Marilyn ervan hoorde, was het gedaan met mijn rust.

"Je *moet* erheen, Laurie! Het zijn maar twee uurtjes. Nee, niet bang zijn dat er niemand met je wil dansen. Er is niemand die danst op de middenschool. Waar het om draait, is dat je *gaat*! Gezien worden. Je gezicht laten zien. Dat is de enige manier om populair te worden."

Maar het allerergste moest nog komen. Op een middag vond Marilyn een exemplaar van mijn schoolkrant, die tussen mijn boeken lag te slingeren. Daarin zag ze een aankondiging van audities om cheerleader te worden. Zelf was ze ook cheerleader geweest op de middelbare school, en ze kon zich niets leukers voorstellen. "O, *cheer*leader! O, Laurie, wat *spannend*!" Ze zei het alsof ze zojuist had gelezen over de wederkomst van de Heer. "Ik durf te wedden dat we mijn oude pompoms nog wel kunnen vinden als we goed zoeken tussen mijn spullen. Dan kan ik je een paar kreten leren en kun je ze een poepie laten ruiken!"

Laura keek naar James met een sardonische glimlach. 'Het probleem was dat Marilyn nooit begreep dat ik geen enkele behoefte voelde om wie dan ook maar een poepie te laten ruiken. Ik vond het idee om cheerleader te zijn vreselijk angstaanjagend. Mijn nekharen gingen overeind staan van de gedachte om zoiets leeghoofdigs te doen in het openbaar. Nee, ik was niet glamoureus. Ik was niet opwindend. En ik was beslist niet populair. Maar het kon me geen bal schelen.

Het enige wat ik werkelijk wilde, was met rust gelaten worden, en dat was het enige wat niet gebeurde. Marilyn zat me constant op mijn huid. Ik was niet bij machte haar tegen te houden,' zei Laura, en ze haalde haar schouders op met een gebaar waaruit machteloosheid sprak, maar geen wroeging. 'Het werd ondraaglijk. De manier waarop ik het uiteindelijk oploste, was verkeerd. Dat wist ik destijds al, maar ik was jong en wanhopig ongelukkig. Dus deed ik het enige wat ik kon verzinnen. Ik loog tegen haar.

Om te zorgen dat Marilyn me met rust liet, verzon ik een heel clubje vriendinnen om me te voorzien van alle tienergenoegens waarnaar ik geacht werd te hunkeren. Ik creëerde ze uit bestaande kinderen van school, kinderen die te ver weg woonden om tegen het lijf te lopen, maar kinderen die ik goed genoeg kende om een praatje mee te maken als we ze toch toevallig ergens in de stad tegenkwamen en die niet zouden denken dat ik een volslagen mafkees was. Ik zorgde ervoor dat ze knap waren om te zien, kinderen die iedereen graag mocht, maar niet de sterren van de school, want ik wist dat dat vragen om moeilijkheden zou zijn. Toen begon ik te zeggen dat ik na schooltijd met hen uit zou gaan, naar disco's of naar hun huis op zaterdagochtend. Ik dofte me ervoor op, en vervolgens trok ik mijn spijkerbroek weer aan in de wc van het benzinestation voordat ik er een paar uur in mijn eentje op uit trok.'

'Dus je was voortdurend van huis?' vroeg James.

'Ja.'

'En wat deed je dan? Je was toch nog vrij jong, of niet? Dertien?'

Laura knikte. 'Ja. En ik deed niet echt iets. Meestal ging ik gewoon naar de stad en liep ik wat te slenteren. Of ik ging naar het park. Maar het had heel nare gevolgen – ik kwam tot de ontdekking dat ik het *leuk vond* om te liegen. Ik kon mijn mond opendoen, en dan rolden er de meest absurde dingen uit, maar Marilyn geloofde me altijd. Dat was een soort aansporing voor mij. Ik ontwikkelde echt een oog voor het soort details dat de leugens werkelijk zou maken. Krabbeltjes in het handschrift van mijn verzonnen vriendin Cathy die ik op tafel liet slingeren bij mijn schoolboeken, zodat Marilyn en ik er samen meisjesachtig om konden giechelen als ze me mijn boeken kwam brengen en "per ongeluk" het briefje zag liggen. Ik liet haar de ketting zien die ik had geleend van mijn verzonnen vriendin Sally, die ik Marilyn vervolgens voor me liet vastmaken terwijl ik me klaarmaakte voor het schoolfeest waar ik niet naartoe ging.

Marilyns lichtgelovigheid werd gewoon een bron van zelfachting voor me. Ze was niet dom; daarom wist ik dat ik behoorlijk goed moest zijn. Bovendien werkte het. Marilyn was tevreden dat ik nu "populair" was en liet me met rust.

Ongeveer een jaar later raakte Marilyn in verwachting,' zei Laura. 'Het nieuws spoorde mijn vader aan tot actie. Na jaren van vage beloftes maar geen actie, besloot hij eindelijk dat we een fatsoenlijk huis nodig hadden in plaats van een appartement. We belandden in een soort kleine blokkendoos in een buitenwijk met een kettinghek rondom een volmaakt vierkante tuin met een enkele dennenboom in de hoek. Het huis had maar twee slaapkamers, maar er was een onafgewerkte kelder, en mijn vader zei dat ik die mocht hebben als ik wilde, omdat zij de baby dicht bij zich wilden hebben in de andere slaapkamer. In de kelder kwam nauwelijks licht van buiten, het was er een en al betonnen muren en leidingen, en ik zou hem moeten delen met de wasmachine en de droger, maar ik greep direct mijn kans. Net als mijn zolder in Kenally Street was de kelder zodanig ver weg van alles, dat ik er de privacy zou krijgen waar ik zo naar verlangde. Het kon me dus niet schelen in welke staat hij verkeerde.'

Er viel een korte stilte. 'Want privacy betekende natuurlijk dat ik eindelijk weer bij Torgon kon zijn. Ik zou mijn vrije tijd weer in het Bos kunnen doorbrengen.' Laura dacht even na. 'Torgon was inmiddels een beetje een obsessie geworden. Moeilijk uit te leggen. Deels kwam het volgens mij gewoon doordat ik veertien was. Je weet hoe sommige meiden op die leeftijd idolaat zijn van zangers of filmsterren. Voor mij was het Torgon. Ik dacht voortdurend aan haar. Ik droomde over haar. Ik verafgoodde haar. Ik kon haar niet uit mijn gedachten zetten... Het was een vreemde gewaarwording, zoals ik in die tijd met haar bezig was. Als een bewustzijn dat ik niet in haar wereld was, maar ook niet echt in mijn eigen wereld, in geen van beide, eigenlijk. Mijn tienerjaren waren doortrokken van dat gevoel, het gevoel van gestrand te zijn tussen hier en een plek die niemand anders kon zien.

Ik vermoed dat ik troost zocht bij Torgon. Ik was ongelooflijk ongelukkig in die eerste paar jaar bij mijn vader en Marilyn. Ik geloof niet dat ze ooit hebben geweten *hoe* ongelukkig. Het gevolg was dat ik wanhopig begon te wensen dat Torgon en het Bos echt waren. Tastbaar echt. De reden was simpel. Ik wilde zelf naar het Bos gaan, en dat kon ik niet doen als het geen bestaande plaats was. Ik wilde weg uit Rapid City, mijn familie achterlaten, en daar wonen.

Ik kon uiteraard geen manier verzinnen om dat te doen, maar ik kwam wel op het idee om een overzicht te maken van al mijn kennis over het Bos, alsof het daardoor op de een of andere manier een bestaande plaats zou worden. Ik begon met het in kaart brengen van het landschap. Ik tekende een plattegrond van het klooster waar Torgon en de Ziener woonden. Ik maakte stambomen van verscheidene families in het dorp. Ik probeerde zelfs een woordenboek te maken van Torgons taal, alhoewel dat veel moeilijker was dan ik dacht, dus daar kwam ik niet zo ver mee. Ik was er uren en uren mee bezig, en ik bewaarde alles zorgvuldig in een ordner in mijn slaapkamer. Het werd al snel mijn meest gekoesterde bezit.

Waar ik echter het meest naar hunkerde, was een afbeelding van Torgon. Ik wilde haar zien met mijn ogen, niet alleen met mijn geest. Helaas ben ik een kunstenares van niets, dus hoe hard ik ook mijn best deed, ik kon haar niet tekenen. Bovendien wilde ik fotokwaliteit. Dus begon ik tijdschriften uit te pluizen op zoek naar foto's van mensen die op haar leken.

Toen stuitte ik op een foto van Brigitte Bardot uit de film *And God Created Woman*. Het gekke is dat Torgon eigenlijk helemaal niet op Brigitte Bardot leek – ze was niet blond of oogverblindend knap en ze had ook niet die verleidelijke sensualiteit waar Bardot zo beroemd om was. Maar op deze foto stond Bardot in een graanveld terwijl de wind speelde met haar haar, dat slordig los hing, en haar gezichtsuitdrukking was puur Torgon – intens, intelligent, zeer op haar hoede. Toen ik de foto zag, verdwenen Bardots lichamelijke verschillen voor mij gewoonweg naar de achtergrond. Ik keek in het gezicht van Torgon.

Ik knipte de foto uit en hing hem aan de muur in mijn slaapkamer, zodat ik er de hele tijd naar kon kijken.

In oktober werd mijn stiefzusje geboren. Ze noemden haar Tiffany Amber, precies het soort trendy meisjesnaam dat je van Marilyn zou verwachten. Tiffie was een dotje. Ik aanbad haar vanaf het moment dat ze eruit floepte, ondanks haar idiote naam.

Toen werd het weer zomer. Ik werd vijftien in juni. Twee avonden van tevoren daalde Marilyn af naar mijn slaapkamer in de kelder en ging op mijn bed zitten. Ik zat aan mijn bureau.

"Laurie, er is me vandaag zoiets raars overkomen," zei ze. Ik kon aan de toon van haar stem horen dat ik het niet wilde weten, wat het ook was.

"Je vader en ik hadden bedacht dat we iets bijzonders wilden doen voor je verjaardag. We dachten dat een feestje in de Bear Butte Inn misschien wel leuk zou zijn," zei ze, en ze keek me scherp aan. "Een *verrassings*feestje."

Ze had een hogere dunk van mijn intelligentie dan gerechtvaardigd was, want ik snapte nog steeds niet waar ze naartoe wilde. De sfeer begon echter beslist geladen te worden. De bom kon elk moment barsten.

"Ik heb je *vriendinnen* gebeld, Laurie, om te vragen of ze misschien zin hadden om op het feestje te komen. En weet je wel," zei Marilyn scherp, "dat geen van je vriendinnen jou *kent?*"

Aaaaahhhh! Ik kon wel door de grond zakken van schaamte. De confrontatie met Marilyn en mijn vader aan te moeten gaan over deze kwestie, was niets vergeleken bij wat me op school te wachten stond nu Marilyn allemaal kinderen had opgebeld die ik had gebruikt in mijn verzonnen vriendinnen-scenario's. De meesten van hen kenden mij niet eens goed genoeg om met me te praten, laat staan om naar mijn verjaardagsfeestje te willen komen.

Ze was uiteraard niet van plan om het daarbij te laten. Dus toen ik geen antwoord gaf, riep ze mijn vader erbij. Het had geen zin om te proberen me hieruit te liegen, dus ik biechtte eerlijk op wat ik had gedaan en deed een wanhopige poging om uit te leggen hoe in het nauw gedreven ik me had gevoeld door Marilyns hoge verwachtingen van mij. Niemand had ook maar enige aandacht voor mijn verklaring. Marilyn wilde alleen maar weten wat ik had uitgespookt in al die uren dat ik zogenaamd bij mijn vriendinnen was geweest. Toen ik zei dat ik die tijd gewoon in mijn eentje had doorgebracht, wendde ze zich tot mijn vader en zei: "Het is niet *normaal* zoals die meid zich gedraagt, Ron." Dat was de eerste keer dat iemand het uitsprak, al vermoed ik dat Marilyn het in ieder geval al een tijdje moest hebben gedacht.

Ik kreeg twee maanden huisarrest. Aangezien het zomer was, betekende dit dat ik de hele dag hopeloos aan huis gekluisterd zat met Marilyn en de baby. Er was niets wat ik kon doen om aan haar te ontsnappen. Het enige wat ik deed, was urenlang met Tiffany spelen, maar de mogelijkheden met een baby van acht maanden zijn natuurlijk beperkt.

Na verloop van tijd werd ik zo rusteloos dat Marilyn er net zo gestoord van werd als ik. Uiteindelijk vroeg ik op een middag of ik naar de bibliotheek mocht om iets te lezen te halen. Ze zei dat het mocht. Ze bracht me met de auto naar de stad, zei dat ik in de bibliotheek moest blijven terwijl zij boodschappen deed en dat ze daarna terug zou komen om me op te halen. Aangezien ik nog steeds straf had, deed ik braaf wat me werd gezegd. Dat deed Marilyn deugd. Ze vond het fijn om me zo gehoorzaam te zien, en ik weet zeker dat ze het net zo prettig vond om even van mij verlost te zijn als andersom. Dus toen ik haar een paar dagen later vroeg of ik nog een keer naar de bibliotheek mocht, kreeg ik opnieuw toestemming. Ook al had ik nog steeds huisarrest, de bibliotheek werd een acceptabel compromis. Zij was er blij mee omdat het degelijk en gecontroleerd was; ik was er blij mee omdat ik even van haar weg was.

De eerste twee weken stortte ik me enthousiast op de boeken en tijdschriften. Toen begon de nieuwigheid te slijten en werd ik vreselijk rusteloos.

In de leeszaal stond een gigantische eikenhouten tafel van bijna vijf meter lang en misschien anderhalve meter breed, in een warme honingkleur die glimmend was geworden aan de randen doordat er jaar in jaar uit lezers tegenaan hadden geschuurd. Ik stapte er naar binnen en ging zitten. De zaal was praktisch verlaten. Het was een hete julidag, een ideale dag om te gaan zwemmen of picknicken, dus de meeste mensen waren buiten. Het was in de tijd voordat de meeste gebouwen airconditioning hadden, en de hitte in de bibliotheek was moordend. De zon stroomde naar binnen door van die hoge, ouderwetse ramen, en ik weet nog dat ik daar zat te kijken naar de stofdeeltjes die door de zonnestralen zweefden. De zaal rook naar stof. Stof en boenwas en die vreemde zurige geur van antieke boeken.

Toen ik ging zitten, merkte ik dat mijn lichaam tot rust kwam. Het was een zachte, vredige gewaarwording, een wegzinken bijna, alsof alle spanning wegebde naar mijn voeten en over de grond vloeide. Zo zat ik een paar minuten gewoon te genieten van dat gevoel.

Her en der stonden potjes met kleine stompe potloden in het midden op de tafel, en ernaast lagen stapels kladpapier dat mensen konden gebruiken om aantekeningen op te maken. Ik stak mijn hand uit en pakte een van de potloden en een stuk of wat kleine velletjes papier en ik begon te schrijven...'

Laura zweeg even. Het werd heel stil in de kamer.

'Ik begon overal op de papiertjes Torgons naam op te schrijven. En toen... begon ik verhalen te schrijven. Het was de eerste keer...

Tijdens het schrijven verdwenen de muren van de bibliotheek, de tafel loste op, de barrière tussen Torgon en mij verdween. Ik was mezelf niet meer. Ik slaagde erin om in haar wereld te zijn, om deze te zien, te horen, te voelen op een manier die net zo direct en helemaal te gek was als die eerste ervaring die ik met haar had gehad in mijn jeugd. En net zoals dat eerste moment, als kind van zeven op het pad door het landje van Adler, alles had veranderd, zo werd ook nu, met het ter hand nemen van dat potlood in de bibliotheek, alles radicaal anders.'

17

'Ik heb het verhaal meegebracht waar ik die dag in de bibliotheek aan ben begonnen,' zei Laura. 'Ik dacht dat je het misschien zou willen lezen. "Achtergrondinformatie," zou je kunnen zeggen.'

'Ik ben erg blij met die verhalen,' zei James. 'Ze voegen een extra dimensie toe aan wat je me hebt verteld.'

'Dat was een keerpunt, beginnen met schrijven,' zei Laura. 'Niet alleen met betrekking tot wat mijn toekomstige carrière zou worden, maar... de hele ervaring werd naar een heel ander niveau getild, op een manier die ik destijds niet doorzag. Ik weet nog steeds niet helemaal zeker of ik het wel begrijp, maar dat was het moment waarop dingen begonnen te veranderen.'

Toen Torgon het huisje naderde, zag ze de Ziener in de deuropening staan. Hij droeg zijn lange, officiële gewaad, dus wist ze dat hij was gekomen om de gebruikelijke riten uit te voeren voor een pasgeboren baby. De vader, Donar, was er ook. Het zou na de rustperiode van drie dagen van zijn vrouw Anil de eerste keer zijn dat hij zijn pasgeboren dochter zou zien. Toen Torgon hem bereikte, wierp Donar zich nederig in het stof aan Torgons voeten, zoals het een arbeider betaamt.

'Sta op.'

Er stonden tranen in Donars ogen toen hij op zijn knieën overeind kwam. 'Vergeef Anil,' smeekte hij. 'Ze verlangt al zo lang naar een kind.'

Ze gingen het huisje binnen, waar het reeds donker was van de middagschaduwen. Er brandde geen lamp, er hing een muffe geur van kamers waar niet werd gelucht. Torgon kon het bloed van het baren ruiken.

Met de baby tegen zich aan gedrukt zat Anil ineengedoken in het baarstro. De baby leefde. Dat was Torgons eerste angst geweest, dat Anil een doodgeboren kindje tegen haar borst hield.

De tranen liepen over Anils wangen. Vanuit haar positie kon ze geen kniebuiging maken, maar ze boog wel haar hoofd.

Torgon knielde naast haar. 'Laat mij eens kijken,' zei ze zacht, en ze strekte haar handen uit naar het kind.

Langzaam, verdrietig, wikkelde Anil de kledingstukken los waarmee het kind aan haar vastgebonden zat en legde het in Torgons wachtende handen.

De lip van de baby was helemaal tot aan de neus gespleten, zodat er een gapend gat was ontstaan. 'Ach,' zei Torgon, die overeind kwam met het kind in haar armen. 'Ze heeft een maankus gehad.' Zachtjes stak ze haar vinger in de mond van de baby en onderzocht deze. De spleet liep door tot achter in het zachte gehemelte van de mond.

'Neem haar alstublieft niet mee,' jammerde Anil. 'Ze heeft de eerste drie dagen overleefd. Ze is sterk.'

'Nee,' zei Torgon zacht. 'Het mag niet zo zijn.'

'Alstublieft? *Ik zal haar zelf voeden. Met een lepeltje en de melk van mijn borst,' smeekte Anil terwijl de tranen over haar wangen stroomden. 'Ik zal voor haar zorgen. Ze zal niemand tot last zijn.'*

'Nee,' zei Torgon. 'Een maankus-baby gedijt nooit.' En met die woorden nam ze de baby mee en vertrok.

Zorgvuldig bond Torgon de baby dicht tegen haar lichaam en begon aan de beklimming van het steile pad naar de hooggelegen heilige plaats. Het pad voerde tussen de bomen door en Torgon kon het hoogste punt van de klif zien, oogverblindend wit in het licht van de ondergaande zon. De baby tegen zich aan drukkend, liet Torgon zich op één knie zakken om haar eerbied te betonen aan Dwr en De Ene op deze hooggelegen heilige plaats. Toen stond ze op en vervolgde haar weg omhoog tegen de steile rotswand.

Toen Torgon de top bereikte, ging ze in kleermakerszit in het gras zitten. De baby huilde van de honger, een zwak en iel geluidje. Het waterde toen ze het uitkleedde, de urine stroomde warm over Torgons dij. Ze glimlachte naar het kindje en bevoelde het zachte huidje met haar vingertoppen. Toen gespte ze de kleine ceremoniële dolk los van haar pols.

Het kind boven haar hoofd optillend met het gezicht naar de hemel geheven, sprak ze de heilige woorden uit alvorens het weer op haar schoot te laten zakken. Torgon boog naar voren, kuste het kind op de mond ten teken dat ze wist dat alleen haar lichaampje onvolkomen was, opdat, door het eren van de ziel met een heilige kus, de ziel vrijelijk zou kunnen terugkeren naar De Ene. Ten slotte haalde ze de versierde dolk uit de schede, sneed de keel van de baby door en liet het bloed over haar handen en op de witte stof van haar kleren stromen.

Het meer glinsterde donker in het licht van de sterren. Staand aan de waterkant zag de Ziener er haast lichtgevend uit in zijn lange witte gewaad. Achter hem klotste het schimmige water rusteloos tegen de kust. Hij knielde voor Torgon neer in volledige onderwerping, zijn uitgeteerde oude lichaam languit op de grond. Toen stond hij geluidloos op en begon de voorkant van haar bebloede kleding los te maken. Hij kleedde haar helemaal uit en legde ieder kledingstuk op een klein houten vlot dat op de oever lag, totdat ze uiteindelijk naakt in het herfstdonker stond. Zonder aarzeling liep Torgon vervolgens het ijzige water in totdat ze er tot aan haar nek in stond, en bleef daar. De Ziener stak het kleine vlot met de bebloede kleren in brand en duwde dat het meer op. Toen goot hij heilige oliën in het water, die zich in oplichtende rimpelingen onder de vlammen verspreidden. Als een vallende ster brandde het vlot helder in het donkere bos.

Torgon stapte nat en rillend uit het water op de oever, waar de Ziener haar nieuwe gewaden aantrok. Dit waren niet de kleren van de benna, maar de lange, wijde, grof geweven kledingstukken van de doden. Hij hees ze ruw om haar lijf, alsof hij een levenloos object aan het aankleden was.

Toen draaide hij zich om en begon door het bos te lopen. Torgon volgde. Het dragen van schoenen was haar niet toegestaan tot ze opnieuw geboren was, en licht evenmin, zelfs niet in deze donkere uren. Ze mocht het klooster nog niet betreden zolang ze onrein was, dus bracht hij haar naar de afzonderingshut. Zodra ze binnen was, barricadeerde hij de kleine deur, smeerde de grendel in met heilige oliën en bestrooide de drempel met de geurige kruiden die werden gebruikt voor het prepareren van een stoffe-

lijk overschot. Toen zette hij een hoge klaagzang in om haar dood te bewenen. Toen stilte. Geluidloos was de Ziener stilletjes in het bos verdwenen.

Toen Torgons ogen gewend waren aan het donker, kon ze in de oostelijke muur het kleine rechthoekige raam onderscheiden dat gedurende de dag wat licht binnen zou laten in de kleine hut. Het was te hoog om door naar buiten te kunnen kijken, maar het was ook niet de bedoeling dat men gedurende de periode van afzondering naar buiten keek; zo laat op de avond, zo diep in het bos, maakte het weinig verschil. Het raampje was slechts een kleine rechthoek die iets minder donker was dan de rest.

Verkleumd van de kou trok Torgon het gewaad strak om zich heen in een wanhopige poging weer warm te worden. Waarom was dit de gang van zaken? *Die gedachte drong zich met onverwachte helderheid aan haar op, als zonlicht door de gouden herfstbladeren. Ze had zich dit bij andere gelegenheden uiteraard ook wel afgevraagd, maar dan alleen voor zichzelf. Zoveel van de riten en rituelen gingen gepaard met lijden, dat het moeilijk was om ze niet in twijfel te trekken, vooral in het begin, toen ze nog moest leren om haar lichaam en geest te kastijden zoals het een benna betaamde.*

Nu, echter, zag ze het gezicht van de maankus-baby voor zich, en toen de vraag zich aan haar opdrong, was het met de helderheid van een plotseling inzicht.

De Kracht?

Waarom voelde ze de Kracht nu? Dwr had bepaald dat misvormde baby's moesten sterven. Waarom zou Dwrs heilige Kracht haar dat nu in twijfel doen trekken?

Het was wel degelijk *de Kracht, helder oplichtend in de ondoordringbare duisternis van de hut. Haar geest werd verblind door een fonkelend licht.* Waarom zijn dingen zoals ze zijn? *fluisterde de Kracht.* Waarom aanvaardde ze ze?

Torgon leunde achterover. Waarom verlangde de Kracht dit van haar?

Toen Torgon wakker werd, zat Mogri over haar heen gebogen. Met een zacht doekje veegde Mogri voorzichtig het zweet van Torgons slapen.

Torgon draaide haar hoofd en zag de vertrouwde witte muren van haar privé-vertrekken in het klooster. 'Wat doe jij hier?' fluisterde ze.

'Ssst,' zei Mogri. Ze bukte zich, doopte de doek in warm water en bracht hem weer omhoog, en Torgon rook de frisse, prikkelende geur van waterkruiden.

'Je mag hier eigenlijk niet komen,' zei Torgon.

'Ik ben hier omdat de acolieten je niet wassen zoals ik dat doe, en je moet gewassen worden. Je bent helemaal bezweet. Stil nou maar. Je hoeft niet te praten.'

Het voelde goed, Mogri's zekere handen, de vertrouwde geur van waterkruiden. De Ziener gebruikte nooit waterkruiden, maar hij zou dan ook nooit de vrijheid hebben genomen om haar te wassen. Haar hoofd was nog zwaar van de nawerking van de doodsoliën die de Ziener had gebruikt opdat ze de ziel van het kind zou kunnen begeleiden naar veiliger oorden. Torgon gaf zich nog even over aan haar vermoeidheid.

'Het was zo vreemd deze keer, Mogri,' mompelde ze.

'Waar heb je het over?'

'De afzondering. De Kracht is tot mij gekomen.'

'Het was waarschijnlijk niet de Kracht, maar eerder de doodsoliën, Torgon. Je ziel was er niet toen ze je uit de afzonderingshut gingen halen, en ik vreesde dat je haar deze keer niet meer terug zou krijgen. Je moet grote afstanden hebben afgelegd tussen de doden om de ziel van dit kind te vinden – te groot, vreesden we – en er waren er velen die dachten dat de dood je de weg had versperd en je niet wilde laten terugkeren.'

Mogri zweeg even. 'Het is misschien niet gepast dat ik dit zeg, maar ik vreesde meer dat de oude man je had vergiftigd met de doodsoliën dan dat de doden blaam trof. Hij is erg *oud, Torgon. Ik geloof dat hij niet meer altijd helder kan denken.'*

'Het waren niet de doodsoliën waar ik die visioenen van kreeg. Het was de Kracht. Ze waren er al voordat ik de doodsoliën toegediend had gekregen.'

Mogri's gezicht werd ernstig. Vlug maakte ze het gebaar van eerbied met haar vingers. 'Dit is iets waar je met de Ziener over moet praten, Torgon, niet met mij. Ik heb geen heilige roeping. Dat weet je.'

'Ik kan niet met hem praten. Hij zal zeggen dat het verdorven is wat er tot mij is gekomen. Hij zal zeggen dat ik ben verdwaald te midden van de doden en het duister in ben gelokt, maar dat is niet zo. Het... de Kracht... scheen met groots licht. En in het licht zag ik andere manieren om dingen te doen. Manieren die totaal niet op die van Dwr leken... Op een gegeven moment zag ik Anils baby, maar ze was al groot. Vijf of zes zomers oud misschien, met haar dat blond was als dat van haar broer, maar dan krullend, als dat van haar vader, en de maankus was verdwenen... Nee, niet echt verdwenen, maar er zat slechts een dun streepje litteken op de plaats waar hij had gezeten. Een rafelige streep, net als bij Bertils mond, weet je wel? Waar hij zich heeft gesneden aan de speer en dat nu weer genezen is.'

Mogri schudde haar hoofd. 'Maar een maankus geneest nooit, Torgon. Het kind zou gewoon wegteren en sterven.'

'Dat weet ik. Maar in de visioenen die de Kracht me bracht, was het anders. Het kind gedijde. Haar ziel was gelukkig in haar lichaam, en de dood zou geen zegen voor haar zijn geweest.'

Torgon zuchtte. 'Waarom zou Dwr me visioenen sturen die de heilige wetten in twijfel trekken? Wat moet ik daarvan maken? Ze waren zo sterk en hebben me van het duister naar een andere plek gevoerd.'

'Hier, geef me je hand,' zei Mogri zacht, en ze stak haar hand uit. Ze nam Torgons hand tussen haar beide handen en drukte deze tegen haar borst. 'Wat jij nodig hebt, is levend vlees onder je vingers voelen. Je hebt veel te lang in de wereld van de geesten vertoefd. Houd me eens stevig vast. Dat is waar je nu het meest behoefte aan hebt.'

Misschien had ze gelijk, want de ongrijpbare helderheid van de Kracht loste langzaam op in Torgons geest met de warmte van Mogri's hand. Vermoeid liet Torgon het gevoel los en vleide zich achterover op haar bed.

18

'Ik weet niet waar dat vandaan kwam,' zei Laura, terwijl ze keek naar de dichtbeschreven, vergeelde vellen kladpapier die James in zijn hand hield. 'Het was niet iets waar ik in mijn hoofd mee bezig was, helemaal niet, maar dat is wat er kwam toen ik daar in de bibliotheek zat. Ik was *geschokt*. Ze had die baby vermoord! Torgon had haar *vermoord*. Alsof het niets was.'

'Denk je dat het een uiting kan zijn geweest van de emotionele onrust waar je op dat moment onder leed?' vroeg James.

Laura leunde achterover. 'Dit is precies wat je niet moet doen,' zei ze zacht. 'Je een voorbarig oordeel vormen over dit alles. Het in een hokje stoppen.'

'Dat probeer ik ook niet te doen,' antwoordde James. 'Ik zeg alleen dat jij op dat punt in je leven last had van erg veel negatieve gevoelens. Onze geest is in staat tot zeer opmerkelijke transformaties.'

'Ik denk dat het misschien juist eerder andersom was,' antwoordde ze. 'Omdat ik te kampen had met zulke sterke negatieve gevoelens in mijn eigen leven, stond ik meer open voor wat er gebeurde in dat van Torgon. Dit speelde zich af in de jaren zestig. In die tijd was er nauwelijks sprake van gewelddadige beelden in het dagelijks leven. Je had niet het terloopse, nodeloze geweld dat je tegenwoordig overal ziet, op televisie en in films. Dus ik walgde er oprecht van dat Torgon zoiets deed. Het stond zo ver bij mijn manier van leven vandaan.

Ik had meteen gezien wat er mis was met de baby – ze had een gespleten gehemelte. Een van mijn nichtjes had ook een kindje met een hazenlip, dus zelfs op mijn vijftiende wist ik er al behoorlijk wat vanaf. Ik wist in ieder geval dat het verholpen kon worden en dat een kind zich daarna volkomen normaal kon ontwikkelen. Maar Torgon gaf die baby niet eens een kans. Ze vermoordde haar zonder pardon.

Dat liet me niet meer los, als een duister geheim dat op me drukte. Ik bleef maar herlezen wat ik had geschreven, het elke keer opnieuw ervaren. Mezelf de vraag stellen: *waarom*? Het was het handelen, niet het geweld, dat ik schokkend vond. Ik dacht nooit: waar komt dit gruwelijke verhaal vandaan of hoe heb ik zo beeldend kunnen schrijven over het vermoorden van een kind? Eerlijk gezegd kwam het niet eens bij me op om mijn eigen rol in het geheel onder de loep te nemen. Het enige wat ik dacht, was: hoe kan zo'n gevoelig, intelligent iemand als Torgon accepteren dat het vermoorden van de baby de juiste oplossing was? De moeder had aangeboden zelf voor het meisje te zorgen. Waarom wilde Torgon daar niet voor vechten? Puur omdat ze had geleerd dat dat was wat hun god wilde, waarom gebruikte ze haar eigen hersens niet?

Maar het fascineerde me ook. Ik had een vaag verlangen – niet onrustig, eerder een soort behoefte die zich opbouwde – om de rest ook op te schrijven. Mijn fantasie had eindelijk vaste vorm gekregen. Het ter hand nemen van dat potlood in de bibliotheek, heeft letterlijk mijn leven veranderd. Vanaf dat moment nam het schrijven me bij de hand als een fysieke kracht. Ik wilde niets anders meer.'

'Wat vonden je ouders daarvan?' vroeg James.

'Marilyn toonde aanvankelijk een soort oppervlakkige belangstelling. Ze had het erover dat ik misschien wel beroemd werd als ik zo doorging en dat een van mijn boeken misschien zelfs verfilmd zou worden in Hollywood, want dat overkwam sommige schrijvers wel. Maar vervolgens wilde ze alsmaar lezen wat ik aan het schrijven was, en dat kon ik moeilijk delen. Marilyn verwachtte romantisch gezwijmel of op zijn minst iets wat herkenbaar afkomstig was uit de belevingswereld van een tienermeisje. Geen kindermoord.

Mijn vader zei er helemaal niets over. Ik weet niet wanneer het is gebeurd, maar ergens gedurende mijn tienerjaren waren we vreemden voor elkaar geworden. Of misschien waren we dat altijd al geweest. Mijn vader hield van me. Dat heb ik altijd zeker geweten, maar ik wist al geruime tijd dat we in parallelle werelden leefden.

Helaas duurde Marilyns tolerantie niet lang. Mijn terughoudendheid om haar ook maar iets van wat ik schreef te laten zien, maakte haar achterdochtig. Ze begon vraagtekens te plaatsen bij wat ik nou eigenlijk precies "uitspookte daar in die kelder" op een toon die impliceerde dat het misschien wel pornohandel was of zoiets. Toen ik daarover klaagde, zei ze dat iemand die haar jeugd afgezonderd in haar kamer doorbracht, zich nooit zou ontwikkelen tot een evenwichtige volwassene.

Ik had het intussen helemaal gehad met Marilyn. Ik haalde alleen maar negens en tienen op school, ik hielp vaak met Tiffany, ik deed al mijn klusjes in huis zonder dat ze het moest vragen, ik dronk niet, ik rookte niet, ik gebruikte geen drugs en ging niet naar wilde feesten. Ik zwierf niet langer doelloos over straat, en ik was al ruim een jaar volkomen eerlijk over welke vriendinnen ik had en welke niet. Waarom was het nooit genoeg voor haar?

Wat uiteindelijk mijn redding werd, was het feit dat Marilyn weer in verwachting raakte. Ditmaal was het een jongetje, en ze noemden hem Cody. Tiffie was twee, en met haar en de baby leek Marilyn eindelijk haar handen zodanig vol te hebben dat ze zich niet meer met mij hoefde te bemoeien. Of misschien kwam het gewoon doordat er aan die twee kleintjes veel meer eer te behalen viel dan aan mij. Wat de reden ook was, ik werd eindelijk min of meer aan mijn lot overgelaten.'

Een pauze. Laura's gezichtsuitdrukking kreeg iets ongemakkelijks. Ze glimlachte onhandig. 'Ik was *werkelijk* eerlijk geweest over mijn vriendinnen, maar ik vond het nog steeds moeilijk om volledig binnen de grenzen te blijven van deze wereld die anderen zo echt leken te vinden. Op school begon ik namelijk een creatiever soort verzinsels te vertellen. Ik had er geen kwade bedoelingen mee. Ik deed het zelfs niet om aandacht te krijgen. Er borrelde alleen zo gigantisch veel creativiteit in mijn hoofd dat het af en toe overkookte in mijn omgeving.

Onnozel als ik in die tijd was, kwam het niet eens bij me op om te denken dat wat ik deed wel eens opgevat zou kunnen worden als het uitbuiten van mensen. Het voelde niet eens als liegen voor mij. Het was simpelweg een delen van alle rijkdom in mijn hoofd die anderen niet hadden. Ik verzon personages en verhaallijnen, voegde wat toe, schaafde wat bij, gaf ze stuk voor stuk meer inhoud totdat het rijke, veelzijdige persoonlijkheden waren.

Het kon me nooit iets schelen of ze wel of niet echt bestonden.

Uiteindelijk bleek ik te succesvol in het geloofwaardig maken van deze personages. Op een zaterdag kwam, tijdens mijn afwezigheid, mijn lerares Frans langs met een doos vol ansichtkaarten. Bij thuiskomst trof ik Marilyn en mijn vader bars kijkend aan de keukentafel. Paniek overspoelde me. Zelfs zonder te weten wat er was gebeurd, wist ik dat ik ergens schuldig aan was.

"Zou je ons misschien kunnen vertellen wat dit te betekenen heeft?" zei mijn vader, en hij duwde de doos met ansichtkaarten over de tafel naar me toe.

Ik keek er niet-begrijpend naar en haalde mijn schouders op. "Die heb ik nog nooit eerder gezien," zei ik.

"Nee, dat zal wel niet. Want Mrs. Patton heeft ze hier zojuist afgegeven voor Sarah. Zou je ons misschien willen vertellen wie Sarah is?" vroeg hij.

Ik slikte moeizaam.

Ondertussen had Marilyn een kille, doffe blik als van een hagedis in haar ogen gekregen. "Kun je je voorstellen hoe je vader en ik ons voelden toen er een docente van jou op de stoep stond die heel enthousiast deze doos ansichtkaarten kwam afgeven voor jouw kleine Sarah? Wat moesten we tegen haar zeggen? Dat er geen Sarah was, dat ze er ook nooit is geweest, dat jij haar gewoon hebt verzonnen?"

Een vreselijke ruzie volgde. Mijn ouders waren razend. Marilyn merkte op dat ik nauwelijks vriendinnen had, nooit een afspraakje, nooit naar schoolfeesten ging en praktisch nooit iemand bij me thuis uitnodigde. Ze zei dat ik mezelf alleen maar opsloot in de kelder en in een fantasiewereld leefde. "Er is iets heel, heel erg mis met dit meisje, Ron," zei ze alsmaar tegen mijn vader. "Ze verandert in een pathologische leugenaar. Er zit echt ergens een steekje los bij haar."

Ik was er kapot van. Ik wilde zo graag dat mijn vader en Marilyn begrepen hoe ik in elkaar zat, en dat het niet mijn bedoeling was om iemand te kwetsen. Torgon en het Bos hadden me altijd zo'n goed gevoel gegeven, maar ik begon in te zien dat er misschien *inderdaad* iets mis mee was. Ik huilde en huilde.

Die avond wist ik voldoende moed te verzamelen om te proberen mijn kant van het verhaal aan mijn vader uit te leggen.

"We zijn niet meer boos op je, Laurie," zei hij op heel vriendelijke toon toen we eindelijk alleen waren in zijn werkkamer. "Ik weet dat er vanmiddag dingen gezegd zijn die niet gezegd hadden mogen worden, maar zo zijn mensen nou eenmaal in het vuur van het moment, en het heeft verder niet echt iets te betekenen. Je weet dat we van je houden, heel veel, en dat we alleen maar het beste met je voorhebben."

"Het spijt me dat ik Sarah heb verzonnen. Het was niet de bedoeling dat het met me op de loop zou gaan... Maar, papa, ik moet je iets uitleggen. Ik zie mensen in mijn hoofd, pap. Ik zie hun gezichten net zo duidelijk als ik dat van jou nu zie. Ik hoor ze praten. Ik weet hoe ze zich voelen en wat ze denken.

Ik weet dat het raar klinkt," zei ik. "Je denkt waarschijnlijk dat Marilyn gelijk heeft en dat ik gek ben geworden of zo, maar dat is niet het geval. Ik *weet* dat ze in mijn hoofd zitten en het kost me geen enkele moeite om onderscheid te maken tussen deze wereld hier en wat er in mijn hoofd gebeurt."

Hij fronste zijn wenkbrauwen. "O, Laurie..." mompelde hij.

"Maar weet je, pap, ze zijn er *echt,* in mijn hoofd. Een heleboel. Hele families. Tantes en ooms en neven en nichten en opa's en oma's. Het is een wereld. Een politiek systeem. Wetten. Religie. Dieren. *Alles...* en ze zitten allemaal hier." Ik raakte mijn slapen aan.

Er viel een lange stilte. Toen zei ik: "Er moet een reden zijn dat dit allemaal in mijn hoofd zit, pap. Dat gevoel heb ik heel sterk. Waarom zouden er zoveel details zijn, zou er zoveel gebeuren, als het niets meer was dan chemische stofjes in mijn hoofd die in de war zijn, of wat gek zijn dan ook is?"

Hij bestudeerde mijn gezicht, liet zijn blik er langzaam overheen glijden alsof het onbekend terrein was. Ik begon me zorgen te maken, want hij zei geen woord. Uiteindelijk zei ik: "Denk *jij* dat er iets mis is met me waardoor ik al die dingen zie?"

Toen glimlachte hij vriendelijk, schudde zijn hoofd en zei: "Nee, ik denk dat je gewoon wat kinderlijk bent voor je leeftijd, dat is alles. De meeste kinderen zijn dit soort dingen wel ontgroeid tegen de tijd dat ze gaan puberen, maar met het leven dat jij hebt gehad... De dingen die er gebeurd zijn. Je hebt een slechte start gehad in het leven, Laurie. Dat spijt me oprecht.

Het is begrijpelijk dat je nog steeds een beetje onvolwassen bent."
Ik fronste. "Ik geloof niet dat het met onvolwassenheid te maken heeft, pap. Ik denk dat het te maken heeft met anders zijn. Ik wil het namelijk niet kwijt, wat er in mijn hoofd gebeurt. Ik wil alleen niet steeds anderen tot last zijn."

"We zouden allemaal graag in een fantasiewereld leven, Laurie, maar dat is niet de manier waarop volwassenen de dingen doen. Er is niks mis met jou dat een paar jaartjes niet kunnen genezen. Je bent heel onnozel geweest, maar dat overkomt ons allemaal wel eens. Het enige wat je hoeft te doen, is niet meer zo onnozel doen en het achter je laten."

Toen ik die avond mijn vaders werkkamer verliet, voelde ik me eenzamer dan ooit tevoren. Hij was hartelijk geweest, en op zijn manier begripvol, maar hij had geen flauw benul van de omvang van het dilemma waar ik mee worstelde. Ik geloof niet dat hij zelfs maar inzag dat er een dilemma was.'

19

'Je hebt het doorverteld!' schreeuwde Morgana boos. De deur van de speelkamer was nog maar nauwelijks achter haar dichtgegaan of ze begon tegen James te tieren. 'Je zei dat ik hier geheime dingen kon vertellen! Je zei dat ik hier alles kon doen wat ik wilde. Dat heb je *gezegd*! En toen heb je het *doorverteld*!'

'Sst. Sst, kom nou eens even hier en ga zitten, dan zullen we het erover hebben,' antwoordde James.

'Dat was *mijn* geheim, over mij en de Leeuwenkoning. Dat heb ik tegen je gezegd. Ik heb gezegd dat het geheim was. Maar je hebt het toch *doorverteld*.'

'Je vindt dat ik dat niet had mogen doen.'

'Ik vertel je nooit meer wat, als je dat maar weet. *Nooit* meer.' Ze sloeg haar armen over elkaar, stak haar onderlip naar voren en staarde woedend voor zich uit.

'Het spijt me,' zei James. 'Ik zie dat je heel erg boos op me bent.'

'Je hebt *heel erg* gelogen,' mompelde ze.

'Ik denk dat je net iets anders hebt gehoord dan wat ik heb gezegd,' antwoordde James vriendelijk. 'Ik heb gezegd dat je hier geheimen mocht vertellen. Maar ik heb niet beloofd dat ik ze nooit aan iemand anders zou doorvertellen. Ik bewaar geheimen als dat kan, maar soms als kinderen me dingen vertellen, moet ik moeilijke keuzes maken over wat ik hoor. Omdat ik ouder ben en meer dingen heb geleerd, realiseer ik me soms dat iets wat ze doen gevaarlijk zou kunnen zijn. Als dat gebeurt, moet ik beslissen of het misschien beter zou zijn om het aan andere mensen te vertellen. Het spijt me heel erg dat ik jou het gevoel heb gegeven dat ik de geheimen die je hier vertelde altijd zou bewaren. Ik denk dat wat ik werkelijk heb gezegd, is dat je hier zelf mag beslissen wat je me vertelt. Maar het spijt me dat er een misverstand is ontstaan. Het spijt me ook dat ik nu pas begrijp hoe belangrijk het voor jou was om dit niet door te vertellen. Als ik dat had begrepen, hadden we het er eerst samen even over kunnen hebben.'

'Ik vertel je nooit meer iets.'

'Ik maakte me zorgen, Morgana,' zei James, 'want de dingen die je me over de Leeuwenkoning hebt verteld, maken dat hij klinkt als een heel bijzonder jongetje. Je bent nog maar klein, en het is de taak van je vader en moeder om voor je te zorgen en je te beschermen. Het is belangrijk dat zij weten wat je doet als je buiten aan het spelen bent. Ik heb het niet "doorverteld". Ik heb alleen aan hen gevraagd of zij de familie van de Leeuwenkoning kenden, omdat ik me zorgen om je maakte. Ik wilde ervoor zorgen dat je niks zou overkomen.'

'Maar ze snappen het niet.'

'Ik kan me voorstellen dat jij dat zo ziet.'

'Nu willen ze dat ik niet meer met hem omga. Mijn vader zegt dat ik in de tuin moet blijven. Ik mag niet meer bij de beek spelen van hem. Ik ben er al sinds vorige week donderdag niet meer geweest, en ik heb de Leeuwenkoning al die tijd niet gezien en hij zal niet begrijpen waarom ik niet ben gekomen,' zei Morgana. Ze was bijna in tranen. 'Hij is de enige vriend die ik heb.'

'Heb je dan geen vrienden op school?' vroeg James zacht.

'Niemand zoals de Leeuwenkoning. En ik was bezig hem te leren lezen. Ik heb vorige week twee boeken voor hem mee naar huis gebracht, en nu mag ik er van mijn vader niet mee naar de beek.'

'Waarom vraag je de Leeuwenkoning niet of hij in plaats daarvan bij jou thuis wil komen spelen?' vroeg James.

'Dan zou hij toch niet komen.' De tranen begonnen over haar ronde wangen te stromen. Ze bracht haar hand naar haar gezicht en veegde ze weg. 'Waarom moest je het dan ook doorvertellen? De Leeuwenkoning zou me nooit kwaad doen. Hij zou me in geen miljoen jaar kwaad doen, want hij is mijn beste vriend.'

'Het spijt me echt heel, heel erg, Morgana. Ik zie dat je heel erg van streek bent.'

Er verstreken een paar seconden in stilte terwijl Morgana haar tranen probeerde te bedwingen. Ten slotte keek ze op. 'De enige manier om weer met hem te kunnen gaan spelen, is tegen mijn ouders zeggen dat hij niet echt bestaat. Dus dat ga ik doen.' Haar stem kreeg een uitdagende klank. 'En van nu af aan zeg ik dat ook tegen jou. De Leeuwenkoning bestaat niet echt. Ik heb hem gewoon verzonnen.'

'Verven' was niet helemaal de juiste benaming voor wat Conor sinds kort tijdens zijn sessies deed. Staande bij de ezel doopte hij een kwast heel diep in de verf en duwde deze tegen het papier om de overtollige verf naar beneden te zien druipen. Hier leek hij enorm veel plezier aan te beleven. Zijn lichaam stond helemaal stijf van de opwinding, en vervolgens kwakte hij de kwast met steeds groter wordende geestdrift tegen het papier.

Die ochtend was Conor met buitengewoon enthousiasme aan de slag gegaan, en het eerste vel papier was al snel helemaal doorweekt. James stond op en hielp hem een nieuw vel op te hangen. En toen nog een. En nog een. Conor vulde een stuk of vijf vellen met druipende klodders gele verf.

Zijn aandacht was volledig gericht op het verven. Zoals de laatste tijd altijd hield hij de pluchen kat onder zijn oksel geklemd zodat hij beide handen vrij had. Hij had in elke hand een kwast en kwakte eerst klodders geel en toen een brede streep blauw over de volle breedte van het papier. 'Groen,' mompelde hij, meer tegen zichzelf dan tegen James. Beide kwasten gebruikend, smeerde hij de twee kleuren door elkaar om er echt, zij het smerig, groen van te maken.

'Daar is groen,' zei hij, zijn hoofd draaiend om James daadwerkelijk aan te kijken. 'Geel en blauw is samen groen.'

'Ja, je hebt gelijk. Je hebt groen gemaakt.'

Conor doopt de kwast weer in de blauwe verf en zette een brede streek over het papier. Hij keek hoe de verf droop. Toen pakte hij met zijn andere hand de kwast uit de pot rode verf en zette een brede streek aan de bovenkant van het papier. Het rood droop naar beneden door de andere kleuren heen. Hij draaide zich om, zijn gezichtsuitdrukking een mengeling van opwinding en angst. 'Kijk. Bloed.'

'Ja, het lijkt inderdaad net bloed, hè?'

In hoog tempo zette Conor de ene na de andere streek rood op het papier tot het zo nat was dat het van de ezel op de grond gleed. James zag dat hij geagiteerd begon te raken, dat de opwinding plaats begon te maken voor onrust. Flatsj, flatsj, flatsj ging de kwast.

'Je begint onrustig te worden,' interpreteerde James. 'Eerst was verven opwindend, maar nu begin je het eng te vinden.'

'Ehhh-ehhh-ehh-ehh-ehh! Ehhh-ehhh-ehh-ehh-ehh!' schreeuwde Conor. Hij liet de kwast met rode verf in de pot vallen alsof deze ineens te heet was geworden om vast te houden. Conor griste de pluchen kat onder zijn oksel vandaan en drukte deze tegen zijn ogen. 'Miauw! Miauw!'

James stond op en liep vlug naar hem toe. Hij knielde en sloeg een arm om de schouders van de jongen. 'Je bent heel erg bang,' mompelde hij zacht. 'Maar hier zijn we veilig. De speelkamer is veilig.'

'Inpluggen!' jammerde Conor. 'Inpluggen! Inpluggen!'

Wat moet ik inpluggen, vroeg James zich af.

'Ehhh-ehhh-ehh-ehh-ehh. *Ehhh-ehhh-ehh-ehh-ehh.*' Conor worstelde met zijn kat, klemde hem dichter tegen zijn gezicht, alsof hij alles probeerde buiten te sluiten.

James strekte zijn arm en trok een van de stoeltjes onder de tafel vandaan. 'Hier. Ik ga zitten. Ik zal bij je komen zitten tot je je weer wat prettiger voelt. De speelkamer is veilig. Ik zal het je laten zien door bij je te komen zitten.'

Uiterst behoedzaam liet Conor de kat zakken. Hij keek naar James, maakte volwaardig oogcontact en haalde langzaam en diep adem. Toen bukte hij zich en tilde een van de met folie versierde touwtjes op die achter hem aan sleepten. Hij liep naar de dichtstbijzijnde muur, knielde en drukte het uiteinde tegen de plint. Het bleef natuurlijk niet zitten, want het was maar gewoon touw, maar hij trok het helemaal strak en drukte het een tweede keer tegen de plint, alsof het nu misschien wel zou blijven zitten.

'Nu begrijp ik het,' zei James. 'Je plugt je snoeren in.'

Conor trok de overige touwtjes strak en drukte die ook tegen de plint. Terwijl hij dit deed, maakte hij luide mechanische geluiden die klonken als het draaien van roestige tandwielen, knarsend.

'Nu ben je helemaal ingeplugd,' merkte James op. 'Alle vier de snoeren tegen de muur.'

'Rrr. Rrr.'

'Aha. Heb je jezelf in een machine veranderd? Nu hoor ik het. Ik hoor je motor rustig draaien,' zei James.

'Zap-zap,' zei Conor. 'Elektriciteit, zap-zap. Sterk. Vermoord je dood.'

'Je hebt het gevoel dat je een mechanische jongen bent geworden, klopt dat? Bij Mechanische Jongen loopt de elektriciteit door zijn lichaam,' interpreteerde James. 'Mechanische Jongen is sterker dan Conor. Conor is gewoon een jongen van vlees en bloed, maar Mechanische Jongen is gemaakt van snoeren.'

'En metaal. Sterk metaal. Gegalvaniseerd metaal. Metaallegering.'

'Mechanische Jongen is gemaakt van snoeren en sterk metaal,' vatte James samen. 'En ik kan zien dat hij niet bang meer is.'

'Ja. Rode verf als bloed. Bloed dat over de muur druipt. Mechanische Jongen kan lachen. Ha-ha. Ha-ha, jij kunt doodgaan, rode verf als bloed. Mechanische Jongen is een sterke machine gemaakt van metaallegering. Machines gaan niet dood.'

De volgende sessie stond volledig in het teken van vingerverven. Conor nam een grote klodder rood uit de pot en smeerde die met zijn vlakke hand over het papier uit, rond en rond. Hij nam nog meer, perste het met een zompend geluid tussen zijn vingers door. Al die tijd sprak hij geen woord. Hij snorde en zoemde en ratelde, een robotjongen met draaiende tandwielen en knetterende leidingen, maar hij gebruikte geen woorden.

Wat was er aan de hand, vroeg James zich af. Waarom had Conor het gevoel dat hij bescherming nodig had, dat hij eerst in een machine moest veranderen voordat hij zichzelf kon toestaan om de verf te gebruiken?

En hoe zat het met die kat? Zoals altijd droeg Conor de pluchen kat permanent op zijn lichaam. Hij zat nu weggestopt onder zijn linkeroksel, hetgeen hem enigszins hinderde in de bewegingen van zijn linkerhand, maar hij was zo gewend om te bewegen met de kat onder zijn arm geklemd dat hij er opmerkelijk behendig in was. Welk doel diende de kat?

Katten, bloed, geesten, dood. Symbolen waarvoor? James probeerde zich Conors leven voor te stellen in de periode waarin hij zich zo'n angstaanjagend beeld van de wereld had gevormd. Hij was twee. Hij ging twee dagen per week naar de crèche. Zijn vader kampte met financiële problemen. Zijn moeder ging gebukt onder roem en een ongewenste zwangerschap. Wat gebeurde er in die periode met Conor? Een vorm van mishandeling op de crèche waar hij, jong als hij was, niets over kon vertellen? Een reactie op zijn vaders stress? Een reactie op zijn moeders angst vanwege een stalker? Scheidingsangst die werd veroorzaakt doordat zijn moeder in gedachten constant bezig was met ingebeelde mensen? Een gevolg van het feit dat hij een intelligent, gevoelig kind was in een gezin dat op zijn kop stond vanwege een baby die niet welkom was? Of was het Morgana's geboorte, waardoor vader en moeder alsmaar verder van Conor verwijderd raakten? Was zijn fascinatie voor de dood symbolisch voor deze verwijdering?

Maar wie was dan de man onder het kleed? Was Conor misschien de slaapkamer binnengelopen terwijl Alan en Laura lagen te vrijen, en was dit de 'man onder het kleed'? 'Dood' misschien de uitputting na een orgasme? Of 'dood' misschien symbolisch voor 'zwak', voor Alan die het liet gebeuren dat Laura Conor in emotionele zin in de steek liet? Was de kat er om Conor te beschermen tegen de geest van herinneringen uit een peutertijd waarin hij zijn moeder helemaal voor zichzelf had gehad? Of tegen de 'dode man' die zijn vader was?

James keek naar de jongen. Het was veel eenvoudiger geweest om hem als autistisch te bestempelen.

Conor, die ingespannen aan het verven was, wilde geen interactie. Welke psychologische kwesties de jongen ook aan het uitwerken was met de verf, het was op dat moment iets voor hem alleen, een innerlijk proces dat een uiterlijke vorm had aangenomen, en hij was er nog niet aan toe om er met James over te communiceren. James' enige rol was om hem stilletjes te observeren.

Zoals zo vaak gebeurde wanneer er rustige momenten waren in de speelkamer, dwaalden James' gedachten af naar Adam. Adam die aan het spelen was. Adam die aan het verven was. Adam die met zijn zachte, lispelende stem aan het vertellen was. Adam die dood was.

Mijn eigen geest, dacht James bij zichzelf terwijl hij naar

Conor zat te kijken. *Ik word er net zo door gekweld als hij door die van hem.*

Het was *inderdaad* James' schuld geweest dat Adam was gestorven. Daar had de commissie gelijk in gehad. Ze hadden allemaal gelijk gehad, en het ergste van alles was dat James dat wel wist. Als hij minder tijd had besteed aan theoretiseren en meer tijd aan het observeren van Adam, als hij had gehandeld naar wat Adam zei in plaats van simpelweg te observeren en te 'interpreteren', zou Adam nu misschien nog wel geleefd hebben. Als *hij* niet nalatig was geweest. De psychiater. Degene die de signalen van zware mishandeling had moeten oppikken en ze had moeten herkennen als de levensechte symptomen die ze waren, niet zomaar wat therapeutische onzin over verdringing.

Maar hij had ze niet opgepikt. Dat was wat James zo moeilijk had gevonden om aan de commissie te vertellen. Hij had *wel degelijk* de plekken gezien, het gewichtsverlies opgemerkt. Maar mishandeling – *marteling* was eigenlijk het juiste woord – was geen moment in James opgekomen tijdens het werken met Adam. Het was een jochie van vijf. Het was niet meer dan logisch dat hij een oedipusfase doormaakte. Fantasieën over strijden met zijn stiefvader om de liefde van zijn moeder waren een essentieel onderdeel van de verwachte symboliek in de freudiaanse psychiatrie. En het was zo'n respectabel gezin, welgesteld en hoogopgeleid. Intelligent, welbespraakt en sympathiek. De ouders waren zelf degenen geweest die professionele hulp hadden gezocht voor Adam. Wie was James om eraan te twijfelen dat de dingen precies zo waren als zij hadden gezegd, dat Adam zichzelf die verwondingen had toegebracht tijdens zijn onbegrijpelijke woedeaanvallen?

James had nooit de woorden gevonden om zichzelf te verdedigen, toen niet en zelfs nu nog niet. Ondanks de volmaakte duidelijkheid die er achteraf bij iedereen bestond, hadden de dingen er op het moment zelf beslist onduidelijk en niet-overtuigend uitgezien. Het was *niet* overduidelijk geweest wat de afschuwelijke afloop zou zijn. Maar de harde waarheid was uiteraard dat zelfs toen James begon te vermoeden dat de dingen niet waren wat ze leken, hij enkel zijn eigen oordeel in twijfel ging trekken. Hij was nooit dapper genoeg geweest om de ouders te beschuldigen.

Want wat als hij zich vergiste? Wat als het allemaal gewoon hoorde bij Adams ziektebeeld? Tijdens James' opleiding tot psychiater was zelfverminking veel uitgebreider aan bod gekomen dan kindermishandeling. Hij was bang dat hij zijn geloofwaardigheid kwijt zou raken door een hoop ophef te maken om niets. Het was niet zijn bedoeling geweest om blind of onnozel te zijn. Hij was maar een eenvoudige man die verzeild was geraakt in een ronduit afschuwelijke situatie. Zijn enige echte fout was geweest dat hij had geprobeerd op veilig te spelen.

James was zo diep in gedachten verzonken dat hij het ongelukje niet zag gebeuren. Conor had ver over de tafel heen gehangen om een nieuw vel papier te pakken toen de pluchen kat uit het holletje onder zijn arm vandaan was geglipt en met een doffe plets op het schilderij was gevallen waar hij aan had zitten werken. Er zat zoveel vingerverf op het papier dat deze opspatte toen de kat erin plofte.

Er gleed een blik van puur afgrijzen over Conors gezicht. Hij schreeuwde van angst.

James sprong vlug op en viste de kat uit de verf, maar zelfs dat was niet snel genoeg. Conor was direct hysterisch. Hij begon te krijsen en wild met zijn handen te maaien, zodat de rode verf alle kanten uit vloog.

'Hier. Kom hier. We zullen de kat even afspoelen,' zei James, in een poging hem te kalmeren. Hij legde een hand op Conors rug om hem aan te moedigen in de richting van de gootsteen te lopen.

'Bloed op de muren! Bloed op de muren! Nee! Nee! Nee!' Conor maaide woest met zijn armen en benen.

James smeet de met verf doordrenkte kat in de gootsteen en liep naar de jongen toe om hem te kalmeren.

'Nee! Nee! Nee!' krijste Conor. 'Bloed! Bloed op de kat! De kat is dood!'

'Nee, het is geen bloed, Conor. Het is maar verf.' Hij pakte de jongen vast en drukte hem stevig tegen zich aan, met verf en al. Conor verzette zich uit alle macht, met een soort door doodsangst ingegeven oerkracht. Hij zette zich af tegen James, sloeg hem in zijn gezicht en schopte tegen zijn schenen. Ze vielen samen op de grond voordat James erin slaagde om de jongen vast te klemmen in de stevige greep die hij voor ogen had. Hij lag half onder de tafel met de jongen tegen zich aan geklemd.

Conor bleef onafgebroken krijsen en tegenstribbelen. James hees hen beiden overeind in een zittende positie en liet niet los.

Een minuut verstreek.

Twee minuten.

Drie.

Conor hapte naar lucht in diepe, hortende teugen, zijn stem hees van het krijsen. Na een hele tijd zakte hij uiteindelijk tegen James' borst ineen, zijn gezicht in de stof van diens jasje gedrukt.

James keek neer op de jongen met zijn melkachtige huid, vlekkerig en betraand. Hij wachtte op complete stilte.

'Zullen we Poes afspoelen?' vroeg James toen Conor uiteindelijk stil was.

Conor keek op, en zijn ogen werden weer donker van angst. Hij deinsde voor James achteruit, maar aangezien deze hem nog steeds vasthield, kwam hij niet zo ver. Er verstreken lange seconden terwijl Conor James' gezicht bestudeerde. Toen stak hij aarzelend zijn hand uit en raakte de opgedroogde rode verf op James' wang aan. 'Niet dood?' vroeg hij.

'Nee, ik ben niet dood. Het is geen bloed, Conor. Het is maar verf.'

'De kat is dood.'

'Nee. De kat is ook niet dood. De kat is alleen maar in de verf gevallen.'

'De kat is dood.'

James kwam langzaam overeind en hielp de jongen hetzelfde te doen. 'Kom hier. Laten we Poes gaan afspoelen, oké? Zie je? Het is geen bloed. Alleen maar rode verf. Hier, ik zet de kraan aan en houd Poes eronder. Zie je? Daar gaat-ie.'

Met wangen die nog nat waren van de tranen keek Conor hoe James het pluchen beest inzeepte om de verf eruit te krijgen.

'Waar zijn zijn katten?' vroeg Conor zacht.

'Poes is hier.'

'*Zijn* katten,' zei Conor, en hij stak een aarzelende vinger uit waarmee hij de manchet van James' shirt aanraakte. 'Waar zijn de katten van de man?'

'*Mijn* katten?'
Conor knikte nauwelijks merkbaar.
'Het is veilig hier,' zei James, 'dus jij denkt dat ik hier katten moet hebben die me beschermen?'
Conor keek op. 'Ja.'
Voordat James antwoord kon geven, begon Conor de kamer rond te lopen. De wirwar van draden achter zich aan slepend, en met verf op zijn kleren en in zijn haar, begon hij speelgoed aan de kant te duwen, in het poppenhuis te turen, te rommelen tussen de boerderijdieren in een steeds obsessiever wordende zoektocht naar katten. Waarvan er niet één in de speelkamer aanwezig leek te zijn, een tekortkoming waar James zich tot nu toe niet van bewust was geweest. Honden, eenden en oerossen, ja, maar de speelkamer leek een kattenvrije zone te zijn.
In een doos op de plank zat een set kartonnen boerderijdieren die James op een rommelmarkt had gevonden. Ze waren dertig jaar oud en hij had ze puur om sentimentele redenen gekocht, omdat hij vroeger als kind precies dezelfde set had gehad. Moderne kinderen waren echter niet zo onder de indruk van zulk eenvoudig speelgoed, en de doos stond al heel lang onaangeroerd op de plank in de speelkamer.
Nu haalde Conor het deksel eraf en graaide in de doos. Daar vond hij wat hij zocht. Tussen de verzameling kartonnen dieren bevond zich ook een grijs gestreepte cyperse kat in staande positie, de oortjes recht overeind, de staart omhoog in een vriendelijke begroeting. Rond zijn nek had een kind lang geleden een stukje touw geknoopt bij wijze van riempje.
'Kijk!' riep Conor verbaasd uit. Zijn gezichtje klaarde op en hij maakte direct oogcontact met James. 'Kijk! Kijk! Een mechanische kat!'

20

'Het feit dat Torgon die baby met het gespleten gehemelte had vermoord bleef me achtervolgen,' zei Laura. 'Ook al was ik verdergegaan met het opschrijven van andere verhalen over haar leven in het Bos, dat eerste verhaal bleef me bij als een duister geheim dat op de gekste momenten weer naar boven borrelde in mijn bewustzijn, waardoor ik dan weer aan het piekeren sloeg.

Dankzij dit vele denken begon ik uiteindelijk in te zien welke rol onwetendheid speelt in ons handelen. Torgon *was niet* slecht omdat ze dat kind had gedood. Ze had naar beste vermogen gehandeld; ze wist simpelweg niet wat ze anders moest doen.

Dit inzicht wekte een soort geestdrift in mij, omdat ik me realiseerde dat dit niet alleen gold voor Torgons wereld, maar ook hier in onze wereld. Er waren talloze plaatsen, zoals het dorp van Torgon, waar een gebrek aan vaardigheden of materialen een onnodig verlies van levens betekende, waar mensen genoodzaakt waren afgrijselijke oplossingen te aanvaarden omdat ze geen alternatief hadden. Het voelde alsof ik de gouden sleutel had gevonden, datgene waar ik naar had gezocht om Torgons wereld en mijn eigen wereld met elkaar te verbinden.

Ineens leefde ik op. Eindelijk had ik een doel in mijn leven. In een directe reactie op Torgons houding ten opzichte van de baby met het gespleten gehemelte, besloot ik dat ik dokter wilde worden.'

Laura glimlachte flauwtjes naar James, ironisch bijna.

'Mijn familie was in shock,' zei ze. 'Ik had de reputatie altijd dromerig afwezig te zijn, en ineens had ik zo'n ontzettend ambitieus doel. Net zo ongelooflijk was voor hen het feit dat arts een soort onbereikbaar, geleerd beroep was dat mensen zoals wij niet ambieerden. "We zijn niet *rijk*," zei mijn vader nadrukkelijk en vol afgrijzen toen ik het hem vertelde. "Daar zou je *jaren* mee bezig zijn, Laura. Dan zouden we nog steeds voor jouw opleiding betalen tegen de tijd dat Tiffany gaat studeren." Marilyn zag weer heel andere problemen. Hoe moest ik bijvoorbeeld ooit een fatsoenlijke kerel aan de haak slaan als ik met hen ging wedijveren? Als ik geneeskunde zo interessant vond, waarom werd ik dan geen verpleegster? Dat was makkelijker en goedkoper, en dan had ik een grotere kans om met een dokter te trouwen.

Ik was er niet meer vanaf te brengen. Het besluit verleende een soort geldigheid aan alles wat zich in mijn hoofd afspeelde. Ik voelde me ineens alsof ik was voorbestemd, alsof ik was zoals Torgon zelf – onverwacht uitverkoren om een heilig pad te bewandelen – en voor het eerst in jaren was ik oprecht gelukkig. Vandaar dat ik weigerde me te laten ontmoedigen. Ik berekende budgetten, informeerde links en rechts naar studiebeurzen en vulde stapels inschrijfformulieren in. Ik werd aangenomen op een universiteit in Boston, mijn tweede keuze, bijna tweeduizend kilometer van huis.

Ik kan me mijn laatste avond thuis voordat ik ging studeren nog goed herinneren. Marilyn kwam naar mijn kamer in de kelder.

"Dit is een enorme kans voor je," zei ze zacht, en ze ging op mijn bed zitten.

Ik was bezig mijn slaapkamer leeg te halen en alles in dozen te doen, want ze wilden er een speelkamer van maken. Dus ik stond boven op een stoel alle tijdschriftfoto's van de muren te halen.

"Ik hoop dat je er gelukkig zult zijn," zei Marilyn.

"Ik ook," antwoordde ik.

"Ik hoop dat je in je leven zult vinden wat je zoekt."

"Ja, vast wel," zei ik met die zekerheid die een mens alleen in zijn tienerjaren heeft.

Ik klom van de stoel en begon de foto's zorgvuldig op stapeltjes te leggen op mijn bureau. Het waren voornamelijk foto's van Brigitte Bardot, die ik in de loop der jaren had verzameld. Ik weet nog dat ik even pauzeerde toen ik bij die ene kwam uit *And God Created Woman*. Van alle foto's was dat nog steeds degene die me het meest aan Torgon deed denken, en altijd als ik ernaar keek, werd ik blij.

"Het spijt me," zei Marilyn.

Ik keek haar zijdelings aan. "Wat spijt je?"

"Dat we je niet gelukkiger hebben kunnen maken."

Verrast zei ik: "Ik ben best gelukkig, Marilyn."

Ze liet haar schouders hangen.

"Ik *ben* gelukkig," zei ik nogmaals. "Misschien is het een ander soort geluk dan je voor me in gedachten had, maar ik ben desalniettemin gelukkig. Is dat uiteindelijk niet waar het om gaat?"

Ik kon aan haar gezicht zien dat ze het niet met me eens was. Dat vond ik vervelend. Ik vond het jammer dat ik niet de cheerleader, de koningin van het bal, de debutante had kunnen zijn die zij had gewenst. Ik zou geen van die dingen ooit voor mezelf gewild hebben, maar ik had het gevoel dat ik tekortschoot door iets anders te willen. Bovendien voelde ik me schuldig dat ik had gekregen wat ik wilde.

"Misschien zul je het daar beter naar je zin hebben," zei ze, haar stem nog steeds zacht. "Misschien heb je de juiste keuze gemaakt."

"Ik denk het wel."

"Misschien kun je hier terugkomen als je wilt trouwen en een gezin wilt stichten."

Ik haalde losjes mijn schouders op. "Ja, misschien."

"Je *wilt* toch wel trouwen, Laura?"

Ik keek haar aan. Ze wierp een zijdelingse blik op de stapel foto's op mijn bureau, maar ik was te naïef om een diepere betekenis te zoeken achter haar vraag. Ik nam hem letterlijk, dacht er even over na, en zei toen: "Ik weet het niet."

"Je vindt jongens toch wel *leuk*, hè, Laura?"

"Ja hoor, sommige wel."

"Vind je vrouwen leuk?"

"Ja hoor, sommige wel."

Ze boog haar hoofd even en zocht toen mijn blik weer. "Vind je vrouwen *leuker*? Is dat de reden waarom je niet eens hebt geprobeerd om een vriendje te krijgen?"

Toen begon het me te dagen, en mijn mond zakte open. "Jemig, Marilyn. Is dat de enige verklaring die je kunt bedenken voor het feit dat ik de dingen niet op jouw manier wil doen?"

"Moet je horen, als dat de stand van zaken is, hebben je vader en ik gewoon het recht om dat te weten."

"Dat is niet de stand van zaken. Maar wat zou het probleem zijn als het wel zo was?"

Ze haalde losjes haar schouders op. "Nou ja, het was niet zozeer dat je nog nooit een afspraakje hebt gehad. Het was dat je het niet lijkt te *willen*. Jongens overkomen je niet zomaar. Daar moet je moeite voor doen. En dat heb jij nooit gedaan."

"Ik had andere dingen aan mijn hoofd," zei ik.

Stilte.

"Ik heb gewoon tijd nodig," zei ik.

De sombere sfeer in de kelder was opeens weer terug. Marilyn liet haar hoofd hangen. "Nou ja, misschien is het wel goed voor je om terug te gaan naar het oosten. Misschien zul je daar meer mensen van je eigen soort vinden."

Misschien vond ik er inderdaad meer mensen van mijn eigen soort, want mijn studententijd was een magische periode in mijn leven,' zei Laura. 'En de magie liet zich samenvatten in één woord: vrijheid. Voor het eerst in mijn leven had ik het gevoel dat ik kon zijn wie ik werkelijk was zonder dat iemand me met arendsogen in de gaten hield. Als ik wilde studeren, kon ik studeren. Als ik wilde schrijven, kon ik schrijven. Als ik mijn hele prikbord vol wilde hangen met foto's van Brigitte Bardot, dan kon dat. Er was niemand die daar problemen mee had.

Er was ook niemand die er problemen mee had dat ik een beetje anders was. Ik luisterde naar folkmuziek en protestliederen in plaats van naar rock, en ik droeg slobberige shirts en broeken in plaats van wat er in de mode was. Ik was niet de hippie van de campus, maar ik was de geïnspireerde creatieveling, en iedereen vond het best.

De sociale structuur op de universiteit was echt ideaal voor mij. Ik was geen type om vrienden te hebben. Het was niet zozeer dat ik geen vrienden wilde of niemand aardig vond, maar meer dat sociale contacten tijd kostten die ik liever op andere manieren doorbracht – met schrijven, of zelfs met studeren, want ik genoot ook van de academische kant van het studentenleven. Maar over het algemeen was het fijn om mensen om me heen te hebben, fijn om in de gemeenschappelijke woonruimte van het studentenhuis neer te kunnen strijken voor een kop koffie en een praatje met iemand. Vervolgens, als de koffie op was, kon ik opstaan en weggaan zonder dat iemand dat onbeschoft vond. Ik vond het prettig dat iedereen zijn eigen leven had, zodat ze zich niet zo bemoeiden met het mijne.'

'Dus je schreef veel in die periode?' informeerde James. 'Was dat een ander soort schrijven? Schreef je nog steeds over Torgon?'

'Nergens anders over. Dat probeer ik nou juist uit te leggen,' antwoordde Laura. 'Ik had een enorme vrijheid. Voor het eerst kon ik bij Torgon zijn wanneer ik maar wilde. Hoe vaak ik maar wilde. Niemand die iets te zeggen had over mijn tijd. Niemand die me een schuldgevoel bezorgde. Het is moeilijk uit te leggen hoe het voelde. Dankzij het schrijven was Torgon heel erg aanwezig voor mij. Ik kon in mijn hoofd alles horen, bijna alsof het werd gedicteerd. Ik beleefde haar wereld altijd tegelijk met de mijne; hij lag als het ware over mijn dagelijks leven heen. Het was geen conflict voor mij, deze stapeling van twee werelden. Het voelde goed. Ik weet nog dat ik me oprecht gelukkig voelde.'

Torgon knoopte de riem los en liet de broek van haar middel glijden. Vervolgens trok ze het benna shirt uit, zodat ze alleen haar ondergoed nog aanhad. Er waren zoveel krioelende, bijtende wezentjes dat ze eigenlijk niet al haar kleren uit wilde trekken, maar het wit was te goed zichtbaar hier te midden van al het groen-op-groen. Ze trok ook haar ondergoed uit.

Ze knielde om de pasta van waterkruiden over haar lichaam uit te smeren om haar geur te verdoezelen. Zorgvuldig zette ze de val op, en ging toen op haar buik in het gras liggen wachten.

De tijd verstreek. De zon werd heet op haar rug en produceerde zweet, waar vliegen op afkwamen. De sterke geur van de waterkruiden zou de steekvliegen op afstand moeten houden, maar de kleintjes lieten zich niet afschrikken en zwermden luidruchtig boven haar.

Er verscheen een haas, maar deze kwam niet in de buurt van de val. Het diertje ging liggen zonnen, languit in het gras, nog geen zes meter van de plek waar Torgon lag. Loom stond het dier op en waste zijn flanken. Torgon wachtte.

Wam! Uiteindelijk liep het beest in de val, en Torgon sprong op als een grote kat om de haas uit het touw te grissen voordat het te strak werd. Het diertje schopte en spartelde terwijl het wild met zijn kaken bewoog en zo een spookachtig, bijna honds gegrom van angst produceerde.

'Ik heb je, kleintje. Niet tegenstribbelen,' fluisterde ze, en ze glimlachte naar het diertje. Vervolgens stopte ze het in een zak, kleedde zich vlug aan en liep met lange, soepele stappen terug door het bos naar het klooster.

Torgon nam de jagerszak mee naar haar privé-vertrekken alvorens deze open te maken, wetend dat ze nu snel zou moeten werken omdat het diertje anders zou sterven van angst.

Alles stond klaar, behalve de doodsolie. Die had ze niet uit het houten kistje tevoorschijn durven halen uit angst dat de Ziener het toevallig op zou merken. Torgon haalde de kandelaars van de rijk bewerkte houten kist af en tilde de deksel op. Alle heilige oliën werden daarin bewaard, en de mengeling van geuren was zo overweldigend dat Torgon altijd even een stap naar achteren moest doen om wat frisse lucht te happen. De Ziener zou alleen al vanwege de geur in haar kamer weten dat ze in de kist had gezeten.

Welke zou het beste zijn? Ze had lang over deze vraag nagedacht. Uiteindelijk koos ze het blauwe flesje. De maag raakte er sneller door van streek dan van de andere doodsoliën, maar ze was minder giftig. En makkelijker te verdunnen.

Ze goot er twee druppeltjes van in een medicijnflesje met lentewater. Zou dit sterk genoeg zijn? Te sterk? Haar handen beefden. Ze wachtte even en haalde diep en regelmatig adem om haar op hol geslagen hart tot bedaren te brengen. De Kracht zou het haar vertellen. Als ze zich voldoende kon ontspannen om de Kracht op te roepen, zou ze weer die spookachtige visioenen krijgen van organen die nog vitaal waren van de levenskracht en die al maandenlang haar gedachten beheersten.

Torgon wist al heel goed wat er zoal in het lichaam leefde. Als kind dat met haar vader uit jagen ging, was ze getuige geweest van het ritueel verwijderen van het inwendige van de gedode dieren, had ze deelgenomen aan het feestmaal van nog warme lever en hersens, en had ze het hart gegeven zien worden aan de jager om hem de dapperheid van het dier te schenken. Maar die waren allemaal afkomstig geweest uit dode, verslagen wezens. De Kracht liet haar heel andere beelden zien – visioenen van harten die nog pompten, longen die lucht bliezen en bloed dat stroomde, alsof het een rivier was – visioenen van leven en groei.

De haas was haar eigen idee geweest, en Torgon was tevreden over haar vindingrijkheid, over deze poging om de visioenen werkelijkheid te maken. Met een in de verdunde doodsolie gedrenkte doek in haar hand, voelde ze het verzet langzaam uit het dier wegsijpelen. Het was een langdurig proces, en één keer, toen ze de doek te vroeg weghaalde, leefde de haas abrupt weer op en sprong uit haar greep, hoewel het dier te zeer bedwelmd was om meer te doen dan versuft rond haar voeten zwalken. De tweede keer hield ze de doek langer op zijn plaats en bleef het dier uiteindelijk bewegingloos liggen.

Verbijsterd sloeg Torgon het gade. Haar ervaring had haar geleerd dat hazen paniekerige, tegenstribbelende schepsels waren, maar dit exemplaar lag warm en zwaar in haar schoot. Minutenlang deed ze niets anders dan het dier aandachtig bekijken, het ritmische op en neer gaan van de flanken bestuderen. Ze streelde de vacht om de zachtheid te voelen, maar behoedzaam, vanwege de vlooien. Dit was op zich alle inspanning al waard geweest, dacht Torgon bij zichzelf, want ze werd alleen al heel veel wijzer doordat ze deze levende haas van zo dichtbij kon bekijken. Aangezien het dier haar deze dienst al had bewezen, schonk ze het het gebaar van diepe eerbied.

Torgon legde de haas languit op de stenen vloer, haalde de ceremoniële dolk uit de schede aan haar pols en schoof toen voorzichtig het mes onder de huid van de buik van de haas. Ze sneed hem open in een keurige lijn. Toen ze voorzichtig de huid terugsloeg, zag ze daaronder soepele spieren.

Ineens was er overal bloed. Onthutst voelde Torgon haastig langs de rand van het vlees totdat ze bij een kleine gutsende ader kwam, die ze dichtkneep. Ze nam de bewegingloze haas mee naar de open haard en stak de punt van het mes in de gloeiende kolen die over waren van het ochtendvuur. Ze had vaak toegekeken wanneer haar vader de jonge stierkalveren hun mannelijkheid ontnam om ze rustiger te maken voor de wagen, en het was zijn hete mes dat het bloed had verzegeld. Ja, dat deed het hier ook, ontdekte ze. Er was gesis en de vage geur van verbrand vlees, maar toen Torgon het bloed voorzichtig wegveegde, kwam er geen nieuw meer uit.

Terwijl ze wachtte tot het mes was afgekoeld, pakte Torgon de naald en het zilverdraad dat Mogri voor haar had meegebracht. Toen ging ze weer op de stenen vloer zitten. Ze stak de punt van het mes door de doorzichtige deklaag ter hoogte van de holte in het lichaam, trok deze opzij, en daar, onder haar vingertoppen, lag het kleine, kloppende hart van de haas.

Dit is een groot wonder! *Heel even werd ze bevangen door ontzag. Ze was van plan geweest om Dwr haar eerbied te betonen op dit moment omdat hij zo'n groot wonder aan haar openbaarde, maar ze staarde enkel, als betoverd. Hier was het hart. Hier was de lever. Hier was de maag. Ieder lichaamsdeel dat ze voorheen als louter vlees had beschouwd. Nu trilden ze van het leven.*

Voorzichtig beroerde ze de maag om de levende warmte van het diertje te voelen. Ze tilde haar vingers op en rook de geur. Het was allemaal precies zoals de Kracht haar in haar dromen had laten zien – alle delen van het levende lichaam vreedzaam naast elkaar, in kleine, afzonderlijke koninkrijken. Torgon legde het mes neer en liet zich op de grond zakken, haar gezicht tegen de koude stenen vloer gedrukt om haar respect te betuigen aan de heilige haas.

Na afloop drukte Torgon behoedzaam de flappen buikvlies weer tegen elkaar, vervolgens de spieren en tot slot de huid. De naald met zijn glimmende draad ter hand nemend, boog ze zich dicht over het lichaam van het dier heen en probeerde de huid weer aan elkaar te naaien.

De haas overleefde het niet. Sterker nog, hij ontwaakte niet eens meer uit de slaap van de doodsolie, dus was Torgon genoodzaakt om opnieuw het bos in te gaan en een nieuwe haas in de val te lokken. Ook die overleefde het niet, dus moest ze nog een keer gaan. En nog een keer. En nog een keer. Terwijl ze in het gras lag te wachten tot de zoveelste haas in haar val zou lopen, begon ze te vrezen dat de zomer binnenkort ten einde zou zijn en het te koud zou worden om te jagen.

'Wat is dit voor goddeloos ding?'

Verschrikt schoot Torgon overeind. Ze was in haar privé-ver-

trekken. De Ziener had het recht niet om binnen te komen zonder haar om toestemming te vragen, maar toch stond hij er ineens.

Paniekerig ging Torgon staan. Ze probeerde haar handen te verbergen. Er zat bloed op en er lag bloed op de grond. Bloed, zo wist ze inmiddels, kroop letterlijk waar het niet gaan kon. De kleine kamer stonk ernaar.

'Dit is het werk van de Kracht,' zei ze zo kalm mogelijk. 'Die heeft mij hier opdracht toe gegeven.'

'Wat? *Heeft Dwr opdracht gegeven tot een aderlating met uw eigen handen? Op heilige vloeren? Voeg aan zo vele zonden nu geen godslastering toe.'*

'Het is geen aderlating. Bloed heeft gevloeid, maar het dier leeft nog steeds. Kijk maar. Ik kan u een groot wonder laten zien: het kloppende hart van het dier!'

Zijn ogen werden groot van afgrijzen. 'Dit is niet *Dwrs domein!'*

'Dwrs domein is groter dan we ooit hebben kunnen dromen!'

'U hebt zich het duister in laten lokken! Dwr draagt uw handen dit niet op. Waarom zou Dwr het overtreden van zoveel heilige regels goedkeuren? Vertel me dat eens.'

'Heilige heer, het is niet mijn bedoeling onbeleefd te zijn, want u bent oud en verdient het geëerd te worden, en u hebt me veel geleerd. Maar de waarheid is, dat ik aan u geen enkele verantwoording verschuldigd ben. Ik ben de goddelijke benna. Dus ik leg geen verantwoording af aan u, maar aan Dwr alleen, net zoals Dwr alleen verantwoording aflegt aan De Ene.'

'Hoe durft *u zo tegen me te spreken?' riep hij uit. 'Goddelijke benna? U? Wat weet u van heilige dingen, behalve wat ik u heb geleerd? Als ik er niet was geweest, zou u nu nog steeds tussen de mest en de modder wonen waarin u bent opgegroeid.' Hij hief zijn staf op en haalde ermee uit.*

De staf had in het verleden al talloze keren klappen uitgedeeld. Ondanks zijn leeftijd, kon hij er heel hard mee zwaaien. Torgon was altijd vlug in elkaar gedoken omdat ze zich ervoor schaamde om gezien te worden met zoveel blauwe plekken. Maar deze keer niet. Toen ze hem zijn staf zag opheffen, stak ze haar hand uit om hem tegen te houden. Niet in woede. Integendeel. Torgon merkte dat ze op dat bewuste moment geen enkel gevoel had. In plaats daarvan lag haar bloed als verpulverd ijs in haar aderen.

Toen de oude man in de gaten kreeg dat ze van plan was hem de staf af te nemen, gierde er een woede door hem heen die zijn gezicht van roze naar rood en bijna paars deed kleuren. Een afschuwelijke worsteling volgde. Hij was niet van plan zich de staf te laten ontfutselen, terwijl Torgon zich realiseerde dat ze moest afmaken waar ze aan was begonnen. Het was niet haar bedoeling hem pijn te doen. Al was hij nog zo woest, haar jeugd en haar kracht werkten in haar voordeel. Het zou onrechtvaardig zijn om hem pijn te doen. Bovendien, ook al realiseerde ze zich dat ze bezit moest nemen van de staf, ze wist dat het onbetamelijk was dat ze zich verlaagden tot zo'n gevecht, met de blote handen, alsof ze niets meer waren dan bedelaars die vochten om een kliekje.

Niet bij machte om grip te krijgen op de in het rond zwaaiende staf, stoof Torgon er uiteindelijk langs en greep de oude man bij zijn gewaad. Hij deinsde achteruit. Ze greep het vlees in zijn nek vast om te voorkomen dat hij zich los zou rukken. In een oogwenk had ze haar beide handen daar, haar duimen tegen zijn keel gedrukt. Abrupt sloeg zijn woede om in angst.

'U probeert me nu al veel te lang te overheersen,' zei ze. Ze was luttele centimeters van zijn gezicht verwijderd, en haar stem, die stokte van het hijgen na de worsteling, was nauwelijks meer dan een fluistering. 'Laat de stok vallen.'

De staf kletterde op de grond.

Onder haar duimen voelde Torgon het snelle kloppen van zijn hartslag. Het zou eenvoudig zijn, als het verpulveren van het droge riet aan de oever van de rivier, om haar greep te sluiten, en in een flits wist ze dat hij verwachtte dat ze dat zou doen.

Ze keek hem recht in de ogen. 'Weet dat het doden van een man op leeftijd beneden mijn waardigheid is. Het zou onbetamelijk zijn om iemand die zoveel zwakker is dan ikzelf van het leven te beroven.'

Toen ze losliet, wankelde hij. Vervolgens viel hij op zijn knieën, en uiteindelijk voorover tot hij als een dier op handen en voeten zat.

'U ligt aan de voeten van de goddelijke benna,' zei ze zacht. 'Betuig op gepaste wijze uw eerbied.'

De oude man drukte zich nederig tegen de grond.

'Kus de heilige schoenen opdat u niet vergeet wie wie moet dienen.'

Hij gehoorzaamde.

'Sta nu op.'

Tergend langzaam krabbelde de oude man moeizaam overeind, eerst op zijn knieën en toen, wankelend, helemaal rechtop. Met gebogen hoofd draaide hij zich om en begon in de richting van de deur te strompelen.

'Hier.' Torgon bukte zich en raapte de houten stok op. 'U vergeet de staf mee te nemen die u ondersteunt bij het lopen.' Ze stak hem de staf toe.

De Ziener wilde hem aanpakken, maar toen zijn hand op de staf lag, liet Torgon niet los. 'Vertel me eerst één ding, oude man,' zei ze. 'Is dit werkelijk alles wat het verschil maakt in de machtsverhouding tussen de goddelijke benna en de heilige Ziener? Een stok en wie deze bezit?'

Hij zei niets.

Ze liet de staf los. 'De gedachte dat zoiets waar kan zijn, vervult mij tot in het diepst van mijn wezen met afschuw.'

De achtste haas overleefde het, en Torgon beschouwde dit als een gunstig voorteken, want acht was haar aangewezen als haar geluksgetal op haar naamdag. Inmiddels was de zomer ten einde. Het was de maand van de grote maan, dus Torgon gaf het dier overvloedig vers hooi en wortels te eten om het weer te laten aansterken. Elke avond onderzocht ze de buik van het dier om het minuscule streepje litteken te voelen waar de huid weer aan elkaar was genaaid.

Dit succes maakte haar dapper, en ze ving een van de honden uit het dorp. De hond was makkelijker te vangen, maar het voelde goddelozer ditmaal. Honden waren onreine dieren, verboden in het klooster, en ze moest haar toevlucht nemen tot slinksheid om het dier haar privé-vertrekken binnen te smokkelen. Dit gaf de activiteit een aura van schandelijkheid en maakte Torgon er scherp van bewust hoeveel heilige regels ze genoodzaakt was te overtreden om het pad te volgen waarop haar visioenen haar voorgingen.

Toch werd Torgon opnieuw overvallen door een gevoel van verwondering nadat ze de verdoofde hond languit op de stenen vloer van haar privé-vertrekken had gelegd en was begonnen aan het inmiddels vertrouwde proces van het openen van de lichaamsholte. De organen van de hond waren zo groot als een hand, niet minuscuul als van de haas, en hun vreemde, levende geur vulde de kamer. Ze zat er vol ontzag naar te staren. Dit was niet verdorven of slecht. Dat wist Torgon heel zeker. Al mochten anderen dat wat ze aan het doen was nog zo heidens vinden, Torgon wist dat ze inzicht had gekregen in iets wat werkelijk heilig was.

21

'Als je over je studententijd praat,' zei James, 'hoor ik oprechte blijdschap. Je genoot van de vrijheid om jezelf te zijn, om te studeren wat je belangstelling had, om Torgon te ervaren wanneer je maar wilde. Je vertelt dat je genoot van de sociale structuur omdat deze interactie verschafte zonder – naar ik begrijp – al te veel verplichtingen. Je kon er gewoon naar behoefte van proeven. Maar hoe zat het met jongens? Speelden die ook een rol in deze jaren?'

'Ja,' zei Laura. 'Ik kreeg mijn eerste vriendje in mijn tweede studiejaar. Hij heette Matt en studeerde net als ik medicijnen. We waren allebei een beetje sociaal onaangepast.' Ze lachte hartelijk. 'In Matts geval waren het gewoon zijn hersens. Hij was zo iemand die beter kan denken dan iets anders. Hij was absoluut bevlogen als het ging om onze studie. Hij was van plan zich te specialiseren in tropische ziektes. Het leven met Matt betekende opgewonden raken van parasieten en Lassa-koorts. Eens in de zoveel tijd werden we meegesleept door onze hormonen en dan zoenden en knuffelden we wel eens wat, maar het was allemaal vreselijk onschuldig. We hebben nooit seks gehad. Ik vond het niet erg. Na Steven wilde ik niets meer van seks weten.

De relatie leunde op onze wederzijdse obsessies. Hoewel we elkaars interesses niet deelden, wisten we allebei wat het was om zo'n allesverterend enthousiasme voor iets te hebben. Dit betekende dat we het grootste deel van onze tijd samen gescheiden doorbrachten, ik met schrijven, hij met lezen. Er werd dan urenlang geen woord gezegd. Hij vroeg me nooit wat ik aan het doen was; ik hem dat evenmin. De relatie duurde een jaar of twee, en al die tijd waren we dolgelukkig, gewoon door te zijn wie we waren.

Tijdens de masteropleiding viel alles pas echt op zijn plaats voor mij,' zei Laura. 'Mijn bachelorjaren hadden vrij gevoeld, simpelweg omdat ik thuis in zo'n kooitje had geleefd, maar het studentenleven hield ik al vrij snel voor gezien. Mijn aandacht verlegde zich en ik werd een steeds serieuzere student. Omdat ik het voor Torgon deed, betekenden de colleges meer voor me dan alleen maar cijfers. Ik was echt gemotiveerd om dingen te leren. Dus het begon irritant te worden dat andere mensen maar wat rondlummelden, dronken werden of herrie maakten midden in de nacht. Ik ben iemand van acht uur slaap per nacht. Anders kan ik me niet concentreren. Dus als mensen herrie maakten en ik niet goed sliep, betekende dat dat ik me niet goed kon concentreren tijdens de colleges, maar het betekende ook dat ik me niet kon concentreren op het schrijven.

De masteropleiding was totaal anders. Daar was iedereen serieus. Het betekende ook dat ik voor het eerst een plek voor mezelf had. Ik was tweeëntwintig en mijn appartement was donker en armzalig en vijf hoog, maar ik vond het fantastisch, precies om die reden. Het was een vernieuwde versie van mijn zolderkamer in Kenally Street, alleen dit keer zonder Steven Mecks.

Medicijnen studeren was gewoonweg geweldig. Ik had medicijnen gekozen vanwege dat kind met het gespleten gehemelte in Torgons wereld; dat vuur van inspiratie brandde zo fel tegen de tijd dat ik aan mijn bachelorjaren begon. Ik kon alles wat ik leerde in verband brengen met Torgon, met samenlevingen als de hare, waar mensen stierven door makkelijk te voorkomen oorzaken. Grootse plannen begonnen vorm te krijgen in mijn achterhoofd. Als ik afgestudeerd was, besloot ik, zou ik naar het buitenland gaan om in de derde wereld te werken, en daarmee zou alles werkelijkheid worden wat ik al mijn hele leven lang hoorde in mijn dromen. Het leek gewoon zo ontzettend te kloppen om dit te doen en daarmee zou de cirkel rond zijn. Torgon had me bewust gemaakt van het belang van geneeskunde, en ik, op mijn beurt, zou deze kennis doorgeven aan volkeren zoals het hare. Dit gaf heel sterk betekenis aan mijn leven. Torgon was niet langer een onnozele fantasie, of erger nog, een soort geestesziekte. Ze was een muze, een bron van inspiratie die me een doel had gegeven. Een roeping. Is dat niet wat het woord "roeping" letterlijk betekent? En hoe kun je "geroepen" worden zonder een stem te horen?

Ik geloof niet dat ik ooit zo gelukkig ben geweest als tijdens die eerste twee jaar van de masteropleiding. Tijdens de colleges en practica haalde ik me heel bewust Torgon voor de geest en probeerde het met haar ogen te zien. Hoe zou deze informatie eruitzien in de ogen van iemand die ongeletterd was? Die nog nooit een operatiekamer had gezien? Die niet zijn toevlucht kon nemen tot antibiotica? Wat zou zij ervan vinden? Hoe kon zij het gebruiken? Als ik de dingen op die manier bekeek, zag ik alles heel scherp, tot in de kleinste details. Door haar ogen was alles nieuw en onbegrijpelijk fascinerend. Studeren werd een bijna spirituele ervaring voor me.'

James had de gewoonte ontwikkeld om de map met Torgon-verhalen open te slaan en te gaan lezen zodra Laura's sessie afgelopen was. In het begin had hij hele verhalen in één keer gelezen, dertig of veertig pagina's lang de sfeer geproefd van het leven in Torgons primitieve samenleving. De laatste tijd was hij ze echter gaan rantsoeneren. Er waren nog maar een stuk of honderd getypte vellen met ezelsoren over, dus probeerde hij zich te beperken tot hooguit vier à vijf per keer.

Nu sloeg hij de map open op de plek waar hij gebleven was en begon te lezen.

Gedurende de maand van diepe sneeuw, werd Torgon 's nachts gewekt door onrustig gejammer vanuit de vertrekken van de acolieten. Er was iemand ziek.

Ze bleef in haar bed liggen luisteren. De gezondheid van de acolieten behoorde tot het terrein van de Ziener, niet van haar. Het was haar niet nadrukkelijk verboden om zich in de nabijheid van een zieke te begeven, maar aangezien ze goddelijk was, werd er verondersteld dat ze zichzelf niet zou willen bezoedelen. Daarom verwachtte niemand van haar dat ze haar privé-vertrekken zou verlaten.

In eerste instantie deed ze dat ook niet. De Kracht roerde zich, zoals wel vaker wanneer ze midden in de nacht wakker werd, woelend en draaiend als om het zich gemakkelijk te maken in haar lichaam, net zoals ze vermoedde dat een ongeboren kind dat zou doen in zijn moeders binnenste.

Wat zich aan haar opdrong terwijl ze daar lag in het duister, was het beeld van de maankus-baby. Meer dan drie jaren waren verstreken sinds de baby ter dood was gebracht, maar de schaduw van het kind was altijd in de buurt gebleven, iets wat Torgon nooit tegen de Ziener had durven zeggen. Ook nu verscheen ze weer, betrad ze als een meisje van vijf of zes haar geest, glimlachend, haar mond op slechts een rafelig streepje na genezen. Net als de streep op de buik van de haas, *dacht Torgon bij zichzelf.*

Konden lippen en gehemelte weer aan elkaar genaaid worden? Net als de huid van de buik? Als een vonkje in het donker lichtte de gedachte in Torgons hoofd op. Bestond er werkelijk een mogelijkheid om een maankus te repareren met een wapen dat niet groter was dan een naald en draad? Ze probeerde de handeling te visualiseren.

Een plotseling rumoer buiten in de gang verjoeg het visioen.

Een van de heilige vrouwen haastte zich door de gang, een kom met dampend water in haar armen, een stel luidruchtige acolieten in haar kielzog. 'Heilige benna, we hebben u wakker gemaakt,' zei ze. 'Het spijt me zo.' Ze boog haar hoofd in een kort gebaar van onderdanigheid.

'Wat is er aan de hand bij de acolieten?'

'Eén van hen heeft de kokhalsziekte.'

'Breng me erheen.'

'De Ziener is al bij haar, heilige benna. Lijkt het u niet beter om hier te blijven? U zou toch niet willen dat u zelf ook ziek werd?'

De Kracht roerde zich en vervormde Torgons beeld van de vrouw. 'Nee,' antwoordde ze. 'Het is Dwrs wil dat ik erheen ga.'

Er steeg een verrast gemompel op uit de groep kinderen toen Torgon binnenkwam. Vlug knielden ze om hun eerbied te betuigen. Achter hen, in de tweede rij stromatrassen, stond de Ziener naast een jong meisje dat gehuld was in de nachtkleding van een hooggeboren kind. Torgon kwam dichterbij en zag dat het Loki was, de dochter van de krijger.

De Ziener had al heilige kaarsen aangestoken. Met zijn vingers druppelde hij reinigende oliën in de kleine vlammen. De scherpe geur van de oliën mengde zich met de zure lucht van braaksel.

Het meisje was zo bleek als een geest, haar ogen dof en donker in het flauwe licht van de heilige kaarsen. Desondanks wist ze een zwak glimlachje te produceren toen ze Torgon zag. 'Ik ben vereerd door uw aanwezigheid, heilige benna,' mompelde ze, 'maar het spijt me, ik kan geen reverence voor u maken.'

'Ik weet zeker dat je het in je hart wel graag zou willen, Loki,' zei Torgon, en ze trok een van de lage krukjes bij.

De Ziener stak een hand uit om te voorkomen dat ze zou gaan zitten. 'Het zou beter zijn als je niet zo dichtbij komt. Ze is ernstig ziek en de kaarsen branden nog niet zo lang.'

Torgon negeerde hem en ging zitten. 'Hoe oud ben je nu, Loki?'

'Ik heb dertien zomers zien verstrijken, heilige benna.'

Torgon stak een hand uit en streek de donkere haren van het kind naar achteren. 'Je voelt erg warm aan. Hoe lang ben je al ziek? Want toen ik je vanavond zag bij het gebed, heb ik niets aan je gemerkt.'

'Mijn maag is al een dag of twee een beetje pijnlijk, maar ik voelde me niet ziek. Het overvalt me nu ineens, en het doet zo'n pijn. Ik moet ervan overgeven, maar het brengt geen verlichting.'

Torgon kon de wijze vrouw horen in de gang. Ze droeg al haar bellen en ratels om haar middel, zodat er een kakofonie van geluid aan haar binnenkomst voorafging.

De Ziener boog zich naar haar toe. 'Ga nu mee, heilige. De wijze vrouw is hier om de kwade geesten te verjagen.'

'Ik verkies het om te blijven.'

De wijze vrouw naderde het stromatras. Haar donkere haar was geolied en geurig en opgebonden in talloze kleine vlechtjes. Haar gezicht was beschilderd met heldere kleuren om de kwade geesten te waarschuwen voor haar eerdere successen. Over Loki heen buigend, spreidde ze haar vingers en begon ze de rituele bewegingen uit te voeren die noodzakelijk waren om de plek in het lichaam van het kind te bepalen waar de kwade geesten zich ophielden. Op elke plek die ze vond, plaatste ze een klein, ijzeren amulet. Toen ze alle negen waren neergelegd, maakte ze een reusachtige rode ratel los en begon er ritmisch mee te draaien. Ze deed haar ogen dicht en riep neuriënd de vogels van de nacht op om de geesten te komen halen.

Torgon sloeg haar aandachtig gade. De wijze vrouw bezat niets heiligs. Ze ontleende haar kracht aan de doden, en het was algemeen bekend dat wijze vrouwen geen ziel hadden.

'Goddelijke benna, kom nu mee,' fluisterde de Ziener. 'Het is niet gepast dat u zo dicht bij haar zit wanneer ze haar magie gebruikt. Bovendien wil ik met u praten.'

Met tegenzin stond Torgon op en trok zich terug in de altaarkamer met de Ziener. 'Ja? Wat hebt u te zeggen?'

'Uw tijd zou beter besteed zijn met bidden bij het altaar. Ik heb de buik van het kind gevoeld en vrees dat er niets is wat de oude vrouw voor haar kan doen. Ik vermoed dat ze een pruimenpit heeft ingeslikt.'

'Wat? Beslist niet.'

'Jawel,' zei hij. 'Want het uit zich altijd op deze manier – pijn op de plek waar de pit blijft steken, koorts, de dood – ik heb het verscheidene malen eerder gezien. Haar pijn is zo acuut en zo hevig dat ik nu zelfs vrees dat de kwade geesten uit de pit zijn losgebroken om te heersen over haar lichaam.' Zijn gezicht betrok. 'Het zal haar vader verdriet doen, want ze is altijd zijn oogappel geweest. Zijn vrouw heeft hem deze winter zijn zesde zoon geschonken, maar zij blijft zijn enige dochter.'

'Is het zeker dat ze zal sterven?' vroeg Torgon.

'Jawel, wanneer de pruimenpit vast komt te zitten, gaat deze rotten, en dat trekt de kwade geesten aan. De wijze vrouw zal proberen ze naar buiten te lokken, maar deze heb ik haar nog nooit de baas zien worden. Ze houden zich diep in het lichaam schuil en kunnen haar charmes weerstaan.'

Torgon keek nadenkend.

'Kom. We zullen samen bidden aan het altaar voor de veilige overgang van haar ziel.'

'Nee,' zei ze.

De Ziener keek niet-begrijpend.

'Nee. Ik geloof niet dat het is zoals u zegt,' mompelde Torgon. 'Want waarom zou ze nu een pruimenpit hebben ingeslikt, terwijl het hartje winter is? De pruimentijd ligt ver achter ons.'

'Soms wordt er een pit over het hoofd gezien bij het drogen

van de pruimen. Of misschien heeft ze de pit in de zomer ingeslikt en is deze heel langzaam gaan rotten. Zoals u weet, is het dit jaar erg koud geweest.'

'Dit druist in tegen mijn verstand,' antwoordde Torgon. 'Want nu ik erover nadenk, meen ik dat Loki de smaak van pruimen verafschuwt. Waarom zou ze dan enige reden hebben gehad om de pit in te slikken?'

De Ziener schudde zijn hoofd. 'Ik ken de antwoorden niet, heilige benna. Ik weet alleen wat lange ervaring me heeft geleerd, en daar doe ik mijn voordeel mee. We moeten de wijze vrouw haar gang laten gaan met haar ratels. Het is nu tijd voor ons om te bidden.'

'Nee. Dwr verlangt van mij dat ik aan de zijde van het meisje blijf.' En ze verliet de altaarkamer.

Nadat ze zich een weg had gebaand door de kleine menigte die zich had verzameld rond het stromatras van het jonge meisje, knielde Torgon naast Loki neer. 'De Ziener vreest dat je wilde pruimen hebt gegeten.'

Loki, die in tranen was van de pijn, deed haar uiterste best om rustig te blijven. 'Nee. Nee, heilige benna, ik heb geen wilde pruimen aangeraakt.'

'Ik weet dat de provisiekamer zeer verleidelijk is. En wilde pruimen, vooral wanneer ze gedroogd zijn, zijn erg zoet. Mijn hart begrijpt de voorliefde van een kind voor zoetigheid. Ik zou niet boos op je zijn, Loki, als je me nu zou vertellen dat je de verleiding niet hebt kunnen weerstaan.'

'Maar ik heb geen wilde pruimen gegeten. Ik lust ze niet.'

Torgon knikte. 'Heel goed. Mag ik dan mijn handen op je buik leggen?'

De Kracht zwol abrupt aan toen Torgons vingers de huid van het jonge meisje aanraakten. Haar ogen staarden nietsziend naar de grijze stenen muren, waarop het kaarslicht flakkerende schaduwen wierp. Wat er in plaats daarvan opdoemde, was een beeld van Loki die op een wit oppervlak lag, haar buik open als de buik van een hond. Ieder lichaamsdeel in zijn eigen koninkrijk, *fluisterde de Kracht.*

Het meisje slaakte een kreet van pijn toen Torgon druk uitoefende op de linker onderhelft van haar lichaam, en het geluid rukte Torgon ruw uit haar trance. Kortstondig gedesoriënteerd schudde ze haar hoofd om het leeg te maken.

'Stop! Het doet te veel pijn!' Loki's handen lagen op haar pols. 'Alstublieft, heilige benna, stop!'

De Ziener baande zich ruw een weg door de groep heen. 'Heilige benna, dit is ongepast. Kom mee. De kwade geesten zullen u bezoedelen. Keer uw gedachten hiervan af. Dit is niet uw domein.'

De Kracht sloop Torgons geest weer binnen en maakte het moeilijk voor haar om zich op de woorden van de Ziener te concentreren. Het lichaam van de hond. Elk in zijn eigen koninkrijk. Wandel te midden van de koninkrijken. Genees een maankus met een wapen dat niet groter is dan een naald en een draad, *fluisterde de Kracht.*

De ijzeren amuletten waren van Loki's lichaam gevallen tijdens Torgons onderzoek, dus de wijze vrouw bukte zich en raapte ze weer op. Ze legde ze terug op Loki's buik, tilde een lange streng met bellen op en liet deze luid rinkelen.

Torgon kon zich nergens op concentreren als haar aandacht in zo vele richtingen werd getrokken. Ze drukte haar handen tegen haar slapen en draaide zich geïrriteerd om. 'Stilte!' De wijze vrouw hoorde haar niet en rinkelde nog een keer met haar bellen. 'Stilte!' riep Torgon nogmaals.

Toen was iedereen abrupt stil, behalve de Kracht, die gonsde in haar hoofd. De acolieten verstarden, de ogen wijd opengesperd. De mond van de Ziener viel open. De wijze vrouw drukte de lawaaimakers dicht tegen haar omvangrijke boezem.

'Eruit,' zei Torgon tegen de wijze vrouw. 'Zo'n lawaai mag de boze geesten dan wel verjagen, maar het stuit eveneens Dwr tegen de borst.'

De wijze vrouw liet haar bellen zakken. Haar beschilderde gezicht maakte het onmogelijk om de uitdrukking erop te lezen, maar haar ogen rolden wild als die van een angstig kalf. Er was een lang moment van onzekerheid waarin ze van de Ziener naar Torgon keek en weer terug, maar toen knikte ze en deed een stap achteruit bij het bed vandaan.

'Dit komt niet door Loki's toedoen,' zei Torgon. 'Het is geen pruimenpit. Dwr spreekt tegen mij terwijl ik hier in jullie midden sta, en zegt dat één koninkrijk in haar lichaam is opgestaan om

de oorlog te verklaren aan diens vreedzame buren. Ze hebben niet de middelen om die te stoppen; hun krijgers zijn reeds verslagen, maar dit koninkrijk moet omvergeworpen worden. Het kind zal sterven als de krijgers in de gelegenheid worden gesteld om over de grenzen heen te trekken.'

'Wat maakt het voor verschil,' vroeg de Ziener, 'om dit een oorlogszuchtig koninkrijk te noemen in plaats van een giftige pruimenpit? Als de krijgers van de andere koninkrijken al zijn gesneuveld, kan er niets meer tegen worden gedaan.'

'Dwr verlangt van mij dat ik de wapens ter hand neem en namens hem het gevecht aanga.'

Torgon goot de sterk geurende doodsolie op een doek en boog zich dicht naar het kind toe. 'Wees niet bang,' zei ze vriendelijk. 'De reis die ik je vanavond laat maken, heb ik zelf talloze malen gemaakt in mijn zoektocht naar geesten. Het is geen vervelende reis, maar meer een droomloze slaap, want Dwr staat je geen enkele herinnering toe als je wakker wordt.' Met die woorden drukte ze de doek over het gezicht van het kind. Seconden verstreken, en alle beweging sijpelde uit Loki's lichaam weg. Toen Torgon de doek weghaalde, lag het meisje er bewegingloos bij, haar ademhaling oppervlakkig.

'Wandelt ze nu te midden van de doden?' vroeg een van de kinderen.

'Jazeker,' zei Torgon. Ze hief haar hoofd op en speurde de menigte acolieten af. 'Morra? Jij bent de oudste. Jij wordt mijn wapendrager. Ik heb vuur nodig, opdat ik door het koninkrijk van bloed heen kan reizen. Ik heb een goede slijpsteen nodig, opdat ik mijn wapens heel scherp kan houden. En ik heb een fijne, metalen naald nodig. Je zult er een vinden in mijn privé-vertrekken, op de vensterbank. En tot slot heb ik draad nodig. Een lang stuk, en ik denk dat het voor een kinderlichaam van goud moet zijn. Kijk tussen Loki's spullen. Ze is afkomstig uit de hoogste kaste en heeft vast mooie kledingstukken. Eén ervan zal zeker bereid zijn zijn goud voor haar op te geven.'

Torgon haalde het kleine mes van haar pols en voelde of het lemmet scherp genoeg was. Ze legde de punt tegen de buik van het kind, en onder geschokt gemompel van de menigte om haar heen, sneed ze eerst door de huid en daarna door de spieren heen. Ze trok het buikvlies opzij om de organen van het meisje bloot te leggen. Terwijl ze dat deed, steeg er stoom uit op in de koude winterlucht. Vrezend dat dit misschien wel de kwade geesten waren die uit het lichaam van het kind ontsnapten, deinsde de menigte achteruit. Een heilige vrouw hapte naar adem en viel flauw. De wijze vrouw zette een zacht, klaaglijk gezang in. De Ziener knielde, en de acolieten om hem heen volgden zijn voorbeeld.

'Jawel, dit is een heilig schouwspel,' zei Torgon. 'Het is terecht dat jullie Dwr op dit moment je eerbied betuigen. Dergelijke heilige dingen zullen jullie misschien nooit meer te zien krijgen.'

Voorzichtig bevoelde ze de blootgelegde organen, op zoek naar iets wat leek op wat de Kracht haar in visioenen had laten zien. Nieuwsgierige acolieten konden hun aandacht niet bij het gebed houden en kwamen een voor een op hun knieën overeind om te gluren naar wat ze aan het doen was.

'Dit is mooi, nietwaar?' vroeg Torgon aan een jongetje dat naderbij kwam. 'Zie je wat een volmaakte kleine wereld het is, weggestopt in zijn eigen universum, verborgen voor ons? Hier is het koninkrijk van de lever, die sterk is en talloze kleinere koninkrijken heeft die er hulde aan doen.' Voorzichtig duwde ze een stukje van de lever opzij om de galblaas te laten zien. 'Zie je? En hier, dit is de maag en hier ook, al deze kronkels, dat zijn bondgenoten van het koninkrijk van de maag. Het is een groot koninkrijk, maar vreedzaam, en nauwelijks van interesse voor andere koninkrijken, behalve dat van het bloed. Het koninkrijk van het bloed is geïnteresseerd in eenieders zaken! Omdat het altijd overal het fijne van wil weten, gaat het naar alle andere koninkrijken toe, en probeert het, onnozel genoeg, soms zelfs naar ons toe te komen.' Ze glimlachte naar de jongen en naar de anderen die dichterbij drongen. 'Zie je dat het allemaal precies op onze eigen wereld lijkt? En ergens hierbinnen bevindt zich een koninkrijk dat lijkt op dat van de Hertenmensen. En net als met de Hertenmensen, zal dit koninkrijk overal om zich heen verderf zaaien als het niet wordt vernietigd.'

Te midden van de wirwar van ingewanden stuitte Torgon op een rode uitstulping. De Kracht roerde zich zo hevig in haar bin-

nenste dat ze er nauwelijks meer aan twijfelde dat ze had gevonden wat ze zocht, maar zelfs zonder de hulp van de Kracht zou Torgon het herkend hebben als een gemene infectie. Met een stukje draad dat bedoeld was om de wond mee te dichten, bond Torgon de uitstulping af van de rest van de darm. Toen, na diep ademhalen om haar hand te stabiliseren, sneed ze het los.

Torgon onderzocht de rest van de blootgelegde organen maar vond niets anders, dus bracht ze de huid weer bij elkaar en hechtte de wond.

'Het is voorbij,' mompelde ze, en ze nam een doek om haar dolk schoon te vegen. Ondanks de kille winternacht hadden zich zweetdruppels gevormd op haar voorhoofd, en ze bracht haar arm omhoog om ze weg te vegen. Door die beweging werd ze bevangen door een vreselijke duizeligheid. Ze zwaaide heen en weer op het krukje.

Gealarmeerd haastte een van de heilige vrouwen zich naar voren om haar te ondersteunen. 'Voelt u zich wel goed, heilige benna?'

'Jawel, maar ik ben zeer vermoeid. Ik moet rusten. Maar jullie, allemaal, moeten de rest van de nacht in gebed doorbrengen. Loki heeft zich tussen de doden moeten begeven, en jullie moeten bidden dat het Dwr goeddunkt om haar terug te loodsen. Jullie moeten ook bidden dat de krachten van de wijze vrouw andere kwade geesten op afstand hebben gehouden, opdat er geen de koninkrijken van Loki's lichaam hebben kunnen betreden in mijn schaduw. En jullie moeten bidden voor mij, dat het Dwr behaagt wat ik heb gedaan.'

Loki ontwaakte uit de doodsoliën, maar werd bevangen door koorts, en het duurde nog vele dagen eer ze wisten of ze zou blijven leven. Torgon bracht het grootste deel van de tijd door met vasten, bidden en, geknield naast het stromatras van het meisje, met haar handen telkens weer boven de incisie heen en weer bewegen in de hoop zo genezing af te dwingen.

Op de achtste dag week de koorts en sloeg Loki haar ogen op, zwak en bleek, maar helder van geest. In de weken die daarop volgden, bleef de incisie af en toe rood kleuren en stukjes draad opgeven die waren gebruikt voor de hechtingen, maar de wijze vrouw kwam elke dag om een schoon kompres aan te brengen, en uiteindelijk verdween de roodheid helemaal en bleef er enkel een rimpelig litteken over, als een zwaardwond.

Voordat het weer volle maan werd, was Loki in staat om te staan en korte eindjes te lopen, en was het duidelijk dat ze zou genezen. Haar vader liet uit dankbaarheid voor dit mirakel een zwaard maken van puur goud om op het altaar in het klooster te leggen.

Vervolgens werd er een groots banket aangericht, een feestmaal voor het hele dorp, ook al was het de vierde maand van de winter en was het groeiseizoen nog lang niet in zicht. In zijn goddelijke belichaming had Dwr een groot wonder van genezing verricht. Het was niet meer dan passend dat ze hierop met grote vreugde reageerden.

Torgon trad naar voren in heilige gewaden, de gewijde diadeem op haar hoofd, het gouden zwaard in haar hand. Ze kreeg de titel 'anaka', hetgeen 'dappere genezer' betekende, aangezien ze net als de anaka-strijders het had opgenomen tegen de Hertenmensen, en net als zij de oorlogszuchtigen had verslagen. Een heilig vuur werd aangestoken, en er werden een hertenbok en een hinde geofferd aan Dwr. Het dorp vierde drie dagen en drie nachten lang feest, en het heilige vuur brandde onafgebroken.

Toen de feestelijkheden voorbij waren, trok Torgon zich terug op de hooggelegen heilige plek boven het bos. Hier was de Kracht voor het eerst tot haar gekomen, dus hier keerde ze terug voor meditatie. Ze had de achtste haas meegenomen, de eerste die haar pogingen om de koninkrijken van het lichaam te betreden had overleefd. Ze had het dier in leven gehouden in het klooster met de gedachte het aan Dwr te offeren op de hooggelegen heilige plek wanneer het juiste moment zich aandiende. Maar nu begreep Torgon dat dit niet juist zou zijn. Doden in dank voor de heilige kennis leek ongepast. Torgon overwoog het diertje vrij te laten zodat het kon terugkeren naar zijn soortgenoten, want ze voelde dat ze Dwr daarmee kon eren. Maar ook dit idee verwierp ze. Met zo'n daad zou ze Dwr misschien wel eren, maar de haas niet. Na het beschermde leventje van warmte en overvloedig voedsel in het klooster, zou het dier zeer waarschijnlijk sterven voordat het zijn eigen koninkrijk had terug-

gevonden als ze het nu losliet in de snerpende kou. Ze legde een hand over het diertje en voelde zijn levende warmte door haar kleren heen. Wat ze zou kunnen doen, was stoppen met het eten van hazenvlees, zelfs in de magere maand waarin vlees van de jacht vaak het enige was wat er was. Dat zou haar offer zijn. Voortaan zouden hazen heilige dieren zijn voor haar, net zoals de adelaar en de poema.

22

'Mijn studiebegeleider was een zeer kortaangebonden oude professor die Betjeman heette,' zei Laura. 'Een uitstekend docent, maar we waren allemaal doodsbang voor hem omdat hij erg veeleisend was. Hij nam nooit genoegen met minder dan je best. Gaf je nooit een centimeter ruimte. Maar hij was ook heel goed in het koesteren van talent.

Op een avond hield hij me staande na een college en vroeg me wat mijn plannen voor de toekomst waren en of ik van plan was om me te gaan specialiseren. Ik zei dat ik chirurgie interessant vond, hetgeen in die tijd geen vakgebied was waar je veel vrouwen aantrof. Hij knikte goedkeurend en zei: "Dat is een goede carrièrekeuze. Ik heb gevolgd hoe je je werk benadert, en dat is met een totaal ander inzicht dan de meeste studenten. Ik ben onder de indruk, Deighton. Ik twijfel er niet aan dat als chirurgie je belangstelling heeft, je in staat zult zijn om rechtstreeks door te stoten tot de top op dat gebied."

Ik was zo trots toen ik hem dat hoorde zeggen, dat ik hem durfde te vertellen dat ik een droom had. Ik weet nog dat ik zei dat ik wist dat het afgezaagd klonk, maar dat ik niet echt een "carrière" wilde. Ik wilde naar het buitenland, bij het Vredeskorps of een van de medische liefdadigheidsinstellingen, ergens naartoe waar niet genoeg medische kennis was, waar geen opgeleid personeel was om basiszorg te verlenen. Ik legde uit dat ik deze kennis niet voor mezelf verwierf. Ik wilde mijn kennis bij anderen brengen. Ik wilde mijn kennis doorgeven.

Ik vond studeren fantastisch, maar het had ook een keerzijde. Aangezien ik de hele dag in de collegebanken of in het ziekenhuis bezig was, en de hele avond besteedde aan schrijven, bleef er weinig tijd over voor andere dingen. Voor een sociaal leven al helemaal niet. Hoewel de verhuizing naar het appartement me de vrijheid en eenzaamheid had gegeven waar ik zo naar hunkerde, had ik er niet bij stilgestaan dat ik daardoor ook volledig van de buitenwereld afgesneden zou zijn. Ik vond het niet zo erg, want ik voelde me nooit eenzaam, maar ik geloof wel dat ik wist dat ik iets miste. Dat is waarschijnlijk de reden waarom ik zo ontvankelijk was voor Alec.'

Er viel een stilte. Laura keek neer op haar handen en bestudeerde haar vingernagels.

'Alec was radioloog in het ziekenhuis waar ik mijn practica deed. Lang, broodmager, en met een behoorlijk wijkende kin. Allesbehalve knap,' zei ze. 'Niet het type waar ik me normaal gesproken toe aangetrokken voelde. Ik vermoed dat hij me nooit zou zijn opgevallen als zich op een dag niet een soort slapstick had voltrokken in de cafetaria. Ik had net iets gehaald voor de lunch en liep met mijn dienblad naar een tafeltje toen ik het voor elkaar kreeg om te struikelen over mijn losse schoenveter, en ik mijn spaghetti over hem heen gooide. Er werd luid geapplaudisseerd, en mensen riepen: "Goed gedaan, Deighton!" Ik schaamde me dood, maar Alec was de vriendelijkheid zelve.

Enfin, daar begon het allemaal mee. Hij bood aan een donut voor me te kopen om te laten zien dat hij het me niet kwalijk nam, en van het een kwam toen het ander, zoals dat nu eenmaal gaat met die dingen.

Alec en ik begonnen samen uit te gaan, en dat was het voorzichtige begin van een relatie. Mijn eerste echte relatie. Niet het parallelle spel waar Matt en ik ons mee bezig hadden gehouden tijdens de bachelorjaren. Alec en ik stelden ons bewust voor de ander open omdat we oprecht meer over elkaar wilden weten.

Het was met Alec dat ik uiteindelijk weer seks durfde te hebben,' zei Laura. 'Ik vond dat het wel eens tijd was om te proberen mijn houding ten opzichte van seks bij te stellen, omdat ik wist dat ik het niet voor altijd kon blijven vermijden. Ik vertelde hem niet alle details over Steven, maar hij had zo zijn vermoedens aangezien hij zelf in het verleden ook met seksueel misbruik te maken had gehad. Daarom vertrouwde ik erop dat hij begripvol en fijngevoelig zou zijn. En dat was hij ook.

Ik associeerde seks nog steeds niet met genot. Pijn en weerzin voerden de boventoon. Ik wou dat ik kon zeggen dat Alecs fijngevoeligheid daar verandering in bracht. Arme Alec. Hij deed zo zijn best. Hij was zo voorzichtig met me, maar hij was er gewoon niet zo goed in. Ik geloof niet dat hij veel meer ervaring had dan ik op het gebied van seks. Naar zijn idee was het het allerbelangrijkste om mij te laten klaarkomen. Dus stopte hij pas als ik het ook "naar mijn zin" had gehad, zoals hij het noemde. Hij bleef altijd eindeloos wrijven en friemelen en sjorren, zelfs nadat hij zelf al was klaargekomen. De eerste keer had ik niet eens in de gaten waar het hem om te doen was, dus duurde de seks wel drie uur. Ik kon wel janken.' Ze lachte meesmuilend. 'Daarna veinsde ik gewoon meteen een orgasme om er maar vanaf te zijn.

Elke keer dat we het probeerden, zat mijn geest als een aasgier op de rand van het bed naar me te kijken, alsof-ie buiten mijn lichaam was getreden. Het enige waar ik aan kon denken, was wat een machtsspelletje seks is, hoe, als ik hem een orgasme bezorgde, hij zich eraan overgaf, en daarmee dus ook aan mij. Na afloop keek ik naar Alec als hij zich op zijn zij rolde en zorgeloos ging liggen slapen, terwijl ik urenlang wakker lag, denkend aan het fenomeen macht en wie haar bezat, en me realiserend dat ik waarschijnlijk nooit een orgasme zou beleven tijdens de seks omdat ik niet van plan was om de controle over mezelf ooit uit handen te geven. Ik realiseerde me dat dit Stevens erfenis was, maar het was één ding om te begrijpen waar het vandaan kwam, en iets heel anders om er vanaf te komen.

Tijdens een van deze postcoïtale denksessies waarin ik lag te piekeren over de mogelijkheid dat seks nooit een manier zou worden waarop ik mezelf daadwerkelijk met Alec kon delen, begon ik me af te vragen of er ook een ander middel bestond om die mate van intimiteit te bereiken. Ik wilde oprecht ervaren wat het was om intiem te zijn met iemand. Op dat moment realiseerde ik me dat er *wel degelijk* iets was dat net zo intiem was: Torgon.

Het was een moeilijke beslissing. Hoe kon ik Torgon delen? Ik was een studente van drieëntwintig en ik had nog steeds een denkbeeldige vriendin. Zou Alec denken dat ik niet goed bij mijn hoofd was? Zou hij op me afknappen en me nooit meer willen zien? Of bang voor me zijn omdat ik stemmen hoorde? Aan de andere kant dacht ik bij mezelf dat er nooit echt een manier zou zijn om mezelf ten diepste te delen met iemand anders zonder ook Torgon te delen.

Het duurde ongeveer zes weken voordat ik genoeg moed had verzameld. Het was laat in de herfst. De regen kletterde tegen de ramen. Er brandde een gigantisch vuur in de open haard. Elgar draaide op de stereo-installatie, en we dronken dampende mokken glühwein. Ik was niet echt dronken, maar de wijn had wel al mijn scherpe kantjes gepolijst. Ik had mezelf er niet toe kunnen zetten om daadwerkelijk over Torgon te praten, maar ik gaf Alec wel een paar verhalen die ik hem liet lezen terwijl ik dicht tegen hem aan gekropen naar het vuur lag te kijken.

"*Wauw!*" zei Alec toen hij ze uit had. Hij klonk verbaasd. "Je kunt *echt* goed schrijven! Dit is briljant, Laura. Het is alsof dat oord en die mensen gewoonweg van de bladzijden af springen. Die vrouw *leeft*. Ik lees het en ze is er gewoon, pal voor me."

"Echt waar? Vind je dat?" zei ik, diep gevleid.

"Het is geweldig. Hoe verzin je zoiets?" vroeg hij.

De wijn had inmiddels zijn tol geëist. Ik vertelde hem het hele verhaal, helemaal vanaf het begin, alles over hoe Torgon tot mij was gekomen, alles over het Bos en zijn complexe gemeenschap met de starre sociale hiërarchie, de religie en de wetten.

Alec was als betoverd. Hoe meer ik vertelde, hoe gretiger hij werd. Hij stelde me een heleboel vragen over hoe ik de ervaring interpreteerde. Had ik het bedacht in termen van mijn eigen leven? Wat had ik ervan geleerd? Was ik er een beter mens van geworden? Dat soort dingen.

Ik had inmiddels een behoorlijke slok op, en het werd al vreselijk laat, dus mijn tong leidde een eigen leven terwijl mijn verstand het liet afweten. Ik vertelde hem dat ik arts wilde worden vanwege Torgon, om kennis te vergaren waarvan ik wist dat zij die nodig had, omdat het me op de een of andere merkwaardige manier het gevoel gaf dat ik die aan haar doorgaf.

Alecs ogen fonkelden van ontzag. Hij zei: "Wat ben jij een bofkont."

Ik beaamde dat, want ik wist dat het zo was.

Toen zei hij: "Denk je dat ze ook tegen mij zou praten als ik haar iets zou vragen?"

Ik zei: "*Hè?*"

“Zou ze ook tegen *mij* praten?” herhaalde hij langzaam en duidelijk, alsof ik iets aan mijn oren mankeerde. “Bij een van die gelegenheden dat ze zich weer aan je openbaart.”

“Tegen je praten? Hoe zou ze nou ooit tegen je kunnen praten? Alec, ze bestaat alleen in mijn verbeelding.”

“Begrijp je dan niet dat dit *trance channelling* is?”

Ik dacht dat hij trans-channelling had gezegd en deed verwoede pogingen om uit te vogelen welke kant het gesprek opging door het Latijnse voorvoegsel te ontcijferen.

“Ik heb vrienden die je gewoonweg moet ontmoeten, Laura. Als ze horen over Torgon gaan ze helemaal uit hun dak.”

“Vrienden?” zei ik gealarmeerd. “Alec, luister, je mag dit aan niemand anders vertellen. Het is *privé*, verdorie. Je snapt het niet. Het heeft een eeuwigheid geduurd voordat ik de moed had verzameld om het je te vertellen.”

“Nee, *jij* snapt het niet, Laura. Torgon is echt. Ze komt tot jou vanaf een hoger niveau van verlichting en verschaft je allerlei inzicht en zelfkennis. Op die manier ben je heel gemakkelijk op zo’n briljante plek gekomen. En je realiseert je niet eens wat er met je gebeurt. Dat is nou juist het verbluffende hieraan. Je moet wel een ongelooflijk talent hebben voor channelling! Zodra je je eenmaal openstelt, word je een tweede... tja, ik weet het niet... een tweede Siddhartha of zo. Dus geloof me, ik ken mensen die je *zo* graag zullen willen ontmoeten.”

Ik wist dat Alec wat liefhebberde in de New Age. Wat ik in eerste instantie had ervaren als een bewonderenswaardig openstaan voor zijn gevoelens, was, zo ontdekte ik later, een van Alecs manieren om om te gaan met een tamelijk fragiele persoonlijkheid. Maar ik had in geen miljoen jaar kunnen raden dat hij zou veronderstellen dat Torgon een echte persoon was. Wat ik deze avond had gewild, was simpelweg mijn kleurrijke, complexe verbeelding delen. Wat Alec wilde, was een medium.’

Laura zweeg even. Ze keek neer op haar handen, die gevouwen in haar schoot lagen.

‘Je weet wel dat er van die keerpunten zijn in het leven, hè?’ mompelde ze zacht. ‘Die “schuifdeur”-momenten waarop je je realiseert dat als je één keuze anders had gemaakt, je hele leven er anders uit zou hebben gezien...’

Opnieuw een pauze. De stilte hield aan.

'Dat was er één van. Op dat moment zag ik Alec voor wat hij werkelijk was... Een mislukkeling die onzin uitkraamde. Maar toch... negeerde ik het gewoon. Ik liet me door hem overhalen om die "vrienden" van hem te ontmoeten. Als ik heel eerlijk ben, moet ik toegeven dat daar niet zoveel overredingskracht voor nodig was.'

Geïntrigeerd keek James naar haar. Laura zat onderuit gezakt in de knusse beslotenheid van de stoel. Haar armen lagen beschermend om haar lichaam heen, wat James het gevoel gaf dat ze zich niet veilig voelde.

'Waarom denk je dat je dat deed?' vroeg hij. 'Je bent er volledig van overtuigd dat Torgon niets meer is dan verbeelding. Je maakt Alec bijna belachelijk omdat hij iets anders geloofde. En toch was het makkelijk om je te laten overhalen om zijn vrienden te ontmoeten?'

'Dat is de vraag waar ik telkens weer bij terugkom,' zei ze zacht. 'Waarom heb ik niet gewoon nee gezegd?'

Er sloop een stilte de kamer binnen, en James liet het gebeuren omdat het meer een denkstilte was dan een stilte van geslotenheid.

'De waarheid is, denk ik, dat ik me zo verschrikkelijk graag bijzonder wilde voelen,' zei ze ten slotte. 'Ik wilde die fantastische, spirituele vrouw zijn die Alec in me zag. Ergens had ik het gevoel dat het verkeerd was – misleidend – maar desalniettemin leek het onschuldig. En ik dacht dat het geen kwaad kon omdat het initiatief van hem kwam en niet van mij. Het ging ongeveer op dezelfde manier als het bij een kind gaat met de Kerstman. Je weet wel dat hij niet bestaat, maar het kan geen kwaad om te doen alsof. En andere mensen – mensen die belangrijk voor je zijn, zoals je ouders – willen dat ook graag. Dus ontstaat er een soort samenzwering, het gevoel dat als je met zijn allen iets gelooft waar iedereen blij van wordt, het feit dat het een leugen is op de een of andere manier niet ter zake doet.

Op het eerste gezicht waren de vrienden van Alec net als ik. Ze waren allemaal jong, afkomstig uit de middenklasse, hoogopgeleid. Maar terwijl ik me naar binnen had gekeerd om de problemen in mijn leven het hoofd te bieden, hadden zij allemaal buiten zichzelf gezocht naar antwoorden. Hun wekelijkse discussies besloegen een hele lappendeken aan onderwerpen – new age, oosterse filosofie, verzonnen religies zoals het druïdisme, interventie van buitenaardse wezens, bezoek van engelen.

Alec had over mij verteld voordat ik kwam, dus toen ik uiteindelijk arriveerde, was het helemaal niet alsof ik een kring van vreemden binnenstapte. Ze begroetten me heel hartelijk en... nou ja, vol eerbied. Ze gaven me een hand en hielden die even vast, en dan staarden ze in mijn ogen alsof ze een beroemdheid ontmoetten.

Iedereen leek zich aan te sluiten bij Alecs theorie dat Torgon een of andere spirituele geest was uit een hogere wereld die ervoor had gekozen om tot mij te komen en me persoonlijk te begeleiden naar mijn eigen verlichting. Ze vonden het amusant toen Alec hun vertelde hoe standvastig Torgon had moeten zijn om mij naar hen toe te leiden en dat ik zelfs nu nog met tegenzin "schoppend en krijsend naar het Licht werd gesleept", zoals hij het formuleerde. Torgon kreeg een heel wijze en charmante persoonlijkheid zoals Alec haar presenteerde. Ik weet nog dat ik me helemaal warm en doezelig voelde in de wetenschap dat ze "van mij" was. Het had ook wel iets om me in te beelden dat Torgon af en toe inderdaad ook aan mij dacht, en niet alleen maar andersom.

Toen we even pauze namen, kwam er een jonge vrouw naar me toe en vroeg me hoe het allemaal begonnen was, hoe het had gevoeld toen ik Torgon voor het eerst had ervaren. Er kwam een man naast haar staan, en hij vroeg me of ik Torgon daadwerkelijk had gezien met mijn ogen. Al snel kwamen er steeds meer mensen bij. Ik ging op de armleuning van een fauteuil zitten, en voordat ik het wist, had iedereen uit de groep zich aan mijn voeten geschaard.

Ik ben niet iemand die gemakkelijk spreekt in het openbaar. Zelfs nu nog niet. Maar die avond was anders. Het ging me onverwacht moeiteloos af om met hen te praten. Ze waren niet zulke zweefkezen als ik had verwacht. Ze waren oprecht en open en ze wilden gewoon weten hoe ik het allemaal had beleefd. Geen analyse. Geen oordeel. Geen neerbuigendheid omdat ik zoiets onmogelijks in mijn hoofd had. Ze wilden gewoon begrijpen hoe het voor mij was geweest, mijn emoties, mijn inzichten. Alle zorgen die ik had gehad over misleidend zijn ebden weg in de loop van dat gesprek, want wat ik hun vertelde, was de waarheid. Dit waren *echt* mijn gevoelens en mijn ervaringen. Ik had mijn hele leven geprobeerd Torgon te verstoppen. Voor het eerst werd ik door mensen behandeld alsof ik iets van waarde bezat. Ik voelde me goed. Ik voelde me opgelucht.

De week daarop ging ik weer naar de dinsdagavondgroep. Sterker nog, ik begon regelmatig met Alec mee te gaan. Het was werkelijk nog nooit bij me opgekomen dat ik eenzaam was. Dat had ik nooit gedacht. Ik had geloofd dat ik oprecht gelukkig was met mijn leven van schrijven en studeren. De waarheid is echter dat ik echt heel erg had verlangd naar vrienden. Ik had er alleen nooit aan durven denken hoe sterk dat gevoel was, dus met de dinsdagavondgroep ging er een wereld voor me open.' Laura lachte vol zelfspot. 'Alleen was de waarheid natuurlijk dat geen van deze mensen *mij* daadwerkelijk wilde. Ze wilden Torgon.

In eerste instantie vond ik het raar dat iedereen over Torgon praatte alsof ze een persoon was die bij ons in de kamer aanwezig was – het was alsof we het spel van Dena en mij uit onze jeugd opnieuw hadden uitgevonden – maar na een poosje slaagde ik erin om korte metten te maken met het vage gevoel dat ik de echte Torgon op de een of andere manier vernederde. Dat was een onnozele gedachte. Torgon was niets meer dan een creatie van mijn eigen fantasie, dus hoe kon ik haar nou vernederen? Toch?

Dus...' Laura aarzelde. Ze keek naar James, maakte kortstondig oogcontact, wendde haar blik af en glimlachte gegeneerd. 'Dus zo ben ik begonnen met channelen.'

'Wat hield dat in?' vroeg James.

'Dat hield in dat ik al snel dingen begon te zeggen als "Torgon zegt dit en dat tegen me."'

'Dus Torgon veranderde van een ingebeelde ervaring in een publieke figuur?'

Laura knikte onbehaaglijk. 'Ik wou dat ik kon zeggen dat ik me er vervelend onder voelde of dat het me aanzette tot diepe, filosofische gedachten over de consequenties van misleiding, maar ik gaf het een iets andere draai. Ik vond niet dat ik hen om de tuin leidde. Op een bepaalde manier waren het allemaal kwetsbare mensen, en ik wilde hen oprecht helpen. Het hoofd boven water houden in het leven leek mij een stuk makkelijker af te gaan dan alle anderen daar. Het enige wat ik in feite deed, was voor de hand liggende suggesties aandragen. Maar als ik het zelf was geweest die deze dingen had gezegd, zou niemand er enige aandacht aan hebben geschonken. Als ik zei dat Torgon vond dat ze iets moesten proberen, namen mensen de suggesties altijd serieus. En de suggesties hielpen *wel degelijk*. Ik deed echt iets positiefs.'

'Dus je had het gevoel dat je anderen een dienst bewees door Torgon op deze manier te gebruiken? Waren er nog andere factoren die je beslissing om dit te doen hebben beïnvloed, denk je?' vroeg James.

Laura grimaste. 'Ja. Ik genoot ervan om aardig gevonden te worden. Bijzonder te zijn.' In haar ogen welden tranen op.

'Roept dat sterke emoties op?' vroeg James vriendelijk.

'Het is moeilijk uit te drukken hoe belangrijk dat voelde,' zei ze zacht. 'Het klinkt als een vreselijk egoïstische reden om iets te doen wat zo misleidend was... Maar het was net als dat voorval met Pamela toen ik in groep zes zat. Deze keer was *ik* echter Pamela. Dat voelde zo goed.'

'Dat is begrijpelijk.'

'Toen ik er eenmaal mee was begonnen, kon ik er alleen niet meer mee stoppen. Ik kon niet zomaar besluiten dat ik de volgende week niet over Torgon wilde praten. Dus het was slechts een kwestie van weken voordat de dinsdagavondgroep veranderde in mijn groep – *Laura's* groep, zo werd het letterlijk genoemd. Er kwamen steeds meer mensen op af, puur omdat ze mij wilden zien. Ik vond het *geweldig*. Ik dacht alsmaar: wat maakt het voor verschil of ik zeg dat het advies van Torgon komt? *Ik* was Torgon, dus het was niet zo dat ik met de eer ging strijken voor iets wat niet van mij was. En ik *hielp* mensen wel degelijk. Ik vroeg er niet eens geld voor. Dat voelde nobel... toch wel...

Mijn relatie met Alec werd echter merkwaardig. Hij was helemaal in de ban van dat hele spirituele-gids-gedoe. Hij was zodanig geobsedeerd door Torgon dat hij constant over haar praatte alsof ze daadwerkelijk bij ons was, en alle eerbiedige terminologie en lichaamshoudingen overnam die de mensen in Torgons wereld in de omgang met haar gebruikten. Eerlijk gezegd kwam hij over als een krankzinnige. Uiteindelijk gingen we uit elkaar, tot grote opluchting van ons allebei, vermoed ik, want wat hij werkelijk wilde, was Torgon, niet mij. Op deze manier kon hij gewoon een lid van de groep zijn en alleen met haar praten.'

'En de "echte" Torgon?' vroeg James. 'Kwam de originele Torgon nog steeds tot je terwijl Torgon-de-spirituele-gids ontstond?'

Laura leunde achterover in de stoel en dacht lange tijd na. 'Ik weet nu dat de Torgon die me al die tijd op de been had gehouden zich in diezelfde periode begon terug te trekken,' zei ze. 'Alleen gebeurde dat heel subtiel. Het werd me pas achteraf duidelijk. Maar naarmate ik meer en meer verbonden raakte met de dinsdagavondgroep, werd de echte Torgon minder levendig.

Toen namen de gebeurtenissen opnieuw een wending. Een maand of twee nadat ik met de dinsdagavondgroep was begonnen, nodigde een lid dat Robin heette, een kunstenares, me voor de zaterdag daarop bij haar thuis uit voor de lunch. Ze vertelde me over haar eigen spirituele gids, een of andere figuur die "Dobbin" heette of zoiets. Ze wilde mijn advies over hoe ze zijn boodschappen samenhangend kon maken, want zoals zij het me vertelde, klonk het alsof ze rechtstreeks uit een gelukskoekje afkomstig waren.

Plotseling zei ze: "Heeft Alec al een ontmoeting met de Profeet voor je geregeld?"

Alec had me nooit iets verteld over een profeet. Toen ik zei van niet, antwoordde ze raadselachtig: "Ik twijfel er niet aan dat je binnenkort het telefoontje zult krijgen."

Tot op dat moment had ik nog nooit van deze figuur gehoord, maar je weet hoe het gaat als je je ineens ergens van bewust wordt. Plotseling heeft iedereen het erover.

Hij heette Fergus McIndoe, maar niemand noemde hem ooit bij zijn naam. Hij was gewoon "de Profeet". Het verhaal ging dat hij als jonge twintiger de brui had gegeven aan zijn studie en naar India was gegaan "om zichzelf te vinden". Daar, bij de mystici en de yogi en wat al dies meer zij, leerde hij "zijn bewustzijn open te stellen" en een hele batterij aan hogere wezens te channelen, die alleen auditief tot hem kwamen aangezien ze louter energie waren en de behoefte aan een fysiek lichaam voorbij. Daarom refereerde hij aan hen als "de Stemmen". Toen hij terugkeerde naar Boston, vestigde hij zich als zeer succesvol medium, en sindsdien stond zijn leven in het teken van het doorgeven van de wijsheid van de Stemmen.

Het leek me fascinerend om hem te ontmoeten. In het besef dat mijn eigen "gave" goedbedoelde nep was, was ik heel benieuwd naar de zijne. Ik was minstens zo benieuwd of hij in staat zou zijn om te bespeuren waar ik mee bezig was. Zouden we elkaar over en weer als bedrieger ontmaskeren? Of was er een soort Magisch Genootschap voor mediums zoals dat er ook is voor goochelaars, die nooit vertellen hoe een truc wordt uitgevoerd?

Maar deze kerel was niet zomaar iemand die een paar centen wilde verdienen aan de goedgelovigen onder ons. Hij had ook een groot menselijk conflict voorspeld waarin alleen de meest hoogontwikkelde wezens zouden overleven. De Stemmen wisten uiteraard wie de uitverkorenen zouden zijn, en zij hadden besloten dat de Profeet uitverkoren was om de nieuwe spirituele leider van Amerika te zijn, die de mensen leiding zou geven in de donkere tijd. Uiteindelijk zou hij hen een nieuwe wereld laten creëren die bekend stond als New Atlantis.'

Laura lachte goedhartig. 'Ik weet dat het belachelijk klinkt. Maar je weet hoe zo'n cult kan ontstaan. Het enige wat je nodig hebt, is een charismatische gek die het einde der tijden predikt, en klaar ben je.

Maar goed, het stoorde mij helemaal niet dat de Profeet van die rare, grootse ideeën had. Het maakte hem juist des te exotischer en raadselachtiger, meer als iemand uit Torgons wereld dan uit die van ons. Ik wilde hem dolgraag ontmoeten. Ik wist ook dat ik uiteindelijk zijn goedkeuring nodig zou hebben als ik mijn eigen "krachten" wilde blijven gebruiken binnen de groep.

Ondanks Robins voorspelling ondernam de Profeet echter nooit enige poging om contact met me op te nemen. Volgens mensen uit de dinsdagavondgroep had hij er een handje van om af en toe gewoon onaangekondigd even bij hen binnen te wippen en was dat zonder enige twijfel hoe het zou gaan, maar ik was inmiddels al bijna drie maanden bezig, en hij had nog steeds zijn gezicht niet laten zien, en openbaarde zich evenmin op een andere manier aan me. Er was niet de minste indicatie dat hij zich zelfs maar van mijn bestaan bewust was.

Uiteindelijk besloot ik dat als de berg niet naar Mohammed wilde komen, Mohammed dan maar naar de berg moest gaan. Na enig speurwerk kwam ik tot de ontdekking dat de Profeet een privé-ruimte in een exclusieve sportschool in de buurt van het centrum van de stad gebruikte om readings te houden. Dus ik belde voor een afspraak. Er was een wachttijd van drie weken. Bovendien kon ik twee weken boodschappen doen van het bedrag dat hij rekende voor een reading van een kwartier.

Ik wilde niet dat iemand van de dinsdagavondgroep wist waar ik mee bezig was, zeker Alec niet, en ik wilde de Profeet geen millimeter voorsprong geven, dus maakte ik de afspraak niet onder mijn eigen naam maar onder die van Tiffany. Toen wachtte ik, nieuwsgierig en vol opwinding.

Ik weet nog dat ik, toen ik bij de sportschool aankwam, uiterst beleefd werd begroet door een jonge vrouw bij de receptie. Ik kan me zelfs nog voor de geest halen wat ze aanhad – een blauw met witte outfit waarin ze net een stewardess leek. Ze ging me voor door het gedeelte waar alle gewichten en toestellen stonden en deed toen een deur naar een trap open. "Die kant op," zei ze, en ze gebaarde omlaag terwijl ze zelf in de deuropening bleef staan. Ik weet nog dat ik me onverwacht nerveus voelde en wenste dat ze met me mee zou lopen.

Onder aan de trap bevond zich een zeer grote kamer met een laag plafond en gepleisterde muren. Op de vloer lag dik, verontrustend heldergroen, hoogpolig tapijt. De sportschool was gebouwd op een helling, dus ondanks het feit dat ik boven op straatniveau binnen was gekomen en een verdieping naar beneden was gegaan, bevond de andere kant van deze kamer zich op de begane grond. Vroeg avondzonlicht viel schuin door de manshoge ramen aan die kant en gaf het tapijt een stralende levendigheid, alsof het echt gras was, maar tegelijkertijd leek het vanwege het lage plafond alsof de rest van de kamer platgedrukt was. De kamer was helemaal leeg, op de verste hoek na, die het meest van de ramen verwijderd was. Daar zat de Profeet achter een wankel ogende tafel. Het enige andere meubilair was een stoel tegenover hem.

Hij bleef achter de tafel zitten, en ik was me er scherp van bewust hoeveel makkelijker het voor hem was om zich een mening over mij te vormen, terwijl ik de grote kamer doorkruiste, dan andersom. Ik probeerde zelfverzekerde stappen te nemen. Hij sloeg me aandachtig gade. Ik sloeg hem gade terwijl hij mij gade sloeg.

Toen ik bij de tafel was gekomen, ging hij staan en strekte zijn arm om me de hand te schudden. Met een naam als Fergus had ik een lange, rossige Kelt verwacht, een soort William Wallace of Rob Roy. In werkelijkheid was hij niet langer dan ik en vond ik hem eerder een Zuid-Amerikaans uiterlijk hebben. Losse zwarte krullen vielen tot over zijn boord, en zijn stoppelbaardje van twee of drie dagen gaf zijn gelaatstrekken een rebelse mannelijkheid. Hij droeg crèmekleurige, safari-achtige kleren, met allemaal van die zakken, en dit, in combinatie met zijn stijlvol nonchalante haar en zijn donkere uiterlijk, gaf hem het aura van Che Guevara. Een buitengewoon knappe Che Guevara, mag ik wel zeggen. Nou had ik al veel over de Profeet gehoord, maar niemand had me verteld dat hij adembenemend knap was. Toch was het zo. Het was niet bevorderlijk voor mijn concentratie.

De aantrekkingskracht zat hem in zijn ogen. Die waren donker en diep en hadden een soort magnetische vitaliteit waarmee hij je moeiteloos op je plaats kon fixeren. Heel ongemerkt. Pas achteraf realiseerde je je dat hij je wilskracht had ondermijnd.

"Hallo," zei hij met zachte, honingzoete stem. Hij drukte me stevig de hand. Toen ging hij zitten en gebaarde dat ik hetzelfde moest doen. Met zijn armen over elkaar geslagen boog hij zich over de tafel heen naar me toe. "Vertel, waar kan ik je mee van dienst zijn?"'

Laura glimlachte. 'Ik was met stomheid geslagen. Het is niet overdreven om te zeggen dat het liefde op het eerste gezicht was. Het enige waar ik me op kon concentreren, waren die smeltende bruine ogen, zo donker dat ze wel zwart leken in dat flauwe licht. Geen wonder dat zo vele vrouwen er grif geld voor over hadden om vijftien minuten lang zijn onverdeelde aandacht te krijgen. Daarbij vergeleken stelden twee weken boodschappen niets voor.

Hij was niet van zijn stuk gebracht door mijn stilzwijgen. Hij zei gewoon nog een keer, met een haast hypnotische traagheid: "Waar kan ik je mee van dienst zijn?"

Ik zei: "Ik wilde je gewoon graag ontmoeten."

Hij knikte rustig en glimlachte. "Heel goed. En waarom is dat? Er is iets waar je graag met me over zou willen praten." Dat laatste was geen vraag. Hij zat nog steeds aandachtig mijn gezicht te bestuderen. Ik werd me bewust van het aanhoudende oogcontact en vond het moeilijk vol te houden. Ik liet mijn hoofd zakken.

"Heb je een probleem waarbij je mijn hulp wilt?" vroeg hij vriendelijk. Hij glimlachte maar bleef me strak aankijken.

Ik vond het een onmogelijke opgave om naar hem te kijken. Ik kreeg mijn gedachten niet geordend, hetgeen een rare gewaarwording was. Ze waren er wel, maar ik kon er geen samenhang in aanbrengen. Het enige waar ik aan kon denken, was hoe knap hij was, hoe mannelijk, en gek genoeg ook hoe lekker hij rook. Het was geen geurtje. Geen aftershave of zo. Gewoon hijzelf. Gewoon zo'n warme, mannelijke geur.

Hij stak over de tafel heen zijn handen naar me uit, de handpalmen naar boven gekeerd. "Kom, geef me je handen."

Ik stak ze uit. Ze in de zijne nemend, hield de Profeet ze in zijn geopende handpalmen vast en keek ernaar voordat hij langzaam zijn vingers eromheen sloot. Zijn huid was verrassend warm. "Je wordt beroemd," zei hij, nog steeds kijkend naar zijn handen die de mijne vasthielden. "Je wordt echt heel beroemd."

Hiermee was de betovering verbroken, want ik moest hardop lachen. Wat een geweldige paranormale openingszin om iemand mee te versieren, dacht ik bij mezelf.

De Profeet keek verbaasd op. "Heb ik het mis?" Hij leek enigszins van zijn stuk gebracht. "Dat bestaat niet. Ik lees het heel sterk. Ben je soms al beroemd?"

"Niet bepaald."

"O, maar dat word je wel." Hij had zijn zelfvertrouwen herwonnen. "Ik voel dat veel mensen weten wie je bent. Communicatie komt heel sterk naar voren. Televisie, misschien? Want ik voel dat je communiceert met miljoenen mensen."

Ik trok mijn handen terug, leunde achterover en glimlachte. "Dat zeg je natuurlijk tegen elke vrouw."

Toen was het zijn beurt om in de lach te schieten, en dat deed hij ook, van harte. "Aha, een scepticus." Hij begon weer te lachen. "Ik ben dol op jullie soort." Toen hield hij ineens abrupt op met lachen. Zijn blik werd intens. Hij speurde mijn gezicht af.

Deze keer bleef ik oogcontact houden. Torgon verscheen in mijn gedachten. *Er zijn kleine noodzakelijkheden die men moet leren, had de Ziener gezegd, opdat anderen zullen herkennen dat u heilig bent. Wend nooit als eerste uw blik af. Het neerslaan van de ogen is aan hen die minder zijn dan u.*

"Je bent niet wie je zegt dat je bent," zei de Profeet met rustige stem.

Ik hield zijn blik vast.

Zijn ogen vernauwden zich, alsof hij me vanaf grote afstand probeerde te zien. "Wie ben je?"

Zijn blik werd zo intens dat ik me ongemakkelijk begon te voelen. In het gedempte licht in die hoek van de kamer, leken zijn ogen gitzwart.

"Wie *ben* je?" vroeg hij nogmaals, zijn stem nauwelijks hoorbaar. "Ik voel de aanwezigheid van een ander. Die om je heen lijkt te stralen. Die je omhult met licht. Die jou wordt... zich weer van je losmaakt... jou wordt."

Ik dacht onmiddellijk: *Hij ziet Torgon,* en er trok een heel raar gevoel door me heen, alsof het scherven ijs regende in mijn binnenste. Een letterlijke rilling. "Ik ben Laura," fluisterde ik.

Toen ik dat zei, schoot de Profeet verrast naar voren, en zijn stoel sloeg tegen de tafel, zodat de griezelige sfeer doorbroken werd.

"*Ben jij* Laura?" vroeg hij met onverholen verbazing, zijn honingzoete stem hees van verbijstering. "*Ben jij* Laura? O mijn god, echt waar? De vriendin van Alec?"

"Ja."

'Hij zakte weer achterover in zijn stoel en liet zijn schouders hangen in een gebaar van totaal ongeloof. "Waarom wist ik dat niet?" riep hij uit. "Shit! En ik wacht al zo lang op je komst. *Shit.* God. Ik ben totaal overweldigd."

Ik voelde me zelf ook behoorlijk overweldigd, maar eerder op een duistere manier. Hoe was het mogelijk dat hij Torgons aanwezigheid had bespeurd? Wat had hij gedaan? De voorbije minuten waren zo intens en zo raar geweest dat ik me niet zo goed raad wist met deze plotselinge luchtigheid.

Hij glimlachte breed. "Ik heb op je gewacht."

"Hoe bedoel je?" vroeg ik.

"Ik *wist* dat jij de ware was. Ze hebben me verteld dat jij het zou zijn. Ze zeiden dat je zou komen als ik je bij me riep."

"Wie zijn *ze*?"

"De Stemmen."

Verward staarde ik hem aan.

"Ik heb je hierheen gebracht, Laura. Ik heb je geroepen. Jij denkt misschien dat je uit eigen beweging bent gekomen, maar ik heb je geroepen, met mijn geest. En je bent gekomen omdat je me hebt gehoord."

Ik zat daar alleen maar. Want wat moest ik zeggen? Ik wist het niet. Ik wist niet eens wat ik tegen mezelf moest zeggen op dat moment. Ik kwam haastig overeind en zei: "Ik moet gaan." Ik pakte mijn tasje en begon er het geld uit te halen voor de sessie.

"O nee, nee, nee," zei hij, het geld wegwuivend. "Hou maar. Van jou zou ik nooit geld aan kunnen nemen." Hij grijnsde veelbetekenend.

Nog steeds overweldigd gaf ik hem een hand, draaide me toen om en begaf me in de richting van de deur.

"O, en Laura?" zei hij terwijl ik wegliep.

Ik stond stil en draaide me naar hem om.

"Je wordt *wel degelijk* beroemd."'

23

Toen de sessie afgelopen en Laura vertrokken was, liep James naar de dossierkast en trok de onderste la open. Het was niet moeilijk te begrijpen dat de verlokkingen van aandacht en echte vrienden te veel waren gebleken voor dit eenzame, in een isolement levende meisje, en dat Torgon-de-denkbeeldige-metgezel begon te vervagen in de schaduw van Torgon-de-spirituele-gids.

James was echter nieuwsgierig naar de 'echte' Torgon. Laura was over haar blijven schrijven, zelfs ten tijde van het channellen van de nep-Torgon. Hij bladerde in de dikke map met verhalen, stuk voor stuk zorgvuldig van datum voorzien, om te zien welke correspondeerden met het jaar dat Laura drieëntwintig was.

'Vier maanwendes zijn verstreken en ik heb je niet één keer gesproken,' zei Mogri.

Torgon leunde naar voren, zette haar ellebogen op haar knieën en sloeg haar handen voor haar gezicht. 'Het spijt me, maar het gaat niet goed met me.'

'Ja, dat zie ik aan je. Is de winterziekte uitgebroken in het klooster?'

'Nee, het is de oude man. Hij is weggezakt in een dodelijke slaap. Een paar weken geleden heeft zijn geest zijn lichaam verlaten om bij de doden te gaan wonen, maar zijn lichaam heeft geweigerd te volgen. Hij moet gewassen en gevoed worden als een zuigeling, maar het loont de moeite niet. Hij wordt nooit wakker.'

'Jij doet deze dingen toch zeker niet?' zei Mogri. 'En de heilige vrouwen dan?'

'Zij doen het meeste ervan, maar al zijn heilige taken komen op mij neer. Ik moet nu zowel de Ziener als de benna zijn. En ik voel dat Dwr wil dat ik wat tijd doorbreng in de aanwezigheid van de oude man, dus breng ik hem zijn eten.'

‘Herinner je je Oude Grootvader nog?’ zei Mogri. ‘Met hem was het net zo. Ook hij zakte weg in een dodelijke slaap en zijn lichaam volgde al snel uit eigen beweging. Troost je intussen met de gedachte aan Ansel, want zijn komst duurt nu niet lang meer.’

Mogri keek even opzij en grinnikte. ‘En hij is gezegend met buitengewoon *mannelijke trekken, Torgon. Je boft maar! Vul je tijd nu met dromen over hoe hij je zal aanraken. Ik zou het wel weten, dat is een ding dat zeker is!’*

Bij deze woorden glimlachte Torgon flauwtjes. Ze sloeg haar armen om haar knieën en liet haar hoofd erop rusten.

‘Kijk toch hoe vermoeid je oogt,’ zei Mogri, en ze stak een hand uit om haar zusters haar naar achteren te strijken.

‘Denk je dat het vermoeidheid is? Of zie ik er gewoonweg oud uit?’ vroeg Torgon. ‘Dat baart me zorgen. Ik heb negenentwintig zomers gezien, Mogri. Ik ben niet jong meer. Kijk. Er zijn rimpels ontstaan op mijn voorhoofd.’ Ze boog zich naar Mogri toe om het te laten zien. ‘Ik heb mijn hele jeugd verspild aan zijn bejaarde vader. Ik vrees nu dat Ansel mij niet zal willen als zijn heilige wederhelft. Hij is inderdaad *knap en zal misschien niet iemand willen wier uiterlijk het zijne niet evenaart.’*

‘Ik zou me geen zorgen maken. Je bent nog steeds aantrekkelijk, en naar ik heb begrepen, deelt Ansel gretig het bed met eenieder die zich bereid toont. En zelfs met een aantal die dat niet zijn.’

‘Ik heb hetzelfde gehoord, maar dat is slechts de bronstdrift, Mogri. Ik doel op de heilige verbintenis. Zodra deze is gesloten, kan ze niet meer verbroken worden. Dan zal hij niet langer met anderen het bed delen.’

‘Hij heeft langere tijd gewacht met trouwen dan jij. Op zijn leeftijd zal hij geen jeugdigheid van je verlangen. Hij zal slechts een moeder willen voor zijn ongeboren kinderen.’ Ze glimlachte nogmaals. ‘Denk toch eens aan zijn prachtige krullen en baard. En aan de vele knappe kinderen die hij je zal schenken. Hij komt uit een vruchtbaar geslacht. Zijn manwortel zal ongetwijfeld net zo mooi zijn als zijn gezicht.’

Torgon boog haar hoofd en knikte.

‘Arme lieverd. Zeg, zal ik je opvrolijken met mijn nieuws?’

'Ja. Ja, natuurlijk. Het spijt me dat ik er niet naar heb gevraagd. Vertel me, wat gebeurt er thuis zoal?'

Mogri zei: 'Mijn vooruitzichten zijn niet zo groots als de jouwe. Ik zal nooit met een heiliggeborene het bed delen, maar ik mag niet klagen. Ik draag Tadems kind.'

Abrupt tilde Torgon haar hoofd op. 'Ik geloof het niet. Wat? Mijn *kleine zusje? O, nu voel ik me echt oud, Mogri. Voor je het weet, heb ik grijze haren.' Torgon gaf haar zusje een speelse stomp tegen haar schouder. 'Wanneer gaat de bruiloft plaatsvinden?'*

'In de bloemenmaand. Tadems familie wilde me niet hebben eer ik leven begon te voelen. De baby komt in de zomer, dus de datum voor de bruiloft is bepaald.'

Glimlachend boog Torgon zich naar haar zusje toe om haar te omhelzen. 'Ik ben zo blij voor je. Het is een bron van grote vreugde voor me om te weten dat je gelukkig bent.'

'Misschien zullen de dingen voor jou ook wel veranderen,' zei Mogri. 'Het huwelijk is over twee maanden. Misschien zal Ansel onze ceremonie uitvoeren. Wie weet? Misschien zullen we allebei een kindje dragen.'

In de maand van het eerste zaaien ging Torgon de Ziener zijn eten brengen. Een volle maan scheen helder in de nacht, dus ze nam niet de moeite om een kaars mee te nemen. Ze betrad de duisternis van zijn privé-vertrekken en zag hem in het flauwe schijnsel van de maan op zijn bed liggen, zijn mond vertrokken in de dood.

Opluchting overspoelde haar in de vorm van tranen. Ze veegde ze weg met haar vingertoppen. 'Wat? U denkt dat ik huil om u? Nee, oude man. U hebt me betere manieren geleerd dan dat. Ik huil van vreugde. Ik huil om mezelf...' Ze strekte haar arm en streelde voorzichtig zijn koeler wordende hand, en in het maanlicht lieten de tranen op haar vingers glinsterende sporen achter op zijn bejaarde huid.

De acolieten werden naar huis gestuurd voor de periode van rouw en de brandstapelvrouwen kwamen om het lichaam van de Ziener te wassen. Daarna bleef Torgon alleen achter in het klooster. Geknield naast het lichaam dat lag opgebaard op de platte stenen in de altaarkamer, goot ze de doodsoliën over hem heen en smeerde hem ermee in. Vervolgens sprak ze de voorbeden uit, opdat hij een veilige overtocht zou hebben en rust zou vinden te midden van de doden.

Torgon had zijn zoon Ansel nog nooit persoonlijk ontmoet. Als vrouw van lage komaf had ze hem niet aan mogen spreken of hem zelfs maar aan mogen kijken in die jaren voor haar roeping. De zaken lagen nu echter heel anders. De rollen waren omgekeerd. Hij mocht dan wel als heilige geboren zijn, zij was degene met de goddelijke roeping. Hij zou de novice zijn in het klooster, al wist Torgon dat hij nooit de door heimwee verteerde naïeveling zou zijn die zij was geweest. Aangezien hij reeds vanaf zijn geboorte voorbestemd was om de heilige gewaden te mogen dragen, was hij grootgebracht in het klooster, waar hij een speciale opleiding had genoten, apart van de andere acolieten, en was hij ingewijd in de heilige wetten nog voordat hij zijn proeve van mannelijkheid had afgelegd. Bovendien was Ansel niet de jongste meer. Zijn vader had zo lang geleefd dat Ansel het beste deel van zijn volwassen jaren als krijger had doorgebracht en volgens sommigen te lang had moeten wachten om de positie op te eisen die hem toekwam.

De inhuldiging werd gehouden op de zestiende dag van de maand van het eerste zaaien, toen de winter was heengegaan en de wereld weer lentegroen begon te worden. Het was geen makkelijke maand voor een overdadig feestmaal, want de voorraadhutten waren leeg en de oogst nog slechts gezaaid. Twee halfwassen stierkalveren werden gebraden voor het banket, en Torgon offerde een jonge hertenbok ter ere van Ansel.

Toen de ceremonie op zijn hoogtepunt was, bracht ze hem de heilige gewaden en zette de gouden diadeem op zijn hoofd. Het was de eerste keer dat ze oog in oog stonden, en het zou gepast geweest zijn als hij zijn ogen bescheiden had neergeslagen bij de aanblik van de goddelijke anaka benna. Maar niets van dat alles. Toen ze voor hem kwam staan, keek hij haar recht in het gezicht en glimlachte, zijn gezichtsuitdrukking nonchalant en intiem tegelijk, alsof ze al die tijd al minnaars waren geweest in het geheim. Torgons wangen brandden vurig uit angst dat de ouderlingen zijn blik zouden zien en misschien zouden denken dat dat inderdaad het geval was. En toch... Ze ontmoette zijn blik. Het zou ongepast lijken als ze dat niet deed. Uiteindelijk moest ook zij onwillekeurig glimlachen.

24

'Toen ik de volgende middag na mijn practicum uit het ziekenhuis kwam,' zei Laura tijdens haar volgende sessie, 'stond de Profeet daar, leunend tegen mijn auto. Ik was op zijn zachtst gezegd verbaasd om hem te zien. Hij lachte en zei schertsend: "En jij twijfelde aan mijn talent?"

Hij zag er zo mogelijk nog knapper uit daar in het afnemende licht van een wintermiddag. Hij wist zich smaakvol te kleden. Hij droeg vrijetijdskleding – een lammy coat, een handgebreide trui en een heel lange sjaal – maar duur en modieus. Zijn losse krullen vielen jongensachtig over zijn kraag en zijn wangen waren rood van de kou.

Ik geloof dat ik voor die avond zelfs nog nooit verliefd was geweest. Ik had Alec oprecht aardig gevonden en had verwacht dat daaruit wel liefde zou ontstaan, maar dat gebeurde niet. Eerlijk gezegd was ik heimelijk bang dat Steven me misschien wel voorgoed verpest had en ik niet in staat was om verliefd te worden. Toen ontmoette ik Fergus en werd alles anders.

Het ongelooflijke was dat hij precies hetzelfde voor mij voelde. Daar stond hij dan, tegen mijn auto geleund op de parkeerplaats van het ziekenhuis, nog geen vierentwintig uur na onze eerste ontmoeting. Hij spreidde zijn armen en omhelsde me zo hartverwarmend dat ik het gevoel had dat ik thuiskwam. Ik drukte mijn gezicht in zijn jas en ademde zijn verrukkelijke geur in, als van een bos en de zee tegelijk, en het voelde zo onbetwistbaar goed om door hem omhelsd te worden. Toen kusten we elkaar voor de eerste keer. Of misschien was het niet de eerste keer. Wie zal het zeggen?

De tweede kus ging gepaard met een hartstocht die ik nog nooit had meegemaakt. Het was bijna alsof hij me zou gaan verslinden. Ik was nog nooit zo gekust, maar in plaats van erdoor afgeschrikt te worden, wilde ik dat het niet meer ophield. Mijn lichaam reageerde zo onverwacht heftig dat als hij had gevraagd of ik me wilde uitkleden om daar ter plekke, op de parkeerplaats, de liefde met hem te bedrijven, ik het zeker zou hebben overwogen. Het enige wat ik kon denken, was: *Dit is 'm. De ware Jacob. Mijn droomprins. De sprookjes zijn echt allemaal waar.*

"Kom mee," zei hij toen we elkaar loslieten. "Laten we iets gaan eten."

Uiteraard ging ik mee zonder vragen te stellen. We stapten in zijn auto en hij reed in de richting van het centrum. Hij zat de hele weg onafgebroken te kletsen. Fergus barstte van levenslust. Dit was zijn meest betoverende eigenschap: hij was altijd zo onweerstaanbaar levendig. Het was bijna een soort elektriciteit, vonkend en knetterend om hem heen. Van het mysterieuze en het diepzinnige van de avond tevoren was niets meer te bespeuren. Hij praatte tegen me alsof we goede vrienden waren, alsof ik gewoon een lange reis had gemaakt en nu eindelijk weer terug was van weggeweest. Toen ik hem "de Profeet" noemde, gaf hij me blijmoedig een standje en zei: "Wat is dat voor valse eerbied? Het is niet zo dat *jij* een van de acolieten was." Zelfs ondanks het ongewone gebruik van het woord acoliet, bleef hij mijn onverdeelde aandacht houden.

We gingen naar een klein, rustiek, Italiaans restaurant – als iets uit een vergeten hoekje op Sicilië met rood-wit geruite tafelkleden, kaarslicht, een aria van Verdi die zacht op de achtergrond speelde, en de geur van versgebakken brood en olijfolie.

Ik genoot van het knusse en beschermde gevoel van bij hem te horen, maar het was toch ook overweldigend. Ik had deze man de vorige dag pas ontmoet. Op een gegeven moment leunde ik achterover en knipperde verbaasd met mijn ogen om het allemaal tot me door te laten dringen.

Fergus was een meester in het lezen van emoties. Zijn gezicht kreeg een meelevende uitdrukking. "Ach, arme schat," fluisterde hij. "Je kunt je hier helemaal niets meer van herinneren, hè?"

"Wat moet ik me herinneren?" vroeg ik.

Hij stak zijn beide handen uit en legde ze aan weerskanten om mijn gezicht. Toen leunde hij over de tafel heen totdat we bijna met de voorhoofden tegen elkaar zaten. "Doe je ogen dicht," mompelde hij. Zijn adem beroerde mijn huid terwijl hij sprak.

Hij drukte zijn vingertoppen nog steviger tegen mijn slapen en fluisterde: "We zijn ons al eonen lang samen opwaarts aan het ontwikkelen, jij en ik. Onlosmakelijk met elkaar verbonden, talloze mensenlevens lang. Alles zwart. Laat je gedachten gaan. Geef je geest eraan over. Alles zwart."

Met mijn beeldend vermogen om te visualiseren, was het alsof er zwart fluweel over mijn gedachten viel op het moment dat de woorden zijn mond verlieten.

"Aanvaard de visioenen die de Stemmen je geven," fluisterde hij zo zacht dat het meer een ademtocht leek dan een geluid. Zijn hoofd raakte het mijne. Voor de andere aanwezigen in het restaurant moet het eruit hebben gezien alsof we zaten te bidden. "Herinnering, herinnering, herinnering." Zijn stem was hypnotisch. "Je zult nog steeds een vage schaduw van herinnering bezitten, want we zijn al zo lang samen, jij en ik. Sinds Egypte. Sinds Atlantis. Sinds het begin der tijden."

Sterren en planeten tolden over het fluwelen zwart van mijn gedachten terwijl hij praatte. Helices vormden zich als de DNA-modellen die ik had gezien in het lab op de universiteit. Een flits van goud lichtte op, en toen de maskers van Egyptische sarcofagen.

"We hadden bijna het licht bereikt," mompelde hij. "Ik had al bij de Wezens van Licht kunnen zijn. Ik had nu al te midden van de Stemmen kunnen zijn. Maar ik raakte je kwijt. Ik kwam tot bewustzijn en je was weg..." Zijn stem brak van plotselinge emotie. "Ik *moest* terug om je te halen. Om je te zoeken. Ik kon je hier niet alleen achterlaten." Hij liet zijn handen zakken.

Toen ik mijn ogen opendeed, zag ik dat zijn gezicht helemaal betraand was. Hij glimlachte gelukzalig door zijn tranen heen. "En nu heb ik je eindelijk gevonden."

Wat moest ik zeggen? Ik was verbijsterd dat ik me midden in zo'n bloemrijk en tegelijkertijd schrijnend romantisch verhaal bevond. Het was zo prachtig. Hoewel een deel van mij het maar raar vond, was er een veel groter deel van mij dat het – *en* hem – dolgraag wilde. Ik wilde hem aanraken, hem kussen, de liefde met hem bedrijven. Op dat moment wilde ik dat meer dan wat dan ook. Meer dan dokter worden. Meer dan Torgon of het Bos. Veel meer dan gezond verstand. Dus al waren zijn ideeën totaal niet van deze wereld, ik voelde er toch wel iets bij. Het voelde alsof dit moment *inderdaad* al sinds het begin der tijden was voorbestemd.

De volgende avond gingen we weer uit eten. Fergus kon me pas na elf uur ophalen omdat hij tot tien uur afspraken had om readings te doen in de sportschool.

Ik had de hele dag obsessief aan hem gedacht. Ieder verlangen dat ik had gehad om hem op de proef te stellen of hem te ontmaskeren als een bedrieger, was als sneeuw voor de zon verdwenen, evenals ieder verlangen om hem te misleiden over mijzelf. Ik besloot dat ik van het begin af aan volkomen eerlijk tegen hem wilde zijn over Torgon. Ik was van plan om Torgon precies te beschrijven zoals ze was – de *echte* Torgon – en niet het opgesmukte schepsel dat ze was geworden voor de dinsdagavondgroep.

Fergus was zeer geïnteresseerd in mijn relatie met haar. Hoe was ik voor het eerst met Torgon in contact gekomen? Hoe had ik het contact onderhouden? Welke informatie had ik van haar gekregen? Hoe gebruikte ik deze informatie in het dagelijks leven? Wanneer had ik voor het eerst de drang gevoeld om de informatie met anderen te delen? Welke doelen had ze me gesteld? Welke werelddoelen had ze me geboden?

Werelddoelen? Het gesprek was al lang voordat het op werelddoelen kwam volledig uit de hand gelopen. Ik deed mijn uiterste best om eerlijk tegen hem te zijn, om hem uit te leggen dat Torgon niet echt een spirituele gids was, maar hij bleef zoveel vragen stellen dat het duidelijk was dat het gewoon niet tot hem doordrong toen ik zei dat ik mensen mijn eigen adviezen gaf en deze simpelweg presenteerde alsof ze van Torgon afkomstig waren. Maar werelddoelen? Zelfs in mijn meest extravagante fantasieën waren werelddoelen nooit voorgekomen.

"Met een gave zo groot als die van jou," zei Fergus, "moet je wel op deze manier gaan denken. Het is verkeerd om het voor jezelf te houden terwijl het de bedoeling is dat je er goed mee doet."

Ik protesteerde en probeerde uit te leggen dat het "gebruiken van mijn gave" in de dinsdagavondgroep om er mensen die in de put zaten mee te helpen, wel voldoende liefdadigheid was.

"Nee, nee, nee," zei hij en hij raakte liefdevol mijn gezicht aan. "Wij hebben veel grootsere dingen te doen, jij en ik."

We hebben urenlang zitten praten die avond. Om één uur ’s nachts zaten we nog steeds aan het tafeltje in het restaurant, en de eigenaar begon luidruchtig met zijn sleutels te rammelen. Toen ik me realiseerde hoe laat het was, werd ik onrustig, want mijn wekker zou over viereneenhalf uur alweer aflopen. Ik zei tegen Fergus dat ik maar beter kon gaan, en hij reageerde met een verschrikt “*Nee*” en smeekte of ik nog wat langer wilde blijven. Al voelde ik me nog zo gevleid door zijn smeekbede, ik was te moe en ik moest naar huis. Maar toen ik bezwaar maakte, werd Fergus een stuk minder liefdevol. Hij zei afwerend dat ik alleen maar moe was omdat ik mijn lichaam liet regeren over mijn geest, al gaf hij uiteindelijk wel toe en bracht hij me naar huis.

Het hoeft geen betoog dat mijn practicum in het ziekenhuis de volgende dag ronduit rampzalig verliep, en dat ik ’s middags het hoorcollege van Betjeman volgde met het enthousiasme van een zeester op sterk water. Toen ik na afloop van het college weg wilde gaan, hield Betjeman me tegen.

“Blijf nog even, Deighton,” zei hij.

Ik dacht bij mezelf: O god, niet nu, niet vandaag. Wat hij me ook te zeggen had, ik was te moe om me ervoor te interesseren.

Hij deed de deur van de collegezaal dicht en wendde zich toen tot mij. “Heb je problemen?” informeerde hij.

“Nee,” zei ik. “Ik ben alleen een beetje moe vandaag, meneer. Ik ben gisteravond te laat naar bed gegaan, en ik realiseer me nu dat ik dat niet had moeten doen.”

“Ik bedoel in ruimere zin, Deighton. De afgelopen maanden lijkt je werk wat aan glans te hebben verloren. Scheelt er iets?”

De schrik sloeg me om het hart. Mijn werk was *inderdaad* niet meer zo tot in de puntjes verzorgd. Met alle drukte die de dinsdagavondgroep met zich meebracht en de ontmoetingen met mensen om over Torgons adviezen te praten, bleef er minder tijd over voor mijn studie dan voorheen. Aangezien ik nog nooit eerder een sociaal leven had gehad, vond ik het niet onredelijk om daar nu een beetje van te willen genieten. Ik vond niet dat het de spuigaten uit liep. Alles zou ongetwijfeld vanzelf wel weer wat rustiger worden, en dan zou ik mijn studie weer kunnen oppakken en de achterstand die ik had opgelopen inhalen.

"Overweeg je nog steeds om naar het buitenland te gaan als je klaar bent?" vroeg hij.

"Ik geloof het wel," zei ik. Ik wilde nog steeds tropenarts worden, maar ik had niet meer zo'n haast om er te komen als het jaar daarvoor.

"Ik vraag het," zei Betjeman, "omdat ik van een collega in het Johns Hopkins heb gehoord dat er een plek vrijkomt op hun chirurgenopleiding onder dokter Patel tegen de tijd dat jij toe bent aan je coassistentschap, en zoals je ongetwijfeld weet, is dokter Patel de beste in zijn vakgebied. Ik geef er de voorkeur aan om mensen op eigen kracht op te zien klimmen, dus het is niet mijn beleid om persoonlijke aanbevelingen te doen, maar jouw talent is zo bijzonder, Deighton, dat ik je wel naar voren zou willen schuiven als je belangstelling hebt."

Hij zweeg even en nam me aandachtig op. "Zelfs dan zul je nog steeds verdomde ambitieus moeten zijn om uitgekozen te worden. Zelfs als ik je naar voren schuif, zullen er nog steeds een heleboel andere kandidaten zijn, en veel van hen zullen net zo goed zijn als jij." Hij glimlachte. "Maar ik durf te wedden dat er niet één is die beter is dan jij."

"Dank u wel, meneer," zei ik.

"Maar je moet eerst zorgen dat je weer messcherp bent."

"Ja, meneer."

Hij nam me nogmaals aandachtig op. "Ik hoop dat je beseft dat je een zeer zeldzame kans hebt gekregen in het leven, Deighton: zowel een droom als het talent om die te vervullen. Verpruts het niet, oké? Zelfs de beste kansen zijn waardeloos als het je aan passie ontbreekt."

Als gelouterd verliet ik de collegezaal. Betjeman had gelijk. Ik had mijn langetermijndoelen uit het oog verloren. Ik nam me ter plekke plechtig voor dat ik naar huis zou gaan, op tijd naar bed zou gaan, om me vervolgens weer vol overgave op mijn studie te storten.

Tot mijn verbijstering stond Fergus me weer op te wachten op de parkeerplaats van het ziekenhuis. Hij omhelsde me hartelijk; we kusten elkaar en mijn goede voornemens losten op als sneeuw voor de zon.

Fergus hield niet van half werk, en het enige waar hij voor leefde, waren de spirituele wereld en zijn Stemmen. Het was absoluut onmogelijk om een gesprek met hem te voeren over voetbal of het plot van een nieuwe film. Die dingen bestonden niet in zijn wereld. En de betekenis van het begrip "verloren tijd" kende hij eenvoudigweg niet. Ik ben nog nooit iemand tegengekomen die net zoveel energie had als hij. Hij was zo vol leven dat hij er bijna van gloeide. Het straalde van hem af, als een krachtveld, en het maakte dat alles om hem heen een beetje groter leek, een beetje lichter, een beetje beter, puur dankzij zijn aanwezigheid. Die uitwerking had hij ook op mij. Als ik bij hem was, voelde ik me zelf ook levendiger en meer gefocust. Als we niet samen waren, voelde alles in toenemende mate saai en grijs.

Die avond nam hij me mee naar zijn huis, een elegant oud stadshuis, met luxe vloeren van donker eiken, lambriseringspanelen van dertig centimeter breed en antieke meubels. Overal lagen Perzische tapijten en grote kussens, waardoor de kamers de weelderige sfeer ademden van een tafereel uit Duizend-en-een nacht.

"Heb je zin in thee?" vroeg hij, en voerde me mee naar de keuken.

Toen ik ja zei, liep hij naar een reusachtige mand op de aanrecht. Deze was gevuld met verse munt – zoveel dat het waarschijnlijk eigen kweek was. Hij nam er een paar takjes uit, deed die in twee hoge, wijd uitlopende mokken en vulde deze met kokend water uit de fluitketel. De kamer kwam helemaal tot leven door de fantastische, frisse geur.

Ik had nog nooit eerder muntthee gehad, had nog nooit thee bereid zien worden van iets anders dan theezakjes, en het eerste wat in me opkwam, was dat de thee die Torgon dronk, gemaakt was van wat ze in haar wereld "waterkruiden" noemden. Ik had me die "waterkruiden" altijd voorgesteld als een soort munt. Deze plotselinge fusie van Torgons wereld met die van Fergus maakte dat de avond helemaal goed voelde. Ik vergat direct hoe moe ik was. Of dat ik eigenlijk zou moeten studeren.

Hij nam me mee naar een kleine kamer die helemaal vol stond met boeken. Er was een charmante kleine open haard aan de ene kant van de kamer, met een gietijzeren hekje en tegeltjes met tere lelies erop. Aan de andere kant van de kamer stond een modern zwartmetalen bureau dat totaal niet bij de rest van de inrichting leek te passen. Op de hoek van het bureau stond een grote kristallen bol op een standaard, zo'n prachtig object dat ik de verleiding niet kon weerstaan om het even aan te raken.

"Kom eens even bij me zitten," zei Fergus, en hij nam plaats op de kussens op de grond bij de open haard. Er lag al hout in voor een vuur, dus leunde hij naar voren en hield er een lucifer bij, die geel vlammend tot leven kwam en aan het aanmaakhout likte.

Voordat ik het wist, woelden zijn handen door mijn haar en sloot zijn mond zich hongerig over de mijne. De geur van brandend dennenhout vermengde zich met de waterige frisheid van onze nog onaangeroerde thee, en dat werd het weefsel van mijn herinneringen aan die avond, die geur van munt en vuur.

Hij trok me steeds dichter naar zich toe. Ik voelde zijn vingers aan de knopen van zijn blouse, en mijn hand ging ook omhoog om als een bezetene die van mij los te knopen. Mijn borsten werden strak, en het gevoel van mijn tepels tegen zijn brandende, hete huid, tegen de plagende haren van zijn borst, bezorgde me rillingen zoals ik nog nooit eerder had ervaren.

Hij nam mijn gezicht tussen zijn handen, vermorzelde me met zijn lippen en zocht de diepste plekjes in mij op met zijn tong. Met één vurige copulatie wiste Fergus Matts puberale gerommel, Alecs onkunde en Stevens akelige geweld uit.

Na afloop lagen we in vriendschappelijke warmte in elkaars armen. Op dat moment voelde ik me echt heel erg verliefd op hem. In mijn achterhoofd was er ook het besef dat ik niet had gedacht dat dit moment voor mij ooit zou komen. Het maakte dat ik Fergus des te meer koesterde. Ik wist nu al dat ik nooit meer zonder hem zou kunnen leven.

De volgende dag verliep volgens een vergelijkbaar patroon: hard werken en afschuwelijke vermoeidheid in het ziekenhuis en in de collegebanken, vervolgens extase bij het zien van Fergus die me stond op te wachten, eten, vrijen en praten tot in de kleine uurtjes.

Terwijl we loom lagen na te genieten van een vrijpartij, legde ik uit dat Torgon was ontsproten aan mijn jeugdige fantasie en daarom niet hetzelfde was als zijn Stemmen. "Ze kan niet 'tot mij' komen," zei ik, "want ze *is* mij."

"Natuurlijk komt ze tot je, Laura," zei Fergus vriendelijk.

"Nee, het is een ander soort ervaring voor mij. Niet direct, zoals bij jou. Er is een kant aan Torgon die ik niet ben, maar volgens mij is dat creativiteit – je roept iets in het leven wat volkomen uniek is en onafhankelijk van jou bestaat, iets wat je zelf tegelijkertijd wel en niet bent, en toch komt het vanuit je eigen binnenste."

"Je bent gewoon nog niet voldoende ontwikkeld, Laura. Op den duur zal ze wel tot je komen. Je zult haar stem horen. Ik ben er nu om je te helpen." Liefdevol streek hij het haar uit mijn gezicht naar achteren. "Ditmaal zal ik niet zonder jou het hogere betreden."

"Maar dat is het 'm nou juist, Fergus. Ik hoor haar *niet*. Torgon praat niet tegen me. Dat heeft ze nooit gedaan. Dat kan ze ook niet. Ze zit opgesloten in een ander universum dat enkel en alleen in mijn hoofd bestaat."

"Denk je niet dat we dat *allemaal* zijn? Gods fantasie? Dat we simpelweg het universum zijn dat enkel en alleen in Zijn hoofd bestaat? Wat zijn gebeden dan, als het geen praten is tegen God?"

"Ik weet het niet. Maar dat is niet wat ik je probeer duidelijk te maken. Ik vind het heel moeilijk om dit te erkennen, Fergus, maar ik zal wel moeten. Ik ben al verliefd op je, en ik wil dat we volkomen eerlijk tegen elkaar zijn in deze relatie. Wat ik doe met de dinsdagavondgroep... dat is nooit Torgon geweest. Nooit. De mensen in de groep, het zijn aardige mensen hoor, maar ze klampen zich vast aan iedere strohalm die ze maar kunnen vinden omdat ze in de war zijn en wanhopig op zoek naar verlichting van hun ellende. Maar om heel eerlijk te zijn, Fergus, hebben ze geen hulp nodig van goddelijke schepsels. Iemand met gezond verstand en een objectieve kijk op de dingen, iemand die om hen *geeft*, is het enige wat ze nodig hebben. Dus dat is wat ik heb gedaan. Aangezien ze het idee hebben dat ik heel bijzonder ben, een soort spirituele gids die om hen geeft, zijn ze bereid om het te proberen. Al die tijd heb ik mezelf voorgehouden dat het niet verkeerd is wat ik doe, ook al is het niet helemaal eerlijk, omdat ik vind dat het doel soms inderdaad de middelen heiligt. Maar ik wil niet dat *jij* denkt dat het allemaal Torgons toedoen is geweest. Torgon weet immers niet eens dat ze bestaan."

Fergus sloeg zijn armen nog steviger om me heen en kuste mijn haar. "Natuurlijk ben jij het gewoon zelf. Daar is helemaal niks mis mee. Negenennegentig procent van de mensen die ik op de sportschool zie, zijn lager dan wij. Ze zijn op geen enkele manier ontwikkeld. Dus komen ze bij mij omdat ze bijvoorbeeld willen weten of ze wel of niet met de chauffeur naar bed moeten. Of ze wel of niet in een of andere riskant klinkende vastgoedtransactie moeten investeren. Of ze moeten trouwen met een of andere eikel, alleen omdat hij een jacht heeft en een zomerhuis in Martha's Vineyard. Die mensen zijn niet op zoek naar verlichting. Ze willen geld, een lekkere wip, en vingernagels van acht centimeter die niet breken. Voor hen is het bestaan niet meer dan dat. Dus ik rol met mijn ogen en wieg wat heen en weer met mijn bovenlijf om hen waar voor hun geld te geven, vertel ze precies wat ze willen horen, en dat is dan dat. Daar worden ze blij van. Ik word blij van hun geld. En daar blijft het bij. Is dat verkeerd? Voel ik me schuldig? Ben ik een oplichter? Nee. Want ze zijn niet ontwikkeld, Laura. Ze kunnen niet verder kijken dan de pijn en het plezier van dit leven, dus leven ze alsof er verder niets is, als peuters van twee, levend in het heden omdat ze het concept 'volgende week' niet kennen. Zulke mensen zouden zich geen raad weten met wat de Stemmen in werkelijkheid te zeggen hebben. Daarom kiezen de Stemmen ervoor om tot mensen te komen zoals jij en ik."

Hij glimlachte vriendelijk. "Je zult op den duur vanzelf gewend raken aan deze paradox. Als mensen niet ontwikkeld zijn, als dit voor hen niet het leven is waarin ze verlichting vinden, zul je hen niet naar het Licht kunnen brengen, wat je ook doet. Ieder mens moet die reis op eigen kracht maken. Dus jij doet wat je kunt om hun lijden te verzachten, en daar blijft het bij. Dat is niet verkeerd. Dat is geen bedrog. Dat is mededogen."

Een tijd lang lag ik stilletjes te luisteren naar het kloppen van zijn hart. Ten slotte zei ik: "Ik wou dat ik jouw stelligheid had."'

25

James zocht in de map met verhalen naar de plek waar hij Torgon de vorige keer had achtergelaten: verleidelijk glimlachend terwijl ze Ansel, de nieuwe Ziener, zalfde.

Toen Ansel voor het eerst het klooster betrad als de Ziener, bleef Torgon op een afstandje, zodat haar interesse in hem niet ongepast zou lijken, maar nieuwsgierigheid maakte dat ze hem discreet bleef gadeslaan vanuit het open raam in haar privé-vertrekken.

Hij was echt *knap. Hij was groot en mannelijk, en de strakke spieren in zijn schouders bolden op onder zijn hertenleren shirt terwijl hij zijn spullen naar binnen bracht. Zijn ogen waren bruin als het oude hout dat werd gebruikt om amuletten mee te graveren, en zijn haar was dik en met hier en daar een streepje grijs, als afgevallen bladeren in de herfst, omrand met een kristalhelder lijntje rijp. In de krullen bij zijn oren ging zijn haar over in zijn rossige baard, die met zorg was gemodelleerd in de stijl van de krijgers. Uit alles aan hem bleek onmiskenbaar dat hij van heilige afkomst was. Uit iedere beweging sprak de gratie van een man die gewend is aan macht.*

Hij begon onmiddellijk met het opruimen van zijn vaders privé-vertrekken. De deuren werden wijd opengezet terwijl hij daarmee bezig was, alsof het helemaal geen heilige vertrekken waren, en hij smeet de bezittingen van de oude man oneerbiedig op de stenen vloer in de gang. De acolieten en de heilige vrouwen waren afwezig, dus misschien deed het er niet toe. Torgon sloeg het enkele minuten in stilte gade. Toen zette ze zich aan haar bezigheden.

Toen de avond naderde, legde Torgon brood en hompen gerijpte kaas op de tafel en sprak ze de zegening uit.

Ansel, die het eetgedeelte betrad, wierp een blik op de tafel. 'Hebben we niets beters dan dit?'

'Het is heilig voedsel. Het is gezegend.'

'Gezegend misschien, maar koud. Waar is iets warms? En waar is het vlees?'

'Het is niet mijn taak om de maaltijden te bereiden,' antwoordde Torgon.

'Waarom niet? Weet je niet hoe het moet? Heb je niet geleerd om jezelf huwbaar te maken?'

'Ik ben de goddelijke benna, voor het geval je dat vergeten was. Het is niet mijn taak om de maaltijden te bereiden.'

Ansel haalde achteloos zijn schouders op. 'Weet je dan niet hoe dat moet?'

'Natuurlijk weet ik dat wel.'

'Doe het dan. Dit is geen maal voor een krijger.'

'Hier ben je geen krijger.'

'Nee,' antwoordde hij, 'maar dat weet mijn maag niet.'

'Als je iets anders verlangt, zul je het zelf moeten bereiden,' zei Torgon eenvoudig. 'Want ik heb andere taken.'

Ansel keek naar haar en begon toen onverwachts te lachen. 'Aha,' zei hij. 'Ik zie al dat ik me zal amuseren met zulk pittig gezelschap.'

Na de maaltijd trok Torgon zich terug in haar privé-vertrekken. Ze was van plan geweest de avond door te brengen met mediteren, maar de lange weken van aftakeling van de oude man hadden een diepe vermoeidheid in haar botten achtergelaten. Uitgeput ging ze op haar bed liggen zonder zelfs maar haar kleren uit te trekken, en binnen een paar tellen sliep ze.

'Wat is dit voor luiheid om op dit uur op bed te liggen? Heeft mijn vader ledigheid aangemoedigd?'

Verschrikt schoot Torgon uit bed. Ansel stond in de deuropening van haar privé-vertrekken. Hij was niet gekleed in de heilige gewaden van een Ziener, maar in de lederen gordel en hertenleren broek die krijgers droegen. Zijn brede borst was bloot.

'Heeft je vader jou *soms ongemanierdheid geleerd? Dit zijn mijn privé-vertrekken en die hoef ik niet voor jou open te stellen. Dus ga nu. Ik heb je niet ontboden.'*

Hij grijnsde opgewekt. 'Je bent niet op je mondje gevallen. Ik zie dat je terecht de titel "anaka" hebt gekregen, want je bent echt een kleine krijger. Mijn vader heeft er goed aan gedaan om jou te kiezen.'

'Ik ben Dwrs keuze, niet die van je vader. Ga nu.'

Hij verroerde geen vin. 'Ik kom mijn rechten bij jou opeisen.'

Torgon bewoog een eindje bij hem vandaan. 'Je hebt geen rechten bij mij.'

'Ik ben de Ziener. Jij bent de benna.'

'Jawel, maar we dienen bepaalde heilige wetten in acht te nemen. We hebben Dwr nog geen offers gebracht. We zijn nog niet samen naar de hooggelegen heilige plaats geweest. En de acolieten zijn nog steeds afwezig, dus je hebt de heilige beker nog niet ontvangen.'

'Dat zijn onzinnige gebruiken, Torgon. We zijn hier alleen, jij en ik. Als we samen zijn, is er geen reden voor dergelijke onzin.'

'Je vader is nalatig geweest in het hanteren van zijn stok jegens jou. Je lijkt je verheven te voelen boven de heilige wetten.'

Ansel trok een wenkbrauw op. 'Wie ben jij om mij de les te lezen over de heilige wetten? Jij hebt geheime ontmoetingen met je zuster terwijl je heel goed weet dat het je verboden is om haar te zien. Ik weet dat het zo is. Ik ben niet de oude man die mijn vader was. Ik houd precies in de gaten waar mijn vrouwen zijn.'

'Ik ben *je vrouw niet. Ik ben de goddelijke benna, en je zou er goed aan doen om dat te onthouden. Dus ga nu. Ik weiger op dit moment het bed met je te delen, want ik wil Dwrs zegen bij alles wat ik doe.'*

Onverstoorbaar begon hij zijn gordel los te maken. 'Heb je wellicht iets tegen mannen? Vast niet. Het zou zonde zijn voor een vrouw van jouw schoonheid. Nee. Ik denk dat het louter onervarenheid is. Tot nu toe heb je het bed slechts gedeeld met oude grootvaders en onervaren knullen.' Hij liet de gordel zakken zodat de dikke bobbel in zijn broek zichtbaar werd. 'Maar zie eens hoe fier het zwaard van deze krijger overeind staat. Kom. Het wordt tijd dat je leert wat een echte man is.'

'Dit is goddeloos, Ansel. We hebben Dwrs zegen niet gekregen en ik ga niet *met je naar bed. Ik* weiger*. We hebben de heilige wetten niet uitgevoerd.'*

'Geen woord meer over heilige wetten!' zei hij, en zijn stem verried zijn woede. 'Heiligheid! Dat is het enige waar je over

praat. Besef je dan niet dat jij slechts de heilige benna bent omdat mijn vader je heeft uitgekozen?'

'Ik ben de benna omdat Dwr *me heeft uitgekozen. Je vader was slechts het werktuig waarmee hij zijn keuze heeft gemaakt.'*

'Denk je dat? Dwr en al die heilige wetten? Daar geloof *je toch zeker niet in?' zei hij ongelovig. 'Heiligheid is louter een slaapliedje voor de arbeiders, en niets meer dan dat. Net zoals de ganzenhoeders zingen voor hun ganzen om ze rustig te houden.'*

Torgons ogen werden groot.

'Uitgerekend jij zou moeten weten dat dit waar is. Hoe groot is de kans dat mijn vader visioenen zou hebben gehad over een arbeiderskind? Als visioenen werkelijk bestonden, zou de benna dan geen vrouw zijn van goede komaf? Een die geschikt was voor de haar toebedeelde heilige taken? Maar in de hemel is niets anders dan duisternis. En jij was niets anders dan mijn vaders keuze. Of beter gezegd: het was mijn keuze.'

'Godslasteraar!'

Ansel haalde onverschillig zijn schouders op. 'Til er maar niet te zwaar aan. Je hebt een onbetaalbare kans gekregen om de arbeiderskaste te ontstijgen en een nieuwe lijn gevonden voor je nageslacht, dat hoog en heiliggeboren zal zijn. Welk mooier verlovingsgeschenk zou ik je ooit kunnen geven?

Toen Vader bij mij kwam en zei: "We moeten samen beslissen wie je wilt hebben als het jouw tijd is om de heilige gewaden te dragen," zei ik dat ik niet kieskeurig was. "Het enige wat ik van belang vind," zei ik, "is dat ze een mooi gezicht heeft, want ik zal met haar onder één dak moeten wonen, en ik voel er niets voor om elke nieuwe dag te moeten beginnen met de aanblik van een lelijke vrouw." We dachten even na over de kwestie en hij zei: "Wat dacht je van Argot, wier vader een benita-krijger is? Ze is van uitstekende komaf en bovendien rustig en goedgemanierd. Dat was je moeder ook, en dat is een zegen in een vrouw." Maar ik zei: "Nee, Argot is niet knap genoeg voor mij." Dus hij antwoordde: "Wat dacht je van Marit? In haar grootvaders aderen stroomt het bloed van de Berenmensen." En ik zei: "Nee, ik heb al gemeenschap gehad met Marit en ik vind haar borsten te klein. Die zullen de sterke zonen die mijn vrouw me zal schenken niet kunnen voeden." Dus uiteindelijk zei ik: "De vrouw die ik be-

geer, is Torgon, de dochter van de voerman, want zij is naar mijn mening veel knapper dan ieder ander. Ze heeft brede heupen die de sterke zoons kunnen baren waar een krijger recht op heeft. En goede borsten, want ik heb haar zien zwemmen met haar zuster." Mijn vader was ziedend. Hij zei: "Een arbeiders*dochter? Hier? Binnen deze heilige muren? Ze zal ordinair zijn en opvliegend en vast en zeker vlooien hebben."'*

'Vlooien?' *riep Torgon uit. 'Mijn soort mensen is net zo schoon als jullie heiliggeborenen. Schoner! Want ik heb jarenlang de stank van je vaders onderbroeken moeten verdragen.'*

Ansel lachte hartelijk. 'Wel, ik heb tegen hem gezegd dat ik die vlooien geen bezwaar vond. Mijn honden hebben vlooien, en een krijger moet vaak slapen te midden van zijn honden.'

'Je bent werkelijk een slecht mens. Ga. Nu. Ik gebied het je.'

'Ja, goed, ook ik raak vermoeid van al dit praten.'

'Praten is het enige wat je met mij zult doen. Je vader was oud, zijn adem stonk en in bed was hij stuntelig als een schildpad, maar hij was tenminste een heilige man. Ik besef nu dat jij hem ondanks je knappe uiterlijk nooit zult evenaren. Denk maar niet dat ik het bed met je zal delen. Ga. Verlaat deze plek vanavond nog en keer terug naar je leven tussen je honden.'

'Genoeg gepraat, heb ik gezegd.' Hij zette een stap in haar richting. Torgon deed een stap naar achteren, maar hij was sneller. Met de geoefende snelheid van een jager, schoot zijn hand naar voren en greep hij haar bij de haren. Met één behendige beweging trok hij haar naar zich toe.

'Ik mag jou wel,' zei hij, haar tegen zijn lichaam trekkend. Hij bleef haar haren in zijn greep houden, er precies zo hard aan trekkend dat het pijn deed. 'Ik had liever dat je uit vrije wil bij me kwam, aangezien dit de eerste keer is dat we gemeenschap zullen hebben, maar het deert mij niet als je dat niet doet.' Hij glimlachte een rij gelijkmatige, witte tanden bloot. 'Je bent zo mogelijk nog knapper als je boos bent, en ik ben van plan om vanavond nog een kind in je schoot te planten, opdat je opstandige geest een machtig krijger van hem zal maken.' En met die woorden drukte Ansel zijn mond krachtig op de hare.

Torgon verzette zich niet langer. Het had geen zin. Ze zou zich alleen maar bezeren, en met welk doel? Dus toen Ansel haar in de richting van het bed duwde, stribbelde ze niet tegen.

Dit deed hem deugd. Hij grijnsde jongensachtig van verrukking. Hij maakte de bandjes los waarmee zijn kleine dolk om zijn pols bevestigd was en legde deze op de tafel naast het bed. Toen maakte hij zijn broek los. Bij het zien van zijn glimlachende gezicht, drong het tot Torgon door dat hij haar werkelijk begeerde. Dit deed haar verdriet, want ook zij had lang gedroomd van dit moment. Maar niet op deze manier.

Hij was niet ruw. Hij gedroeg zich niet triomfantelijk vanwege zijn overwinning op haar. Sterker nog, Torgon betwijfelde of hij zich zelfs maar realiseerde dat er sprake was geweest van een overwinning. Als krijger was hij zo gewend om te nemen wat hij wilde, dat weerstand hem nauwelijks deerde. Nu was hij een en al glimlachjes en tedere aanrakingen, alsof er niets was voorgevallen.

Ansel was zeer bedreven in deze mannelijke kunst. Hij glimlachte en raakte haar gezicht aan, liet zijn duimen over haar jukbeenderen glijden. Hij schiep een onverholen genoegen in de rondheid van haar borsten, omvatte en bewonderde ze ieder afzonderlijk, en drukte toen zijn mond tegen de tepels alsof hij een zuigeling was. Toen hij zijn handen aan weerskanten langs haar bovenlichaam liet glijden, voelde hij de spieren, glimlachte en voelde nog een keer. 'Je bent sterk en mager als een grote kat,' zei hij verrukt, alsof haar arbeiderslichaam de voorkeur genoot boven de zachte rondingen van een vrouw van hoge komaf. Sterker nog, hij zei zelfs: 'Ik had me geen mooiere vrouw dan jij kunnen wensen.' Toen spreidde hij haar benen om de rest van zijn nieuw verworven bezit te bewonderen.

Torgon verzette zich niet. Voordat ze haar heilige roeping had gekregen, zou ze hier niet mee om hebben kunnen gaan. Ze zou hebben tegengestribbeld of geschreeuwd, of op zijn minst zouden haar spieren te strak gespannen zijn geweest voor gemeenschap, maar in de tien jaar dat ze nu benna was, had ze veel geleerd over zelfbeheersing. Ongehinderd verkende hij haar lichaam. Ze lag stilletjes te wachten.

Zijn manwortel was enorm gezwollen van verlangen, en Ansel pauzeerde even om ermee te pronken. Hij wilde dat ze hem zou aanraken en proeven en dat ze hem met haar hele lichaam zou ervaren, maar ze bleef roerloos liggen.

'Ach,' zei hij, 'het is logisch dat je overweldigd bent. Je zult nimmer tevoren zo'n groot zwaard hebben gezien.' Hij grijnsde. 'Maar met jouw temperament zul je me ongetwijfeld weldra willen helpen om het te hanteren.' En met die woorden stootte hij het zo krachtig naar binnen dat Torgon vreesde dat het tot aan haar hart zou reiken.

Toen ten slotte het zaad gezaaid was, viel Ansel verzadigd naast haar neer op het bed. 'Ziezo,' fluisterde hij, en hij kuste haar haren. 'Nu weet je dat een echte man je heeft bezeten.'

Torgon bleef zwijgen.

Hij keek naar haar. 'Vannacht zullen we hier samen slapen. De acolieten zijn nog steeds afwezig, dus het doet er niet toe wie in welk bed ligt. De tijd voor heilige regels komt snel genoeg weer, dus deze nacht wil ik naast je liggen.' Met zijn hand raakte hij opnieuw haar borsten aan. 'Ik heb veel te lang moeten wachten op de moeder van mijn zoons. Achtendertig zomers zijn reeds verstreken, en ik zou inmiddels volwassen zoons moeten hebben, maar ik heb nooit bastaardkinderen gewild. Tot vanavond had ik wel geploegd, maar nog nooit gezaaid.'

Torgon zuchtte.

'En nu ik het bed met jou heb gedeeld, weet ik dat het het wachten waard is geweest. Mijn keuze is juist geweest, want ik kan nu al zeggen dat ik veel van je houd. Mettertijd zul jij misschien ook van mij gaan houden.'

'Behandel je alle dingen waar je van houdt zoals je mij hebt behandeld?' vroeg ze.

'Zo zijn de manieren van een krijger nu eenmaal. Je zult er wel aan wennen,' antwoordde hij vriendelijk.

'Maar zo zijn niet de manieren van een heilige man, en dat is jouw rechtmatige lot.'

'Laten we het nu niet over heiligheid hebben. Hier. Leg je arm hier, opdat ik mijn hoofd tegen je borst kan leggen en kan luisteren naar je hart. Het is tijd om te slapen. Ik ben moe.' En hij glimlachte en kuste haar nog een laatste keer.

Hij sliep. De kaars naast het bed verspreidde een flauw schijnsel, de kleine vlam flakkerde zwakjes in het donker. Torgon keek naar hem. Hij was zoveel knapper dan Meilor, die klein en donker was geweest. Ansels ledematen waren lang en pezig, de huid strak gespannen over imposante spieren. Zijn haar oogde rossig bruin in het kaarslicht, glanzend als de vacht van de grote hertenbok.

Torgon haalde diep adem en blies langzaam uit. Op dat moment zou ze de ontlading van tranen verwelkomd hebben om de bittere teleurstelling die ze voelde weg te wassen, om het verdriet te verzachten over een toekomst die ze nu afgesloten wist, maar er kwamen geen tranen. Ze lag in melancholie naast hem.

Als Ansel haar was komen halen vóór haar roeping en haar toen tot zijn krijgersvrouw had gemaakt, zou ze op den duur waarschijnlijk wel van hem zijn gaan houden. Jong en groen en onwetend van heilige zaken, zou ze ruwe manieren hebben getolereerd omwille van zo'n gunstig huwelijk. Als hij haar al zo lang begeerde, waarom had hij haar dan niet gewoon uit haar vaders huishouden weggehaald? Nu was het te laat. Ze was reeds gebonden aan een grootser doel.

'Het is meer dan een slaapliedje,' mompelde ze. 'Ik beschik werkelijk over de Kracht. Je vader wist dat toen zijn einde naderde. Waarom heeft hij het je niet verteld?'

Ansel bewoog, ging anders liggen en sliep weer verder.

'Want ik kan je niet tot vrouw zijn zoals je nu bent. Je ziel is reeds lang in duisternis opgegaan, en ik beschik niet over de middelen om haar terug te roepen. In naam van Dwr zal ik doen wat er gedaan moet worden.'

'Waarom praat je?' mompelde Ansel slaperig. 'Doof de kaars. De nacht is al haast voorbij.'

'Ik heb een hertenbok geofferd op jouw heilige feest om dank te zeggen,' zei ze. 'En nu komt het me voor dat het dier dezelfde kleur had als jouw haar.'

Hij glimlachte slaperig. 'Torgon, dit is niet het moment voor romantisch gebazel. Ik ben uitgeput. Doof de kaars.'

'Ik spreek opdat de hertenbok weet dat niet ik, maar Dwr degene was die mijn heilige hand gebood zijn leven te nemen.'

'Je bent geneigd te spreken terwijl zwijgen beter zou zijn. Ssst,'

zei Ansel, en hij legde een vinger tegen haar lippen. Toen sloot hij andermaal zijn ogen.

Nu werd het stil.

Torgon lag te luisteren tot hij weer diep en zwaar begon te ademen in zijn slaap. Toen het zover was, boog ze zich over hem heen en pakte zijn kleine dolk van de tafel. 'Nu gebiedt Dwr mijn hand opnieuw te doden. Voeg je bij je eigen soort, Hertenman, want je bezit niet langer een heilige ziel.' En met één behendige beweging sneed ze zijn keel door.

Het bloed vloeide, opborrelend als water uit een bron. Torgon keek naar zijn gezicht. Van roze kleurde het kortstondig paars, toen wit, en toen het asgrijs van de dood.

Het was een snelle manier om te sterven. Torgon wist dat, want ze had het talloze keren gezien bij het offeren van hertenbokken en kalveren, bij de misvormde baby's, en bij degenen wiens ziel was ontvlucht naar het duister. Torgon keek naar Ansel, die roerloos in een zee van beddengoed lag, dat vurig rood doorweekt was van zijn bloed.

'Wat heb ik gedaan?'

Paniek nam bezit van haar. Alles was nat en rood en stonk naar bloed. Op dat moment verloor Torgon alle zelfbeheersing. Ze begon te huilen van angst. Opstaand uit het bed deed ze een poging om Ansels lichaam recht te leggen, maar hij was zo'n grote man en zo zwaar. Met elke beweging werd er meer bloed omhoog gestuwd uit de wond, dat rood en dik op het beddengoed druppelde. Ze worstelde totdat de angst haar uiteindelijk te machtig werd. Toen sloeg ze op de vlucht.

26

Conor stapte de speelkamer binnen met vlugge, gedecideerde passen, de pluchen kat onder zijn arm geklemd, en hoewel hij niet daadwerkelijk glimlachte naar James, wekte zijn gezichtsuitdrukking wel de indruk van een glimlach. De kat tegen de mouw van James' jasje drukkend zei Conor op vriendelijke toon: 'De kat weet het,' alsof het een begroeting was.

'Ik zie een jongen die er vrolijk uitziet vandaag.'

'Ja. Vandaag is het dinsdag. De jongen komt hier. Is de kat van de man hier? Waar is de mechanische kat?'

'Kijk maar of je hem kunt vinden.'

Conor liep naar de planken en pakte de doos met kartonnen boerderijdieren. Hij nam de doos mee terug naar de tafel en haalde de deksel eraf. 'Hier is-ie!' zei hij opgewekt. Hij trok de leiband van touw strak en glimlachte.

Conor schoof de stoel tegenover die van James naar achteren en ging zelfverzekerd zitten. Hij bevestigde het kartonnen halvemaantje aan de onderkant van het kartonnen figuurtje en zette het vervolgens op de tafel tussen hen in. Ineens sprong Conor overeind. Hij liep naar een van de manden op de plank en haalde er een bolletje boetseerklei uit. Hij nam het mee terug naar de tafel, kneep er een klein stukje af, maakte het vast aan het eindje touw rond de nek van de kat en drukte het toen plat op het tafelblad. Er gleed een opgetogen uitdrukking over zijn gezicht. 'Inpluggen!'

'Ja, dat is wat je hebt gedaan, hè?' antwoordde James. 'Je hebt er een stekker aan gemaakt. Je hebt hem ingeplugd.'

'Ja.' Conor keek tevreden.

Hij trok de pluchen kat onder zijn arm vandaan, zette die ook op tafel en keek weer naar James. 'Daar is de kat van de jongen. Hij staat op tafel. Hij staat naast de mechanische kat.'

James glimlachte. 'Ja, daar staan ze. Twee katten.'

'Katten kunnen geesten zien.'

'Jij gelooft dat katten geesten kunnen zien,' reflecteerde James.

'Veel geesten. Veel geesten om te zien. Veel katten om ze te zien.'

James keek naar Conor, die de twee katten zorgvuldig naast elkaar neerzette.

'"Kom hier vandaag." Dat is wat de kat zei. "Wakker worden, Conor. Tijd om naar Rapid City te gaan. Tijd om naar de man toe te gaan. Vandaag is de dag van de man. Vandaag gaan we naar de mechanische kat toe. Vandaag gaan we waar er geen geesten zijn."'

'Zijn er geesten bij jou thuis?' vroeg James.

'Zijn er geesten bij jou thuis?' echode Conor. Hij hief een hand op en wapperde ermee in een gebaar dat James inmiddels herkende als een uiting van angst. Toen herstelde Conor zich door zijn pluchen kat van de tafel te pakken. Hij drukte de neus van het diertje tegen zijn eigen neus. 'Een heleboel geesten. Fluisteren, fluisteren. De kat kan geesten zien. De kat zegt: "De geesten zijn er. De man onder het kleed is er." De kat kan het zien. De kat weet het.'

Met de kat tegen zijn borst geklemd, bukte Conor zich om de kartonnen kat beter te bekijken. Hij bestudeerde hem aandachtig, stak toen een vinger uit en raakte het touwtje aan dat om de nek van het dier hing. 'Hier zijn de snoeren van de kat. Inpluggen. Maak hem sterk.'

'Net als Mechanische Jongen?'

'Ja.' Conor trok de leiband van touw strak en drukte deze tegen het tafelblad. 'Elektriciteit. Zap-zap. Mechanische dingen zijn gemaakt van metaal. Ze gaan niet dood. Ze kunnen voor altijd blijven bestaan.' Hij raakte de verschoten kleuren aan. 'Deze kat heeft heel goed metaal. Het ziet eruit als vacht.'

Onverwachts zwaaide Conor met de kartonnen kat door de lucht, alsof het een speelgoedvliegtuigje was. 'Kijk, de kat van de man kan vliegen. Machines vliegen.' Hij keek naar James.

Een stilte.

'Geesten vliegen,' zei hij, en zijn stem beefde zacht.

'Heel veel dingen vliegen,' zei James. 'Vogels vliegen. Muggen vliegen.'

'Engelen vliegen,' zei Conor. 'Met Kerstmis vliegen er heel veel engelen.'

'Ja, het is bijna Kerstmis, nietwaar? We zien nu overal plaatjes van engelen, hè?'

'Mensen vliegen niet,' antwoordde Conor. 'Alleen engelmensen. Alleen geestmensen.' Hij ging staan en keek nerveus om zich heen alsof hij iets heel gevaarlijks aan het doen was. Toen beschreef hij een aarzelende acht met de kat in de lucht. 'Maar de mechanische kat kan wel vliegen.'

'Ja, jij laat hem door de lucht zoeven.'

'Machines zijn sterk. Die kunnen heel ver vliegen.' Een iets energieker gezwaai met de kat volgde. Omhoog, omlaag, in het rond. Dit waren de meest ongeremde bewegingen die James Conor tot nu toe had zien maken. Zoef, de mechanische kat suisde langs James' neus. Hup, daar snorde hij over het notitieblok.

Toen zei Conor: 'Ga ik rennen?' Zijn toon was een mengeling van vraag en mededeling, bijna alsof hij permissie vroeg voor deze doodgewone handeling.

Hij ging inderdaad rennen. De eerste stapjes waren aarzelend, op zijn tenen, daarna wat gedurfder. Al die tijd werd de kartonnen kat hoog in de lucht gehouden, voor hem uit door de lucht suizend en duikend. 'De kat kan vliegen,' zei hij telkens weer.

Conor rende door de kamer tot hij buiten adem was, en toen pas stond hij stil. Hij hield de kartonnen kat voor zijn gezicht en streelde de kartonnen gelaatstrekken. 'De jongen mag hier doen wat hij wil. De mechanische kat zegt: "Jongen, doe het. Je bent veilig. Hier zijn geen geesten!"'

Vanaf het moment dat de volgende sessie begon, wist Conor precies wat hij wilde doen. Hij pakte de kartonnen kat uit de doos en liet hem door de lucht vliegen. Eerst waren de bewegingen aarzelend en intiem, alleen bestemd voor James en hemzelf, maar toen stond hij op en begon hij soepeler te bewegen. Al snel rende Conor door de kamer met de kartonnen kat hoog boven zijn hoofd.

Eén keer stond hij abrupt stil toen hij de tafel naderde. Na een vluchtige blik op James, sprong Conor onverwachts op de stoel tegenover hem. 'De kat kan vliegen,' zei hij met een bijna uitdagende klank in zijn stem.

'Ja, de kat vliegt,' zei James bevestigend.

Conor tilde één voet op alsof hij van plan was om op de tafel te stappen, en aarzelde toen. 'Ik ga op de tafel staan,' zei hij, maar hij deed het niet.

'Vandaag heb je zin om op de tafel te staan.'

'De mechanische kat zegt ja. De jongen mag op de tafel staan.' Na nog een kort moment van aarzeling zette Conor zachtjes zijn voet op de tafel. Hij wachtte even, alsof hij een standje van James verwachtte, en zette toen triomfantelijk ook zijn andere voet op tafel. 'De mechanische kat is sterk! De jongen kan doen wat hij wil!'

Met die woorden sprong hij in een grote boog van de tafel af en rende weg.

Dit staaltje waaghalzerij gaf Conor meer zelfvertrouwen. Hij kwam er weer aangerend, klauterde op de tafel en sprong er weer af.

'Je bent sterk,' zei James toen Conors schoenen voor zijn pen langs schoten.

'Ja!' riep Conor, en hij sprong op de grond. De kartonnen kat hield hij hoog boven zich in de lucht, als een parachute. 'Op en neer, op en neer. De mechanische kat kan vliegen!'

Ineens stond hij stil en keek naar James. 'Dat is een liedje,' zei hij, en hij glimlachte. 'Hoorde je dat? Dat was een liedje.'

De opmerking verbaasde James. Hij trok zijn wenkbrauwen op.

'Luister maar. Ik zal het zingen:

Op en neer, op en neer.
De kat kan vliegen.
Hij gaat nooit dood.
Metalen vacht.
Hij gaat nooit dood.
Heel veel snoeren.
Hij is sterk en groot.'

Hij sprak op hoge, ijle, zangerige toon.

'Dat is heel knap,' zei James. 'Ik vind je liedje mooi.'

Conor huppelde vrolijk door de kamer, zijn bewegingen ongeremd en vloeiend.

'De kat hij weet het.

Zijn ogen die gloeien.
De kat kan vliegen en gaat nooit dood.'

James zat over zijn notitieblok heen gebogen en krabbelde haastig mee om de precieze woorden op te schrijven.

Conor zag dit. Hij bleef even staan. 'Je schrijft weer op wat ik zeg.'

James knikte. 'Ja. Het is een prachtig lied. Ik wil het onthouden.'

'Dan moet je opschrijven: Het lied van de mechanische kat. Schrijf dat er maar boven, want dat is de titel.'

'Oké.'

'En daaronder moet je schrijven: door Conor McLachlan.'

James gehoorzaamde.

Conor kwam aan James' kant van de tafel staan en boog zich over het notitieblok heen. 'Het lied van de mechanische kat, door Conor McLachlan,' las hij. 'Dat betekent dat het mijn lied is. Ik ben de schrijver. Ik heb het bedacht.'

'Ja,' antwoordde James.

'Zul je mijn lied bewaren? In je notitieboek?'

'Ja,' zei James.

'Alles wat de jongen zegt, schrijft de man op. In zijn echte boek. Alles wat de jongen zegt. Alle echte dingen. Het wordt ons boek.'

Conor glimlachte en hield de mechanische kat in de lucht. 'Vandaag moet je opschrijven: De jongen hoorde het lied van de mechanische kat. Hij hoorde het uit niets en maakte het tot iets. De jongen zong het lied de hele dag.'

En zo verliep de sessie met een vrijuit zingende Conor, zijn toon opgewekt en natuurlijk, zijn bewegingen die van een normale, onbezorgde jongen.

James waarschuwde de kinderen altijd wanneer het einde van de sessie naderde. Dus toen er nog maar vijf minuten restten, zei James zoals altijd: 'Het is bijna tijd om te gaan. Als de grote wijzer op de tien staat, is het tijd.'

'Nee. Vandaag wil ik niet naar huis.'

'Je hebt het vandaag erg naar je zin gehad en je wilt nog niet naar huis,' interpreteerde James. 'Je zou graag nog wat langer willen blijven.'

'Vandaag blijf ik nog wat langer,' antwoordde Conor. 'Ik ga vingerverven.'

'Je wou dat je meer tijd had,' zei James. 'Helaas duurt elk bezoek precies even lang. Als de klok op tien voor staat, is het tijd om te stoppen.'

'Maar niet vandaag. Vandaag heb ik een liedje gemaakt.'

'Ook vandaag, jammer genoeg.'

'Maar ik *wil* niet stoppen. Ik ben nog niet klaar.'

'Je komt donderdag weer. Dan kun je verder gaan.'

'Nee!' riep Conor op gekwelde toon. Toen, uitdagend: 'De mechanische kat zegt: "Nee!"' Hij hield de kat voor zich uitgestoken als een crucifix. 'De mechanische kat zegt: "Luister niet naar die man!"' Conor rende naar de andere kant van de kamer. Hij klauterde over de boekenplank heen en verstopte zich erachter.

De klok tikte de laatste minuten weg.

James stond op van de tafel, liep naar de deur en zette die open.

Conor kwam gealarmeerd overeind en tuurde over de boekenplank heen.

Dulcie stond in de gang voor de deur van de speelkamer, en achter haar stond Laura. 'Daar is je moeder,' zei James. 'Het is nu tijd om te gaan.'

'Nee!' Conor klemde de kartonnen kat stevig tegen zijn borst, krijste, rende om de tafel heen en vervolgens door de open deur naar buiten. Hij stoof langs Dulcie voordat ze hem kon vangen, maar Laura slaagde erin om hem bij zijn shirt te grijpen.

Conor schreeuwde zo hard dat James' oren ervan galmden.

'Wat mankeert hem?' vroeg Laura. 'Conor, wat heb je in je hand? Wat is dat? Kom, geef eens hier. Je mag geen dingen meenemen uit de speelkamer, liefje. Geef het eens terug aan dokter Innes.' Ze moesten er alle drie aan te pas komen om Conors vingers ver genoeg open te wringen om de kartonnen kat eruit te peuteren.

Hij brulde.

Boven het gekrijs uit zei James tegen Laura: 'Wil je hem even meenemen naar mijn kantoortje? Er komt zo een andere patiënt voor de speelkamer, maar als je even wilt wachten tot hij wat gekalmeerd is, kan Dulcie wel met je meelopen.'

Laura schudde haar hoofd.
'Weet je het zeker?' vroeg James.
'Nee,' antwoordde ze met opeengeklemde tanden, 'maar kijk alsjeblieft goed hoe hij zich gedraagt.' James zag tranen in haar ogen. 'Kijk goed, opdat je in het vervolg niet meer Alans kant kiest in deze kwestie. Want het *gaat niet* de goede kant op met hem. Het is thuis een hel. Hij is *voortdurend* zo bij mij. Ik geloof werkelijk niet dat ik dit nog veel langer volhoud. Ik meen het. Ik kan het niet meer.'
En met die woorden vertrokken de ontredderde moeder en de snikkende zoon.

27

James vond dat Conors gedrag aan het eind van zijn sessie een positief signaal was, waaruit bleek dat Conor zich voldoende veilig voelde om zijn woede te uiten als hij werd gedwarsboomd.

Laura's gedrag, daarentegen, baarde James zorgen. Hij had zoveel positieve sessies met haar gehad, waarin zich naar zijn idee een goede band tussen hen had ontwikkeld, en toch was ze er kennelijk van overtuigd dat hij aan Alans kant stond.

Dit bracht James direct bij een andere zorg die hij al lange tijd koesterde als het om Laura ging: waarom bracht ze Conor nooit ter sprake? Waarom informeerde ze nooit naar zijn vorderingen of sprak ze niet openlijk over de problemen die ze thuis met hem had? Afgezien van de beginperiode waarin ze intake-informatie over Conor hadden verzameld, had Laura de naam van haar zoon zelfs niet eens uitgesproken tijdens de sessies. Sterker nog, door de manier waarop ze de sessies tot nu toe vorm had gegeven met het zorgvuldig en chronologisch vertellen van haar levensverhaal, had ze het zelfs voor James vrijwel onmogelijk gemaakt om Conor ter sprake te brengen.

Dit maakte het voor James tot een raadselachtige kwestie. Een belangrijk aspect van zijn therapeutische filosofie bestond erin de patiënt volledige controle te geven. James geloofde heel sterk in de waarde hiervan. Als patiënten een gevoel van controle hadden, de vrijheid om te beslissen wanneer en hoe dingen onthuld zouden worden, ontstond er op den duur een zodanig vertrouwen in James dat het mogelijk werd om de angsten en geheimen te onderzoeken die hun leven hadden lamgelegd. Maar hoe lang moest je afwachtend blijven? Dit was precies waar alles in New York was ontspoord. In zijn passieve rol van luisteren, reflecteren en geduldig afwachten, was James te traag geweest om Adam te redden.

Toen Laura arriveerde voor haar volgende sessie, zag ze er onmiskenbaar nerveus uit. Ze verscheen in zijn deuropening met haar handen diep in de zakken van een veel te groot vest geduwd, en ze sloeg haar armen stevig om zichzelf heen alsof ze het koud had.

James glimlachte vriendelijk. 'Kom verder.' Hij gebaarde naar het conversatiecentrum.

Ze liep ernaartoe en ging zitten in de grote, goed gestoffeerde fauteuil. De 'baarmoederstoel', zoals Lars hem altijd noemde. James wisselde wat beleefdheden met Laura uit, voornamelijk over de naderende feestdagen.

Toen zei Laura: 'Sorry van die scène met Conor.'

'Geen probleem,' antwoordde James. 'Wil je erover praten?'

'Niet echt,' zei ze, zijn blik mijdend.

James liet de stilte om hen heen aanzwellen.

'Echt niet,' zei ze.

'Dat is prima,' zei James. 'Hier ben jij de baas.'

'Ik wil het over Fergus hebben.'

James knikte.

Ze begon zachtjes, en haar stem won langzaam maar zeker aan zelfvertrouwen naarmate ze zich ontspande in het vertellen van haar verhaal.

'Als Fergus ergens griezelig goed in was, dan was het wel in onverwacht opduiken op de plek waar ik me toevallig bevond, ondanks mijn overvolle agenda en de omvang van de stad. Af en toe trof ik hem zelfs na een middagje winkelen op de parkeerplaats naast mijn auto aan. Hij zei dat hij dat kon door zich te concentreren op mijn levenskracht en omdat hij zoveel van me hield. Hij kon het niet verdragen om van mij gescheiden te zijn. Ongeacht hoeveel tijd we samen doorbrachten, Fergus wilde altijd meer.

In het begin vond ik zijn aandacht niet overweldigend. Ik was verliefd op hem en wilde zo mogelijk iedere seconde bij hem zijn. Bovendien gaf het me een kick om zijn vriendin te zijn – een heleboel mensen namen dit "profeten"-gedoe heel serieus, en ze keken tegen hem op. Ze bewonderden hem en waren jaloers op mij omdat ik zo intiem met hem was. Dat beviel me wel.

Het voelde als een droom, om het middelpunt te zijn van Fergus' leven. Hij stak niet onder stoelen of banken hoezeer hij me begeerde en hoe graag hij me wilde plezieren. Zo ben ik bijvoorbeeld in juni jarig – ruimschoots na het seringenseizoen in Boston – dus hij reed helemaal naar Maine om seringen te zoeken die nog in bloei stonden in koudere, hoger gelegen gebieden en hij bracht een gigantisch boeket voor me mee omdat hij wist dat seringen mijn lievelingsbloemen waren. Er had nog nooit iemand zoiets attents voor me gedaan. Ik genoot ervan om me zo begeerd te voelen.

Het was echter geen onvoorwaardelijke liefde. Fergus kwam altijd aanzetten met boeken over filosofie en religie en zelfs over quantumfysica – met twee, drie, vier tegelijk – en dan zei hij: "Lees dit, dan kunnen we daarna een keer van gedachten wisselen over de ideeën." Het stond buiten kijf dat ik niet alleen de boeken zou lezen en de ideeën die erin stonden zou laten bezinken, maar ze ook tot in details met hem zou bespreken. Het was bijna alsof ik er naast medicijnen een tweede studie bij deed.

Hij was erop gebrand om een beter mens van me te maken. Hij vond het walgelijk dat ik "dood vlees" at en hield vol dat vegetariër worden de enige manier was om mezelf te louteren voor mijn rol als zijn wederhelft in de Nieuwe Wereld. Hij snapte er niets van dat ik de neiging had om onsamenhangend te zijn van vermoeidheid als hij me 's avonds laat wilde zien. In zijn ogen getuigde mijn uitputting van een gebrek aan discipline waar het mijn lichaam betrof. Het was een teken van zwakte, of misschien zelfs een bewuste keuze om het fysieke te laten regeren over het spirituele. En dan waren er nog mijn "wereldse connecties", zoals Fergus ze noemde. Die omvatten mijn collectie cd's, het plezier dat ik beleefde aan een bioscoopbezoek, en vooral ook de tijd die ik besteedde aan mijn studie. Hij was de enige persoon die ik ooit had ontmoet die afwijzend stond tegenover de studie geneeskunde. Hij zag niet wat de waarde was van traditioneel onderwijs, hetgeen hij beschouwde als rigide en "gevestigde orde", puur gericht op het in stand houden van de status quo. Maar wat nog erger was, hij beschouwde zelfs het schrijven over Torgon als "werelds" en daarmee een bezigheid die ik vaarwel moest zeggen.

"Ik *moet* de verhalen over Torgon schrijven," protesteerde ik. Aan haar had ik per slot van rekening alles te danken wat ik op dat moment had bereikt.

Fergus was onvermurwbaar. Schrijven over Torgon, zo hield hij vol, belemmerde mijn evolutie als zuiver kanaal. Torgon mocht enkel rechtstreeks tot mij komen.

We praatten voortdurend over Torgon. Net als de Torgon die ik tevoorschijn toverde voor de dinsdagavondgroep, had deze Torgon al lang niets meer van doen met de echte Torgon. Fergus vertaalde en hervormde haar voortdurend om mij te helpen haar te begrijpen zoals ze werkelijk was: geen product van mijn verbeelding, geen personage uit mijn verhalen, maar een Wezen van Licht dat tot mij was gekomen tijdens mijn spel als kind, omdat dit het enige was wat mijn geest op die leeftijd kon bevatten. Nu was het echter belangrijk dat ik Torgon de gelegenheid gaf om haar natuurlijke vorm weer aan te nemen en de missie die ze voor me had te aanvaarden.

Fergus legde tot in details uit hoe ze wijsheid doorgaf via mij om de komst van deze nieuwe wereld vol vrede en universele liefde te bespoedigen. Ik moest dit aanvaarden en mezelf louteren met een passend dieet, meditatie en het juiste gezelschap opdat ik mezelf beter kon openstellen voor deze prachtige uiting van universele liefde.

Op enig moment zei ik wel dat Torgon mij nooit was voorgekomen als een buitengewoon lichtend voorbeeld van universele liefde. Haar leven was beslist net zo broos en menselijk als dat van mij, en haar samenleving was ronduit wreed. Fergus negeerde dit. Het enige waar hij zich druk om maakte, was dat ik me moest openstellen voor rechtstreekse communicatie met haar.

Ik wilde wanhopig graag geloven wat Fergus me allemaal vertelde. Ik hield van hem en ik wilde zijn dromen waarmaken en ik wilde dat het leven was zoals hij zei dat het was. Ik verlangde ernaar het echte medium te zijn waar ik volgens Fergus de potentie voor had. Ik wilde een echt Wezen van Licht channelen dat mij als enige had uitverkoren uit de miljarden mensen op aarde. Ik snakte er gewoon ontzettend naar om degene te zijn waar iedereen me al tijdenlang voor aanzag.'

Toen de sessie afgelopen was, ging James op zoek naar deze 'echte' Torgon. Er waren nog maar een paar verhalen over, geen van alle erg lang. Hij ging zitten in de 'baarmoederstoel', legde zijn voeten op de salontafel en begon te lezen.

Toen ze over het steile pad afdaalde van de hooggelegen heilige plek om te zoeken naar het voedseloffer, zag Torgon een gestalte in de schaduwen aan de rand van het bos.

'Wie is daar?'

De gestalte bewoog niet.

Torgon hurkte tussen de laatste grote stenen. Ze bleef even zitten, haar hart bonkte in haar keel. Uiteindelijk waagde ze zich voorzichtig dichterbij. 'Mogri! Jij bent het! Wat ben ik blij je te zien.'

'Ik wou dat ik hetzelfde kon zeggen.'

Mogri stapte uit de schaduw van de bomen. 'Hier. Ik heb eten voor je meegebracht opdat je iets eet terwijl je je bezint bij de goden.' Boos smeet ze de mand in het gras.

'Mogri?'

'Neem het nu maar. Moeder heeft het speciaal voor jou meegegeven. Jij moet immers altijd het beste krijgen. Dus neem het, Torgon. Eet.'

'Dat kan ik niet. Niet hier. Ik moet terugkeren naar heilige grond om te eten.'

'Dat is echt iets voor jou. Zoals je wilt. Houd je heiligheid maar ongeschonden.' Mogri wendde zich af.

'Mogri? Wat mankeert jou? Wat is er gebeurd?'

Mogri barstte in tranen uit. 'Tadem is dood.'

'Wát?'

'Jawel, Torgon. Drie dagen geleden. Tijdens het werken in de smidse van zijn vader, heeft hij een snee aan zijn hand opgelopen. Precies hier. Een heel klein sneetje maar, een schram. Maar er zijn kwade geesten in gekomen, en hij is kronkelend van de pijn gestorven.'

'Zo snel? Is de wijze vrouw niet gekomen om er een kompres op te leggen?' vroeg Torgon.

'Het zou niets uit hebben gehaald. Er zijn zoveel kwade geesten nu. De wijze vrouw is gekomen, maar de geesten hadden reeds een dodelijke kracht en ze kon ze er niet meer uit roepen.'

'O, wat doet dat me verdriet.' Torgon spreidde haar armen.

'Hier, neem de troost van mijn armen en laat mij je verdriet met je delen.'

'Wat heb ik daar nu nog aan?' zei Mogri, en ze deinsde achteruit. 'Waar was je drie nachten geleden? Toen had ik je nodig. We hebben de hele nacht gebeden in de heilige tempel, en kaarsen aangestoken opdat je geest het zou zien en tegen je zou zeggen dat je moest terugkeren, maar je kwam niet.'

'O, Mogri. Het spijt me zo.'

'In de nacht van Ansels dood, toen ik je de raad gaf om tegen de ouderlingen te zeggen dat jullie simpelweg onenigheid hadden en dat het mes onbedoeld tussen jullie in belandde, zei je nee. Je zei: "Ik zal het vertellen zoals het is, dat hij liet blijken ongeschikt te zijn voor zijn heilige taak en dat Dwr me gebood zijn leven te beëindigen." Je zei: "Als ik minder zou doen dan de waarheid vertellen, zou dat me maken tot wat hij zei dat ik was. Het is mijn intentie om te laten zien dat ik meer ben." En dit is meer? Je schuilhouden op de hooggelegen heilige plaats zodat Ansels broers je niet mogen aanraken, terwijl wij het zwaar te verduren hebben in het dorp zonder heilige leiding?'

Torgon wendde zich af. Ze leunde ontmoedigd tegen een boom. 'Wat wil je dan dat ik doe? Zeggen: ja, ik ben gevlucht, uit angst? Goed dan. Ik ben uit angst op de vlucht geslagen. En die zwakheid betreur ik ten zeerste, maar ik ben even goddelijk gelijk ik menselijk ben. Ik vreesde van mijn leven beroofd te zullen worden voordat ik een kans had gehad om te zoeken naar andere wegen. Dus heb ik me hier teruggetrokken om van Dwr te horen wat hij zou willen dat ik doe.'

'En wat zou hij willen dat ik doe, Torgon?' antwoordde Mogri bitter. 'Ik ben nooit Tadems vrouw geworden, aangezien er geen Ziener was om ons te trouwen, en nu draag ik een baby van acht maanden in mijn buik. Welke man zal me nu nog willen, nu ik op het punt sta een oogst binnen te halen die hij niet heeft gezaaid?' Mogri bracht een hand naar haar gezicht en veegde haar tranen weg. 'Wat moet ik beginnen? De baby laten sterven om mezelf huwbaarder te maken? Of voor altijd een dochter blijven in het huishouden van mijn vader?'

'Het spijt me werkelijk, Mogri. Het is nooit mijn bedoeling geweest dat jij gebukt zou gaan onder de last die ik moet dragen.'

'Misschien niet, maar toch is het zo, en je bent nooit blijven staan om die last van mijn schouders te tillen.'

'Mogri, alsjeblieft. Vergeef me. Het spijt me werkelijk.'

'Ja, dat weet ik.' Met een zucht veegde Mogri haar tranen weer weg. 'Ik weet dat het niet alleen jouw schuld is. Maar het leven komt me zo oneerlijk voor. En mijn hart is er werkelijk ziek van.'

Torgon liep op haar toe.

'Wil je dan op zijn minst weer terugkomen in ons midden?' vroeg Mogri. 'Kun je je hart niet sterken en vechten tegen de angst? Het is rustig nu. De ouderlingen zullen onbevooroordeeld luisteren naar wat je hebt gedaan.'

'Zal ik je vertellen waarom ik me hier werkelijk ophoud?' vroeg Torgon, en ze liet haar schouders hangen. 'De Kracht is afgenomen. Ik weet niet waarom, maar ik vrees dat ik mijn heiligheid zal verliezen. Ik ben hier gebleven om te wachten op de terugkeer ervan, want ik ben niets zonder de Kracht.'

'In het dorp wordt beweerd dat je al dood bent, dat Dwr je lichaam heeft ontdaan van je geest bij wijze van eerlijke betaling voor de dood van de heilige Ziener. Als je nog veel langer wegblijft, zal de Kracht zeer beslist in andere handen overgaan en krijg je deze nooit meer terug. Dus wil je jezelf alsjeblieft sterk genoeg maken om weer terug te keren en te bewijzen dat de roddelaars het mis hebben?'

28

Al verlangde James er nog zo naar om Becky en Mikey bij zich te hebben met Kerstmis, hij vond het belangrijk dat Kerstmis voor de kinderen een tijd was van goede herinneringen, en niet eentje van ruziënde ouders. Nu zijn eigen ouders overleden waren en zijn broer aan de andere kant van het land woonde, wist James dat hij geen traditionele kerst zou kunnen creëren met alles erop en eraan, zoals Sandy's familie het vierde. Dus uiteindelijk waren Sandy en hij het er over eens dat Becky en Mikey Kerstmis bij haar zouden vieren en daarna naar South Dakota zouden reizen voor oudejaarsavond.

James had zijn uiterste best gedaan om nieuwe tradities in het leven te roepen voor deze feestdag. De kinderen waren nog te jong om tot middernacht op te blijven, dus hadden ze besloten om oudejaarsavond te vieren met een 'picknick' voor de open haard in de woonkamer. James liet hen hotdogs en marshmallows roosteren boven de dansende vlammen. Tot besluit gooiden ze handenvol speciaal behandelde dennenappels in het vuur om de vlammen allemaal verschillende kleurtjes te geven.

Hun andere traditie was om op de 31e te gaan winkelen om voor beide kinderen nieuwe kleren te kopen die ze aan mochten op nieuwjaarsdag, plus iets om te spelen. Dat laatste, zo realiseerde James zich, was een beetje te veel van het goede zo vlak na de overvloed aan cadeautjes die de kinderen met Kerstmis hadden gekregen, maar het plezier dat ze beleefden aan het samen winkelen woog altijd zwaarder dan zijn gezonde verstand.

James stapte de dubbele glazen deuren van Toys 'R' Us binnen, stampte de sneeuw van zijn laarzen en trok een winkelwagentje uit het rek. Mikey sprong er achterop om mee te rijden. Becky huppelde ernaast.

'Weet je wat ik het allerleukste vind van de hele wereld?' zei ze opgewekt.

'Nou?' vroeg James.

'Als we bij Toys 'R' Us binnenkomen en ik zie dat je een karretje pakt in plaats van gewoon naar binnen te lopen!' Ze straalde.

'Ja, dan weet je dat we iets gaan kopen, hè?' zei James met een glimlach.

'Ja, ik vind het *super* om hier met jou te komen,' antwoordde ze, en ze klemde haar armen om zijn rechterpols terwijl hij het karretje duwde.

Een uitstapje naar Toys 'R' Us met Becky was nooit compleet zonder een uitgebreide wandeling door de gang met Barbies. Vaak was het alleen maar om wat te neuzen. Sterker nog, als James Becky een leuke middag wilde bezorgen, hoefde hij haar alleen maar mee te nemen naar Toys 'R' Us om de speciale Barbies te bewonderen in hun glazen vitrine, allemaal veel te duur om als speelgoed te kopen. Net zoveel plezier beleefde Becky aan het snuffelen in het eindeloze assortiment minuscule accessoires voor een pop die eeuwig leek te twijfelen tussen een carrière als dierenarts of eentje als Playboy Bunny.

'Kijk,' zei James. 'Dat is een nieuw soort Barbie-paard, of niet?'

'Ja,' zei Becky.

'Wauw, die is mooi,' zei James. 'Die zwarte kleur is mooi. En kijk, hij past ook bij de koets.'

'Ja,' zei Becky. Ze was al een eindje doorgelopen.

'Zou je die niet willen hebben?' vroeg James.

'Wat ik graag wil hebben, is een Bratz-pop. Die staan in een andere gang. De pop die ik supergraag wil hebben, heeft heel lang, blond haar en van die stoere zwarte laarzen. Laten we daar even gaan kijken.'

'Wanneer is dit gebeurd?' vroeg James, die zich weer bij haar voegde. 'De vorige keer raakte je maar niet uitgepraat over die Barbie-koets die je van oom Joey had gekregen.'

'Ik vind er niks meer aan,' zei ze.

'Is daar een reden voor?' vroeg James.

Becky stak haar hand uit naar een Bratz-pop en pakte deze van de plank om haar beter te bekijken. 'Nou, omdat oom Joey hem voor me heeft gekocht, bijvoorbeeld. Ik haat oom Joey.'

Verrast keek James haar aan. 'Waarom dan?'
'Ik haat het dat hij er altijd maar is. Ik wou dat hij wegging.'
'Ja,' deed Mikey ook een duit in het zakje van achter op het winkelwagentje, 'maar hij gaat niet weg. Mama en hij gaan misschien wel trouwen.'
'Ik *haat* hem,' foeterde Becky. 'Ik wil alleen maar jou,' zei ze, en ze sloeg haar armen om James heen.

De oudejaarspicknick voor de open haard was een groot succes. Met een buik vol hotdogs en geroosterde maïskolven en een mond die plakte van de chocola en de marshmallows, kropen de kinderen knus aan weerskanten tegen James aan om naar Walt Disneys *Doornroosje* te kijken. Mikey viel na ongeveer een halfuur al in slaap, maar Becky bleef helemaal tot het eind wakker, dicht tegen James aangedrukt, zijn armen strak om haar lijfje heen trekkend.
Toen de film afgelopen was, droeg James Mikey naar de slaapkamer, kleedde hem voorzichtig uit en stopte hem in. Becky kroop onder de dekens in haar eigen bed.
'Trusten, liefje,' zei James, en hij boog zich over haar heen om haar een kus te geven.
'Papa? Mag ik je iets vragen?'
'Wat wil je vragen, meisje?'
'Mogen Mikey en ik bij jou komen wonen?'
James streek het haar van Becky's voorhoofd. 'Is er iets aan de hand thuis?'
'Ik wil niet met oom Joey in één huis wonen. Ik vind hem niet aardig.'
'Waarom niet?'
Becky haalde haar schouders op. 'Gewoon. Ik wil niet dat hij bij ons komt wonen. Ik wil bij jou komen wonen.'
'Ik zou het heerlijk vinden als je bij mij woonde, lieverd. Maar je moeder en ik zouden dat samen moeten bespreken, want dat is niet zomaar iets. Bovendien wonen al je vriendinnen daar. En opa en oma. En alle neefjes en nichtjes.'
'Dat weet ik. Maar dat zou ik niet erg vinden. Hier heb ik Morgana. Zij en ik e-mailen met elkaar, en we zijn echt al best goede vriendinnen, ook al is ze kleiner dan ik. En als Mikey en

ik hier zouden wonen, zouden we een hond kunnen nemen. Ik wil echt heel, heel, heel graag een hond, papa. Dat is wat ik het allerliefste wil voor mijn verjaardag. Dus mag het, toe?'

'Het is niet zomaar iets. Maar ik zal erover nadenken, oké?'

'Papa?'

Slaperig rolde James op zijn zij. 'Wat is er, Becky? Wat is er aan de hand?'

'Ik kan niet slapen.' Haar kleine gestalte was onscherp afgetekend in de donkere duisternis van James' slaapkamer. 'Mag ik bij jou in bed?'

James tilde de dekens op. Becky kroop eronder en nestelde zich in de holte van zijn lichaam.

'Brrr, je bent koud,' zei James. 'Ben je daardoor wakker geworden? Misschien moeten we een extra deken op je bed leggen.'

'Nee, ik kan gewoon niet slapen.'

Hij aaide over haar hoofd. 'Waarom niet?'

'Ik ben zenuwachtig voor morgen.'

'Wat? Omdat jullie naar huis gaan.'

James voelde dat ze knikte. 'Ik wil niet weg. Ik wil bij jou blijven.'

Een plotselinge, afgrijselijke gedachte bekroop hem. Misschien was er een veel duisterder reden voor Becky's gedrag.

'Becks,' zei hij dringend. 'Wat is er thuis aan de hand?'

'Niks.'

'Nee, er is iets. Ik merk het aan je.'

'Kun jij niet weer in New York komen wonen?'

'Om je te beschermen?'

'Nee, om mijn papa te zijn. Want ik wil oom Joey niet.'

'Wat doet oom Joey dan, liefje? Je kunt het me gerust vertellen.'

'Niks.'

'Maar je zei dat je hem haatte. Als hij je pijn doet, als hij iets doet, Becks, dan moet ik dat weten. Je kunt het me gerust vertellen.'

'Hij doet niks, papa,' mompelde Becky, zich nog dichter tegen hem aan nestelend. 'Ik haat hem gewoon omdat hij jou niet is.'

Kinderen die in therapie zijn, hebben over het algemeen een kleine terugval tijdens vakanties en feestdagen, maar toen Conor arriveerde voor zijn eerste sessie in januari, huppelde hij enthousiast naar binnen en liep direct naar de planken om de doos met kartonnen dieren te pakken en mee te nemen naar de tafel.

'Hier is de kat van de man.' Hij zette het diertje tussen hen in op tafel en drukte het bolletje klei plat op het tafelblad om hem 'in te pluggen'.

'Hier is de kat van de jongen.' Hij zette zijn pluchen kat ernaast en keek toen vluchtig naar James op.

'Ja, daar zijn onze twee katten,' kaatste James terug.

'Ik mag die kat niet hebben,' mompelde Conor. 'De mechanische kat blijft hier.'

James pakte zijn pen en sloeg het notitieboek open.

'Staat mijn liedje er nog in?' vroeg Conor, wijzend naar het notitieboek. 'Mijn kattenliedje?'

'Ja.'

'Lees eens voor. Ik wil het horen.'

James bladerde terug in het boek totdat hij bij de aantekeningen kwam van de laatste sessie in december. Hij las de woorden van het lied hardop voor.

Toen James klaar was, gaf Conor geen enkele reactie. Hij stond daar maar.

Ten slotte keerde hij zich van de tafel af en liep weg. Zijn pluchen kat liet hij op de tafel staan.

'Ik weet niet wat ik vandaag wil doen,' zei hij. Hij slenterde naar het raam, en toen weer terug naar de planken. Eén hand uit zijn zak halend, prikte hij met een vinger in het plastic autokleed dat opgevouwen op de eerste plank lag.

Toen liep hij naar het poppenhuis. Hij knielde neer en maakte de achterkant open zodat hij bij de kamers kon. Hij stak zijn hand naar binnen en haalde de poppen eruit, eerst de man, toen de vrouw, de jongen, het meisje en de baby. 'Er zijn hier geen dieren,' zei hij. 'Ze hebben geen katten.'

Hij zette de jongenspop in de bovenste slaapkamer. 'Ga naar bed. Blijf in bed. Kom er niet uit. Je komt altijd uit je bed.'

Er liep een trap dwars door het huis, die het in twee gelijke helften verdeelde. Conor probeerde de vrouwenpop op de trap te laten balanceren, maar ze bleef niet staan. 'Ik zou de klei kunnen pakken,' zei hij. 'Ik zou klei aan haar voeten kunnen doen zodat ze blijft staan.'

'Ja, dat zou helpen. Je hebt een andere, goede manier bedacht om de klei te gebruiken,' antwoordde James.

'Kijk, de stoute jongen is uit bed gekomen. "Ga terug in bed!" zei ze. De moeder zei dat. "Ik kan je niet uitstaan als je zo doet! Hou op met dat gehuil. Ik moet voor de baby zorgen." Conor liet de moederpop van de trap af lopen en legde de baby in haar armen.

Toen pakte hij de meisjespop en zette haar in de andere bovenste slaapkamer aan de andere kant van de trap. "Hier slaapt het meisje. Zij is lief. Zij komt niet uit bed. Maar kijk. Hier is de stoute jongen en hij komt weer uit bed." Hij zette de jongenspop op de grond in de slaapkamer en liet de moederpop toen weer de trap op lopen naar boven.

"O, wat een stoute jongen ben jij. Je bent een stoute, stoute jongen. Waarom doe je niet wat ik zeg? Ik heb andere dingen te doen. Ik kan me niet met jou bezighouden. Waarom kun je nou niet lief zijn?" Conor pakte de meisjespop op. "Zij is een lief kind. Liever dan de jongen."

'Vind je dat het meisje liever is dan de jongen?' vroeg James.

'Ja. Zij gaat niet naar kostschool. Zij blijft in bed. En kijk eens, nu is ze hier. Ze zegt: "Waarom blijf jij niet in bed?" De stoute jongen zegt: "Ik ben een machine. Praat niet tegen mij. Machines praten niet." Het lieve meisje gaat weg. Zie je wel? Ze gaat de trap af naar papa en mama. Dat geeft niet. Want ze ziet geen geesten.'

'Zijn er geesten in dit huis?' vroeg James.

'Ja,' antwoordde Conor. Toen stond hij op. 'Waar zijn de vloerkleden?'

James trok vragend een wenkbrauw op.

'Hier zijn ze.' Conor liep naar de tafel en pakte de doos met tissues. Hij trok er één uit en liep terug naar het poppenhuis. Hij legde de tissue op de grond in een van de kamers op de benedenverdieping. 'Er zit een geest onder het vloerkleed. In de kamer beneden. De stoute jongen weet het. De kat weet het. De kat zegt... De stoute jongen...'

Ineens werd het spel hem te machtig. Conor sprong overeind en deinsde weg van het poppenhuis. James kon horen dat zijn ademhaling oppervlakkiger werd. De huid langs zijn kaaklijn begon vlekkerig te worden terwijl hij daar stond, gehypnotiseerd door de speelgoedfiguurtjes, en James verwachtte half dat hij zou gaan schreeuwen. Dat deed hij niet. Hij draaide zich om en rende weg om zijn kat te gaan halen. Met de kat tegen zijn borst gedrukt, zich eraan vastklampend, bleef hij even hijgend staan. Hij wierp een vluchtige blik op James, ontmoette diens ogen. Toen keek hij naar de tafel, naar de kleine kartonnen kat die daar stond.

'Zap, zap,' fluisterde hij. Hij reikte omlaag, maakte de stekker van klei die aan het touwtje zat los van de tafel en pakte de kat op. Hij liep terug naar het poppenhuis. Hij ging op zijn knieën zitten en zette de kat heel zorgvuldig in het midden van de poppenhuiskeuken. Toen drukte hij de stekker van klei op de vloer met linoleumprint.

Conor leunde achterover en bekeek zijn werk. Hij hield de pluchen kat nog steeds stevig tegen zijn borst geklemd. 'Zap, zap. Metalen kat. Metalen vacht. Mechanische kat.' Zijn stem was haast onhoorbaar.

Stilte.

'Zap, zap.'

Conor stak zijn hand in het poppenhuis, pakte de jongenspop uit de bovenste slaapkamer en zette hem naast de kartonnen kat in de keuken. 'Er is hier een geest. Onder het vloerkleed. Niemand kan hem zien. De man kan hem niet zien. De mama kan hem niet zien. De baby kan hem niet zien. Het lieve meisje kan hem niet zien. Maar de jongen wel. En de mechanische kat ook.'

29

James gebaarde naar het conversatiecentrum toen Laura binnenkwam. 'Voor de feestdagen was je bezig me over Fergus te vertellen. Zullen we verdergaan waar we gebleven waren? Wat gebeurde er daarna?'

'Om bij Fergus te kunnen zijn, ben ik die zomer in Boston gebleven en ging ik in het ziekenhuis werken in plaats van terug te gaan naar South Dakota, zoals ik in voorgaande zomers altijd had gedaan. In september werd ik uitgenodigd om dokter Betjeman te vergezellen naar een medisch congres in Miami, waar hij een voordracht zou houden.

Fergus vond deze scheiding niet prettig. Het was de eerste keer dat we van elkaar gescheiden zouden zijn sinds het begin van onze relatie, en hij sprak sterke bedenkingen uit. Er was echter niet zoveel aan te doen. Hij kon niet met me meegaan naar Florida en ik wilde deze kans niet laten schieten, dus ondanks zijn hevige protesten, ging ik toch.

Het pakte echter een stuk minder leuk uit dan ik had gedacht. Ik voelde me op drift geslagen in de wereld van de gewone mens, die zo kleurloos leek zonder Fergus. Ik zat krap bij kas en ik kon niet veel anders doen dan in de congreszaal zitten luisteren naar het eindeloze geleuter van de heren medici. Mijn hart was er gewoon niet bij. Dus zodra dokter Betjeman zijn voordracht had gehouden, besloot ik twee dagen eerder dan gepland naar Boston terug te keren en Fergus te verrassen.

Het was een uur of negen 's avonds toen ik thuiskwam, dus ik schrok een beetje toen er kort daarna aan de deur werd gebeld.

"Wie is daar?" vroeg ik, op mijn hoede aangezien mijn ouderwetse deur geen kijkgaatje had.

"Mag ik binnenkomen?" zei een vertrouwde stem.

"Fergus!" riep ik verrast, en ik deed de deur open.

"Welkom terug. Hier. Ik heb een cadeautje voor je meegebracht," zei hij. Tot mijn stomme verbazing hield hij een fles bourgogne in de lucht.

"Dank je wel," zei ik, en pakte de fles van hem aan.

Hij boog zich naar me toe om me te kussen, en ik kon ruiken dat hij al had gedronken. "Ik hoop dat het er eentje is die je lekker vindt. Ik ben niet zo goed in dat soort dingen. Maar aangezien je bent grootgebracht met rundvlees uit South Dakota, vermoedde ik dat je wel een rode-wijndrinker zou zijn." Hij lachte.

Ik voelde me enigszins overvallen. Hoewel ik speciaal voor hem naar huis was gekomen, had ik verwacht dat ik degene zou zijn die hém zou verrassen, en niet andersom. Het was griezelig dat hij al zo snel bij me op de stoep stond. Bovendien was ik niet gewend dat hij dronk, of om samen met hem te drinken. Het leek allemaal niet te passen bij een man die me zo vaak het gevoel had gegeven dat een goede nachtrust overbodige luxe was.

"Zeg, ga je nog vragen of ik even binnenkom of hoe zit dat?" vroeg hij, en hij pakte de wijnfles uit mijn handen. Hij glipte langs me heen de keuken binnen. "Waar ligt de kurkentrekker?"

Ik volgde hem de keuken in en viste in de keukenla naar de kurkentrekker. "Hoe wist je dat ik weer thuis was?" vroeg ik.

"Hoe kon ik nou niet weten dat je weer thuis was, Laura?" antwoordde hij eenvoudig. Vervolgens deed hij de kast open en haalde er twee wijnglazen uit.

Hij ging me voor naar de woonkamer en plofte in een stoel neer. "God, wat heb ik je gemist."

Ik keek naar hem. Nu zijn gezicht me zo vertrouwd was, hadden zijn donkere ogen iets van hun intensiteit verloren, waardoor ik hem iets minder adembenemend knap vond. Ik probeerde naar hem te kijken zoals een vreemde dat zou doen, om te kijken wat iemand die hem niet kende zou zien.

"Ik ben zo depressief geweest sinds je weg was," zei hij. Hij dronk zijn wijnglas tot op de bodem leeg en reikte naar de fles om het bij te vullen.

We dronken een poosje in stilte. Algauw was de wijnfles leeg. Het had me uitstekend gesmaakt, en Fergus kennelijk ook, dus ik speelde met de gedachte om te gaan kijken of ik nog wat in huis had. Zou Fergus willen dat ik suggereerde om nog een fles te openen? Ik bleef het toch eigenaardig vinden om zo ontspannen met hem te drinken.

"Ik ga nog wat wijn voor ons halen," zei ik, en ik stond op. Ik liep naar de gang, want toen Fergus eenmaal was begonnen met het hervormen van mijn eetgewoonten, had ik de weinige wijn die ik bezat onder in de kast in de hal verstopt, opdat hij niet zou weten dat ik het nog steeds had. Mijn wijnkelder bestond nu uit vier flessen in een houten rek, weggestopt onder het winterbeddengoed. De meeste daarvan had ik al voordat Fergus in mijn leven kwam, en aangezien mijn inkomen nooit toereikend was geweest voor echt goede wijn, was het merendeel inmiddels waarschijnlijk azijn geworden. Ik deed de deur helemaal open, knielde en begon de flessen eruit te trekken. Ik had niet de moeite genomen om het licht in de hal aan te doen. Het halletje zelf was piepklein, en er kwam voldoende licht vanuit de keuken om de etiketten te kunnen lezen.

Ineens dook Fergus achter me op in het halfdonker. Hij legde zijn hand op mijn schouder en bukte zich om de flessen te bekijken. Zoals altijd werd ik getroffen door de warmte van zijn aanraking.

"Het is allemaal niet veel soeps, vrees ik. Allemaal goedkope troep," zei ik.

Hij knielde achter me en leunde over mijn linkerschouder naar voren om de etiketten te lezen. Althans, dat dacht ik, maar in plaats daarvan liet hij voorzichtig een hand in mijn blouse glijden en omvatte mijn borst. Ik zei niets maar liet hem begaan. Fergus ging verder met het betasten van mijn borst en masseerde met zijn vingertoppen de tepel tot deze hard was. Hij drukte zijn lichaam krachtig tegen mijn rug en ik voelde zijn erectie.

"Fergus, niet nu," zei ik. "Ik heb een lange reis achter de rug. Ik ben echt heel erg moe."

Hij begon mijn blouse los te knopen.

"Fergus, alsjeblieft. Ik wil het niet."

"Ja, je wilt het wel," zei hij.

Toen hij zijn armen om me heen sloeg, vergat ik mijn tegenwerpingen. We vrijden daar ter plekke, op de grond in het halflicht dat vanuit de keukendeur in de hal scheen, terwijl de flessen merlot en bourgogne zachtjes tegen elkaar tinkelend om ons heen rolden. Fergus, die er in het halfdonker in de gang een beetje woest uitzag met zijn dikke, weerbarstige haar en zijn donkere ogen, drukte me tegen het tapijt en besteeg me met zoveel kracht dat het angstaanjagend zou zijn geweest, ware het niet dat ik erop voorbereid was. Hij was een dynamische minnaar, en mijn lichaam reageerde alsof het zo was voorbestemd. Zonder dat ik me erop kon voorbereiden, kwam ik heel snel klaar. Het was een uitputtingsslag voor mijn lichaam, en ik voelde me eerder opgebrand dan verzadigd terwijl ik werd overspoeld door de ene golf van emotie na de andere zonder adempauze om te herstellen. Sterker nog, Fergus' liefdesspel had zoiets ongeremds en woests dat ik me achteraf vertwijfeld afvroeg of het eigenlijk wel iets met liefde te maken had. Op een bepaalde manier had het meer weg van een gevecht.

Uiteindelijk kwam Fergus zelf ook klaar, en op dat moment kuste hij me. Het was een hongerige, gretige kus, net zo opdringerig als zijn penis of misschien nog erger, aangezien ik er niet op bedacht was geweest. Nu hij was klaargekomen, leek zijn energie echter wat af te nemen. Hij bleef me kussen, nog steeds diep maar minder krachtig. Uiteindelijk ontspande hij en ging naast me op het tapijt liggen.

Zo lagen we een paar minuten samen op de grond zonder iets te zeggen. Zoals dat wel vaker gaat, waren het de kleine dingen die als eerste tot mijn bewustzijn door begonnen te dringen – het gevoel van het versleten tapijt tegen mijn rug, de vage geur van tapijtreiniger, de geïrriteerde huid van mijn ellebogen, die schraal waren van de wrijving.

"Dit is hoe het zou moeten zijn tussen ons," mompelde Fergus zacht en voldaan. "Zoals het altijd is geweest."

"Hmmm?"

"Weet je dat dan niet meer?"

Ik keek in het donker naar zijn gezicht. "Weet ik wat niet meer?"

"Atlantis."

"*Atlantis?*"

"Ja, weet je dat niet meer? Toen jij koningin was en ik je minnaar. Je geheime minnaar. Weet je nog dat ik 's nachts naar je toe kwam? Dat ik in mijn bootje aanmeerde naast die stenen muur? Dat weet je toch zeker nog wel? Ga eens terug in je herinnering."

"Fergus, toe nou. Je hoeft dit er allemaal niet bij te halen. Wat wij samen hebben, is zo al helemaal geweldig. Je hoeft er niks anders van te maken."

"Nee, Laura, doe je ogen dicht. Kijk achterom. Bevrijd je ziel en kijk achterom naar die stenen muur. Zie je 'm? Die gigantische, vierkante blokken die de metselaars hebben gemaakt, hoe ze die grote muur hebben gebouwd die van het paleis tot aan het water liep? En de houten pier? Onze geheime pier. Het is nacht. Weet je nog? Weet je nog dat je me altijd tussen de bomen stond op te wachten? De maan scheen op het donkere water en ik kwam eraan in mijn bootje. Vlieg mee op de vleugels van je ziel, mijn koningin. Zie je het niet? Zie je niet dat ik naar je toe kom? Dat ik voor je sterf, daar op die pier?"

Het gekke was dat ik het *inderdaad* kon zien, de hele scène ontvouwde zich razendsnel in mijn hoofd, zo glashelder dat ik de schaduwen zag die de maan wierp, het rimpelende zwarte water, het bloed op de stenen muur. Met mijn scherpe vermogen om te visualiseren, hoefde hij alleen maar de juiste sfeer te scheppen, en ik tuimelde, liggend in het donker, van het ene moment op het andere in een totaal andere wereld.

"Je ziet het, hè?" zei Fergus zelfverzekerd.

"Ik heb een beeld gecreëerd in mijn hoofd, ja. Maar met mijn verbeelding, Fergus, kan ik alles creëren. Dat weet je. Ik kan me een beeld vormen van de achterkant van de maan, als ik dat zou willen."

"Maar *is* het wel een beeld? Of is het werkelijkheid? Wat heb je voor bewijs dat het niet daadwerkelijk de achterkant van de maan is die je ziet? Dat wat je ziet niet echt is?"

"Omdat ik het zelf verzin," zei ik.

"Laura, Laura, *Laura*, wat moeten we toch met jou beginnen?" kreunde hij zacht. "Waar komt die akelige weerstand toch vandaan?"

"Het is geen weerstand. Ik zei alleen: waarom zou ik het moeten geloven? Is het niet genoeg dat het in mijn hoofd bestaat? Waarom moet het echt zijn?"

"Zorg dat je die eeuwige twijfels uit je hoofd zet. Ze zijn fnuikend voor je." Hij boog zich naar me toe om me te kussen.

"Maar waarom kun jij de dingen niet accepteren zoals ze zijn,

Fergus? Waarom moet alles meer zijn dan het lijkt? Waarom moet je je zelfs aan de meest vergezochte ideeën vastklampen in een poging om alles met elkaar te verbinden?"

"Omdat alles met elkaar verbonden *is*."

"*Is* dat zo? Moet dat? En doet het ertoe als het niet zo is? Ik bedoel, ik zou gelukkig zijn als er andere levens bestonden, als ik koningin was geweest in Atlantis en als wij geliefden waren geweest, maar ik ben ook gelukkig als het niet zo is. We hebben heerlijk gevrijd, Fergus. Waarom is het in jouw ogen alleen maar van betekenis als we ooit geliefden zijn geweest in Atlantis?"

"Omdat anders niets betekenis zou hebben, Laura. Als het allemaal geen verband hield met elkaar, zou wat we doen geen enkele betekenis hebben. Wat is dan de zin van de dingen? Wat is dan de zin van het bestaan?"

Daar had ik geen antwoord op. Maar terwijl ik daar zo in het donker lag, doemde het tafereel uit Atlantis weer op voor mijn geestesoog. De muur, opgebouwd uit grijze stenen, bevond zich aan mijn linkerhand. Een gammele boot lag schuin tegen de kant in het water tussen de muur en de kleine houten pier. Het water zelf was geen meer, maar een rivier van gigantische, Nijl-achtige omvang, die traag naar rechts voortkabbelde. Zijn bootje, dat aan de pier lag aangemeerd, deinde op en neer in het donkere water.

Ik kon niet alleen dit tafereel zien, maar ook het verhaal dat zich er razendsnel omheen vormde – hoe mijn man, de koning, mijn ontrouw had ontdekt en de wachters had gestuurd; hoe de dood van mijn geliefde leidde tot een opstand onder de burgers waardoor het koninkrijk ten val werd gebracht; hoe ik in paniek vluchtte, in het duister, waarbij de takken van de bosjes langs de waterkant in mijn gezicht zwiepten terwijl ik mijn uiterste best deed om te ontsnappen aan mijn eigen onvermijdelijke lot.

Ik lag daar maar, zag de gezichten, hoorde de stemmen en dacht bij mezelf: waarom doet mijn geest me dit aan?'

30

'Als hij klaar was met zijn readings op de sportschool, kwam Fergus vaak nog even bij mij langs. Hij had inmiddels zijn eigen sleutel, dus dan liet hij zichzelf gewoon binnen. Ik zat meestal te studeren aan mijn bureau in de slaapkamer.

"God, wat neem je al die onzin toch serieus," mompelde hij op een avond, een medische encyclopedie opzijschuivend zodat hij op mijn bed kon gaan zitten.

"Ik moet wel."

"*Ik* moet er nodig even uit. Laten we naar Jay's Place gaan."

"Ik zou niets liever willen, Fergus, maar ik kan niet. Morgen ben ik aan de beurt om de casus van de patiënt te presenteren, en ik wil goed voorbereid zijn."

"Doe dat straks maar."

"Als we uitgaan, heb ik geen 'straks' meer. Ik moet ook nog slapen. Ik ben uitgeput."

"Heb je wel gemediteerd?"

"Ja, ik heb gemediteerd. Maar ik heb evengoed slaap nodig."

"Heb je wel echt gemediteerd? Op de manier zoals ik het je heb geleerd? Want als je het doet op de manier zoals ik het je heb geleerd, Laura, zou je niet zoveel slaap nodig hebben. Het lichaam heeft niet meer dan vier uur nodig om zich te herstellen. Meer is niet nodig."

"Ik heb *wel* meer dan vier uur nodig, vrees ik," zei ik. Ik zuchtte. "En ik moet dit *nog steeds* afmaken."

'Hij zweeg even en keek me aan, zijn gezichtsuitdrukking ontevreden. "Ik wou dat je niet zo weerbarstig was."

"Moet je horen, het spijt me," zei ik. "Het is niet zo dat ik niet met je uit wil, maar het gaat nu gewoon niet. Ik *moet* dit afmaken."

Fergus keek me indringend aan. Toen hij inzag dat hij me echt niet zou kunnen ompraten, glimlachte hij een beetje triest, en met nauw verholen afkeuring onder een dun vernisje van medeleven. "Kom, ik ga een kopje thee voor ons zetten," zei hij ten slotte.

Hij pakte de vuile mok van mijn bureau en wierp er een terloopse blik in, om vervolgens van kleur te verschieten. "*Koffie?*" Uitgesproken met een verbijstering die gepast zou zijn geweest bij de ontdekking dat ik mokken vol whisky achterover had geslagen.

"Ja, koffie," zei ik.

Totaal onverwacht smeet hij de koffiemok door de kamer. Het ding ketste tegen de rand van de boekenplank en spatte toen op de grond uit elkaar. "*Waarom* doe je me dit aan?" vroeg hij boos. "Waarom werk je me tegen bij alles wat ik voor je wil doen?"

"Het spijt me. Ik ben gewoon moe."

"Je mediteert *niet*," zei hij fel, en hij keek dreigend op me neer.

"Fergus, ik mediteer *wel*, maar mijn dagen zijn gewoon te kort. Ik probeer jouw dingen te doen. Ik probeer mijn eigen dingen te doen. En ik ben helemaal kapot." Ik kreeg tranen in mijn ogen.

"Geen wonder dat Torgon weigert tot jou te komen," mompelde Fergus somber. "Je doet niet eens je best om haar halverwege tegemoet te komen."

Mopperend verdween hij in de keuken, terwijl ik opstond om de scherven van de mok op te rapen.

Toen hij terugkwam, had hij een dienblad met kruidenthee in zijn handen. Ongeacht wat er op het etiket stond, de verschillende soorten thee die Fergus meebracht, smaakten naar mijn idee allemaal hetzelfde. De kruiden-en-bloemengeur ervan was in mijn hoofd onlosmakelijk verbonden geraakt met Fergus' aanwezigheid.

Hij duwde de boeken aan de kant en plofte op mijn bed neer. "Waar ik eigenlijk met je over wilde praten, is een cursus channelen die ik je graag wil laten doen. Het is in San Francisco. Ik ken de leider persoonlijk, en hij is echt het neusje van de zalm. Het is een besloten cursus, alleen bestemd voor degenen die al een zeker niveau van verlichting hebben bereikt, en ik denk dat het ideaal zou zijn voor jou. Er zullen een heleboel mensen zijn zoals jij die al goed contact hebben gemaakt met hun gids, maar die nog niet zo bedreven zijn in het channelen. Gavin, de man die de cursus geeft, channelt professioneel. Hij heeft het gedaan voor allemaal filmsterren en zakenmensen en zo. Heel beroemde mensen. En hij is stinkend rijk."

"Ik kan nu geen cursus volgen, Fergus. Het is het eind van het semester. Ik zou nooit vrij kunnen krijgen."

"Het zijn maar twee weken. Twee weken, Laura, en dan heb je er de rest van je leven plezier van. Ik heb al met Gavin over jou gesproken. Hij is ervan overtuigd dat als Raif – dat is zijn gids – eenmaal met je heeft gesproken alles anders wordt. Die man is geen Mickey Mouse, Laura. Als iemand je kan helpen om Torgon helder door te laten komen, dan is het Gavin wel."

Ik weet nog dat ik daar naar hem zat te luisteren en dat er een heel somber gevoel over me neerdaalde. Ik wilde hem plezieren. Ik hield zoveel van hem dat ik niets liever wilde dan alles zijn wat hij wilde dat ik was, maar hoe moest ik dat doen? Er was simpelweg niet genoeg tijd om alle dingen te doen die hij van me verlangde, plus mijn studie, en hij werd zo ongeduldig als ik het niet voor elkaar kreeg. En voor wat de kwestie Torgon betrof... Het was één ding geweest om uit Torgon een alter ego voor mezelf te creëren dat ik kon gebruiken voor de dinsdagavondgroep, maar wat Fergus probeerde "door te laten komen" was iets veel groters, en dat had ik gewoon niet. Er *bestond* geen "echte" Torgon die Gavin en Raif konden vinden. Niets wat ik kon channelen, tenzij ik werkelijk alles verzon. Maar Fergus weigerde om naar me te luisteren toen ik dat probeerde uit te leggen. Hij bleef volhouden dat het allemaal mijn schuld was dat Torgon niet echt bestond voor mij, dat als ik gewoon deed wat hij zei, als ik meer mediteerde en een beter, waardiger leven leidde, als ik de dingen bestudeerde die hij me gaf, als ik gewoon naar hem *luisterde,* Torgon dan *beslist* tot mij zou komen als een echte Stem.

Ik probeerde uit te leggen dat het ronduit onmogelijk was om die cursus te volgen die hij voor me had geregeld. Ik wilde hem niet boos maken, want ik had al eerder kennisgemaakt met een zeer wrede kant van zijn liefde voor mij. Hij kon zo plotseling in woede ontsteken dat er nauwelijks verschil was tussen passie en agressie in zijn gedrag. Ik wist dat het allemaal mijn schuld was, maar al wilde ik hem nog zo graag plezieren, ik kon het gewoonweg niet. Ik zei: "Betjeman is toch al helemaal klaar met me. Hij heeft me al twee keer op het matje geroepen om me de les te lezen omdat mijn werk niet in orde is. Ooit was ik een briljante studente, dus ik heb hem moeten beloven dat ik me op mijn werk zou concentreren. Ik heb dit semester microbiologie, een vak waar ik echt de grootste moeite mee heb. Ik wil die bul halen, dus ik *moet* ook studeren."

"Betjeman? Waarom is het altijd Betjeman?" antwoordde Fergus boos.

Ik zuchtte.

Fergus keek me heel doordringend aan en liet zijn donkere ogen langzaam over mijn gezicht glijden. Ineens sprong hij overeind en torende dreigend boven me uit. "Doe je het met Betjeman? Is dat de reden waarom je het zo belangrijk vindt om te doen wat hij wil?"

"*Nee*! God, nee, Fergus. Waarom denk je zoiets in vredesnaam? Hij is gewoon mijn studiebegeleider."

"Ik geloof je niet."

"Fergus, doe niet zo idioot. De man is al oud. Ik zou hem van mijn levensdagen nooit op die manier kunnen zien. Jij bent de man van wie ik houd."

"Nou, als dat zo is, bewijs het dan maar." Zijn stem klonk zacht. "De keuze is aan jou."

"Hoe bedoel je?"

"Hij of ik. Zeg maar tegen Betjeman dat hij die studie in zijn reet kan steken, en ga met mij mee naar Californië. Of kies hem, en dan hoef ik je nooit meer te zien."

Verbijsterd keek ik naar hem op. "Doe niet zo achterlijk, Fergus."

Hij hield zijn donkere ogen op mijn gezicht gericht.

"Dit maak ik niet mee," zei ik hoofdschuddend. "Dit maak ik niet mee." Ik sloeg een studieboek open en boog me eroverheen.

"Ik wist dat je me zou gaan bedriegen," antwoordde hij. "Net als de vorige keer. Net als altijd."

Ik reageerde niet. Ik hield mijn hoofd gebogen, mijn ogen op de tekst van het opengeslagen boek, en deed alsof ik las, maar mijn gedachten waren elders, een miljoen lichtjaren ver weg, voortsnellend door parallelle universums, andere dimensies, de donkerste uithoeken van de verbeelding.

“En ik zal je nog iets vertellen,” zei Fergus. “Die eerste avond op de sportschool, toen je vertelde dat je medicijnen studeerde, zonk de moed me in de schoenen. De Stemmen hadden me al verteld dat dit niet jouw levensweg was, zelfs nog voordat ik besefte wie je was. Tijdens die allereerste avond op de sportschool keek ik naar je en wist ik al dat je niet op de goede weg was.”

Ik hief mijn hoofd op. Ik liet mijn onderarmen op het bureau rusten en boog me naar hem toe. “Jij zegt alsmaar tegen me dat ik moet luisteren naar wat Torgon wil, naar welke wijsheid zij me te bieden heeft. De waarheid is, dat ik dat slechts één keer daadwerkelijk heb gedaan, en dat was door medicijnen te gaan studeren. Ze hebben geen dokters in Torgons wereld. Geen boeken. Geen wetenschap. En bitter weinig kennis over hoe je kunt voorkomen dat mensen overlijden aan de meest eenvoudige kwaaltjes. Alleen een oude vrouw die zich heeft ingesmeerd met verf en geitenolie en die rammelt met ratels vanwege de onrechtvaardigheid van dit alles. Dus ik dacht: *ik* kan het voor haar gaan leren. *Ik* kan de wereld in trekken en *ik* kan iets betekenen met mijn kennis. Torgon heeft me geïnspireerd. Dat is de enige keuze die ik ooit werkelijk vanwege Torgon heb gemaakt. Dus hoe kun je nou tegen me zeggen dat dit niet de goede weg is voor mij?”

“Omdat de Stemmen iets anders hebben gezegd. Zij hebben me verteld dat je nog zo hard kunt werken, maar dat je nooit een dag als dokter door het leven zult gaan.”

Ik geloof dat ik die sombere voorspelling wel van tafel had kunnen vegen, maar toen kwamen de tentamens, het einde van het semester, de kerstvakantie, en, aan het begin van het nieuwe semester, mijn cijfers. Ik had er met angst en beven op gewacht, want ik wist dat ik veel te veel tijd met Fergus had doorgebracht en veel te weinig met studeren, maar toen ik de envelop had opengemaakt, was ik genoodzaakt te erkennen dat de zaken nog veel ernstiger waren dan ik had gedacht. Ik was gezakt voor microbiologie.

Ik ging aan de keukentafel zitten en staarde naar het vel papier met mijn cijfers erop. Mijn bloed stolde. Wat zou er gebeuren als mijn vader en Marilyn erachter kwamen? Mijn ouders hadden geen flauw benul van mijn academische verval. Sterker nog, mijn familie wist heel weinig over mijn huidige leven, aangezien ik in geen tijden meer thuis was geweest. Ik had alle contact gemeden, want hoe moest ik Fergus in vredesnaam verklaren? Marilyn had al die jaren zo graag gewild dat ik een vriendje had, en nu ik er daadwerkelijk een had, wist ik niet wat ik over hem moest vertellen. Dat hij zijn brood verdiende als medium? Dat hij de bedoeling had om de Zonnekoning te worden na de apocalyps?

Hoe had het zo ver kunnen komen? Hoe was het mogelijk dat ik anderhalf jaar geleden nog de fonkelende ster was geweest aan Betjemans hemel, en dat ik nu was gezakt voor een belangrijk vak dat ik nodig had om af te studeren? Gezeten aan de keukentafel op die grijze ochtend in januari, probeerde ik dat gevoel van ontzagwekkende maar onschuldige vreugde weer op te roepen dat ik had gehad wanneer ik aan Torgon dacht tijdens colleges of practica en vanuit haar perspectief probeerde te zien wat ik aan het leren was. Ik kon het gevoel niet meer oproepen. Ik wist niet eens meer hoe het had gevoeld.

De colleges in die periode waren een ramp, iets wat me in de weg zat bij de dingen die ik van Fergus moest doen of bij mijn werk met de dinsdagavondgroep. In het voorbije halfjaar was ik een vergoeding gaan vragen voor de adviezen die ik gaf op dinsdagavond – het stelde niet veel voor, het was niet meer dan een bescheiden onkostenvergoeding, want ik was nou niet wat je noemt gefortuneerd. Bovendien had Fergus gezegd dat ik dat moest doen. Het gaf de hele zaak een professionelere uitstraling, zei hij. En er was niemand die bezwaar maakte. Sterker nog, er kwamen meer mensen dan ooit tevoren naar de bijeenkomsten op dinsdagavond. Daardoor werd het echter een nog grotere verplichting voor mij, aangezien ik meer tijd uit moest trekken om al die extra mensen te ontvangen.

Ik staarde naar de brief en besefte dat ik op de een of andere manier ongemerkt was veranderd in iemand die ik niet kende.

Ik pakte de telefoon en draaide het nummer.

Tiffany nam op. Ze zei: “Laura, ben jij dat?”

“Ja, met mij.”

“Je klinkt raar. Ben je verkouden?”

“Zoiets, ja,” antwoordde ik, en ik veegde de tranen uit mijn ogen.

"Bel je voor papa en mama? Want als dat zo is, dan heb je ze net gemist. Ze zijn even boodschappen doen. Cody is naar hockeytraining."

"Dat geeft niet. Ik belde alleen maar om een vertrouwde stem te horen. Die van jou is goed genoeg."

"Jemig, Laura, dat klinkt echt als een flinke verkoudheid. Heb je iets opgelopen in het ziekenhuis?"

"Dat zou je wel kunnen zeggen, ja."

Toen viel er een stilte. Tiffany was kauwgom aan het kauwen. Het smakkende geluid droeg helderder over het continent dan haar stem.

"Hoe is het daar?" vroeg ik.

"Gewoon. Papa neemt Cody en mij op zondag meestal mee uit skiën. Dat is het wel zo'n beetje. Ik begin er aardig goed in te worden. Je zou me eens moeten zien."

"Ja, ik wou dat dat kon."

"Waarom ben je niet naar huis gekomen met de kerst, Laura? Ik heb je gemist. Je bent in geen eeuwigheid meer thuis geweest."

"Ik heb het druk gehad."

"In het ziekenhuis?" vroeg Tiffany.

"Gewoon druk."

"Mama zegt dat je heel lange dagen moet maken om dokter te kunnen worden."

"Ja, zoiets ja."

"Ik zat erover te denken om misschien wel dierenarts te worden," zei Tiffany, "maar ik begin er een beetje van terug te komen. Ik zou niet altijd maar willen werken en mijn familie nooit meer zien."

"Ja, ach, dieren zijn waarschijnlijk niet zo erg als mensen."

"Huil je, Laura? Je klinkt alsof je huilt."

"Nee. Ik heb gewoon een loopneus. Moet je horen, Tiff, ik zat te denken... Heb je zin om een keertje bij me te komen logeren? In de voorjaarsvakantie misschien?"

"Wauw!" schreeuwde Tiffany in de telefoon. "Meen je dat? Meen je dat *echt*, Laura? Dat zou super zijn! Ik zou niets liever willen." Een korte stilte. "Wil jij het aan papa en mama vragen? Dat je straks terugbelt? Als ze terug zijn van boodschappen doen en dat je het dan meteen vraagt? Want ik zou het echt super vinden!"

Achter me klonk het geluid van de sleutel in het slot. Fergus liep mijn appartement binnen.

"Hé, Tiff, ik moet ophangen. Er is iemand aan de deur. Dag." Vlug hing ik op.

"Wie was dat?" vroeg Fergus.

"Mijn zusje."

"Waarom had je haar aan de lijn?" Zijn stem klonk vaag achterdochtig.

"Omdat ze mijn *zusje* is."

"Belde zij jou?"

"Maakt dat iets uit?"

"Ze is nog maar een kind, toch?"

"Ja, ze is twaalf."

"Waarom wilde je dan met haar praten?"

"Omdat ze familie van me is, Fergus."

Hij keek me aandachtig aan. "Je hebt gehuild."

"Nee hoor."

"Wat is er aan de hand?"

"Niets. Echt niet."

Hij bekeek me nog aandachtiger en zijn donkere ogen hielden mijn blik gevangen.

"Oké, ik heb wel gehuild," zei ik. "Maar het is nu alweer over."

"Waarom heb je gehuild?"

Ik haalde mijn schouders op. Het vel papier met mijn cijfers erop lag open en bloot op tafel. Ik wilde zijn aandacht er niet op vestigen door het om te draaien, maar ik wilde ook niet dat zijn blik op het logo van de universiteit zou vallen.

"Je mediteert niet," zei hij.

"Ik mediteer *wel*."

"En die yogaoefeningen? Doe je die wel?" vroeg hij.

"Sommige."

"Maar niet allemaal." Hij fronste. "Dat is het hele probleem, Laura. Je bent niet toegewijd. Ik wil niet dat je tijd spendeert aan bellen met je familie. We komen nu in een belangrijke periode, en jij begint allemaal moeilijke emoties op te rakelen uit je vorige levens. Ze zullen niet begrijpen wat je doormaakt, dus met hen praten zal deze fase voor jou alleen maar onnodig rekken."

Ik voelde de tranen alweer branden, dus ik wendde me af en liep naar het raam.

"Laura, ontspan je. Ik kan voelen hoe gespannen je bent. Rustig aan. Je *wilt* je toch zeker niet zo voelen, of wel soms?"

"Nee."

"Haal dan diep en langzaam adem. Zoals ik je heb geleerd."

Ik deed wat hij zei.

Zijn stem werd zachter. "Kom hier. Kom bij me op de grond zitten, dan zal ik je schouders masseren." Hij spreidde zijn armen.

Bij het zien van dat liefdevolle gebaar, hield ik het niet langer droog. "Alles valt als een kaartenhuis in elkaar," zei ik. "Ik weet niet meer waar ik het zoeken moet."

"Bij mij," zei hij teder, en hij trok me dicht tegen zich aan. "Niet bij je zusje van twaalf. Niet bij Betjeman. Bij niemand van hen. Zij kunnen je niet helpen. Dat kan ik alleen, mijn koningin. Want er is niemand die zo van je houdt als ik." Zijn stem werd honingzoet. "Wend je niet tot hen. Alleen *ik* weet het. Ik ben de enige die je kan helpen. Ik ben de enige die van je houdt."

Ik huilde.

"Rustig nou maar, mijn koningin. Rustig maar. Voel je spieren. Hier. Ze voelen als staalkabels, voel je wel? Laten we een paar van de oefeningen doen. Ik help je wel. Draai je nek. Kijk, zo. Doe mij maar na. Het neemt de spanning weg. Til nu je schouders op."

Ik zat te gieren van het huilen. Ik kon niet meer ophouden.

Fergus boog zich naar me toe en legde zijn handen aan weerskanten om mijn gezicht. "Kom, geef het maar aan mij," fluisterde hij. "Geef mij je pijn. Laat mij je last delen."

Fergus' handen waren heel erg warm. Ze voelden goed tegen mijn huid, terwijl hij mijn gezicht vasthield en keek naar mijn verwrongen gelaatstrekken. Door zijn handen vloeide zijn enorme liefde voor mij. Echt waar. Dat kon ik voelen. Het wikkelde zich om me heen en absorbeerde mijn stress. Zelfs in het diepst van mijn wanhoop werd ik me ervan bewust dat er nog nooit iemand zo intens van me had gehouden als Fergus.

"Kom bij me," zei hij, en hij trok me weer in zijn armen. Hij kuste mijn voorhoofd, mijn natte wangen, mijn haar, en koesterde me als een baby die in de baarmoeder zit. "Je bent veilig," mompelde hij. "Ik heb je. We zijn weer samen, en er is niets wat ons ooit nog kan scheiden. Dat beloof ik je. Ik beloof dat ik je altijd zal beschermen."'

31

'Ik wil een cowboyhoed,' verkondigde Conor toen hij de speelkamer binnenkwam. Hij liep rechtstreeks naar de mand met verkleedkleren, viste de cowboyhoed eruit en zette die op zijn hoofd. 'Hij is mijn zoon,' zei hij tegen niemand in het bijzonder. 'Ik wil niet dat hij weggaat.'

Conor keek naar James. 'Papa is sterk. Hij tilt me op. Handen onder mijn armen. "Omhoog, omhoog," zegt hij. En dan ga ik omhoog. Papa lacht. Ik voel zijn adem.'

'Je geniet van de dingen die je vader doet,' herformuleerde James.

'Ja.' Conor liep naar de tafel. 'Mijn moeder is niet sterk. Zij wil geen cowboyhoed op. Ze zei: "Hij moet weg." Maar papa zei: "Nee, dat wil ik niet."'

James glimlachte.

'Ik was er niet de vorige keer,' zei Conor.

'Nee, je kon niet komen.'

'Ik was ziek in de nacht – ik heb gespuugd. Drie keer. Vies op de grond. Mijn moeder zei: "Hij moet weg." Mijn moeder huilde. Tranen over haar wangen,' zei Conor, en hij trok een vinger over zijn wang. 'Papa zei: "Hij mag bij mij blijven. Als hij spuugt op de grond, ruim ik het wel op." Maar ik heb niet meer gespuugd. Toen was ik beter.'

Hij draaide zich om. 'Waar is de mechanische kat vandaag?' Hij liep naar de plank en pakte de doos. 'Daar ben je. Waar is je standaard? Ik zal je in je standaard zetten zodat je kunt staan en alles kunt zien.' Hij liep weer terug naar de tafel, zette de kartonnen kat neer en duwde deze in de richting van James' notitieboek. 'Hier. De mechanische kat gaat lezen wat je vandaag opschrijft.' Toen liep hij weg en begon half huppelend aan een rondgang door de kamer.

'Je lijkt vrolijk vandaag,' zei James voorzichtig.

'Vandaag is de dag dat ik hier kom. Vandaag is de dag dat ik bij de mechanische kat ben.' Hij stortte zich op de tafel en pakte de kartonnen kat eraf. Opwinding maakte zich van hem meester en zijn lichaam verstarde even. 'Lees me het gedicht voor.'

James bladerde terug in het notitieboek om Conors liedje over de mechanische kat te zoeken. Hij las het hardop voor.

Nog altijd stijf van de spanning wapperde Conor met zijn vingers naar het kartonnen figuurtje. 'Je bent sterk. Je bent dapper. Geen geesten. Je weet dat hier geen geesten zijn. Je zegt tegen mij: "Jongen, je bent veilig bij mij! Ik kan alle geesten zien, maar er zijn nergens geesten te zien hier. Jongen, je kunt alles doen wat je wilt hier. Je kunt jezelf zijn."'

'De mechanische kat geeft je een veilig en sterk gevoel,' merkte James op.

'Ik heb mijn snoeren niet nodig. Heb je dat gezien? Ik heb vandaag geen snoeren om.' Conor trok zijn shirt uit zijn broek om te laten zien dat de gebruikelijke kluwen van touw en folie ontbrak.

'Je hebt besloten om een gewone jongen te zijn vandaag.'

'Ja. Mijn sterke vader zegt: "Je hebt die dingen niet nodig. Laat ze maar thuis." Ik heb ze niet nodig. Er gebeurt niets. De mechanische kat zegt: "Je hebt ze niet nodig. Jij bent ook sterk."'

Conor zette de kartonnen kat terug op tafel en stoof ervandoor in de richting van de ezel. 'Vandaag ga ik verven. Vingerverf. Coleman School Supplies blauw. Ik ga blauw doen. Ik heb nog geen blauw gedaan.'

James stond op om hem te helpen de spullen klaar te zetten. Toen de tafel eenmaal bedekt was met kranten en het vochtige papier klaar lag, liep Conor naar de plek waar James zat. Hij legde zijn pluchen kat bij James op schoot. 'Geen ongelukjes deze keer!' Hij lachte.

Conor sloeg enthousiast aan het verven. Hij leek minder belangstelling te hebben voor het eigenlijke verven dan voor het overhevelen van de verf op het papier, want hij bleef er alsmaar meer bij doen. Rond en rond smeerde hij het, en het teveel aan verf pakte hij op om het weer op het papier te laten vallen.

'Nu geel? Coleman School Supplies geel?' vroeg hij en hief zijn hoofd om naar James te kijken.

'Ja, je mag er geel bij doen als je dat wilt.'

'Ja! Dat is wat de jongen wil. En hier, als de jongen iets wil, dan doet de jongen dat!' zei hij tevreden. Er werd een klodder geel naast het blauw gekwakt. De twee kleuren vormden samen een nogal naargeestig groen.

'Dit papier is niet goed meer. Er zit een gat in,' zei Conor.

'Ik zie het.'

'Ik leg het daar neer. Ik neem een nieuw vel.'

'Kun je er zelf water op doen?' vroeg James.

'Ja, dat kan ik wel!'

James glimlachte om het ontluikende zelfvertrouwen van het kind.

Terwijl Conor met het doorweekte papier naar de aanrecht naast de gootsteen liep, bleek het natte gewicht in het midden te zwaar. Het papier scheurde en de overtollige verf viel in klodders op de grond. Conor sprong verrast achteruit, maar hij raakte niet overstuur. Sterker nog, hij begon totaal onverwacht te lachen.

'Kijk! Spuug! Het schilderij zegt: "Te veel in mijn buik. Spuug op de grond!"'

'Ja, zo ziet het er wel een beetje uit.'

'Wie gaat het opruimen?'

'Zal ik je helpen?' vroeg James.

Conor keek peinzend naar de klodders verf. 'Ze zegt: "Hij moet weg. Hij is te veel voor me." Ze huilt. Tranen stromen over haar wangen.' Een stilte. 'Sorry mama,' mompelde hij met een piepklein stemmetje. 'De jongen wil dat zeggen, maar zijn buik voelt misselijk. Hij wil zeggen: "Sterk zijn. Niet huilen. Geen tranen over je wangen laten stromen. Dan komt de spookman. Hij zal je tranen opdrinken."'

James was van zijn stoel opgestaan om hem te hulp te schieten, maar hij bleef even staan omdat hij Conors gedachten niet wilde verstoren. Conor keek naar hem. Hij strekte zijn armen uit naar de pluchen kat.

James bracht de kat naar hem toe en ging toen papieren handdoekjes halen om de verf op te ruimen. Conor hielp hem om het vuile water op het tapijt op te deppen met een papieren handdoekje. Zijn stemming was wat meer gelaten, maar hij raakte niet overstuur. Sterker nog, hij ging alvast een nieuw vel papier vochtig maken om verder te gaan met vingerverven.

Teruggekomen bij de tafel legde Conor het nieuwe vel papier neer. Hij pakte de pot met blauwe verf, maar aarzelde toen voordat hij de verf daadwerkelijk uit de pot goot. Hij zette hem weer neer, ging op zoek naar de deksel, draaide deze erop en zette de blauwe verf toen weer terug op zijn plek. Hij deed hetzelfde met de gele verf. Toen pakte hij de rode vingerverf van de plank, nam deze mee naar de tafel, haalde de deksel eraf en schepte er een grote hoeveelheid uit.

Conor legde zijn vlakke hand in de verf en bewoog deze in het rond met een haast ritmische traagheid. Toen tilde hij zijn hand op en keek naar zijn rode vingers. Vervolgens legde hij beide handen in de verf en bewoog ze in het rond. Opnieuw tilde hij ze op en keek er aandachtig naar.

'Is het verf?' vroeg hij zacht. 'Is het verf? Is dat het?'

Opnieuw gingen zijn handen door de verf, heen en weer, opnieuw tilde hij zijn handen op. 'Wat heeft mama veel geknoeid met de verf. Mama, wat een knoeiboel. Je hebt mijn hele pot leeg gemaakt.'

Hij bleef de verf in het rond smeren terwijl zijn stemming geleidelijk veranderde naarmate hij meer in die bezigheid opging. De opgewektheid was verdwenen. Zijn concentratie werd steeds intenser terwijl hij de bewegingen van zijn handen aandachtig bestudeerde.

Toen hield hij stil.

Conor tilde één hand op en legde die heel behoedzaam op de blote huid van zijn onderarm om een duidelijke afdruk achter te laten van zijn handpalm en vingers. 'Misschien is het bloed.' Vlug keek hij op naar James. Zijn gezicht stond bezorgd.

'Nee, het is geen bloed,' zei James rustig. 'Het is gewoon rode verf.'

'Gewoon rode verf. De man zegt gewoon rode verf. Hier wonen sterke katten. Gewoon rode verf.'

Hij legde zijn hand weer in de verf en duwde die in het rond. Hij stopte weer even, en er ontstond een diepe stilte. Hij fronste zijn voorhoofd in opperste concentratie terwijl hij de handafdruk op zijn onderarm bestudeerde.

Zwijgend sloeg James de jongen gade. Welke rol had bloed gespeeld in de gebeurtenissen die Conor hadden getraumatiseerd?

Abrupt keek Conor op met een uitdrukking van puur afgrijzen. Hij tilde zijn druipende, rode handen van het papier en gilde.

Ruw opgeschrikt uit zijn gedachten kwam James haastig overeind. 'Wat is er gebeurd? Wat is er aan de hand?'

Conor stond stijf van angst en schreeuwde alleen maar.

'Zal ik je helpen de verf eraf te spoelen? Kom maar mee naar de gootsteen,' zei James, en hij legde een hand op de schouder van de jongen om hem erheen te loodsen. Conor hield de met verf besmeurde arm stijf voor zich uitgestrekt. 'Het is gewoon rode verf,' stelde James hem nogmaals gerust.

Hij draaide de kraan open, ving wat water op in de kom van zijn hand en liet dit over Conors huid stromen. De vingerverf begon op te lossen, zodat het water dat in de afvoer verdween lichtrood kleurde. James stond pal achter de jongen en hield hem met zijn lichaam dicht genoeg bij de gootsteen om de verf eraf te kunnen spoelen. Geleidelijk aan voelde hij hoe Conors stijve spieren zich ontspanden.

Met papieren handdoekjes begon James Conors arm af te drogen. 'Dat was een beetje te veel van het goede, hè?'

'Een beetje te veel voor vandaag,' mompelde Conor. Hij draaide zich om. 'Waar is papa?'

James knielde en sloeg zijn armen om de jongen heen. 'Je bent bang en je zou graag willen dat je vader hier bij je was.'

Conor knikte.

'Hij komt zo. Als de grote wijzer van de klok op de tien staat, zit hij in de kamer hiernaast op je te wachten, en dan is het tijd om naar huis te gaan.'

'Lees me het gedicht voor.'

James hoefde het niet voor te lezen. Hij kende het uit zijn hoofd.

Conor slaakte een langgerekte zucht van opluchting bij het horen van de vertrouwde woorden. 'De mechanische kat is sterk,' mompelde hij. 'We zijn veilig. De mechanische kat kan nooit doodgaan.'

Toen Alan arriveerde, liet James Conor een paar minuten bij Dulcie achter en nodigde hij Alan uit voor een kort gesprek in zijn kantoortje.

'Als jij het me niet had gevraagd, was ik van plan geweest om jou te vragen of je even tijd had,' zei Alan, die hem naar binnen volgde. 'Want ik moet zeggen dat hij de afgelopen weken een totaal ander kind is.'

James glimlachte. 'Ja, hij heeft hier zichtbaar vorderingen gemaakt.'

'Hij praat het grootste deel van de tijd nog steeds in kringetjes, maar weet je, we hebben tegenwoordig ook echte gesprekken samen,' zei Alan. 'Hij kan duidelijk maken wat hij wil, als je maar zorgt dat hij kalm blijft.'

'Ik denk dat jouw betrokkenheid van doorslaggevend belang is geweest voor zijn succes,' zei James. 'Ik zie belangrijke signalen die duiden op het ontstaan van een vertrouwensband met jou. Vandaag, bijvoorbeeld, toen hij overstuur raakte tijdens de sessie, vroeg hij om jou en niet alleen om zijn kat. Dat is een gigantische stap voorwaarts.'

Alan glimlachte van blijdschap. 'Ik doe mijn best om de man te zijn waar hij me voor aanziet.' Toen kreeg zijn gezicht een weemoedige uitdrukking. 'Het doet me pijn als ik terugdenk aan de periode waarin de dingen spaak begonnen te lopen voor hem. Ik heb het gevoel dat we hem tekort hebben gedaan.'

'Wees alsjeblieft niet zo hard voor jezelf,' zei James. 'Normaal gesproken doen mensen echt hun best. Vooral met kinderen. Als we fouten maken, is dat meestal omdat we op dat moment werkelijk geen andere mogelijkheid zagen. Hoe is het contact tussen Laura en hem nu?'

Alan schudde somber met zijn hoofd. 'Niet goed. Tussen hen loopt het helemaal niet lekker. Conor wil bij haar nog steeds niet praten. Met mij praat hij heel veel, maar bij Laura is hij nog steeds zo onsamenhangend als wat. Nog net zo gestoord als altijd. Dat maakt het heel moeilijk om haar ervan te overtuigen dat hij al aanzienlijke vorderingen heeft geboekt.'

'Waarom denk je dat dat is?' vroeg James.

Alan dacht even na. 'Ik weet het niet. Er is gewoon ontzettend veel spanning tussen hen. Hij is opgefokt. Zij is opgefokt. Ze versterken elkaar daarin. In ieder geval heb ik beloofd dat ik Conor vaker zal meenemen. Ik heb nog steeds hoop dat Laura en ik uiteindelijk in staat zullen zijn om de problemen tussen ons uit de weg te ruimen. Ik wil haar niet dwingen om ergens anders te gaan wonen. Daarom heb ik een tweede bed neergezet in de blokhut, zodat hij bij mij kan logeren. Hij lijkt er heel content mee.'

'Er was nog iets waar ik je naar wilde vragen,' zei James, 'en dat is de te vroege geboorte van Morgana's tweelingbroertje of -zusje. Conor lijkt een behoorlijk trauma te hebben als het gaat om bloed. Zou het kunnen dat hij erbij is geweest toen Laura die miskraam kreeg?'

Alan dacht weer even na. 'Hij was wel thuis met haar toen het gebeurde, maar ik weet het niet. Zijn problemen waren al eerder begonnen. Zijn verlatingsangst was al begonnen lang voordat Laura zelfs maar zwanger kan zijn geweest, want ik weet nog dat het min of meer samenviel met het moment dat ik de diagnose TB kreeg voor mijn vee, dat was ruim een jaar voordat Morgana werd geboren. Maar omdat Conor zo aanhankelijk was geworden en Laura geen seconde uit het oog wilde verliezen, vermoed ik dat het wel mogelijk is geweest dat hij bloed heeft gezien.'

'Heb je er ooit met hem over gepraat?' vroeg James.

'Nee. Hij was nog geen drie. Het is niet iets waar je met een kind van die leeftijd over praat, of wel soms?'

'Ik zit alleen te denken dat als hij het bloed of Laura's paniek heeft gezien...' zei James. 'Vooral omdat hij duidelijk een heel intelligent, gevoelig jongetje was. Want ik meen dat Morgana vertelde dat Conor al kon lezen toen hij twee was, klopt dat?'

'Niet echt lezen. Hij kende de letters van het alfabet. Misschien kon hij een paar woordjes lezen, maar dat is alles.'

'Dat is toch heel erg vroeg. Dus hij is een zeer, zeer intelligente jongen. Maar met de levenservaring van een kind van twee, zal het heel moeilijk voor hem zijn geweest om te snappen wat er gebeurde.'

Alan haalde nauwelijks merkbaar zijn schouders op. 'Ik weet niet. Voor zover ik weet, is hij nergens getuige van geweest, en zo ja, dan heeft Laura het me nooit verteld.'

'Oké,' zei James.

Er viel een korte stilte.

'Er is nog één ding dat ik wilde vragen,' voegde James eraan toe. 'Ik zou graag een paar sessies willen doen met Conor en Morgana samen. Zou dat kunnen?'

'Ja hoor, geen probleem,' zei Alan. 'Ik zal het voor je regelen.'

32

'Tiffany arriveerde in Boston op de laatste zaterdag in maart,' zei Laura. 'Ik was al meer dan een jaar niet thuis geweest, dus ik was verbaasd hoe groot ze was geworden. Ze had altijd al Marilyns bouw gehad, maar waar Marilyn slank en elegant was, was Tiffany een lange slungel. Ze was inmiddels twaalf, en bijna net zo groot als ik.

We genoten van een fantastische eerste dag samen. Ik nam haar mee naar het winkelcentrum vlak bij mijn appartement, en Tiffany was onder de indruk van de veelheid aan winkels. Ik had maling aan alles wat Fergus me had geleerd over gezond voedsel en trakteerde Tiffany en mezelf op een drankje bij de kraam van Orange Julius en op donuts en karamelmaïs. We brachten uren door in een dierenwinkel met kijken naar puppies en tropische vissen en met nadenken over de vraag wie er nou een tarantula als huisdier zou willen. Tiff zei dat zij dat misschien wel zou willen, maar dat ze toch liever een kameleon had. Of een slang. In de speelgoedwinkel aaiden we de pluchen beesten en bewonderden de dure, geïmporteerde poppen. In de boekwinkel neusden we op ons gemak rond.

Ik wilde niet naar huis. Ik was bang dat Fergus daar zou zitten te wachten, omdat ik wist dat hij ons plezier zou bederven. Dus in plaats daarvan ging ik met Tiffany naar een pizzeria en daarna naar de film *Star Wars* in de drive-inbioscoop. We hadden hem allebei al een keer gezien, maar we vonden hem allebei geweldig. Ik kocht een enorme emmer popcorn en dito bekers frisdrank voor ons, draaide de stoelleuningen naar achteren, en we zagen zowel de vroege als de late voorstelling. Tiffany zag scheel van vermoeidheid tegen de tijd dat we terugkeerden naar mijn appartement.

Ik ging op het bed liggen kijken hoe zij haar koffer uitpakte. Normaal gesproken droeg ze haar lange haar altijd strak naar achteren gebonden in een paardenstaart, maar toen ze haar T-shirt uittrok om haar nachthemd aan te trekken, schoot het elastiekje van haar paardenstaart eruit. Haar haren vielen los over haar schouders. Net als haar moeder had Tiff zwart haar, maar in tegenstelling tot haar moeder nam ze nooit de moeite om het te krullen, dus het was volkomen steil. Toen ik haar daar zo zag staan in het zachte licht van de lamp op het nachtkastje, haar donkere haren naar voren vallend, werd ik abrupt Torgons wereld binnen gesleept. Ik dacht bij mezelf dat Torgon er zo uit moest hebben gezien toen ze twaalf was, en voor het eerst sinds maanden kwam de schimmenwereld van het Bos bijna onmiddellijk als een soort doorkijkvel over de wereld van mijn slaapkamer te liggen.

De volgende ochtend lagen we allebei nog in bed toen ik het klikken van het slot in de voordeur hoorde. Haastig klauterde ik over Tiffany heen, die nog lag te slapen in haar slaapzak op de grond, en trok mijn ochtendjas aan, want ik wist wie het was: Fergus.

"Wat is dit?" vroeg hij, de lege popcornbak uit mijn prullenbak in de keuken vissend. "Hier zitten dierlijke producten in. Wat heb je nog meer gegeten? Suiker? Dierlijke vetten? Ik kan niet geloven dat je dit hebt gedaan." Boos sloeg hij de lege bak tussen zijn handen plat en smeet hem weer in de prullenbak.

Tiffany verscheen in de deuropening van de slaapkamer.

Fergus keek naar haar en zijn ogen werden donker, als die van een kat in het nauw.

"Hoi," zei ze aarzelend, en ze keek van hem naar mij en weer terug. Ze glimlachte timide.

"Fergus, dit is mijn zusje Tiffany. En liefje, dit is Fergus, een vriend van me. Fergus en ik hebben, eh, zeg maar, een relatie."

"O?" zei Tiffany verbaasd. "Ga jij ook mee naar Salem?"

"Salem?" zei Fergus scherp. "Je kunt vandaag nergens heen, Laura. Jij en ik moeten werken. Je moet channelen op dinsdagavond."

Tiffany keek niet-begrijpend.

"Ik heb Tiff beloofd dat ik haar mee zou nemen naar de musea van Salem. Ze is maar vijf dagen in de stad."

Fergus groef diep in zijn broekzak en trok er een geldclip uit.

Hij plukte er een briefje van vijf dollar uit en gaf dat aan Tiffany. "Hier. Hoepel maar een paar uur op."

"*Fergus*," zei ik ontzet.

Hij wendde zich weer tot mij. "Twee uurtjes, oké? Dat is alles wat ik vraag. We gaan twee uur lang aan je channelen werken, en dan kunnen jullie de rest van de dag samen vrij krijgen."

Ik knikte met tegenzin. "Oké."

Tiffany, die nog in haar nachthemd liep, keek eerst naar het dollarbiljet in haar hand en toen naar mij met een verbijsterde uitdrukking op haar gezicht.

"Vind je het vervelend, Tiff? Ik moet nog een paar dingen doen voordat we kunnen gaan."

"Maar wat moet ik hiermee doen?" vroeg ze niet-begrijpend. "Ik heb nog niet eens ontbeten."

"Kijk, dat is nou juist de clou," antwoordde Fergus. "Met dat geld kun je ergens wat gaan eten."

"Twee blokken verderop zit een donuttent. Je lust toch wel donuts, of niet? Denk je eens in. Je kunt je naar hartenlust volproppen." Ik grijnsde. "En kijk. Ik zal je nog vijf dollar geven. Ga daar maar lekker ontbijten, en tegen de tijd dat je klaar bent, zijn de winkels open en kun je wat rond gaan kijken."

"Helemaal alleen?" vroeg Tiffany perplex.

"Een paar uurtjes maar, Tiff. Je bent groot genoeg om dat in je eentje te doen, of niet soms? Denk je eens in, dan kun je dat tegen je moeder zeggen als je thuiskomt. Daarmee kun je haar eens goed de stuipen op het lijf jagen," zei ik met een gemene grijns.

Met een zucht van verwarring draaide ze zich om en ging terug naar de slaapkamer om zich aan te kleden. Ik volgde haar naar binnen en deed de deur achter ons dicht. "Moet je horen, het spijt me echt heel, heel erg, Tiff. Ik wist niet dat Fergus zou komen. Maar wees lief, wil je? Om mij te helpen? Ga gewoon even de deur uit en vermaak jezelf twee uurtjes. Daarna gaan we naar Salem, zoals we hadden afgesproken."

"Ja, zoals we hadden *afgesproken*," zei ze. "Hoe komt het dan dat je nu ineens alles moet doen wat hij zegt, omdat hij toevallig gekomen is?"

"Omdat dat uiteindelijk minder problemen geeft."

Fergus weigerde Tiffany en mij met rust te laten. Eigenlijk wilde hij met mij aan het channelen werken, maar dat was geen realistische optie met Tiffany erbij. Dus aangezien dat niet kon, besloot Fergus ons te vergezellen op de uitstapjes die Tiffany en ik samen hadden gepland.

Het werd dinsdag, Tiffany's laatste dag in Boston voordat ze weer naar huis ging. Ik zou de dinsdagavondgroep liever hebben overgeslagen als dat kon, maar Fergus wilde er niets van horen. Ik vond het niet prettig om Tiffany 's avonds alleen te laten in mijn appartement, dus uiteindelijk moest ik haar ook meenemen.

Dat was een vergissing. Ik voelde me geremd met Tiffany erbij; bang, denk ik, voor wat ze thuis aan mijn ouders zou vertellen. Ik kon niet in de juiste stemming komen om de dingen te doen die ik gewoonlijk deed, dus ik ging die avond een beetje achterin zitten en liet Fergus het overnemen. Desalniettemin was het toch opwindend, want een van de andere vrouwen in de groep begon halverwege de vergadering ineens in een vreemde taal te praten. Fergus identificeerde het onmiddellijk als een Wezen van Licht dat probeerde door te komen.

Toen ze stopte met praten, zei Fergus tegen haar dat het van essentieel belang was dat ze haar geest zou gaan zuiveren met behulp van strenge meditatietechnieken. Vervolgens liet hij haar languit op de grond liggen terwijl hij zijn vingers tegen haar slapen drukte. Hij zei dat hij de nabijheid voelde van talloze geesten, niet alleen maar goede, maar dat het voor het merendeel Stemmen waren. De vrouw leek verrukt over zoveel aandacht.

Toen het afgelopen was en we weer thuis waren, maakten Tiffany en ik ons klaar voor de nacht. Ze zei niet veel. Sterker nog, ze was de hele avond praktisch stil geweest, hetgeen ik weet aan vermoeidheid, aangezien we al dagenlang van hot naar her holden in een poging om alles te doen wat we wilden doen.

"Je kunt in het vliegtuig slapen," zei ik, terwijl ik op mijn bed neerplofte. "Dan gaat de reis des te sneller."

Tiffany knikte en pakte haar nachthemd. Ze legde hem op het bed, trok het elastiekje uit haar paardenstaart en schudde haar haren los voordat ze haar shirt begon los te knopen.

Ik had gemerkt dat ik was gaan uitkijken naar dit korte moment, elke avond, waarop Tiffany haar donkere, steile haar los schudde en dat kortstondige, vluchtige visioen van Torgon opriep. Ik ervoer dan een vage echo van het betoverende gevoel dat ik als kind altijd had gekregen bij het betreden van het Bos.

Toen ze zich had omgekleed, boog Tiffany zich naar me toe om me een tandpastakus te geven voordat ze in haar slaapzak kroop. Zelf nog niet helemaal klaar, wenste ik haar welterusten, stond op en ging naar de woonkamer.

Op de salontafel lag een van de notitieboeken die Fergus had gebruikt om woord voor woord op te schrijven wat ik zei tijdens mijn channelsessies voor de dinsdagavondgroep. Ik leunde naar voren en pakte het van de tafel.

Torgon zegt: Het tapijt van je eigen bestaan functioneert als een belemmering, hoogst nadelig, voor de feiten van innerlijke eenheid, waar het fysieke zijn, individueel, de collectieve realisatie hindert van een multidimensionele verwezenlijking, las ik.

Een merkwaardig, vaag gevoel van weerzin bekroop me. Die zin had geen enkele betekenis. Ik kon me niet meer herinneren of de persoon waarvoor ik had gechanneld er iets van had gemeend te begrijpen, maar als ik er nu naar keek, realiseerde ik me dat er niets in stond. Gewoon woorden in de juiste grammaticale volgorde, net zo betekenisloos alsof de zinnen lukraak waren gegenereerd door een computer.

Toen dacht ik aan Torgon – de *echte* Torgon – degene waar ik een glimp van opving als Tiffany het elastiekje uit haar haren trok. Die Torgon was zo ver verwijderd van deze idiote zin dat het bijna aanstootgevend was om hem aan haar te hebben toegeschreven. Hoe lang was het geleden dat ik een fatsoenlijk bezoek aan het Bos had gebracht, zoals ik vroeger deed? Maanden, realiseerde ik me, en ik was zo druk in de weer geweest met Fergus dat ik het niet eens had gemerkt.

Zou ik nog steeds in staat zijn om ernaartoe te gaan? Het was niet iets wat ik gewoon kon “oproepen”, zoals ik dat met de nep-Torgon deed. Ik had er eigenlijk nog nooit over nagedacht wat ik al die jaren precies had gedaan om “naar het Bos te gaan”. Het was er gewoon geweest wanneer ik dat wilde. Ik had het intuïtief gedaan. Nu was het er niet. Afgezien van dat kortstondige moment in de avond wanneer Tiffany haar haren losmaakte, was er niets. En zelfs dat was niet meer dan een echo, zoals een kristallen glas een verre noot opvangt.

Ik leunde achterover in de kussens van de bank, deed mijn ogen dicht en probeerde het Bos tot leven te brengen. Het laatste verhaal dat ik had geschreven was dat van Torgon die naar de hooggelegen heilige plaats vluchtte nadat ze Ansel had gedood. Ik dacht aan de gebeurtenissen, maar het waren slechts herinneringen. Ik was er niet bij.

Misschien moest ik me meer ontspannen, dacht ik bij mezelf. Ik gebruikte de meditatietechnieken die Fergus me zo zorgvuldig had bijgebracht om mijn hoofd leeg te maken. Ergens in de verte kon ik nog steeds voelen wat er in haar wereld was gebeurd terwijl ik opgeslokt was geweest door de mijne.

Er was een nieuwe Ziener geroepen – Caslan, Ansels jongste zus. Torgon had een ontmoeting gehad met de ouderlingen van de dorpsraad en had hen ervan weten te overtuigen dat het een heilige daad was geweest om Ansel te doden, uitgevoerd in opdracht van Dwr. Dit was echter niet voldoende voor Ansels drie jongere broers – de heilige broers – die ook krijgers waren. Vanwege hun trots en hun heilige afkomst, voelden ze zich vernederd door de manier waarop hij was gestorven: naakt, in zijn slaap, en gedood met zijn eigen mes door een vrouw van lage komaf. Loki's vader, die de leider was van de *benita*-bende, had het voor Torgon opgenomen, en daardoor waren de krijgers onderling verdeeld geraakt in twee kampen – sommigen kozen de kant van de heilige broers, en sommigen die van de *benita*-bende. Een burgeroorlog dreigde.

Ik deed mijn ogen open en staarde omhoog naar het plafond van mijn woonkamer. Wat was er met ons gebeurd? Wat was er gebeurd met Torgon en mijzelf? Onze toekomst had zo veelbelovend geleken. Waar was het toch allemaal zo mis gegaan?

Het was al na middernacht toen ik uiteindelijk naar bed ging. Ik sloop zo stilletjes mogelijk om Tiffany in haar slaapzak heen, sloeg de dekens terug en ging liggen.

"Laurie?" klonk de zachte stem in het duister.

"Het spijt me. Heb ik je wakker gemaakt? Ik dacht nog wel dat ik heel zachtjes had gedaan."

"Nee hoor, ik sliep nog niet," zei Tiffany.

"Nog niet? Je ligt er al uren in. Is er iets? Voel je je wel goed?"

"Ja hoor, ik voel me prima."

"Dan zal het wel gewoon de spanning zijn vanwege de lange

reis morgen," zei ik. "Ik slaap altijd slecht in de nacht voordat ik een lange reis ga maken."

"Nee, dat is het niet." Stilte. "Mag ik je iets vragen, Laurie?"

"Ja, natuurlijk. Kom maar op."

"Eerst moet je me beloven dat je niet boos zult worden."

"Ik zal het proberen."

"Hou je echt van die man? Van die Fergus?"

"Ja."

"Ik bedoel, hou je *echt* van hem?"

"Ik kan aan je stem horen wat je denkt, Tiff, en ik moet zeggen dat je niet zijn beste kant hebt gezien. Hij is niet zo goed met kinderen, maar hij kan wel heel, heel liefdevol zijn."

"Dat denk ik helemaal niet, Laurie. Ik weet niet hoe ik dit moet zeggen zonder dat het verkeerd overkomt, maar volgens mij is hij gestoord."

"Dat is onzin, Tiffany."

"Ik snap niet wat hier aan de hand is," zei ze zacht. "Ik snap niet waarom je met mensen zoals hij omgaat, en met die mensen op die bijeenkomst vanavond. Ze zijn allemaal gestoord."

"Het is niet aan jou om daarover te oordelen, wel?" zei ik verdedigend. "Wat weet jij daar nou van? Je bent gewoon een brutaal kind uit South Dakota."

Ik hoorde haar een gefrustreerde zucht slaken.

"Ik heb geen zin om hier op dit uur van de nacht ruzie over te gaan liggen maken, Tiff," zei ik, "dus dat gaan we niet doen. Het zijn jouw zaken niet. Je bent nog te jong om mijn vrienden te begrijpen."

De stemming was inmiddels tot onder het nulpunt gedaald. Vermoeid trok ik de dekens over me heen en keerde mijn gezicht naar de muur. Er viel een stilte die enkele minuten duurde.

"Laurie?"

"Wat nou weer?"

"Ik wil ook geen ruzie maken, maar vertel me alsjeblieft nog één ding, oké? Alsjeblieft? Daarna zal ik je met rust laten, dat beloof ik."

"Oké, *één* ding."

"Vertel me dat je heel diep vanbinnen geen woord gelooft van al die onzin."'

33

'De dinsdag daarop had ik dienst op de afdeling spoedeisende hulp in het academisch ziekenhuis,' zei Laura. 'Een meisje van een jaar of zeven was aangereden door een auto en binnengebracht met ernstig hoofdletsel. Ze leefde nog, maar ze was buiten bewustzijn, en we waren werkelijk in alle staten, aangezien niemand wist wie ze was. Ondanks onze inspanningen wisten we haar familie niet op tijd te bereiken. Ze is anoniem en eenzaam gestorven, met alleen mij om haar arme, gekwetste hoofd in mijn handen te koesteren.

Hierdoor was ik te laat voor de dinsdagavondgroep. Fergus was er al. Naast hem, op de plek waar ik normaal gesproken zat, zat nu een jonge vrouw die maar heel af en toe naar de bijeenkomsten kwam. Ze heette Philippa, ook wel bekend als Pippa, en de meesten van ons noemden haar gewoon Pip. Ze zag er ook uit als een Pip – klein en jongensachtig met donkerrood, kortgeknipt haar.

Er was een discussie gaande over het vergroten van je "welvaartspotentieel". Iemand zei dat hij nu contact maakte met hogere energieën tijdens het mediteren en dat hij hierdoor oude, negatieve patronen kon loslaten. Hij zei dat hij onbewust een heleboel patronen had ontwikkeld die zijn welvaartspotentieel niet positief beïnvloedden, maar dat hij, nu hij zijn vibraties had verhoogd en contact maakte met de oneindige wijsheid van de Wezens van Licht, zeker wist dat zijn nieuwe zakelijke onderneming een succes zou worden.

Pip zei ineens dat *haar* spirituele gids vorige week in contact was getreden met Torgon en dat Torgon haar gids informatie had gegeven over hoe ze Pip kon helpen haar leven in te richten op een manier die welvaart stimuleerde.

Ik kon mijn oren niet geloven. Ik kwam ernstig in de verleiding om Pip te ontmaskeren als een bedriegster, want dat was gewoon iets wat Torgon nooit zou doen – de echte niet, en mijn zelf geconstrueerde versie van haar evenmin – maar ik twijfelde heel erg. Als ik Pip inderdaad voor bedriegster zou uitmaken zonder uit te leggen waarom ik zeker wist dat ze dit verzon, zouden mensen alleen maar denken dat ik jaloers was. Als ik uitlegde waarom ik wist dat Pips bewering een leugen was, zouden mijn eigen leugens aan het licht komen.

We zaten met zijn allen in een kring op de grond, en terwijl ik over de zaak nadacht, gleed mijn blik van Pip naar de andere leden van de groep. Ineens viel mijn blik op mijn schoenen. Op één ervan zat bloed. Hooguit twee druppels, maar ik wist meteen dat het het bloed moest zijn van het jonge meisje dat ik had behandeld op de afdeling spoedeisende hulp.

De aanblik van die druppels bloed kwam aan als een mokerslag op een ruit van spiegelglas. Mijn gedachten spatten werkelijk uiteen. Ik keek de kring rond en zag al die goed doorvoede, goed geklede, hoogopgeleide mensen, zo onnozel en lichtgelovig, en ineens sloeg ik helemaal op tilt. Ik dacht bij mezelf: *Wat doe ik hier in godsnaam? Wat voor monster ben ik geworden?* En terwijl ik dat dacht, werd ik bevangen door paniek. Ik kon geen seconde langer meer blijven. Ik sprong op en rende de kamer uit.

Fergus sprong ook overeind en rende me achterna. "Wat is er?"

Ik was inmiddels al in tranen. Ik gilde tegen hem dat hij weg moest gaan. Hij probeerde me beet te pakken en zei: "Sst, Laura, rustig maar. Diep ademhalen. Haal eens diep adem."

Ik sloeg hem van me af en rende naar mijn auto. Ik huilde inmiddels zo hartverscheurend dat ik de weg nauwelijks kon zien toen ik naar huis reed. Zodra ik in mijn appartement was, trok ik mijn schoen uit en haastte me naar de keuken in een poging het bloed eraf te spoelen, maar toen ik bij de gootsteen kwam, keerde mijn maag zich om en braakte ik over de vuile vaat heen die daar opgestapeld stond.

Ongeveer een halfuur later klonk er een klik en het vertrouwde geluid van Fergus die zijn sleutel uit het slot trok. "Laura?" riep hij. "Ben je hier?"

Hij verscheen in de deuropening van mijn slaapkamer. "Hoe voel je je?" vroeg hij, zijn stem bezorgd. Hij liep naar me toe en ging op de rand van het bed zitten. Achter hem kwam Pip. Pip

deed het grote licht aan en ging naast Fergus op het bed zitten.
"Voel je je weer wat beter?" vroeg Fergus. "Je zag erg bleek. Dat was me al opgevallen toen je binnenkwam."

Pip zei: "Ik heb gechanneld vanavond. Net zoals jij altijd doet. Jammer dat je het hebt gemist."

Ik ging totaal door het lint. Ik krijste tegen haar dat ze moest ophoepelen en me met rust moest laten.

Fergus kwam overeind en spreidde zijn armen naar Pip, alsof hij ganzen aan het hoeden was. Hij zei: "Ga maar naar huis." Ik weet nog dat Pip vroeg: "Maar ga jij niet mee dan?"

"Waarom heb je haar in godsnaam mee hierheen genomen?" vroeg ik snikkend toen Fergus terugkwam. "Dit is het Centraal Station niet. Waarom denk je nou nooit eens aan mij?"

"Laura, ik denk alleen maar aan jou," zei hij zacht, en hij streek met zijn hand mijn haar uit mijn gezicht. Ik was bang geweest dat hij boos zou worden vanwege mijn woede-uitbarsting, maar het tegendeel was waar. Zijn gezichtsuitdrukking was zo liefdevol en zijn ogen zo zacht en diep als het duister. "Zonder jou is er geen zon, geen maan, geen wereld voor mij," fluisterde hij. "Het universum is leeg. Ik leef alleen maar als ik weet dat jij leeft."

Fergus schopte zijn schoenen uit, sloeg de dekens terug en kroop bij me in bed. Hij sloeg zijn armen om me heen in een verbluffend tedere omhelzing, en drukte me zo hard tegen zich aan dat ik me amper kon verroeren. Hij bedekte mijn gezicht met zachte kusjes. Toen hij bij mijn jukbeenderen kwam, raakte hij met zijn tong mijn tranen aan en proefde ervan. Hij glimlachte. "De zorgen van deze wereld zijn te zwaar voor jou. Je bent echt een gevoelige geest."

"Nee, dat ben ik niet," jammerde ik. "Ik heb mijn ziel verkocht. Ik ben absoluut niets."

Toen ik de volgende ochtend wakker werd, was het alsof ik ontwaakte uit een dronken slaap na een nacht flink doorhalen, en alles wat zo fantastisch had geleken in een roes van alcohol er nu ineens goedkoop en waardeloos uitzag. Op die manier ontwaken is geen verfrissende ervaring, maar eentje van pijn en teleurstelling.

Vermoeid stapte ik uit bed en maakte ik me klaar om naar het ziekenhuis te gaan, maar het akelige gevoel achtervolgde me bij alles wat ik deed. Die middag ben ik gewoon weggelopen. Het was laat op de dag, halfvijf of zo, en ik werd bij een practicum verwacht, maar ik heb gewoon mijn jas gepakt en ben vertrokken.

Het was inmiddels lente, koel en helder. Er hing een vage geur van bloemen in de lucht – hyacinten, denk ik – die zich door de walm van uitlaatgassen heen vlocht. Ik liep zonder erbij na te denken.

Ik moest met Fergus praten. Op dit uur van de dag zou hij wel op de sportschool zijn, maar nog niet met zijn sessies zijn begonnen. Als ik er nu naartoe ging, kon ik tegen hem zeggen wat ik te zeggen had en dan weggaan zonder dat hij genoeg tijd had om me weer om te praten.

Ik ging naar binnen via de zijdeur van de sportschool en liep de trap af. Het licht was aan en stroomde het trappenhuis binnen, zodat het smaragdgroene tapijt baadde in het licht. De kamer was leeg, maar de deur naar de kleine ruimte erachter was open, de privé-kamer waar Fergus zijn spullen bewaarde. Ik stond bij de deur. Ik hoorde dat hij daar was, dus ik stapte naar binnen. Daar was hij, met Pip. Op de grond. Hij was haar van achteren aan het neuken, als een stier op een koe. Hij voelde mijn aanwezigheid en keek op.

"*Laura*!" klonk het verschrikt, maar ik wachtte de rest niet af. Ik draaide me om en vluchtte de kamer uit.

Binnen twintig minuten nadat ik thuis was, stond Fergus op de stoep. Hij klopte niet eens. Hij stormde gewoon naar binnen.

"Donder *op*!" krijste ik.

"Laura, het is niet wat het lijkt."

"Het was *verdomme* wel wat het leek, Fergus!" Nog voordat ik mijn zin kon afmaken, was ik al in tranen.

"Laura, rustig nou, zo kunnen we niet praten. Ik wil het graag uitleggen."

"Er valt niets uit te leggen, Fergus. Ik heb jullie gezien."

"Het stelt niets voor met Pip. Pip is niet geëvolueerd. Ze is lager dan wij. Ze hoort geen Stemmen. Ze doet gewoon alsof omdat ze aandacht wil, dat is alles."

"Dus jij zegt gewoon tegen jezelf dat die vrouw lager is dan wij, en dan telt het niet als je haar neukt?"

"Nee, probeer het nou te begrijpen."

"Ik ben er klaar mee, Fergus. Ik ben er helemaal klaar mee. Ik ben klaar met channelen. Ik ben klaar met de dinsdagavondgroep. En ik ben klaar met jou. Dus verdwijn. Ga weg. Nu."

Fergus aarzelde, en het was voor het eerst dat ik een zweem van onzekerheid op zijn gezicht bespeurde. Een hopeloze woede maakte zich van me meester. Ik pakte het channelnotitieboek van de salontafel en smeet het naar zijn hoofd, want dat was het enige ding dat van hem was dat binnen handbereik lag. "*Ga weg*!"

Hij bleef nog heel even staan, en zijn gezicht stond verdrietig. Toen deed hij de deur open en ging naar buiten. Ik viste het channelboek van de grond en smeet het nog een keer door de kamer, maar het gevoel van opluchting was minimaal toen het met een doffe klap tegen de deur knalde.

Ik pakte de telefoon en belde het inlichtingennummer. Ik vroeg naar het nummer van het vliegveld. Zes uur later zat ik in het vliegtuig naar South Dakota.

Ondanks hun ongevoeligheid in mijn puberteit, deden Marilyn en mijn vader allebei oprecht hun best om me weer liefdevol op te nemen in de familie, zonder al te veel vragen of opmerkingen.

Ik zakte weg in een depressie. Ik trok me terug in de kelder en bleef dagenlang in bed liggen zonder me ook maar ergens voor te interesseren. Niet voor de colleges die ik miste, niet voor dokter Betjeman, niet voor Fergus.

Ik had verwacht dat Fergus me zou bombarderen met telefoontjes, maar de dagen werden weken zonder dat er contact was. Niet één keer. Vanaf het moment dat ik Boston had verlaten, had ik niets meer van hem gehoord.

Deze stilte wekte een mengeling van verdriet en onrust in me op. Ik voelde me verward en eenzaam, alsof ik letterlijk niet wist wat ik moest denken of doen nu Fergus er niet meer was om me dat te vertellen.

Uiteindelijk was het Tiffany die me aanmoedigde om uit mijn grot in de kelder te kruipen. De zomervakantie was begonnen en ze kwam elke ochtend op de rand van mijn bed zitten kletsen. We lazen samen de strips in de ochtendkrant, en tot haar moeders ontsteltenis begon ze ook mijn verslaving aan frambozenjam op geroosterd brood over te nemen. We werkten met zijn tweetjes elke ochtend een half brood naar binnen.

Op een ochtend zei ze: "Ik weet hoe je bosbessenmuffins moet maken. Als ik die morgen voor ons maak, zouden we ze mee naar buiten kunnen nemen en ze aan de picknicktafel op het terras kunnen opeten."

"Tiff, ik wil niet op het terras zitten om acht uur 's morgens."

"Heb je soms liever pannenkoeken? Die kan ik ook maken. Het is heerlijk buiten om acht uur 's morgens. Dan is het nog niet zo warm."

Halverwege juni kwam ik uit mijn kelder tevoorschijn, als een beer die uit zijn winterslaap komt. Ik slofte naar buiten in mijn nachthemd en op pantoffels; Tiffany maakte radslagen op het gazon.

Tiffany bleef mijn onwaarschijnlijke beschermengel. Ze waakte over iedere stap die ik zette in de richting van een normaal leven, en hielp me voorzichtig op weg op een manier die ik van een volwassene nooit zou hebben geaccepteerd.

"Ik vind dat je je haar moet knippen, Laura," zei ze op een dag, terwijl ze een gedeelte van mijn haar een eindje van mijn hoofd af hield. "Het zag er veel mooier uit toen het korter was."

Ik gaf geen antwoord.

"*Ik* kan het wel voor je knippen!" zei ze opgewekt.

"Nee hoor, dat gaan we niet doen. Ik laat je niet in mijn buurt met een schaar."

"Laat het me nou gewoon proberen."

"*Nee,* Tiffany. Ik wil niet dat een kind van twaalf mijn haar knipt."

"En mama dan? Mama kan het ook. Ze zou de dode punten eruit kunnen knippen. Dan zou je er veel leuker uitzien."

"Daar zou Fergus heel anders over denken."

"Fergus is hier niet."

Op een avond in juni zei Tiffany: "Laten we ergens naartoe gaan."

"Zoals?" vroeg ik. Ik had nog geen voet buiten de deur gezet sinds ik was teruggekeerd naar South Dakota. Ik was zelfs niet naar de supermarkt geweest.

Tiffany haalde nonchalant haar schouders op. Ze wilde wanhopig graag naar een of andere horrorfilm waar ze nog te jong voor was, dus ik verwachtte dat ze zou vragen of ik haar daar mee naartoe wilde nemen. In plaats daarvan zei ze: "Wat dacht je van de Badlands?"

"De *Badlands*?" antwoordde ik verrast. "Dat is een uur rijden en het is al zeven uur. Tegen de tijd dat we er aankomen, is het al bijna donker."

"Ja, dat weet ik," zei ze, nog altijd glimlachend. "Ik vind het fijn in de Badlands als het avond is. Overdag is het er te heet." Ze ging staan. "Kom mee. We gaan het vragen."

Het was een onverwachte bestemming. Als kind was ik oprecht bang geweest in de Badlands. Ik was er maar één keer geweest met de familie Mecks. Ik was nog heel klein en had de griezelige landschappen zeer beangstigend gevonden. Tijdens de rit naar huis werd ik wagenziek, en dat was iets waar ik zelden last van had. Ma nam me bij haar en pa voorin de auto. Ze zaten wat te kletsen over een stuk grond in de buurt van Rapid City; ze zeiden dat het eruitzag als een soort maanlandschap dat weldra door de Badlands zou worden opgeslokt, en pa zei dat de Badlands zich al sinds mensenheugenis naar alle kanten uitbreidden. Het gesprek maakte me aan het huilen. Ik weet nog dat ik op de voorstoel lag met mijn hoofd op ma's schoot en me kotsmisselijk voelde, terwijl de Badlands in mijn kinderlijke verbeelding opdoemden als een duivelse dreiging die probeerden overal dood en verderf te zaaien. Pas als tiener begon ik een beetje te begrijpen hoe geleidelijk geografische veranderingen plaatsvinden, en dat ik niet hoefde te vrezen voor een onverhoedse aanval. Maar zelfs toen voelde ik me er nog niet echt op mijn gemak. Daarom leek het een vreemde plek om uit te kiezen voor een wedergeboorte.

Tegen de tijd dat Tiffany en ik de ruim tachtig kilometer van Rapid City tot aan de rand van het nationale park hadden afgelegd, was de zon bijna tot op de horizon gezakt. We zouden nauwelijks van de vergezichten kunnen genieten, tenzij we dat in het donker wilden doen, dus toen we eenmaal in het park waren, stopte ik bij het eerste uitkijkpunt waar we langs kwamen.

"Hé, ja, dit is gaaf!" riep Tiffany enthousiast. Er waren nog een paar andere onverschrokken types die het aandurfden om in de schemering het pad af te lopen naar het uitkijkpunt. Tiffany huppelde vooruit.

Het was voor het eerst sinds weken dat ik van huis was, dus deed ik langzaam het portier van de auto open, stapte uit en rekte me uit. Behoedzaam keek ik om me heen. Een onzichtbare vogel riep. Aan de oostelijke hemel stond een dun flintertje maan.

Tiffany barstte van de energie en rende het hele eind naar het laagste punt, en toen weer de trap op naar mij toe, nog steeds naast de auto, en vervolgens een onofficieel pad op dat was uitgesleten in het prairiegras. Ik bleef wat staan treuzelen achter het lage muurtje rondom de parkeerplaats en bekeek de net zichtbare toppen van de dichtstbijzijnde rotsen. Uiteindelijk liep ik langzaam naar het eerste uitkijkpunt.

Ik was maar zo zelden in de Badlands geweest, dat ik was vergeten wat voor bizarre plek het is met dat afgesleten gesteente, kaal en spookachtig wit, oprijzend naar de hemel als de afbrokkelende marmeren pilaren van een of andere uitgestrekte, vergeten stad. De zon was achter de Black Hills gezakt, die zich in de verte golvend aftekenden, en had plaatsgemaakt voor de langgerekte midzomerschemering. De wassende maan scheen helder en fel, een heidense sikkel voor jageressen en offergaven van maretak. Dezelfde vogel riep weer, een lange, schrille triller.

Tiffany was alweer beneden bij het laagste punt, en ik liep naar haar toe. De grond onder de veiligheidsreling liep steil af naar de tientallen meters lager gelegen bodem van het dal.

Iedereen was inmiddels vertrokken, dus Tiffany en ik bleven alleen achter in de spookachtige stilte. Ik leunde met mijn onderarmen op de metalen reling en keek naar de surrealistische formaties die zich uitstrekten in de schemerige verte, zo ver als het oog reikte. Ik voelde niet de angst die ik als kind had gevoeld, maar ik was wel overdonderd. Het was een magische plek, vooral bij maanlicht.

"Kom mee," zei Tiffany, en ze glipte onder de reling door.

"*Tiffany*!" krijste ik. "Godallemachtig, blijf hier. Jezus! Straks val je te pletter."

"Nee hoor. Ik ben hier al eerder naar beneden geklommen. Cody en ik allebei. Er is een pad. Kom mee."

Het zag er niet uit alsof er een pad was; ik zag alleen maar een steile afdaling in een soort maanlandschap.

"Kom mee, Laura. Ik wil je iets laten zien."

Alle gezond verstand overboord zettend, kroop ik onder de reling door en volgde haar door een witte greppel van angstaanjagend brokkelige grond. We gingen steil naar beneden, en ik durfde er niet aan te denken hoe we ooit weer boven moesten zien te komen. "Jezus, Tiffany, sta stil! Jezus Christus, dit pad is voor berggeiten, niet voor mensen. Je moeder vermoordt me als ze er ooit achter komt dat ik dit goed heb gevonden."

"Wees maar niet bang," antwoordde ze, en ze ging zitten om zich nog verder naar beneden te laten glijden in de diepere geul onder ons. "Cody en ik zijn hier allebei al duizend keer geweest. Een eindje verderop langs de weg is een picknickplaats, en papa en mama stoppen altijd daar omdat er schaduw is. Cody en ik gaan hier altijd op onderzoek uit. Ik weet wat ik doe."

En dat bleek, want ineens kwamen we uit op een smal plateau dat drie ponderosadennen herbergde en een toefje gras op de witte rotsen. We bevonden ons zo'n zestig meter onder het uitkijkpunt, maar nog steeds duizelingwekkend hoog boven de bodem van de vallei. Aan alle kanten rondom ons reikte het bleke landschap omhoog in slanke spiralen, als de vingers van een skelet die grijpen naar de lucht.

"Hoe moeten we hiervandaan ooit weer boven komen?" mompelde ik.

"Laura, stil nou, alsjeblieft. Als ik had geweten dat je hier zo moeilijk over zou doen, had ik je niet meegenomen," zei Tiffany. "Met al dat gezeur verpest je nog wat ik je wil laten zien."

Ik zei niets meer.

Aangekomen bij de rand van het plateau staarden we allebei om ons heen naar het landschap. De schemering loste op in de nacht, maar de witte rotsbodem was bijna lichtgevend in het licht van de sterren. De sikkelvormige maan hing laag, de beschaduwde kant van de bol vaag zichtbaar in het duister. Tiffany raakte mijn arm aan en wees naar de naargeestige helling links tegenover ons. Daar, ongeveer op dezelfde hoogte als wij, was een ree bezig tegen de steile helling op te klimmen. Achter haar kwamen al snel twee identieke reekalfjes in beeld. Een lichtgekleurde uil riep en vloog langs de dennen naar beneden, de peilloze diepte onder ons in.

"De Sioux-Indianen dachten dat dit een heilige plek was," zei Tiffany zacht. "Ik denk dat ze misschien wel gelijk hadden." Ze keek naar me. "Het is geen kerk of zo, maar toch kun je het voelen, vind je niet? Ik wel. Ik voel dat hier iets is wat er op de meeste plaatsen niet is."

Het is net de hooggelegen heilige plaats, dacht ik, deze geheime plek met zijn witte rotsbodem, het weidse uitzicht, de natuurlijke heiligheid. Ik wierp een zijdelingse blik op Tiffany, die alweer in haar eigen gedachten verzonken was. Gekleed in een afgeknipte spijkerbroek en een smerig T-shirt, met witte schaafplekken van de rotsen op haar knieën, haar gymschoenen versleten bij de tenen, was ze een onwaarschijnlijke spirituele gids, maar ik herkende haar nu voor wat ze was.

Torgon roerde zich. Niet de Torgon die in Boston tot mij was gekomen. De echte Torgon. Op de oude, vertrouwde manier. Ik zag haar niet direct. Ik voelde haar alleen, maar ze begon te wervelen in mijn binnenste, af en toe aan de oppervlakte komend, zoals spartelende zalmen doen als ze terugkeren naar de te kleine beekjes waar ze zijn geboren.'

34

'O, laat me haar eens zien. Laat me haar vasthouden. Hier.' Torgon stak haar armen uit.

Behoedzaam wikkelde Mogri de baby uit haar doeken.

'Ze is sterk. Je hebt een prachtige dochter gebaard, Mogri.'

'Ik ben van plan haar Jofa te noemen zodra het haar naamdag is.'

Torgon liefkoosde de baby. 'Och, kijk nou toch, wat een snoesje. Wat ben je mooi.'

'Ik wou dat ze me net zo mooi toescheen wanneer de uilen vliegen,' zei Mogri, en ze ging zitten. 'Ze kan nog steeds dag en nacht niet van elkaar onderscheiden, en ik voel me erg uitgeput.'

'Ga nu dan zitten en rust uit terwijl ik haar vasthoud.' Torgon hield de baby liefdevol tegen zich aan. 'Ondertussen kun je me vertellen hoe het thuis is.'

'Ik ga de velden verlaten om te leren weven bij moeder.'

'Jij? Weven? Mogri, je hebt altijd een hekel gehad aan weven.'

'Jawel, maar wat moet ik anders nu ik een baby heb? Het is werk binnenshuis, het is warm en droog, en ik zal haar niet de hele dag op mijn rug hoeven dragen.'

'Ah.'

Mogri stak haar hand uit om zachtjes de slaap van de baby te strelen. 'Ik wou dat Tadem was blijven leven. Als ik naar haar kijk, denk ik bij mezelf: wat moet er van ons worden? In wat voor wereld heb ik haar neergezet? Geen vader. Geen broertjes of zusjes.' Ze keek naar Torgon. 'Ik was van plan haar van het leven te beroven zodra ze uit de baarmoeder was gekomen. Ik had besloten dat dat de beste oplossing was, maar toen ik haar zag, had ik het hart niet om het te doen... Toch vrees ik dat het feit dat ik haar heb laten leven uiteindelijk de wreedste keuze zal blijken te zijn geweest.'

'Wel, ze zal niet alleen opgroeien.'

‘Hoe bedoel je?’

‘Er zal iemand zijn die gelijktijdig met haar opgroeit. Ik was niet van plan om je dit te vertellen, maar als het je hart misschien wat rust geeft...’

Mogri fronste haar voorhoofd.

‘Ansel heeft zijn woord gehouden. Hij zei die avond dat hij gemeenschap met me zou hebben om een kind bij me te verwekken, en het lijkt hem te zijn gelukt. Voordat het weer lente wordt, zal Jofa een neefje of nichtje hebben.’

Mogri’s ogen werden groot. ‘Torgon, *is het echt waar?’*

‘Jawel. Ik heb al wekenlang last van mijn maag en daarom vermoedde ik het. Nu zijn er drie maanwendes verstreken en heb ik nog steeds mijn maandelijkse bloedingen niet gehad.’

‘O, heilige Dwr.’ Mogri speurde het gezicht van haar zus af. ‘Ik wil graag geloven dat dit goed nieuws is, maar is het dat ook, Torgon?’

Torgon schudde haar hoofd. ‘Ik weet het niet... Wat het betekent en wat er zal gebeuren, daar durf ik niet aan te denken.’

‘En waar kom jij dan wel vandaan?’ Hij stapte plotseling van achter een boom tevoorschijn terwijl Torgon zich een weg baande door het bos.

Het was Galen, Ansels oudste broer.

‘Wat brengt jou hier?’ vroeg Torgon. ‘Dit is heilige grond en niet bestemd voor algemene doorgang.’

‘Ik sprak als eerste, anaka benna, dus mijn vraag verdient voorrang. Waar ben je geweest dat je hier zo voortsluipt over zo’n verwilderd bospad?’

‘Scheer je weg, Galen. Vooruit.’ Torgon wilde langs hem heen lopen.

Met onverwachte snelheid trok hij zijn zwaard en versperde haar de weg. ‘Spreek niet zo neerbuigend tegen me. Ben je soms vergeten dat ik ook heilig ben? Sta stil, goddelijke, en verleen mij de eer van een gesprek.’

Torgon keek hem woedend aan.

‘Of misschien moet ik je eerst vertellen hoe gemakkelijk dit zwaard een arbeider kan doorklieven? Het is scherp. Voel maar, als je twijfelt aan mijn woord. En er zijn er te veel in de arbei-

derskaste. Hebben we ons tijdens de laatste bijeenkomst niet afgevraagd hoe we zoveel monden moeten voeden? Vooral baby's. *De arbeiderskaste blijft zich maar voortplanten. Maar mijn zwaard is snel als het om baby's gaat. Misschien zou je willen dat ik je laat zien hoe snel.'*

'In mijn kaste leren we dat enkel lafaards hen die zwakker zijn dan zijzelf kwaad doen. Een nobel mens doet zoiets niet.'

Galen draaide de kling van zijn zwaard plat en strekte zijn arm om de punt ervan onder Torgons kin te plaatsen. Voorzichtig hief hij het op, zodat ook Torgons hoofd werd opgeheven en hij haar gezicht kon bestuderen. 'Goed,' zei hij. 'Ansel had gelijk met zijn voorkeur voor jou. Je hebt wel aantrekkelijke kanten. Maar je ogen bevallen me niet. Ze zijn te licht. Ze geven je de aanblik van een geest.'

Torgon zei niets.

'Hij sprak ook vol lof over je borsten.' Behendig zwaaide Galen opnieuw met het zwaard en hij drukte de punt tegen haar buik. Met één snelle beweging bracht hij het omhoog en doorkliefde de witte stof van haar gewaad. De punt van het zwaard kraste over haar huid, zodat er vuurrode bloeddruppels opwelden. 'Toon me je borsten, opdat ik er zelf over kan oordelen.'

Torgon verroerde zich niet.

Galen drukte de punt van het zwaard nogmaals tegen haar huid. 'Toon me je borsten.'

'Scheer je weg. Ga terug naar de honden, je soortgenoten.'

Galen drukte zo hard met het zwaard tegen haar borst dat ze genoodzaakt was een stap naar achteren te doen. 'Je bent niets meer dan arbeiderstieten en een arbeiderskut, het soort waar krijgers slechts een paar centen voor betalen. Niets meer dan een slons die door mijn vader is uitgekozen om Ansels paringsdrift te stillen.'

'Minderwaardige mannen zijn altijd het slachtoffer van hun lust. Het doet niet ter zake hoe je vader tot zijn keuze is gekomen. In zijn keuze lag de wil van Dwr besloten.'

'Je hebt een veel te hoge dunk van jezelf.'

'Nee. Ik heb enkel een lage dunk van jou. Haal nu je zwaard weg en verdwijn.'

'Nee, heilige benna, ik wil liever even met je praten.'

Torgon keek hem aan.

'Ik zou bijvoorbeeld met je willen praten over mijn broer, wiens botten rusten in de as van de brandstapel van zijn begrafenis. Voor hem is er geen gouden zomerdag geweest.'

'Wat geschied is, is geschied. De ouderlingen zijn bijeen geweest en hebben hun oordeel geveld. Dat weet je heel goed, want je was erbij, dus er rest ons niets meer om over te praten.'

'Mijn broer is een eerloze dood gestorven. Dat *weet jij heel goed, anaka benna. Zelfs jij schaamde je zo voor wat je had gedaan, dat je bent gevlucht.'*

'Ik ben in retraite gegaan teneinde Dwr om raad te vragen over hoe ik het kwaad kon wegnemen dat je broer had aangericht.'

'Wel, heilige die spreekt met de goden, welke raad heb je gekregen? Nog meer manieren om de dolk van een krijger te hanteren?'

'Jullie hebben allemaal je ziel voor je uit gestuurd in het donker en zijn niet van zins om die nog terug te roepen. Om die reden zegt Dwr dat het eind is aangebroken voor alle heiliggeborenen.'

Zijn gezicht liep rood aan. 'Vrouw! *Wat is er in jou gevaren? Ben je geboren zonder ook maar een greintje gezond verstand? Dit zwaard kan jou onverwijld je levensadem ontnemen en we bevinden ons hier diep in het bos, zodat niemand zou weten wie de daad heeft voltrokken, en toch vaar je tegen me uit. Hecht je dan zo weinig waarde aan je leven? Betoon me het respect dat je me verschuldigd bent of ik zal je simpelweg doorboren.'*

'Dat weet ik, want dat heeft Dwr me reeds verteld.'

Hij keek verbijsterd.

Ze glimlachte. 'Maar niet vandaag. Dit is niet het moment om mij te doden. Want als je dat doet, zul je ook het ongeboren kind van je broer doden.'

35

'Dit is niet de maan,' mompelde Conor, terwijl hij met zijn vingers voor zijn gezicht wapperde. 'We zijn niet naar de maan gegaan.'

'Kom binnen, Conor,' zei James, de deur van de speelkamer openhoudend.

'Ik weet niet waarom hij zo praat,' mompelde Morgana. Ze wrong zich langs hem heen naar binnen en liep naar de tafel.

'Kus?' riep Alan haar achterna.

Morgana rende terug en ging op haar tenen staan om haar vader een kus te geven. Conor, die zich nergens van bewust was, stond daar maar met zijn kat tegen zich aan geklemd. Alan streek met zijn lippen over het bleke haar van de jongen. 'Tot straks, kinderen.'

'Tot straks, papa.'

Daarna ging de deur dicht.

'Waarom wilde je dat we allebei kwamen?' vroeg Morgana. 'Waarom moesten Conor en ik niet allebei op onze eigen tijd komen, zoals anders?'

'Omdat ik het soms leuk vind om broertjes en zusjes samen te zien spelen,' antwoordde James.

'Hij en ik, wij spelen niet samen,' zei ze. 'Dat kan hij niet.'

'We zijn niet naar de maan gegaan,' mompelde Conor.

Morgana slenterde naar de andere kant van de kamer. 'Wat moeten we dan doen hier vandaag? Moet ik iets samen met hem gaan doen?'

'Jij bent de baas,' antwoordde James.

'Conor? Wil je iets met mij doen?' riep Morgana naar hem.

Geen reactie.

'Hij *wil niet* met me spelen,' zei ze tegen James, haar toon ietwat vermoeid. 'Dat had ik je zo wel kunnen vertellen. Hij wil dat nooit.'

'Nou, dat geeft niet.'

'Dan ga ik maar met de lego,' zei ze, en ze nam de grote plastic bak mee naar de tafel. 'Ik ga een huis maken.'

Conor bleef roerloos bij de deur staan.

'Ik zou wel een kasteel willen maken. Heb je die wel eens gezien? Die lego-kastelen? Daar moet je een speciale set voor kopen. Maar die zijn heel moeilijk. Mijn vader zegt dat ik er geen krijg, omdat ik nog te klein ben om het zelf in elkaar te zetten en alleen maar stukjes kwijt zou raken. Maar ik zou wel heel graag een kasteel willen om mee te spelen.'

'Wat zou je daar dan mee willen doen?' vroeg James.

'Weet ik niet. Gewoon spelen. Sprookjes of zo. Je weet wel, van Rapunzel enzo.' Ze pakte een paar lego-steentjes.

James hief zijn hoofd op en keek naar Conor, die nog steeds bij de deur stond. Heel even ving hij Conors blik, voordat de jongen zich haastig afwendde.

'Heb je zin om erbij te komen zitten?' vroeg James. Hij stond op van de tafel en liep naar hem toe.

Conor bleef stokstijf staan, de pluchen kat tegen zijn borst gedrukt, en staarde strak voor zich uit met nietsziende ogen.

James knielde, zodat hij zich op ooghoogte van de jongen bevond. 'Ik zie aan je lichaam en je gezicht dat ze zeggen: "Ga weg en laat me met rust."'

Er gleed een lichtelijk verbaasde uitdrukking over Conors gezicht bij deze accurate interpretatie van James, en hij keek hem aan. 'Ja,' zei hij zacht.

'Vandaag is alles anders en ik kan aan je zien dat je dat niet fijn vindt.'

'Dit is de kamer van de jongen.'

Verbijsterd draaide Morgana zich om in haar stoel. 'Hij praat gewoon tegen jou!'

'Misschien zou je aan Morgana kunnen laten zien wat je altijd leuk vindt om te doen als je hier bent,' opperde James.

'Nee.'

'Heb je zin om bij ons aan tafel te komen zitten?'

'Nee.'

'Wil je ook met mij praten, Conor?' vroeg Morgana, die van haar stoel opstond en naar hen toe liep. 'Wat kun je allemaal zeggen?'

Vijandig keek Conor zijn zusje aan.

‘Kun je echt praten net als wij allemaal? Toe nou, Conor. Doe het voor mij.’

Geen reactie.

‘Wil je met mij met de lego spelen?’

James liep terug naar de tafel en ging zitten. ‘Ik wil dat Conor zich welkom voelt om bij ons te komen zitten. Ik zou graag willen dat je hier bij ons kwam zitten, Conor, maar als je niet wilt, dan hoeft het niet. Hier ben jij de baas.’

Conor beende naar hen toe. ‘*Ik* ben de baas en *ik* zeg dat ik haar hier niet wil hebben. Dit is de kamer van de jongen.’

‘Was je vergeten dat Morgana vandaag ook mee zou komen?’ vroeg James.

‘Vandaag wil ik mijn boek doen.’

‘Wat voor boek, Conor?’ vroeg Morgana. ‘Bedoelt hij verhaaltjes?’ Opgewekt stond ze op. ‘Ik wil ook wel graag een verhaaltje horen.’

Conor wendde zich tot haar. ‘Het is niet jouw verhaaltje. Het is niet voor jou.’

Teleurgesteld ging Morgana weer zitten.

‘Hier mag je niet mee spelen,’ verkondigde Conor, en hij liep naar het poppenhuis.

‘Ik heb ook niet gezegd dat ik daarmee wilde spelen,’ mompelde Morgana.

‘Je wilt het poppenhuis niet delen,’ herformuleerde James.

‘Hier ben ik de baas, en ik zeg dat ze er niet mee mag spelen.’

‘Wat als ik nou zeg dat ik ermee wil spelen?’ vroeg Morgana, haar toon niet uitdagend maar gewoon nieuwsgierig. Ze keek naar James. ‘Wat gebeurt er als ik zeg dat ik ermee wil spelen maar hij zegt dat het niet mag? Hoe werkt het dan?’

‘Dat zou jij wel eens willen weten,’ antwoordde James met een grijns. ‘En als het zover is, zullen we proberen het uit te praten tot we een oplossing hebben.’

Morgana haalde haar schouders op. ‘Dat hoeft niet, hoor. Hij mag het hebben.’

Er gleed ineens een gealarmeerde uitdrukking over Conors gezicht, en hij liep vlug naar de boekenplanken achter Morgana. ‘Deze mag ze niet hebben,’ zei hij, en hij griste de doos met de mechanische kat erin naar zich toe.

'Waarom niet? Wat is dat?' vroeg Morgana.

Conor klemde de doos stevig tegen zijn borst. 'Het is van mij. Je mag het niet hebben.'

'Nee, ik zei ook niet dat ik het wilde hebben, Conor. Wat is het?'

'Het is de mechanische kat,' antwoordde Conor iets minder kortaf.

'Een mechanische kat? Echt waar? Wat kan-ie allemaal?'

'Het is de mechanische kat,' herhaalde hij.

'Laat eens zien. Toe? Ik vind dat soort dingen leuk. Alsjeblieft, Conor?'

Hij klemde de doos nog dichter tegen zijn borst.

Ze draaide zich om, haar gezicht een smeekbede om interventie van James' kant. 'Mag ik 'm zien?'

James glimlachte maar gaf geen antwoord.

'Ik vind dat soort dingen echt leuk, hoor,' zei ze op pruilende toon. 'Ik heb eens een mechanisch hondje gezien. Hij had een bal in zijn bek, en als je hem opwond, kwispelde hij met zijn staart en liep hij rond en schudde met de bal heen en weer.' Ze keek weer naar Conor. 'Wat kan jouw kat?'

'Hij ziet geesten.'

'O, fijn.' Morgana slaakte een gepijnigde zucht. 'Je gaat weer onzin uitkramen.'

Een stilte.

'Er zit een meisje bij mij op school, Britney, en die heeft een broer van negen net als Conor,' zei Morgana tegen James. 'Hij kan heel goed met lego bouwen. Hij heeft een lego-raket gekregen voor de kerst en die heeft-ie meegenomen naar school om te laten zien nadat hij hem had gebouwd. Als Conor net zo was als hij, had hij misschien dat kasteel voor me kunnen maken dat ik zo graag wil hebben. Want mijn papa wil het niet doen. Hij zegt dat het te veel gepriegel is. Maar Conor zou het misschien wel voor me hebben kunnen doen, want hij is al negen.'

Aan de andere kant van de tafel was Conor gaan zitten. Hij hield de doos met kartonnen dieren nog steeds tegen zijn borst geklemd, maar hij verslapte zijn greep een beetje.

Morgana hervatte haar spel met de lego-steentjes.

De daaropvolgende minuten gingen in totale stilte voorbij.

Heimelijk sloeg Conor Morgana's bezigheid gade. Toen bleek dat ze geen seconde opkeek van wat ze aan het doen was, zette hij zachtjes de doos met kartonnen dieren op tafel. Na een vluchtige controle van waar Morgana mee bezig was, stak hij vervolgens zijn hand onder de deksel van de doos en haalde er heel voorzichtig de kartonnen kat uit. Vlug liet hij het diertje op zijn schoot glijden en hield het daar vast, keek ernaar, en streelde zachtjes de verschoten print van zijn vacht. Hem nog steeds onder het tafelblad vasthoudend op zijn schoot, zette hij de kat in de standaard. Opnieuw een steelse blik op Morgana. Toen zette Conor de kat op tafel. Er zat nog steeds een bolletje klei aan het uiteinde van het touwtje om de hals van het dier, dus Conor drukte het vast op het tafelblad.

'Ziezo,' zei hij.

Morgana keek op.

'Hier is de mechanische kat.'

Ze fronste haar wenkbrauwen. 'Wat is er dan mechanisch aan? Wat kan-ie?'

Conor leek perplex door deze vraag. 'Het is de mechanische kat,' antwoordde hij op een toon die aangaf dat hij dit vanzelfsprekend vond.

'Maar wat kan-ie?' hield Morgana vol. 'Wat is er mechanisch aan? Want dan moet-ie bewegen of zoiets, en volgens mij is-ie gewoon van karton.'

'Hij heeft elektriciteit. Zap-zap.' Conor friemelde aan het touw rond de nek van de kartonnen kat. 'Hij ziet de man.'

'Welke man? Hem? Dokter Innes?'

'De man onder het vloerkleed.'

Morgana rolde met haar ogen. 'Daar gaan we weer.' Ze keek naar James. 'Hoe komt het dat Conor onzin uitkraamt terwijl hij wel weet hoe je normaal moet praten?'

'Weet je wat ik denk?' zei James. 'Ik denk dat het niet zo leuk is om andere mensen in dezelfde kamer over je te horen praten alsof je er niet bent. Wat denk jij?'

'Dat doen mijn vader en moeder ook altijd.'

'En hoe vind je dat?' vroeg James.

Morgana haalde haar schouders op. 'Ik weet niet. Ik heb ze

een keertje horen zeggen dat ik stout was geweest. Daarom gaan mijn vader en moeder scheiden.'

James keek naar haar. 'Je denkt dat je vader en moeder gaan scheiden omdat jij stout bent geweest?'

Morgana knikte. 'Ja, dat zeiden ze. Mijn vader zei tegen mijn moeder dat hij ging scheiden omdat ik had gelogen over Caitlins feestje.' De tranen sprongen haar in de ogen.

'Kom eens hier,' zei James, een arm naar haar uitstekend. 'Kom eens even bij me staan terwijl ik je iets vertel.'

Morgana legde haar lego neer en liep om de tafel heen naar hem toe.

'Dat is niet waar,' zei James vriendelijk. 'Je ouders gaan niet scheiden vanwege jou, Morgana. Ze hebben grotemensenproblemen die ze niet hebben kunnen oplossen, en daarom gaan ze scheiden. Ik weet zeker dat ze allebei heel veel van je houden en dat het niet jouw schuld is dat ze gaan scheiden.'

'Nou, maar ik heb wel gelogen. Ik wilde die markeerstiften hebben voor de Leeuwenkoning, dus ik deed alsof ze voor Caitlin waren. Mijn papa is heel boos geworden en heeft me een pak op mijn billen gegeven. En ik heb hem tegen mama horen zeggen dat hij van haar gaat scheiden omdat ik gelogen heb. Ik heb het hem *horen* zeggen,' jammerde ze.

'Dat is een heel groot verdriet voor een klein meisje. Ik ben blij dat je het me hebt verteld,' zei James, 'want dan kan ik je helpen begrijpen dat het misschien wel *voelt* alsof het zo is gegaan, en dat het misschien wel *klonk* alsof je vader het op die manier bedoelde, maar dat het toch niet zo *is*. Ik heb met je vader en met je moeder gepraat en ik weet alles over Caitlins feestje. Ik weet ook dat ze allebei heel, heel veel van je houden, en ze zouden het allebei heel erg vinden als ze wisten dat jij dacht dat het jouw schuld is dat ze gaan scheiden. Als je vader dat inderdaad heeft gezegd, dan was dat alleen omdat hij boos was op dat moment, en dan heeft hij iets gezegd wat hij niet meende. Dat gebeurt soms, zelfs met grote mensen.'

Een korte stilte volgde. Troost zoekend drukte Morgana haar gezicht in de stof van James' jasje.

Conor had het gesprek gadegeslagen, maar stond nu op en begon door de kamer te lopen. Toen hij bij de plank kwam waar het grote, witte autokleed met de wegen erop lag, pakte hij het eraf en spreidde het ondersteboven uit op de grond. Er stond een mand met kleine plastic figuurtjes op de plank ernaast. Conor begon ze eruit te halen, een voor een, en probeerde ze rechtop neer te zetten, maar het autokleed lag niet vlak genoeg, en de meeste poppetjes vielen om. Uiteindelijk begon hij de figuurtjes gewoon bovenop elkaar te stapelen.

Morgana, die zich nog steeds aan James vastgeklampt hield, kreeg in de gaten waar Conor mee bezig was. Heel even sloeg ze hem in stilte gade, en toen maakte ze zich los en liep voorzichtig naar hem toe om te zien wat hij aan het doen was.

'Wat maak je?' vroeg ze.

Conor gaf geen antwoord.

'Waarom draai je het niet om, zodat het eruitziet als een snelweg?'

Geen reactie.

'Je zou een ranch kunnen maken. Met die dieren.'

Nog steeds geen antwoord.

Morgana bukte zich en raapte een paard op dat op zijn zij lag. 'Hier. Zet deze maar neer.'

'Nee,' zei Conor resoluut, en hij duwde haar hand weg.

Na deze onvriendelijke bejegening deinsde Morgana achteruit, maar ze bleef wel staan kijken.

'Mag ik meedoen?' vroeg ze ten slotte.

Hij gaf geen antwoord.

'Mag ik een paar van die dieren hebben?'

Geen reactie.

'Niet eerlijk, jij hebt ze allemaal.' Ze draaide zich om naar James om haar beklag te doen.

James glimlachte. 'Kijk maar of jullie het samen kunnen oplossen.'

In eerste instantie leek het alsof Conor het niet had gehoord. Hij bleef spullen uit de mand op het kleed stapelen op een nogal ritualistische manier. Toen stak hij Morgana onverwacht een plastic vrouwenfiguurtje toe.

'Mag ik er nog een paar? Mag ik een paar dieren?'

Conor griste een handvol dieren uit de mand en liet die aan haar kant van het kleed vallen. 'Waar is de mechanische kat?' zei hij ineens, kijkend naar James. Hij sprong op, liep naar de tafel om hem te halen en nam hem mee terug. Behoedzaam zette hij hem neer, halverwege het kleed.

'O, daar is je kat weer,' zei Morgana. 'Hoe heet hij? Heeft hij een naam?'

'De kat zegt dat dit de kant van de jongen is. Niet hier komen. Niet deze kant gebruiken.'

Er verstreken een paar minuten in stilte. Morgana creëerde een kleine wereld aan haar kant van het kleed. Ze sloeg het terug zodat een deel van de weg zichtbaar werd, pakte een paar speelgoedautootjes van de plank en parkeerde die aan de zijkant van het kleed. De weinige dieren die Conor haar had gegeven, zette ze op een rijtje.

Conor sloeg haar heimelijk gade. Aan zijn kant lag alleen een berg plastic figuurtjes. Hij schoof ze naar elkaar toe zodat de stapel nog hoger werd, maar hield toen weer even op om te kijken wat Morgana aan het doen was. Hij pakte de mechanische kat en legde die boven op de stapel dieren. Eerst legde hij hem plat neer, toen probeerde hij hem rechtop te zetten tussen de plastic poten en staarten. Met enige inspanning kreeg hij dit voor elkaar.

'Ik ga een ranch maken voor de dieren,' verkondigde Morgana. 'Maar ik wou dat we een paar bomen hadden. Om het mooi te maken, net zoals bij de beek.'

'Bomen en bloemen,' zei Conor. Onverwachts stak hij zijn hand uit en pakte Morgana's arm vast. 'Waar de lego is.' Hij trok haar overeind. 'Bomen en bloemen. Daarin. Zie je wel?' Hij bukte zich en graaide in de bak met lego. Hij viste er een kleine groene lego-boom uit. 'Zie je wel?'

'Hé, super! Ja, dat is leuk, Conor.'

Hij bukte zich weer en viste de ene boom na de andere uit de bak. De kleine lego-bloemetjes werden ook tevoorschijn gehaald. Morgana ging weer verder met het bouwen van haar ranch, maar Conor ging verder met alle bomen en bloemen eruit te vissen. Toen hij er geen meer kon vinden, bleef hij er even naar zitten kijken. Hij zette ze op een rijtje op de zijkant van de boekenkast en telde ze. 'Vijfentwintig bomen. Dertien bloemen. Dertien rode bloemen. Acht blauwe bloemen. Elf gele bloemen.' Hij liep naar Morgana toe. 'Vijfentwintig bomen plus zes bomen. Eenendertig bomen. Zes bomen hier voor je ranch. Vijfentwintig bomen op de plank.'

'Ja, oké, Conor, ik snap het. Laat me nou even spelen.'

'Vijfentwintig bomen. De jongen heeft vijfentwintig bomen op de plank.'

James keek toe, gefascineerd door Conors pogingen tot een gesprek. Het was duidelijk dat hij met Morgana wilde communiceren, en zijn stugge vasthouden aan dat ene onderwerp waarvoor ze hem een complimentje had gegeven, had iets ontroerends.

Hij liep terug naar de plank en pakte zoveel bomen als hij kon dragen. Hij nam ze mee naar zijn kant van het autokleed. 'Hier zijn elf bomen. De jongen heeft elf bomen.' Hij liet ze tussen zijn vingers door op de stapel dieren vallen.

Eén van de plastic bomen raakte de kartonnen kat, die van de stapel af viel. Vlug raapte Conor hem op. 'Hij heeft zich geen pijn gedaan,' zei hij tegen James. Hij liep naar de andere kant van de kamer en hield de kat vlak voor James' gezicht. 'De mechanische kat heeft zich geen pijn gedaan. Er is een boom op gevallen en die heeft hem eraf gegooid, maar het geeft niet. De mechanische kat kan niet dood.'

James glimlachte.

'Het is veilig hier. De mechanische kat is veilig.' Op de manier waarop Conor de zinnen uitsprak, waren het bijna vragen.

'Ja, je bent hier veilig,' zei James.

'Niet op de maan,' antwoordde Conor.

Hij liep terug naar het autokleed en zette behoedzaam de kartonnen kat weer tussen zijn helft en Morgana's helft in. 'In terria,' mompelde hij.

Met zorg koos Conor drie bomen uit. Hij zette ze rechtop bij elkaar, boven op het kleed. 'Zo staan ze,' zei hij. 'Drie bomen op de maan.'

Morgana keek op. 'Ik geloof niet dat er bomen zijn op de maan, Conor. Volgens mij heb ik dat wel eens gehoord.'

'Drie bomen op de maan.'

'Er groeien geen bomen op de maan, hè, dokter Innes? Conor vergist zich.'

'*Ik* heb het gezien. *Ik* kan het weten,' zei Conor. 'Jij was er niet bij. Jij bent niet naar de maan geweest.'

'Jij bent ook nog nooit naar de maan geweest,' zei Morgana.

'Met de man onder het vloerkleed. In een raket. Drie bomen op de maan,' zei Conor. James zag dat zijn vingers begonnen te fladderen naast zijn lichaam.

'Conor, je moet astronaut zijn om naar de maan te gaan. Kinderen kunnen daar niet naartoe.'

'De spookman was op de maan.'

Morgana keek vragend naar James. 'Ik vind het niet leuk als hij over spoken en geesten praat.'

Conor stak zijn hand uit en pakte de mechanische kat van het kleed. Hij drukte hem tegen zijn gezicht, tegen zijn lippen en tegen zijn ogen. 'De mechanische kat is hier,' mompelde hij. 'Hij zegt: "Je bent veilig hier, jongen. Je bent veilig hier, meisje. Ik ga nooit dood. Ik zal voor altijd op jullie passen."'

36

'Vol nieuwe energie en klaar om er weer tegenaan te gaan, keerde ik terug naar Boston,' zei Laura aan het begin van haar volgende sessie. 'In de loop van de zomer had ik me erbij neergelegd dat ik nooit tropenarts zou worden. Ik zag het voor wat het werkelijk was – een van die idealistische dromen die je als tiener of twintiger hebt. Het enige wat ik tegen die tijd wilde, was mijn studie afmaken en aan mijn coschappen beginnen.

Ik had geen enkel contact meer gehad met Fergus terwijl ik in South Dakota was, en wat mij betrof, was het voorbij. De dag nadat ik naar Boston was teruggekeerd, echter, werd er aan de deur gebeld. Instinctief wist ik dat hij het was.

Ik deed de deur open. Heel even stonden we elkaar alleen maar aan te kijken. Toen spreidde hij zijn armen en nam me in een stevige omhelzing.

"O god, o god, o god," mompelde hij in mijn haar, en drukte me zo hard tegen zich aan dat ik werd gesmoord tegen zijn borst. "Ik heb je zo gemist."

Ik vroeg hem binnen.

In de woonkamer plofte Fergus zwaar in de grote leunstoel bij het raam neer. "Ik ben de hele zomer depressief geweest," zei hij. "Ik wist niet hoe cruciaal jouw levenskracht is voor die van mij. Toen je er niet was, heb ik amper iemand onder ogen kunnen komen."

Fergus leunde achterover in de stoel en deed zijn ogen even dicht. Hij zag er schitterend uit zo, zijn gelaatstrekken ontspannen, zijn donkere krullen badend in de gloed van de vloerlamp, als een getergde Christus van de straat.

"Het is de slaap," mompelde hij. "Ik kan niet slapen. Al weken niet."

Een stilte.

"Ik was fout," zei hij. "Ik had je meer op gelijke voet tegemoet moeten treden. Je had gelijk dat je bij me bent weggegaan. Dat zie ik nu wel in. Ik begrijp dat je geen andere keuze had en dat spijt me. Het spijt me verschrikkelijk."

Ik knikte. "Ik ben blij dat je dat zegt."

"Het is zo zwaar geweest, Laura. Ik ging dood zonder jou."

"Torgon is bij me teruggekeerd," zei ik.

Hij fronste zijn voorhoofd.

"Ik ben weer begonnen met schrijven. Deze keer stop ik er niet meer mee. Ik moet schrijven."

"Torgon is nooit weg geweest."

"Die Torgon heeft nooit bestaan, Fergus. Wat ik channelde – veinsde te channelen – was ik gewoon zelf. Die tijd ligt nu achter me en ik weiger om het ooit weer te doen."

Fergus' gezichtsuitdrukking was raadselachtig.

"Ik heb het destijds alleen gedaan omdat ik zo ontzettend graag die persoon wilde zijn die jij in mij zag. Soms, als we iets zo ontzettend graag willen, maken we het echt, zelfs voor onszelf. Maar dat maakt het nog niet waar. Echt en waar zijn twee verschillende dingen."

"Jij hebt *zo'n* enorme gave," zei Fergus, en zijn ogen schitterden van verwondering.

Ik schudde mijn hoofd. "Nee, ik ben een enorm wrak. Dat is me deze zomer wel duidelijk geworden. Ergens ben ik de weg kwijtgeraakt. Ik heb het pad waarop mijn leven zich bevond verlaten, en daardoor heb ik er een puinhoop van gemaakt. Dus moet ik *stop* zeggen tegen een heleboel dingen die ik deed. Channelen doe ik niet meer. En ik ga ook niet meer terug naar de dinsdagavondgroep."

"Ja, dat begrijp ik." Fergus leunde achterover in de stoel, en er ontstond een diepe, vermoeide stilte. Hij zag er echt moe uit. Ineens had ik met hem te doen. Ik stak mijn hand uit en pakte die van hem.

Hij glimlachte zwakjes, en zijn vingers sloten zich om de mijne. "Ik ben deze wereld zo zat, Laura," mompelde hij. "Ik ben het allemaal zo spuugzat."

Ik boog me naar hem toe en drukte een kus op de hand die ik vasthield. "Het spijt me dat je je beroerd voelt."

"Er is zoveel ellende in de wereld."

"Ja, maar er zijn ook leuke dingen." Ik kuste zijn vingers en glimlachte. "Ja toch?"

Hij leunde naar voren en omhelsde me. Binnen een paar tellen verloren we onszelf in elkaars armen en losten alle nare aspecten van de voorbije twee jaar op in onze kussen. Ik was niet gewend om de sterkste te zijn in onze relatie, maar het beviel me wel. De warme tederheid die ik voor hem voelde, beviel me wel, het gevoel dat ik al zijn zorgen kon wegnemen.

Hij begroef zijn gezicht in mijn haar, maakte zich vervolgens van me los om me aan te kijken. "Waarom heb je je haar geknipt?"

"Ik wilde wel eens wat anders," zei ik.

"Maar je wist dat ik het mooi vond zoals het was. Waarom heb je me dat ontnomen?"

"Jou het ontnomen? Doe niet zo raar. Ik heb het gedaan omdat ik daar zin in had. Het staat veel beter."

Hij bestudeerde mijn gezicht aandachtig, zijn glimlach werd voller. Hij tilde een hand op en volgde heel zachtjes de omtrek van mijn gelaatstrekken met zijn vingers. "Jij bent mijn koningin, mijn schoonheid. Van nu af aan blijven we voor altijd samen, hè?"

Ik glimlachte terug.

"Je gaat niet meer bij me weg, hè?"

"Ik zal het proberen."

"Je gaat het niet doen. Toch? We blijven voor altijd samen. Voor eeuwig en altijd."

Ik glimlachte.

"Ik zou mijn leven voor je geven," zei hij zacht. "Zoals ik al eerder heb gedaan. Zoals ik altijd heb gedaan. Ik heb keer op keer mijn leven voor je gegeven, mijn koningin. In al mijn levens. Ik dacht dat het ook deze keer weer zou gebeuren toen je bij me weg was." Een heel flauw glimlachje beroerde zijn lippen. Zijn donkere ogen waren niet te peilen. "Zou jij je leven voor mij geven? Zou jij het offer brengen dat ik zo vaak voor jou heb gebracht?"

In november was ik aan het werk op de afdeling neonatologie toen er per vliegtuig een baby'tje werd binnengebracht vanuit een ander land. Hij was geboren zonder nieren. Normaal gesproken gaat zo'n kindje binnen afzienbare tijd dood. De ouders hadden echter heel veel moeite gedaan om zwanger te raken. Ze hadden het gevoel dat hij hun enige kans was om een kindje te krijgen, en ze hadden er alles voor over om hem niet te verliezen. Daarom besloten de artsen te proberen een transplantatie uit te voeren. Deze operatie was destijds zeer experimenteel. Het was in het verleden wel vaker geprobeerd, maar nooit met succes. Sterker nog, niertransplantaties slaagden bijna nooit bij zuigelingen. De artsen waren echter overeengekomen dat ze zouden proberen om de baby lang genoeg in leven te houden tot ze een geschikte donor zouden vinden.

Het jochie was zo ernstig ziek dat hij permanent medisch toezicht nodig had, en daar kwamen ik en twee van mijn medestudenten in beeld. We draaiden om beurten diensten van acht uur, waarin het onze taak was om voortdurend bij de baby te zijn om het verplegend personeel te helpen bij het verstrekken van de noodzakelijke zorg in de periode direct voor en na de transplantatie.

Ik vond het een eer om erbij betrokken te zijn. Het was opwindend om de kans te krijgen bij medisch onderzoek aanwezig te zijn en contact te hebben met de artsen van het transplantatieteam, die door ons studenten veelal voor goden werden aangezien, en die over het algemeen evenredig onbenaderbaar waren. Voor mij persoonlijk was het ook een kans om het weer goed te maken met Betjeman. Hij had zijn nek voor me uitgestoken door me weer toe te laten op de opleiding na mijn "inzinking", zoals hij het noemde.

Met Fergus praatte ik niet veel over deze nieuwe verantwoordelijkheid. Onze verwijdering tijdens de zomer had zijn tol bij hem geëist op een merkwaardige, onverklaarbare manier. Aan de ene kant wilde hij voortdurend bij me zijn en schoot hij snel in de stress als we van elkaar gescheiden waren. Aan de andere kant was hij ongeduldiger en prikkelbaarder dan ooit. Hij had alsmaar van die waanideeën dat ik hem bedroog. Het werd makkelijker om hem gewoon niet te veel te vertellen over dingen waar hij geen deel van kon uitmaken. Toch had ik er nog steeds alle vertrouwen in dat ik alles wel in evenwicht kon houden.

Toen ik mijn eerste dienst moest draaien, werd ik al snel meegesleept door de opwinding van de zaak. Het was allemaal zeer revolutionair, en toen het kindje arriveerde, heerste er een haast voelbare spanning in het ziekenhuis. Toen ik om elf uur naar buiten kwam, waar ik Fergus zou ontmoeten, was ik er nog steeds van in de ban.

Tot mijn verbazing was hij er niet toen ik buiten kwam. Ik was niet blij, want nu moest ik de bus nemen naar mijn appartement. Het was dan ook al vreselijk laat toen ik thuiskwam.

Ik deed de deur open en stapte de donkere hal binnen. Onmiddellijk hoorde ik de zachte, ietwat dromerige stem van Fergus.

"Mijn Stemmen hebben me over jou verteld," zei hij. "Mijn Stemmen zeggen dat dit geen Wezen van Licht is. Ze maken zich zorgen, Laura, en ik ook."

"Jezus, Fergus, ik schrik me dood. Wat doe je hier eigenlijk? Je zou me ophalen."

"Je wordt verleid door het Duister. Je laat het Licht los om terug te keren naar het Duister."

"Fergus..." Ik liep naar de plek waar hij zat en ging voor hem staan. Hij zag er niet uit alsof hij dronken was. Ik rook niks aan hem. Af en toe gebruikte hij softdrugs, maar de weinige keren dat ik hem dat had zien doen, hadden ze niet veel meer gedaan dan hem slaperig maken.

Toen zei hij met een diepere stem: "Ik heb echt mijn best gedaan, Laura. Ik weet dat ik je veel te veel op je huid heb gezeten. Ik weet dat ik je in een positie heb gemanoeuvreerd waarin je veel meer energie van de Stemmen hebt ontvangen dan je aankon, dus heb ik echt geprobeerd om begrip te tonen. Ik heb geprobeerd je op jouw niveau tegemoet te komen. Maar het heeft gewoon geen zin om verder te gaan als jij niet weer gaat channelen. Ik heb moeten afdalen naar jouw niveau om je te ontmoeten, en ik ben bereid geweest om dat te doen om je weer naar een hoger plan te tillen, maar je moet begrijpen dat het niet mijn niveau is. Ik ben hier alleen maar om jou te helpen. Nu ben je opnieuw bezig om te zinken tot onder mijn bereik. Je *kiest ervoor* om te vallen. En ik schijt in mijn broek als ik zie dat alles waar ik zo hard voor heb gewerkt in dit leven tussen mijn vingers door glipt. Als ik bedenk dat me weer een levenslange zoektocht wacht en...” Melodramatisch legde hij zijn hoofd in zijn handen. “Er komt gewoon geen einde aan.”

Ik was in de war. “Geef je me de bons?” fluisterde ik.

“Deze gedragingen van je lagere ik... Ik kan accepteren dat ik ze moet tolereren als we ooit op een hoger plan willen komen, maar denk niet dat ik me erin ga wentelen. Ik heb hier heel lang over nagedacht, en ik kan zo niet verder.”

Ik begon me buitengewoon ongemakkelijk te voelen. “Hoe lang zit je hier al?” vroeg ik achterdochtig. “Ben je niet naar je werk geweest?”

“Ik vind het *walgelijk* als je zo doet,” antwoordde hij. “We zijn geen gelijken, weet je. Je verdient mij in feite nog niet.”

“Fergus, ik weet niet precies wat er aan de hand is, maar ik voel me er niet prettig bij.” Er klopte gewoon iets niet aan de manier waarop hij zich gedroeg. “Volgens mij kun je beter weggaan. Nu. Ik meen het.”

Hij bleef zitten, volkomen roerloos.

Ik wist echt niet wat ik moest beginnen. Ten slotte zei ik: “Oké, als je daar wilt blijven zitten, dan moet dat maar. Ik ga in bad en naar bed.” Ik draaide me om en liet hem alleen. Ik liep de hal in naar de badkamer, deed resoluut de deur achter me dicht en draaide die op slot.

“Laura?” Ik hoorde hem de hal in komen.

“Het is al laat. Je moet naar huis,” zei ik door de gesloten deur heen. Ik zette de badkraan aan.

“Laat me erin.”

“Nee, het is te laat. Ik wil naar bed. Welterusten, Fergus.”

“Laat me erin, Laura,” zei hij dwingender.

“*Nee,* Fergus. Ga naar huis.”

“Laat me *erin*!” gebood hij woedend. Toen ik niet reageerde, schopte hij tegen de deur. Hard.

Doodsbang keek ik de badkamer rond op zoek naar iets waarmee ik de deur kon barricaderen. Er was niets.

Fergus greep de deurknop beet en rammelde er woest aan. “Laat me erin.” Dit keer klonk er minder woede door in zijn stem.

Ik was nog steeds doodsbang en gaf geen antwoord.

“Laura? Laura?” Zijn stem kreeg een paniekerige klank. “Laat me alsjeblieft niet alleen.”

"Je bent niet alleen. Ik ben hier. Maar nu moet je weggaan, oké? Ga naar huis en probeer te slapen. Bel me morgen maar."

"Het spijt me wat ik heb gezegd. Ik weet niet wat er gebeurde. Ik meende het niet. Vergeef me alsjeblieft."

Ik gaf geen antwoord.

"*Laura*?" riep hij op werkelijk hartverscheurende toon.

Het klonk alsof hij huilde. Verward en bezorgd deed ik de badkamerdeur op een kiertje open. Fergus zat op zijn knieën.

"O, mijn koningin, laat me alsjeblieft niet alleen," smeekte hij, en hij klemde zijn armen om mijn benen heen.

Ik bukte me om hem te omhelzen. "Fergus, wat mankeert je toch vanavond? Kom, sta op."

Hij stond op en sloeg zijn armen zo stevig om me heen dat ik zijn hart kon voelen kloppen. "O god, ik heb je zo nodig," fluisterde hij. "Ik heb je nodig. Ik kan niet leven zonder jou. Hoe kun je me zo de stuipen op het lijf jagen?"

"*Ik*? Hoe kan ik jou nou de stuipen op het lijf jagen? Het is eerder andersom. Je hebt me de schrik van mijn leven bezorgd vanavond. Waar komt dit in vredesnaam vandaan?"

"Het spijt me. Vergeef me alsjeblieft." Hij was zo'n zielig hoopje ellende.

"Ja, natuurlijk vergeef ik je."

"Zeg dat je van me houdt," smeekte hij.

"Ik hou van je, Fergus. Natuurlijk hou ik van je."

"Ik wil je niet verliezen. Niet weer. Ik zal het niet laten gebeuren," zei hij. "Ik zal vechten. Met heel mijn hart en al mijn kracht zal ik ervoor knokken om je weer terug te brengen bij mij in het Licht. Ik ga nog liever dood dan dat ik je nog een keer weg laat glijden."

"Sst, laten we het daar nu allemaal niet meer over hebben," fluisterde ik. "Want ik hou van je, en dat is het enige wat telt, toch?"

"Net zoveel als in Atlantis?" vroeg hij.

Ik knikte. "Ja, natuurlijk. Net zoveel als toen."

Hij kuste me teder. "Net zoveel als in Atlantis, mijn koningin, toen je het allemaal opofferde voor mij?"'

37

Toen Morgana die middag de speelkamer binnenkwam, zei ze niets, zelfs geen hallo. In plaats daarvan liep ze rechtstreeks naar het enorme raam en klom in de vensterbank. Met haar armen gespreid drukte Morgana haar gezicht en borst tegen het glas.

James was niet bang, want Morgana liep geen enkel gevaar. Ze kon met geen mogelijkheid de ramen openmaken, en bovendien was het gehard, dubbel glas. Hij zei niets omdat hij de gevoelens die ze wilde uiten op geen enkele manier in de weg wilde zitten.

'Het waait heel hard vandaag,' zei ze zacht.

'Ja,' zei James. 'De wind komt van de prairie, dus het is koud.'

'Ik ben net een vogel hierboven,' zei Morgana, haar armen nog steeds gespreid tegen het raam. 'Daarbuiten is de prairie en ik zeil op de wind.'

'Vandaag voel je je net een vogel,' interpreteerde James.

'Nee,' zei ze, met haar rug naar hem toe en haar gezicht tegen het glas. 'Maar deze grote ramen geven me dat gevoel. Ik heb dit altijd al eens willen doen. Sinds de eerste keer dat ik hier was.'

'Aha.'

'Het komt door de wind dat ik er vandaag aan dacht om het te doen.'

'Waarom?' vroeg James.

'Omdat de wind je dromen meebrengt. Dat zegt mijn moeder altijd. Ze zegt dat dat is wat de Sioux geloven. Dat dromen met de wind bij je komen.'

Toen Morgana dat zei, moest James onmiddellijk denken aan Laura's eerste boek over de Winddromer, de jonge man die gevangen zat tussen de echte wereld en zijn wereld van 'stemmen'.

'Soms vlieg ik in mijn droom,' zei Morgana. 'Niet in een vliegtuig of zo. Maar echt zelf. Dan doe ik mijn armen wijd, zoals nu, en dan stijg ik op.'

'Ja, dat zijn heerlijke dromen, hè?' reageerde James.

'Heb jij die droom ook wel eens?' vroeg Morgana, en ze draaide zich voor het eerst even om, hoewel ze wel op de vensterbank bleef staan.

James glimlachte. 'Ja, soms.'

'Ik zou best graag willen vliegen,' zei ze peinzend. 'Ik hoop altijd dat het op een dag met veel wind misschien wel zal gebeuren.' Ze sprong van de vensterbank op de grond. 'Maar ik denk het eigenlijk niet.'

Morgana liep naar de planken aan de andere kant van de kamer. Terwijl ze erlangs liep liet ze de vingers van één hand over het hout van de middelste plank glijden. 'Ik heb eng gedroomd vannacht,' zei ze. Ze pakte een babypop van de plank.

'Wil je erover vertellen?' vroeg James.

Morgana nam de pop mee naar de tafel. 'Nee,' zei ze. 'Het was te eng.'

'Was het een nachtmerrie?'

'Ja. Die heb ik heel vaak. En dan word ik huilend wakker. Soms moet mijn moeder me komen troosten.'

'Weet je zeker dat je er niet over wilt praten?'

'Ja. Ik praat er met niemand over. Zelfs niet met mijn moeder.'

'O.'

'Ik ben bang dat ze misschien boos wordt. Ik bedoel, als het dag is en er is niks aan de hand, dan weet ik dat ze waarschijnlijk niet boos zou worden, omdat het maar een droom is en ik het niet echt heb gedaan, maar als ik net wakker word, dan weet ik dat nooit helemaal zeker.'

'Ik snap het,' zei James. 'Maar dat moet wel moeilijk zijn, om zoiets engs voor jezelf te houden.'

'Meestal probeer ik er niet aan te denken, want zelfs als ik wakker ben, kan ik er soms bang van worden.'

'Dat klink wel heel erg eng,' antwoordde James. 'Als je er met mij over zou willen praten, zou ik misschien iets kunnen verzinnen wat ertegen helpt.'

Morgana boog zich dichter over de pop heen, en James voelde dat de stilte zich verdiepte. 'Ik wou dat we niet over die droom hadden gepraat. Nu ben ik er weer bang van. Mijn moeder zegt: "Je moet er gewoon niet aan denken." Maar het zit in mijn hoofd en het is moeilijk om niet te denken aan iets wat in je hoofd zit.'

'Je weet dat ik niet boos zou worden,' verzekerde James haar. 'Ik word nooit boos op kinderen die in de speelkamer komen, want ik begrijp dat sterke gevoelens ons soms dingen laten doen die we beter niet kunnen doen. Om problemen op te kunnen lossen, is het belangrijk dat kinderen hier hun gevoelens kunnen laten zien.'

Morgana sloeg haar ogen naar hem op zonder haar hoofd op te tillen. Na een lange, bedachtzame stilte keek ze weer naar de pop. Ze wiegde haar teder.

'De droom gaat over mij en mijn paard. Ik heb een paard dat Bruin heet. Ik heb hem vorig jaar van papa gekregen. Hij heeft een bruine vacht, en daarom hebben we hem zo genoemd. In de droom ben ik met hem uit rijden. Op de snelweg. Of eigenlijk rijd ik niet op Bruin. Ik loop met hem; ik heb hem aan de teugels.'

'Aha,' zei James.

'Ik mag niet op de weg komen. Het is te ver weg en het is gevaarlijk. Maar in de droom ben ik er wel. Dan komt er een auto achter me rijden. Ik kan niet zien wie erin zit. Ik denk dat het een man is. En hij rijdt heel langzaam. Ik begin bang te worden.'

'Wat denk je dat er zal gebeuren?' vroeg James.

'Ik weet het niet. Daarom is het zo moeilijk om over te praten, omdat ik niet weet wat er gaat gebeuren, maar ik word er heel bang van. Ik wil me omdraaien en naar hem kijken om te zien wie het is, maar om de een of andere reden lukt dat niet. Ik weet gewoon dat hij er is. Nou ja, en hij rijdt heel, heel langzaam. Ik ben bang dat hij zal stoppen. Ik denk dat hij iets gaat doen.'

Morgana hield op met praten. Haar ogen waren strak op de pop gericht. Ze drukte haar dicht tegen zich aan. 'Er is ook nog iets anders in de droom. Dat gebeurt eigenlijk al eerder. Dat stuk ervoor droom ik eigenlijk nooit, maar ik weet altijd dat het is gebeurd. En wat het is, is dat ik in mijn moeders werkkamer ben geweest. Conor en ik mogen daar namelijk niet komen, want mama wil niet dat we haar spullen overhoop halen.'

Morgana zweeg even om de haren van de pop te strelen. 'Ze heeft daar een heel piepklein beeldje van een kat. Het is van steen, geloof ik. Het is maar zo groot.' Ze hield haar vingers een centimeter of vijf van elkaar. 'Hij is grijs en hij zit op zijn billen, je weet wel, zoals katten dat doen. En hij staat bij mijn moeder op de computer. Ze heeft hem me een keertje laten zien. Ik mocht hem vasthouden. Maar ze zei dat ik er absoluut niet aan mocht komen als zij er niet bij was.'

'Het klinkt alsof dat kattenbeeldje heel speciaal is voor je moeder,' zei James.

'Misschien denkt ze dat ik het kwijt zal raken tijdens het spelen of zo. Of dat ik het zal laten vallen. Weet je, het heeft heel veel geld gekost want het kwam uit Egypte. Dat is een plek waar ze over praten in de Bijbel, en het is heel, heel ver weg. En dat kleine katje is net zo oud als de Bijbel. Dat zegt mijn moeder. Ze heeft me verteld dat degene die het beeldje heeft gemaakt, leefde in de tijd van de Bijbel, en dat hij het, toen het klaar was, in de doodskist van een koning heeft gestopt.'

James trok zijn wenkbrauwen op. 'Wauw. Dat is geweldig.'

'Een doodskist is waar je een dood lichaam in doet. Het dode lichaam van de koning, voordat het wordt begraven,' zei Morgana. 'En dan gaat-ie in zijn graf. En daar zat dat kleine kattenbeeldje in totdat een arkoloog het heeft opgegraven. En toen heeft mijn moeder het gekregen van een vriend van haar. En heeft ze het op haar computer gezet. En ze heeft tegen me gezegd dat ik er nooit, nooit aan mocht komen zonder het aan haar te vragen, omdat het heel kostbaar is.'

'Ik begrijp nu waarom het zo speciaal is voor je moeder,' zei James.

Morgana boog haar hoofd en hield zich even met de pop bezig.

'Maar wat doet dat kattenbeeldje dan in jouw nachtmerrie?' vroeg James.

'Nou, in de droom loop ik over de weg met Bruin en dan komt er een auto heel langzaam achter me rijden en dan word ik bang en wil ik naar mijn moeder toe. Maar dan steek ik mijn hand in mijn zak en dan zit het kattenbeeldje erin.' Er volgde een vlugge, schuldbewuste blik in James' richting. 'Ik weet niet hoe het daar is gekomen, maar ik weet dat ik in haar werkkamer moet zijn geweest en het moet hebben meegenomen. In de droom kan ik me niet *herinneren* dat ik het heb meegenomen, maar ik weet dat ze vreselijk boos op me zal worden als ze erachter komt. Eerst denk ik dat ik het kattenbeeldje misschien beter weg kan gooien zodat mijn moeder niet weet dat ik het heb gehad. Maar dan weet ik weer dat het heel kostbaar is en dat ze er zoveel van houdt en dan wil ik het echt niet weggooien. Maar ik weet niet wat ik moet doen. Dus ik ben heel bang dat de man me gaat pakken, maar ik ben bang dat als ik om hulp roep, de mensen erachter zullen komen dat ik het kattenbeeldje heb. Ik ben bang dat ik straf krijg en ik wist niet eens dat ik het had meegenomen.'

'Ja, dat klinkt heel eng,' zei James.

'De droom is elke keer een beetje anders. Het is niet altijd dezelfde auto. Vannacht was het een witte auto. Het is een keer een rode auto geweest. En ik weet nog dat het ook een keer een witte stationcar is geweest. Maar er zit altijd een man achter het stuur waar ik bang voor ben, en ik kan me niet omdraaien om te zien wie het is. En elke keer dat ik om hulp wil roepen, steek ik mijn hand in mijn zak en merk ik dat het kattenbeeldje erin zit.'

'Wat denk je dat de man achter het stuur zal gaan doen?'

'Me ontvoeren. Me weghalen bij mijn vader en moeder en dat ze dan niet weten waar ik ben.'

'En waarom vind je het nou zo eng als je merkt dat je het kattenbeeldje bij je hebt?' vroeg James.

'Omdat het zo'n verrassing is dat de kat in mijn zak zit en ik me niet kan herinneren dat ik hem heb meegenomen, maar zodra ik hem daar vind, weet ik dat ik hem moet hebben meegenomen en dat iedereen zal denken dat ik hem heb gepikt.'

'En dat maakt je bang?'

'Ik ben bang omdat...' Ze wachtte even, haar voorhoofd gefronst in opperste concentratie. 'Omdat... ik van huis wegloop. Daarom ben ik met Bruin op de weg, maar dat herinner ik me pas als ik de kat voel. Ik wil teruggaan naar huis zodat de ontvoerder me niet kan pakken, maar ik loop van huis weg omdat ik mijn moeders kat heb gestolen.'

'Dat klinkt als een heel ingewikkelde droom. Het lijkt wel alsof er van alles gebeurt wat niet de bedoeling was. Je hebt het gevoel dat het jouw schuld is, maar eigenlijk is dat niet zo. Het gebeurt gewoon.'

'Ja, dat klopt.'

'En wat gebeurt er dan?' vroeg James.

'Dan word ik wakker.'

'Gaat het niet verder? De auto rijdt gewoon achter je? Het beeldje van de kat zit in je zak?'

'Ja. Ik droom nooit verder dan dat, maar ik droom het wel heel vaak. Ik moet altijd huilen als ik wakker word, en dan ben ik heel bang. Vannacht ben ik naar Conors kamer gegaan.'

'Was Conor wakker?'

Morgana knikte. 'Ik denk dat hij wakker is geworden omdat ik moest huilen, want hij had zijn ogen open toen ik binnenkwam, maar hij zat niet rechtop om zijn touwtjes "aan te passen". Hij had de dekens tot aan zijn nek opgetrokken en hij lag gewoon naar me te kijken toen ik binnenkwam. Ik zei: "Ik ben bang. Ik heb eng gedroomd. Mag ik bij jou in bed?"'

Morgana zweeg weer even. 'Conor had vroeger allemaal rare dingen bij zijn bed, gekke dingen van metaal, maar de laatste tijd is het redelijk normaal. Zijn bed is gewoon zoals dat van iedereen. Dus nu kruip ik wel eens bij hem in bed. En dat heb ik gisteravond ook gedaan. Want ik wilde mijn moeder niet roepen voor het geval het geen droom was. Daar ben ik altijd zo bang voor als ik net wakker word. Dat het misschien echt is en dat ik merk dat ik de kat inderdaad heb gepikt.'

'Aha. En wat deed Conor toen?'

'Hij zei: "Niet bang zijn. Ik heb de mechanische kat."'

'Ik vroeg: "Waar?"'

'Hij zei: "Binnen in mij."'

'Ik zei: "Wat heb je gedaan, Conor? De kat uit de speelkamer van dokter Innes ingeslikt?" Want het klonk heel raar zoals hij het zei.' Morgana lachte en haar ogen twinkelden. 'Dat zou grappig zijn, hè? Als Conor jouw mechanische kat had opgegeten. Je weet wel, die kartonnen kat die je hebt.'

James grinnikte.

'Maar hij zei van niet, maar dat hij hem wel kon horen zingen. Toen ik bij hem in bed klom, heeft hij me het liedje verteld. Het is niet echt een liedje, want er is geen muziek bij, maar hij heeft het me verteld. Toen voelde ik me beter.'

'Dus Conor heeft voor je gezorgd vannacht?' vroeg James.

Ze knikte. 'Hij zei: "Ik ben niet bang voor wat jij droomt. Ik heb sterke katten." Ik zei tegen hem: "Jij bent zelf sterk, Conor." En hij zei: "Jij ook."'

38

'Het werken met de transplantatiebaby was niet wat ik ervan had verwacht,' zei Laura. 'Hij was snoezig, met blauwe ogen en een toefje rood haar. Een normaal gewicht voor een baby – meer dan vier kilo – maar hij was niet gezond. Hij huilde nooit. Dat is me het meest bijgebleven. Deze baby lag daar maar naar me te staren.

Ik deed dingen zoals helpen bij het toedienen van de medicijnen die zijn conditie op peil moesten houden voor zijn dagelijkse dialyse, ik lette erop dat hij goed aangesloten was op de apparatuur en hield de noodzakelijke infusen in de gaten. Ik voedde hem ook, verschoonde hem, maakte de apparatuur schoon. Als alles klaar was, ging ik in een stoel naast de couveuse naar hem zitten kijken totdat het tijd was om weer van voren af aan te beginnen.

Ik begon last te krijgen van twijfels. Als ik daar zo naar hem zat te kijken, acht uur lang, vond ik het onmogelijk om te negeren wat we hem aandeden. Alleen al om hem lang genoeg in leven te houden om de transplantatie uit te voeren, moesten we hem onderwerpen aan extreem belastende medische procedures, en statistisch gezien was er slechts een heel kleine kans op succes. Als ik daar naast die couveuse zat, kon ik zijn pijn voelen. De medicijnen die we toedienden om zijn spieren lam te leggen, hielden hem rustig.

Ik dacht alsmaar: wat doe ik hier? Waarom wilde ik hier deel van uitmaken? We deden dit jongetje *pijn*. Willens en wetens. We deden alsof we hem hielpen, maar in werkelijkheid deden we het voor onszelf. We hielden hem in leven om meer te weten te komen over transplantaties. Een van de specialisten durfde dat zelfs uit te spreken. Het diende "een hoger doel", zei hij. We rechtvaardigden het lijden van dit kind.

Tijdens de lange uren van waken naast de couveuse, merkte ik dat ik begon te piekeren over Torgon en haar samenleving. Als deze baby was geboren als een Boskind, zou hij waarschijnlijk binnen drie dagen zijn gestorven, en dat was dan dat. Zo niet, dan zou Torgon hem hebben meegenomen naar de hooggelegen heilige plaats en met het mes zijn keel hebben doorgesneden.

De eerste keer dat ik had ontdekt dat ze dit deden met baby's in hun samenleving, was ik geschokt geweest. Het stond zo haaks op alles wat ik had geleerd in mijn cultuur. Maar nu ik naast deze baby zat, die was aangesloten op allemaal dure, onaangename apparatuur, drong het tot me door hoeveel gecompliceerder de kwestie eigenlijk lag dan ik in eerste instantie had gedacht. Was wat we deze baby aandeden eigenlijk wel beter te rechtvaardigen dan wat Torgon zou doen?

Die vraag hield me dag en nacht bezig. Ook als ik thuis was, liet het me niet los. Al het andere in mijn leven begon te verbleken, omdat al het andere triviaal leek vergeleken bij de vraagstukken rond die baby.

Ik probeerde aan Fergus uit te leggen wat er gaande was, waarom het zo'n impact op me had. Het was leven en dood waar ik mee te maken had. Als ik geen vrede kon sluiten met wat er gebeurde, zou ik het niet ver schoppen als dokter. Hij leek het echter gewoon niet te snappen.

Op een middag lagen we loom verstrengeld op het bed in mijn appartement en dwaalden mijn gedachten weer af naar de transplantatiebaby. Ik merkte terloops op dat ik dacht dat Torgon mijn betrokkenheid bij de situatie walgelijk zou vinden.

Fergus was ineens één en al aandacht. "Zegt Torgon tegen je dat het onaanvaardbaar is?"

"Nee, wat ik bedoelde, was dat het in onze ogen draait om de vooruitgang in de wetenschap, en dat we daarom vinden dat het gerechtvaardigd is. Maar dat is niet het enige perspectief. Goed en fout zijn geen absolute begrippen. Torgon zou geschokt zijn dat we de baby laten lijden, want in haar cultuur onteren we de ziel van het kind. Het enige juiste zou zijn geweest om het kind meteen te doden."

Fergus staarde me aan. "Wil je zeggen dat Torgon je opdraagt de baby te doden?"

"Nee, natuurlijk niet," zei ik geïrriteerd. "Torgon draagt me helemaal niets op. Ik begin me alleen te realiseren dat we misschien niet echt in de positie verkeren om te oordelen over hoe anderen de dingen doen. Misschien is wat wij rechtvaardigen in naam van de wetenschap niet beter dan wat zij rechtvaardigt in naam van de godsdienst."

Fergus lag me aandachtig op te nemen. "Wat zegt Torgon dat je moet doen? Zegt ze tegen je dat je de baby moet doden?"

"Luister je eigenlijk wel? Ze zegt *niets* tegen me, Fergus. Dat heeft ze nooit gedaan. Dit zijn mijn *eigen* inzichten."

"Rustig maar," zei hij met zijn warme, honingzoete stem, en hij trok me dicht tegen zich aan. "Doe je ogen dicht en zweef, mijn koningin. Laten we dit aardse plan ontstijgen."

Ik deed mijn ogen dicht. Ik haalde diep adem, hield deze even in, blies toen uit en voelde mezelf ontspannen. In mijn hoofd heerste totale duisternis, als de nachthemel zonder sterren.

"Draagt ze je op om de baby te doden?" fluisterde Fergus zacht.

Mijn ogen schoten open. Ik was ervan uitgegaan dat hij me tot rust wilde helpen komen omdat ik gespannen was. Dit was altijd een van de peilers geweest van onze relatie – dat ik me in de harde wereld van de wetenschap en het alledaagse leven waagde, en dat Fergus me dan weer terughaalde en me hielp te ontspannen. Zodra hij dit had gezegd, wist ik echter dat hij andere bedoelingen had. "Torgon draagt me helemaal *niets* op. Ik channel haar niet. Ik heb tegen je gezegd dat het zo niet werkt."

Zijn ogen flikkerden gevaarlijk. "Je mag me niet zo kwellen," zei hij. "Je zegt tegen me dat Torgon vindt dat je de baby moet doden, en vervolgens wil je er niet meer op terugkomen. Je bent me altijd op die manier aan het plagen. Ik weet dat ze in je hoofd zit. Deel haar alsjeblieft met mij."

"Torgon draagt me zeer beslist *niet* op om die baby te doden. Heb je me gehoord? Het is walgelijk."

Fergus knikte. "Oké. Maar ze vertelt je wel dingen, hè? Je kunt het voor mij niet verbergen, Laura. De Stemmen weten dat je channelt. Die vergissen zich nooit."

"Als dat is wat ze je vertellen, dan vrees ik dat ze zich vergissen."

Hij had een smekende uitdrukking op zijn gezicht, als een klein jongetje dat bedelt om een koekje. Ik leunde naar voren. "Ik houd niets voor je verborgen, Fergus. Echt niet. Laten we het maar gewoon vergeten. Geef me een kus."

Fergus deinsde abrupt achteruit. "Je kunt het niet opgeven. Je kunt niet gewoon maar zeggen dat je geen drager wilt zijn als je bent uitverkoren. De Stemmen eisen dat je Torgons wijsheid deelt."

Ik keek hem aan en zuchtte. "*Fergus...*"

Ineens drukte hij zijn handpalmen aan weerskanten tegen zijn hoofd, alsof hij vreselijke hoofdpijn had.

Een ongemakkelijk gevoel bekroop me. "Gaat het wel?"

"Ze verliezen echt hun geduld met mij." Hij staarde me aan met een vreemde wanhoop. "Je moet me met Torgon laten praten."

"Dat kan ik niet."

"*Probeer het!*"

"Fergus, ik *kan* het niet. Ze is niet echt."

Hij hield zijn handen nog steeds tegen zijn slapen gedrukt. Met gebogen hoofd wiegde hij heen en weer op het bed. "Alsjeblieft. Alsjeblieft, laat het niet waar zijn."

Ik spreidde mijn armen en wilde hem tegen mijn borst trekken. "Kom. Kom eens bij me."

In plaats van mijn troost te verwelkomen, ontplofte hij. "Blijf van me af!" schreeuwde hij.

Ik deinsde geschrokken achteruit.

"Het enige wat jij wilt, is neuken, trut."

"Fergus, dat is niet wat ik..."

"Je bent *niet* mijn koningin. Je bent de Koningin van het Duister."

"*Fergus!*"

"Torgon is *slecht*. Ze is geen Wezen van Licht. Ze is de stem van de Koningin van het Duister." Zijn gezicht werd helemaal vlekkerig.

"Wat is er met jou aan de hand? Rustig nou maar. Alsjeblieft. Je maakt me bang, Fergus."

"*Channel* haar dan. Breng haar hier, nu. Bewijs dat ze is wat je zegt dat ze is. Breng haar bij mij."

"Dat *kan ik niet*. Want ik *deed alsof*! Dat heb ik nou al duizend keer gezegd. Ik heb het je *gezegd*. Ik heb *nooit* iets gechanneld. Torgon is gewoon iets wat ik verzonnen heb, niets meer dan een denkbeeldige metgezel uit mijn jeugd. *Alsjeblieft*, dat moet je begrijpen." Ik voelde de tranen branden.

Hij greep me beet. "Jij wilt gewoon neuken. Dat is het enige wat je ooit van me hebt gewild. Ordinaire lust."

"Fergus, nee! Hou op!"

Hij greep de voorkant van mijn blouse zo stevig vast dat de knopen eraf sprongen, en drukte me op het bed neer. "Ik heb geprobeerd je naar een hoger niveau te tillen," zei hij. "Ik heb geprobeerd je naar het Licht te brengen."

"Hou op!" riep ik, doodsbang nu.

Maar hij hield niet op. Ruw worstelde hij me onder zich en drukte me met kracht tegen het bed. Ik verzette me uit alle macht. Ik duwde en duwde. Hij stootte zijn penis met zoveel kracht bij me naar binnen dat het was alsof mijn hart werd doorboord.

"Jij bent de Koningin van het Duister! Je weigert je naar het Licht te laten tillen."

Ik lag te huilen. "Stop, alsjeblieft Fergus, hou op. Je doet me pijn. Alsjeblieft. *Alsjeblieft.*"

Toen hij klaarkwam, trok hij zijn penis eruit om het sperma over mijn gezicht te sproeien. "Hier. Eet het, jij vies, vuil kutwijf."

Ik zat op de rand van het bad. Het was er een met een handdouche, en ik bleef maar spoelen en spoelen. Hij was uren geleden al vertrokken, en het was inmiddels halfvier 's nachts, maar ik kon er niet mee ophouden. Er was niets gescheurd, geen bloed, niets wat getuigde van wat er was gebeurd, maar ik had het gevoel alsof er wormen uit me kropen.

Op dat moment werd er aan de voordeur gerammeld. Pure angst schoot door me heen.

De sleutel draaide om in het slot. De knop werd omgedraaid. De voordeur ging open, zover als de veiligheidsketting dat toeliet.

"Laura?" klonk Fergus' stem. Die was nu niet meer woest, maar vragend vanwege de onverwachte ketting.

Ik deed de badkamerdeur een klein stukje open maar bleef in de schaduw, te bang om zelfs maar adem te halen.

"Laura? Waar ben je? Laat me erin."

"Ga weg," zei ik zacht.

"Het spijt me, Laura. Het spijt me zo. Het spijt me echt heel, heel erg. Ik ben teruggekomen om dat tegen je te zeggen. Ik weet niet wat er gebeurde. Het was niet mijn bedoeling."

"Ik wil er niet over praten. Ik wil je nooit meer zien. Ga weg."

"O, Laura, *nee*," jammerde hij. "Vergeef me alsjeblieft. Ik bedoelde het niet zo. Vergeef me alsjeblieft. Het zal nooit meer gebeuren. Laat me alsjeblieft binnen."

Ik bleef in het donker in de hal staan, de handdoek tegen mijn naakte huid geklemd. "Nee. Ga weg."

"Laura, alsjeblieft? Zeg dat je me vergeeft." Ik hoorde tranen in zijn stem.

Hij had zijn hand door de smalle opening gestoken die de ketting hem bood en graaide in het luchtledige. Te oordelen naar de hoogte waarop zijn hand zich bevond, zat hij op zijn knieën. "Alsjeblieft, alsjeblieft, vergeef me," smeekte hij. Hij begon te snikken.

Ik begon zelf ook te huilen.

"Mijn koningin, doe me dit *alsjeblieft* niet aan."

Ineens veranderde alles. Toen ik geen antwoord wilde geven en hem niet binnen wilde laten, sloegen zijn tranen om in woede. Hij rammelde hard aan de deur en schreeuwde: "Laat me erin!"

Geschrokken ging ik terug naar de badkamer en deed de deur op slot.

"Vuile trut!" schreeuwde hij. "Laat me erin!"

'Gelukkig werden mijn buren hier wakker van. Ik hoorde deuren van andere appartementen opengaan en iemand tegen hem zeggen dat hij zijn kop moest houden. Ze dreigden de politie te bellen. Ik bad dat ze dat inderdaad zouden doen.

Hij bleef nog een uur of zo staan schreeuwen, huilen en smeken. Toen, uiteindelijk, werd het stil.

Nog steeds opgesloten in de badkamer bleef ik staan luisteren. Ik luisterde zo ingespannen dat mijn oren er pijn van deden. Ik had geen horloge om. Ik had geen idee hoe laat het was. Ik bleef gewoon staan luisteren. Stond hij nog steeds voor de deur? Was hij weg? Stond hij beneden bij mijn auto te wachten? Ik werd misselijk van angst. Ik gaf over en voelde nog steeds geen opluchting.

Toen ik eindelijk uit de badkamer tevoorschijn durfde te komen, was het halfacht 's morgens. Om me heen klonken alle vertrouwde geluiden van het appartementengebouw dat tot leven kwam. Ik liep naar de slaapkamer, liet het verfomfaaide beddengoed voor wat het was, liet mijn kapotgescheurde blouse op de grond liggen, en pakte een schone spijkerbroek en een trui. Toen ging ik naar de keuken en zette het raam open, aangezien dat uitkeek op het parkeerterrein waar mijn auto stond. Alles zag er gewoon uit daar beneden. Al mijn moed verzamelend liep ik naar de deur van mijn appartement en deed die zo ver open als de ketting toeliet. Ik zag niets, dus ik haalde de ketting eraf en stak mijn hoofd naar buiten. Vanessa, een meisje dat een eindje verderop in de gang woonde, stapte net de deur uit.

"Alles goed?" vroeg ze. "Ik bedoel, je vriend was behoorlijk ver heen vannacht, hè? Was hij dronken?"

Ik knikte. Ze deed de deur op slot en ging weg. Ik ging weer naar binnen. Nadat ik mijn autosleutels en mijn tasje had gepakt, trok ik de deur van het appartement achter me dicht, liep door de gang, de trap af en stapte vervolgens naar buiten, het parkeerterrein op. Ik tuurde behoedzaam op de achterbank van de auto voordat ik het portier openmaakte. Zodra ik in de auto zat, deed ik hem weer op slot, draaide de sleutel om in het slot en reed van de parkeerplaats. De novemberochtend, bleek en zwaarbewolkt, maakte verlichting noodzakelijk. Ik draaide van het parkeerterrein af, de weg op die naar de snelweg voerde, en reed in westelijke richting. En zo liet ik Boston en Fergus en mijn medische carrière achter me, om nooit meer terug te komen.'

39

Toen Laura weg was, haalde James de bladzijden van het laatste verhaal uit de map en begon te lezen.

'Ik wens nu te vertrekken naar de hooggelegen heilige plaats om raad te vragen aan de allesziende Dwr. Jij zult deze dingen moeten dragen,' zei Torgon, de zakken met voedsel aan Loki gevend, 'want wat ik draag, is al zwaar genoeg voor mij.'

Loki tilde de bundels op en hing ze over haar schouders.

De wintermiddag was al bijna om tegen de tijd dat ze de kleine hut bereikten.

'Kijk eens wat een stro!' riep Loki verrast uit toen ze binnenkwam. 'Wat een stapels! Verblijven er wel eens dieren hier als de hut niet wordt gebruikt voor zuiveringsriten?'

'Nee.'

'Ik had me niet voor kunnen stellen dat dit zo'n aangename plek zou zijn bij daglicht, want ik vind "afzonderingshut" zo koud en donker klinken. Maar er is droog hout hier en de open haard is schoon. Zal ik het vuur aanmaken en voedsel voor ons bereiden? Of wenst u uw tocht naar de hooggelegen heilige plaats vanavond te ondernemen?'

Torgon was bezig haar zware overkleding uit te trekken toen de eerste zware wee zich aandiende. Met opeengeklemde tanden kromde ze haar rug om hem op te vangen.

Loki verstarde, haar ogen werden groot en donker. Haastig legde ze haar spullen neer en liep op Torgon toe. 'Mijn moeder zegt dat men zich niet moet verzetten tegen de pijn, omdat het dan alleen maar erger wordt.' Ze stak haar armen uit om Torgon van de rest van haar overkleding te ontdoen.

Torgon zonk neer in het stro terwijl de wee wegebde.

Alle onbezorgde vrolijkheid van het meisje was verdwenen. 'O, anaka benna, wat moeten we beginnen?' vroeg ze met een ontredderde klank in haar stem. 'Ik wou nu dat we nooit aan deze reis waren begonnen, want het heeft de komst van de baby opgewekt.'

'Nee. De reis heeft de komst van de baby niet opgewekt. De baby was al onderweg toen ik vertrok. Het stro dat je hier ziet, is door mijn zus gebracht toen ze de hut voor me in orde heeft gemaakt. En jij bent hier om mij hulp te bieden. Ik vertrouw erop dat jij met al je broers ruimschoots ervaring hebt opgedaan bij de baringen van je moeder.'

'Ik?' kreet Loki, en ze drukte haar handen tegen haar wangen. 'O grote Dwr, ik? Om een heilig kind te helpen baren? U en ik alleen? Hier in het bos?'

'Baren is makkelijk voor een arbeidersvrouw, Loki. Het is gebruikelijk om hen in de velden te laten blijven tot aan de geboorte zodat ze voor het einde van de dag weer aan het werk kunnen. Ik weet zeker dat je je ouders wel eens hebt horen zeggen dat arbeiders het niet anders doen dan koeien.'

'Anaka benna, dit is niet het moment om me te hekelen vanwege mijn kaste.'

Een pauze.

Torgon boog haar hoofd. 'Inderdaad. Goed gesproken.'

Er daalde een lange stilte neer in de hut.

'Ik had je moeten vertellen wat ik hier van plan was en jou de keuze moeten laten.' Torgon keek naar het meisje. 'Als je nu niet wilt blijven, dan zij het zo. Ik heb er begrip voor. Ik zal het niet van je verlangen en ik zal het je niet kwalijk nemen.'

'Ik bedoelde niet dat ik u hier alleen zou laten,' zei Loki. 'Natuurlijk zou ik u niet alleen laten, heilige benna. Het is alleen dat ik vrees dat mijn hulp een waardeloos geschenk zal zijn. Het zou veel verstandiger zijn om de hulp in te roepen van hen die meer ervaring hebben dan ik.'

'Ik neem genoegen met jou. Als ik of de baby vannacht sterft, zal dit het onontkoombare enkel versnellen.'

Het kind werd geboren in het donkerste uur van de nacht. Het kwam gemakkelijk, en gleed vochtig en stomend in de koude, door kaarsen verlichte duisternis van de hut. Loki tilde de baby op om die aan Torgon te laten zien. 'Een jongen,' zei ze met een glimlach. 'Een grote, sterke jongen, anaka benna. En kijk eens wat een haar! Hij is harig als een kalf.'

De navelstreng werd doorgesneden en Torgon hield de baby in haar armen. Ze bevoelde hem overal, raakte zijn wangen aan, zijn piepkleine handjes, zijn plompe genitaliën. Hij jammerde en wriemelde tegen haar warme huid, zoekend naar haar tepel.

'Hier, heilige benna. Sla deze mantel om u heen. De bevalling is nu achter de rug en u zult weldra rillerig worden, want het is hier erg koud.'

Torgon hoorde niet wat Loki nog meer zei. Op dat moment bestond er niets anders in het universum dan de baby.

Loki knielde naast haar neer. 'Wat wilt u dat ik nu doe? Zal ik met een geheime boodschap naar de heilige Ziener gaan om aan te kondigen dat u een zoon hebt gebaard?'

'Nee.'

Het meisje fronste haar voorhoofd.

'Nee. Ik zal hier blijven met het kind totdat het zijn driedaagse voeding heeft gehad. Gedurende die tijd blijft het nieuws van zijn komst tussen ons.'

'Anaka benna! Anaka benna! Word wakker, alstublieft!' riep Loki.

Torgon was diep in slaap en werd slechts moeizaam wakker.

'Word wakker!' Loki schudde Torgon ruw door elkaar.

De baby schrok van deze plotselinge beweging en slaakte een kreet. Torgon hief haar hoofd op. De dag was aangebroken. De hut was gevuld met zonlicht, dat nog versterkt werd door de sneeuw.

'Ik zie krijgers. Ze zijn ver weg, maar ze komen deze kant op,' schreeuwde Loki.

Torgon drukte de baby dicht tegen zich aan. 'Heb je ze herkend? Waren ze van je vaders bende? Of waren het cariuna-krijgers? Of anakas? Kon je het zien?'

'Het zijn krijgers van ons eigen volk, maar ze waren niet van mijn vaders bende. Vanuit de verte was de kleur van hun mantels moeilijk te onderscheiden.'

Torgon ademde krachtig in. 'Als ze me hier onbeschermd aantreffen, zullen ze me doden en de baby meenemen.' Ze keek om zich heen in de hut. 'Je moet me verbergen.'

'U verbergen, *anaka benna?' sprak Loki gealarmeerd. 'Zou u de hooggelegen heilige plaats niet op tijd kunnen bereiken?'*

'Ik bloed hevig van het baren. Hun honden zouden me gemakkelijk ruiken en sneller vooruitkomen dan ik. Nee, je moet me verbergen. Vlug. En je moet hen en hun honden buiten houden.'

Torgon stond op met de baby en liep naar de andere kant van de kleine ruimte. 'Hier. Ik zal hier gaan liggen en hem tegen mijn borst houden opdat hij niet zal gaan huilen. Jij moet het stro boven op ons stapelen. Het bevuilde stro eerst, opdat het bloed niet zichtbaar is. Daarna het schone stro. Vlug, Loki. Doe wat ik zeg.'

Ze waren met zijn zevenen of achten, waaronder twee van de heilige broers – Maglan en Galen. Loki deed de deur van de hut open en stapte in het gespikkelde zonlicht dat door de bladerloze bomen heen filterde.

'Aha, Mareks dochter,' zei Maglan. De andere krijgers kwamen in een halve cirkel om Loki heen staan. Hun honden liepen rusteloos heen en weer.

'Wat brengt jou hier?' vroeg Galen.

'Ik heb de anaka benna vergezeld. Ze wenste naar de hooggelegen heilige plaats te gaan om Dwrs advies te vragen ter voorbereiding van de heilige geboorte, maar de Ziener vond het onverstandig om alleen te gaan zo diep in de winter. Dus heeft de Ziener mij gevraagd hier naar de hut te gaan om een vuur op gang te houden en voedsel te bereiden, voor het geval de goddelijke benna dit nodig mocht hebben.'

'Ik heb gehoord over je ongewone piëteit,' antwoordde Galen. 'Vind je dit dan een vreugdevolle taak?'

'O nee,' antwoordde Loki haastig. 'Maar aangezien ik nu de oudste ben onder de acolieten, viel het klusje mij ten deel. Maar het is koud en eenzaam hier, want de anaka benna komt zelden, en als ze komt, neemt ze de gelofte van stilte in acht. Ze wordt volledig in beslag genomen door gedachten aan Dwr en de naderende geboorte.'

'Ik begrijp het,' zei Galen.

'Is de geboorte dan reeds nabij?' vroeg Maglan.

'Jawel. Nog een week of twee, heeft de Ziener gezegd.'

De honden bleven rusteloos tussen de mannen heen en weer lopen, om Loki heen, rond de hut. De krijgers deden geen enkele poging ze tot de orde te roepen.

Loki deed haar best niet naar de honden te kijken, maar het was moeilijk ze te negeren aangezien ze zo actief waren. Op haar beurt was ze zich ervan bewust dat Galen haar in de gaten hield. Hij bestudeerde haar gezicht aandachtig.

'Het komt me voor dat je angst voelt,' zei hij. 'Je vlekkerige huid verraadt je nervositeit.'

'Het is de kou,' antwoordde Loki.

'Ik denk het niet. Ik heb je gezien bij de deur. Je begroette ons niet zoals het de dochter van een krijger betaamt. Je vader is niet streng genoeg voor je geweest,' zei Galen minachtend. 'Je verliest de controle over je emoties.'

'Ik ben inderdaad erg bang, heer. Ik ben bang voor u, als u de waarheid wilt weten. Want toen ik u vanuit de verte zag, wist ik niet wie u zou kunnen zijn. En ik ben hier helemaal alleen en onbeschermd. U hebt me schrik aangejaagd met uw zwaarden en dreigementen.'

'Stop je zwaard weg, Galen. Ze is nog slechts een meisje en het is begrijpelijk dat ze bevreesd is.'

'Je vader is een krijger, dus je hoeft ons niet te vrezen,' antwoordde Galen. 'We zouden je nooit een haar krenken.'

Loki haalde diep adem en knikte. 'Het spijt me dat ik me zo dwaas heb gedragen, maar op het eerste gezicht wist ik niet wie jullie waren, en ik heb de leeftijd waarop meisjes buitengewoon voorzichtig moeten zijn met dit soort dingen. Mijn kuisheid is het enige wat ik heb, dus ik hecht er veel waarde aan.'

Voor het eerst glimlachte Galen. 'Ja, het is duidelijk dat je binnenkort zult worden ingewijd in het vrouwenrijk. Het doet me deugd om tot de ontdekking te komen dat je zuinig bent op je waardigheid.' Hij stak zijn zwaard terug in de schede.

Loki wist een zwak glimlachje te produceren.

Hij hield zijn hoofd scheef en nam Loki van top tot teen op. 'Zes broers om je te verdedigen, en je bent je vaders enige dochter. Je zult een vorstelijke prijs opbrengen.' Hij bleef onafgebroken glimlachen. 'Misschien zal ik je in overweging nemen voor een van mijn zoons. Je bloed is goed en je piëteit heeft je onge-

twijfeld gezeglijk gemaakt. Jammer dat je niet zo'n bekoorlijk gezicht hebt.'

'Dat wordt gecompenseerd door mijn hart,' antwoordde Loki.

'Dat geloof ik best.' Toen wendde hij zich tot de anderen. 'Roep de honden, opdat we kunnen vertrekken.'

Loki wachtte tot de krijgers uit het zicht waren verdwenen en bleef zelfs toen nog in de deuropening van de hut staan tot het overal in het bos stil was geworden. Ten slotte ging ze naar binnen en vergrendelde de deur achter zich alvorens naar het opgehoopte stro in de verre hoek van de kamer te lopen.

'Anaka benna?' fluisterde ze, en ze begon het stro weg te trekken. 'Is alles goed met u?'

Van onder het bevuilde stro worstelde Torgon zich overeind in zittende positie. De baby, onder haar hemd tegen haar huid gedrukt, lag vredig te slapen.

Toen ze zag dat ze veilig waren, barstte Loki in tranen uit. 'Het spijt me. Het spijt me zo, maar ik kan niet anders dan huilen. Ze hebben me zo'n angst aangejaagd.'

'Je hebt het heel goed gedaan,' antwoordde Torgon. Ze leunde naar voren om het meisje tegen zich aan te trekken. 'Kom, neem de troost van mijn armen, want ik vind je tranen niet ongepast. Je hebt grote vindingrijkheid getoond in je omgang met de heilige broers. Je bent zeer, zeer dapper geweest.'

'Ik voelde me helemaal niet dapper. Ik voelde me enkel zeer, zeer bevreesd.'

'Ach,' zei Torgon met een glimlach, 'dat is helaas hoe ware dapperheid voelt.'

40

Op de derde dag stond Torgon in de deuropening van de hut. De dageraad had de lucht duifgrijs gekleurd, maar tussen de bladerloze bomen door kon ze slierten rood zien die de plek markeerden waar de zon zou opkomen. Ze ging weer naar binnen, deed de deur dicht en tilde de baby op in het schemerduister.

'Vanochtend zal ik naar de hooggelegen heilige plaats gaan en het kind aan Dwr tonen,' zei ze tegen Loki. 'Hij heeft een naam nodig, en we kunnen niet wachten op de naamdag.'

'Wat hebt u voor hem gekozen?'

'Ik noem hem Luhr, naar de grote kat, opdat Dwr hem de kracht en de moed van de grote kat zal schenken.'

'Wat zal de Ziener daarvan zeggen? Het is geen heilige naam.'

'Nee. Maar het is een krachtige naam, en daar heeft hij meer aan.' Ze keek naar het meisje. 'Wil jij naar het huis van mijn zuster gaan tijdens mijn afwezigheid? Ga discreet en naar haar alleen, en niet naar mijn ouders. Zodra je veilig onder vier ogen kunt praten, vertel je haar dat de baby vandaag is geboren en dat niemand het nog weet. Zeg haar dat ik haar wil zien en dat ze haar dochtertje Jofa meeneemt, zodat mijn zoon kennis kan maken met anderen uit zijn bloedlijn. Zeg haar ook dat ze voedsel meebrengt. Zeg dat we hier niet voldoende hebben en dat ik je niet naar het klooster durf te sturen, dus dat we voedsel nodig hebben voor ten minste drie dagen.'

Loki's gezicht stond verbijsterd. 'Er is niet veel waarheid in de dingen die ik moet gaan vertellen.'

'Dat weet ik, maar zeg tegen mijn zuster wat ik je heb verteld. Voeg er zelf niets aan toe.'

De sneeuw begon al te vallen nog voordat Torgon de top van de steile helling had bereikt. Ze was hier reeds talloze keren in de winter geweest, maar nooit met de last van een baby die moest blijven leven. Ze bond het kind dicht tegen zich aan onder haar kleren en gebruikte beide handen om over de ijzige rotsen naar boven te klauteren.

Ze was royaal voorzien van heilige instrumenten, aangezien dit de enige dingen waren geweest die ze uit het klooster had kunnen meenemen zonder de achterdocht van de Ziener te riskeren. Toen legde Torgon de tas van hertenleer op de grond en maakte die open. Daar zaten de naamgevingsoliën in, het heilige mes, de gewijde klei. Een voor een stalde ze alle voorwerpen uit die ze nodig zou hebben.

Terwijl ze bezig was, viel de sneeuw in grote, zachte vlokken, een prachtig gezicht. Ze staakte haar bezigheden om even te kijken naar de neerdwarrelende sneeuw, verrukt over de schoonheid ervan.

Toen ze haar zoontje uitkleedde, huilde hij van de kou en waterde, zoals alle baby's schenen te doen wanneer ze plotseling ontkleed waren. Torgon nam de gewijde klei ter hand en schilderde heilige tekens op zijn gezicht, over de hele lengte van zijn lichaam en over zijn penis. Zo triest dat dit in eenzame afzondering gebeurde, dacht ze bij zichzelf, en de gedachte drong door de heilige trance heen die ze in stand had behoren te houden. Zo triest dat het heilige kind bij deze vreugdevolle viering van zijn leven niet omringd werd door de liefdevolle kring van familie en vrienden die aanwezig hadden moeten zijn op zijn naamdag.

Torgon ontkurkte de naamgevingsoliën, smeerde zijn voorhoofd, zijn borst, zijn genitaliën in, en beroerde er zijn lippen mee. Toen tilde ze de naakte baby op, hoog boven haar hoofd in een offerande aan Dwr. Ik geef u dit kind: Luhr, de Grote Kat.

Bezorgd om het welzijn van de baby na hem aan zo'n intense kou te hebben blootgesteld, bond Torgon hem dicht tegen de naakte huid van haar borst. Ze beschermde hem tegen de bittere wind door haar hemd uit te trekken en het dubbel te slaan om zijn lichaam alvorens haar overkleding weer aan te trekken. Toen ze in de schemering de hut bereikte, voelde ze zich ellendig van de kou.

Loki was reeds lang teruggekeerd. Het kleine vuur brandde vrolijk en er hing een dampende ketel bouillon van gedroogd hertenvlees boven. Ze hielp Torgon met het uittrekken van haar bo-

venkleding en nam de baby over. Dankbaar schepte Torgon een kom vol bouillon en ging met gekruiste benen bij het vuur zitten.

Er werd aan de deur gerammeld.

Verschrikt keken ze elkaar aan. Vlug legde Loki de slapende baby in het stro in de verste hoek van de kamer.

'Ik ben het maar,' riep Mogri. 'Laat me binnen.'

Loki ontgrendelde de deur.

Een sneeuwvlaag kwam tegelijk met haar naar binnen. 'Op een avond als deze bestaat er geen gevaar om gevolgd te worden,' zei Mogri, en ze schudde haar kleding uit. 'Mijn sporen waren reeds bedekt voordat ze afgekoeld waren.'

Haar eigen baby was diep weggestopt in de plooien van haar kleren. Op haar rug droeg ze een mand. 'Ik heb brood en kaas voor jullie meegebracht. Er was verder niet veel wat ik mee kon nemen.' Ze liet de mand op de grond zakken. Een wenkbrauw schoot omhoog toen ze Torgon bij het vuur zag zitten. 'Je ziet er goed uit, zus, maar ik zou denken dat je een wel zeer ontspannen houding aanneemt voor een vrouw die net uit haar kraambed komt. Was het dan zo'n makkelijke baring?'

'Ik heb hem drie dagen geleden reeds gebaard.'

'O, Torgon,' zei Mogri teleurgesteld. 'En jij hebt tegen mij gelogen?' Toen plotselinge bezorgdheid. 'Wat is hier gaande, vertel op, jullie. Waar is de baby? Is hij gezond?'

'Jawel, hij is gezond.' Torgon liep naar de hoek van de kamer en tilde de baby uit zijn nestje van stro.

Mogri spreidde haar armen om hem aan te pakken. 'O, kijk toch eens, wat is hij groot!' riep ze uit. 'Knap werk, Torgon!' Ze ging zitten en legde de baby op haar schoot om hem wat beter te bekijken. 'Zoveel haar. Maar zal het rood worden? Het is nu vrij donker, maar kijk. Volgens mij heeft het een rossige ondertoon. Heeft hij jouw ogen? Doe eens open, slaapkop, opdat ik je fatsoenlijk kan bekijken.'

'Ik denk het niet,' antwoordde Torgon.

'Het is moeilijk te zeggen als ze nog zo klein zijn. Alle baby's hebben donkere ogen.' Mogri wikkelde hem een beetje uit zijn doeken. 'Het is echter een goede zaak dat je een jongen hebt gebaard. De Ziener zal tevreden over je zijn. En haar heilige broers eveneens. Misschien zal dit jullie eindelijk onderlinge vrede brengen.'

Torgon wreef over haar ogen.

'Jawel, nu zie ik dat je gelijk had met die drie dagen. Je huilt, arme schat.' Mogri stak een hand uit om het haar van haar zus uit haar gezicht te strijken. 'Maar het betekent meer melk. Meer tranen, meer melk.' Een pauze. 'Maar wat bezielde je om hier alleen naartoe te gaan? Toen je me vroeg de hut voor je in gereedheid te brengen, veronderstelde ik dat er anderen met je mee zouden komen. Is dit hoe de heiligen het doen? Niet verstandig, dunkt mij. Je behoort gezelschap te hebben van andere vrouwen op momenten als deze. Misschien werkt het voor heilig- en hooggeborenen, temperamentloos als ze zijn, maar het past niet bij een vrouw van onze soort, zo opgeborgen op deze manier.'

'Dat is het niet.'

'Waarom verzet je je zo tegen je tranen, Torgon? Je lichaam zou ze liever vergieten. Je hebt arbeidersbloed en bent niet in de wieg gelegd om een levenloos gezicht te laten zien.'

'Mogri, alsjeblieft. *Val niet tegen me uit over zulke simpele dingen. Ik heb ernstiger zaken die ik je vanavond moet vertellen.'*

Mogri nam haar op.

Torgon leunde naar voren, pakte de baby uit Mogri's handen en drukte hem tegen zich aan.

'Wat Ansel die nacht tegen me zei, is waar. Er is geen heiligheid meer in zijn kaste.

Het feit dat ik Ansels bloed heb doen vloeien, is niet de reden waarom ze me haten. Was ik slechts zijn vrouw geweest en had ik hem doodgestoken tijdens een echtelijke ruzie, dan zou er een vreselijke scène zijn geweest, en ongetwijfeld een openbare afstraffing op het plein, omdat ik een arbeider ben en een vrouw, maar aangezien ik zijn keuze was en zijn eerstgeboren zoon heb gebaard, zou het daarmee afgedaan zijn geweest. De heilige broers zouden het hebben aanvaard als een misdaad uit hartstocht, want dat is een menselijke tekortkoming waar ze begrip voor hebben. Het is datgene aan mij dat niet menselijk is dat hen zorgen baart. Toen die gemene man die hun leider was mij erop uit stuurde om de Kracht aan te roepen, heb ik dat gedaan. *En dat is wat ze zo onuitstaanbaar vinden in mij, want ze weten dat mijn heiligheid echt is.*

Om die reden zullen ze me niet laten leven. Ze kunnen me niet laten leven. Want ik ben het bewijs dat de Kracht bestaat; dat er werkelijk iets bestaat wat grootser is dan wijzelf, en wat we kunnen aanroepen. Bovendien maakt de Kracht geen onderscheid naar kaste of klasse of geslacht. Of zelfs naar vroomheid, maar simpelweg naar het vermogen om onbevangen te luisteren en de wilskracht om te volgen.'

Mogri zei: 'Er bestaat geen twijfel dat de heilige broers wraak op je willen nemen voor Ansels dood, maar ze zullen je niet doden. De raad heeft onbetwistbaar in jouw voordeel beslist en de heilige broers zouden nooit tegen de ouderlingen ingaan. Ze weten dat het tot een burgeroorlog zou leiden. En de goddelijke anaka benna doden? Torgon, ze zouden het niet durven.'

'Toch wel. En ze zullen het doen ook. In hun hart hebben ze het zelfs al gedaan.'

Mogri leunde achterover.

'En ze zullen erin slagen, want ik ben niet langer heilig.'

'Hoe bedoel je?'

Torgon boog haar hoofd. Ze hield de baby tegen haar borst en keek naar hem. 'Sinds Ansels dood is mijn Kracht tanende. Ik vrees dat nu ook mijn heiligheid is aangetast.'

'O, Torgon, dat kan toch zeker niet.'

'Het is zo, Mogri. Ik weet niet waarom. Soms kan ik de Kracht nog ergens in mijn binnenste voelen, maar in tegenstelling tot vroeger tijden, gebeurt het nog maar zelden dat de Kracht tot mij spreekt. Ik wil niet zijn zoals Ansel en de zijnen, en mijn eigen stem gebruiken wanneer de klank van Dwrs stem wegsterft...'

Stilte.

Torgon keek andermaal neer op de baby. Hij sliep, zijn mond opengezakt tegen haar borst. Zachtjes tilde ze een vinger op en veegde de melk weg die van zijn lippen drupte. 'Ik vrees voor de baby,' zei ze zacht, 'want ik denk dat je gelijk hebt. Als ik word gedood, zal er inderdaad een burgeroorlog uitbreken.' Ze streelde het hoofdje van de baby. 'Vanwege zijn afkomst zal hij noch heiliggeboren noch arbeidersklasse zijn, en tegelijkertijd zal hij beide zijn. Aan beide kanten zullen er zijn die menen dat zijn dood een zegen zal zijn. En baby's sterven zo gemakkelijk...'

Torgon hief haar hoofd op. 'Loki? Zou je me mijn zak met heilige instrumenten willen brengen?'

Het meisje stond op om ze te halen en bracht de zak naar Torgon. Met haar vrije hand maakte Torgon de zak open en kiepte de inhoud op de vloer. Ze pakte een kleinere zak tussen de flesjes oliën en zalven vandaan. 'Hier, Mogri, maak deze eens voor me open, want het lukt me niet met één hand.'

Mogri knielde en pulkte de knoop los. Ze trok de leren veter eruit en leegde de zak op de grond. Haar ogen werden groot van verbazing.

'Inderdaad, het is goud,' zei Torgon.

'Waar komt het vandaan?' vroeg Mogri op gedempte toon. 'Ik heb nog nooit zoveel bij elkaar gezien.'

'Ik heb mijn heilige ornamenten gesmolten, want het is onwaarschijnlijk dat ik ze ooit nog nodig zal hebben.'

Ongerust keek Mogri haar aan. 'Ik zie dat dit goed doordacht is... Ik begin me zorgen te maken.'

'En nu ga ik je smeken op het leven van mijn pasgeboren zoon...'

'O, Torgon, nee...'

'Neem mijn zoon en vertrek morgenochtend bij het krieken van de dag. Ga naar het koninkrijk van het Kattenvolk. De laatste keer dat de koning hier was, heeft hij zich een man van wijsheid en grote vroomheid getoond. Hij heeft Dwr geëerd, ook al behoort Dwr niet tot het rijk van zijn goden, en hij zag erop toe dat al zijn krijgers hetzelfde deden, dus hij is eveneens een sterke en machtige koning. Zeg hem dat het nu zeer slecht met me gaat en dat dit het heilige kind is. Geef hem het goud dat ik hier heb en smeek hem mijn zoon te beschermen.'

'Nee, dat kan ik niet!'

'Vraag hem Luhr op te voeden tot een goed en nobel man en hem te beschermen tot hij de leeftijd heeft bereikt om zijn rechtmatige plek op te eisen. Ik denk dat de koning dit zal doen. Hij was zeer bedroefd tijdens onze laatste ontmoeting, aangezien hem en zijn koningin het heilige geschenk van kinderen is ontzegd. Hij vroeg om mijn goddelijke inmenging, opdat ze gezegend mochten worden met koninklijke nakomelingen. Als zijn koningin inmiddels een kind gebaard heeft, zal hij mijn baby onder zijn hoede nemen uit dankbaarheid. Zo niet, dan zal hij misschien de kans verwelkomen om de baby als de zijne te ont-

halen, vooral vanwege de mogelijke belofte van een toekomstig koninkrijk. Laat desnoods het goud spreken, want het is geen schamele som.'

'O, Torgon...'

'Mogri, alsjeblieft. Doe dit alsjeblieft voor me. Ik heb niet langer mijn heilige visioenen, maar ik heb mijn dromen en daarin zie ik de baby als volwassen man. Een koning. Een goddelijke koning met Dwrs heilige geschenk van de Kracht. Maar als hij hier blijft... zal hij al snel net als ik het rijk der doden betreden. Dat zie ik ook.'

'Als het werkelijk zo ver is gekomen, Torgon, zou het dan niet veel beter zijn om de baby te nemen en zelf met hem te ontsnappen, zodat jij hem op zijn minst kunt opvoeden in de traditie van de heiligheid?'

'Ik heb hier vele uren over nagedacht, want uiteraard is dit wat ik het liefste zou willen, maar uiteindelijk is het antwoord altijd nee. Als ik ook meeging, zou de Kattenkoning ons wellicht alle hulp weigeren. Mijn ogen zijn mijn vloek. Ongeacht hoeveel zorg ik zou besteden aan mijn vermomming, ze zouden me desondanks verraden, en onze krijgers zouden beslist aan zijn poorten verschijnen als hij de goddelijke anaka benna onderdak verschafte. Waarom zou de koning een oorlog willen riskeren? De ene baby lijkt echter sprekend op de andere, en jullie tweeën zouden makkelijk door kunnen gaan voor marskramersvrouwen.

Bovendien weet niemand nog dat de baby geboren is. Ik kan teruggaan naar het klooster en de Ziener en de heilige broers nog een week of twee om de tuin leiden, misschien zelfs nog langer, aangezien het mijn eerste kind is en eerstgeborenen vaak lang op zich laten wachten. Het zou jullie de tijd geven om ongehinderd de grens van het Kattenvolk te bereiken. En zelfs dan nog kan ik tegen hen zeggen dat de baby een meisje is. Of doodgeboren. Of zelfs dat ik het kind eigenhandig heb gedood voor het geval zij het me zouden willen afnemen.'

'Zij zullen jou doden.'

'Mogri, dat zullen ze hoe dan ook doen.'

Mogri's ogen vulden zich met tranen. Ze boog haar hoofd.

'Ik vrees dat ik zelfs nog meer van je moet vragen,' mompelde Torgon.

'Zeg op, dan is het maar achter de rug.'

'Zodra je het koninkrijk van het Kattenvolk hebt bereikt, smeek ik je bij hem te blijven. Ik vraag dit niet als de heilige benna, maar simpelweg als je zuster, die heel veel van jou en hem houdt. Er zullen hier gevaarlijke tijden aanbreken. Als ontdekt wordt dat hij verdwenen is, zullen ze raden dat jij me hebt geholpen en zul jij eveneens van het leven worden beroofd. Dus blijf daar en zorg voor hem zoals ik dat zou doen. Hij heeft een voogd nodig. Zelfs als de koning hem onder zijn hoede zou nemen, vrees ik voor het lot dat Luhr misschien wacht. Wat als hij slecht behandeld wordt? Of als hij ziek wordt en alleen is? Ik wil dat hij het soort liefde kent dat jij en ik als kind hebben genoten, want dat is het hout waaruit nobele mannen gesneden worden. Zelfs vriendelijke onverschilligheid, waar het lichaam niet onder te lijden heeft, brandmerkt de ziel en creëert een hol gevoel. Dus alsjeblieft, alsjeblieft, *Mogri, blijf en zorg voor hem.'*

Mogri boog haar hoofd en knikte. 'Zoals je wilt.'

'Heilige benna?'

Het was volkomen donker in de hut. Geen spoor van de dageraad om het raam van de muren te onderscheiden. Torgon draaide zich om in het stro en probeerde zich te oriënteren.

'Heilige benna?'

'Jawel, Loki. Ik ben wakker,' fluisterde Torgon in de duisternis.

Er klonk een geluid alsof het meisje door het stro heen kroop. 'Ik kan niet slapen,' mompelde ze.

'Nee. Ik evenmin.'

'Ik heb de hele donkere nacht lang liggen nadenken, heilige benna.'

'Hier, Loki, kom bij me onder de dekens. Ik wil mijn zuster niet wakker maken. Kom dicht tegen me aan liggen. Je voelt koud. Misschien zul je wel in slaap vallen zodra je warm bent.'

'Nee, ik denk het niet,' zei ze zacht, maar ze aanvaardde de warmte en nestelde zich erin.

'Ik heb besloten, heilige benna, dat ik met hen mee zal gaan wanneer ze vertrekken.'

'Nee, Loki.'

'Jawel, heilige benna. Ik heb er lang over nagedacht. Het is wat mijn hart me ingeeft. Het zal uw zusters last verlichten. Ze kan niet gemakkelijk twee baby's en de mand dragen. Met al die sneeuw zal het haar tempo vertragen. Ik zal hen vergezellen. Ik kan het heilige kind nemen en hem warm houden terwijl zij haar eigen baby draagt.'

'Nee, Loki.'

'Maar mensen zullen argwaan krijgen als ze twee baby's heeft. Het leeftijdsverschil is te groot voor een tweeling, te klein voor een gewone broer en zus. Iemand zou haar kunnen beschuldigen van kinderroof. Indien dat zou gebeuren, wacht hen allen een vreselijk lot. Maar als ik bij haar ben, kan ik zeggen dat hij van mij is, en zullen ze veronderstellen dat ik ben verstoten door mijn stam vanwege het verlies van mijn maagdelijkheid.'

'Dit is een te groot offer.'

'Ik wil het graag doen,' zei Loki.

'Jawel, ik weet dat je dat zou willen, met je dappere hart, maar we moeten ook praktisch zijn. Je bent te hooggeboren. Mogri zal niet gemist worden, maar als de dochter van een krijger verdwijnt, zou er een oproep komen en zouden ze je gaan zoeken. Het zou veiliger zijn als Mogri alleen ging.'

'Daar heb ik reeds aan gedacht,' antwoordde Loki, 'en ik wil dat u tegen hen zegt dat ik ben gestorven. Zeg dat ik tijdens mijn verblijf in het bos om u te verzorgen ben gegrepen en verslonden door een poema, en dat er nu niets anders meer van me over is dan een bundeltje kleren.'

'Je verkeert al te lang in mijn gezelschap. Je hebt van mij leren liegen.'

Loki grinnikte in het duister. 'Nee, het is het werk van mijn eigen geheime geest. Bovendien zit er een soort kern van waarheid in. Hij draagt de naam van de grote kat, nietwaar? En ik ben reeds gegrepen door liefde voor hem.'

'Nee, Loki. Je bent te jong om het offer dat je aanbiedt te doorzien. Er wacht jou een goed leven. Het is niet te rechtvaardigen dat je het wilt verruilen voor een vluchtelingenbestaan aan een vreemd hof.'

'Anaka benna, ik koester geen enkel verlangen naar het leven dat hier nu voor me ligt. Ik zou nooit willen blijven om een of

andere hooggeboren zoon te huwen, wetend wat ik nu weet: dat arbeiderskinderen sterven in hun hut terwijl de mijne zorgeloos spelen met hun zilveren rammelaars. En ik zou zeker niet willen blijven en toezien hoe u sterft. Als u weg bent, zou mijn leven hier betekenisloos zijn. Dus laat me hem vergezellen, opdat de babykoning opgroeit in de wetenschap dat hij ook nu nog de leider is van zijn volk.'

Torgon tastte in het donker om het gezicht van het meisje aan te raken. 'Het zij zo. Als dit is wat je wilt, dan is het goed zo.'

Ze stonden op bij het krieken van de dag en namen wat brood en bouillon tot zich. Het resterende voedsel werd ingepakt in de mand en daar bovenop kwam de extra kleding. Loki hees de mand op Mogri's rug en bevestigde de banden. Toen kwamen de baby's, Jofa in de plooien van Mogri's kleding en daarna Luhr in de plooien van die van Loki.

Torgon aarzelde toen ze de baby in de lucht hield. Hij had zojuist een voeding gehad en begon slaperig te worden. Toen legde ze hem met een zucht tegen Loki's ontluikende borst en begon hem van in te wikkelen. Ze wachtte even en streelde zijn donkere haar, dat was beroerd, zoals Mogri zei, met een toefje rood. 'O, Dwr bescherme je, mijn kleintje,' fluisterde ze, en ze boog zich over hem heen om zijn gezicht te kussen. Zo bleef ze even rusten, haar lippen tegen zijn huid, en Loki bleef roerloos staan en voelde de warmte van Torgons hoofd door de plooien van haar kleren heen.

Niemand sprak. Ze werkten gedrieën in stilte tot ze zich van alle taken hadden gekweten. Toen tilde Torgon de zware grendel voor de deur op. Buiten was het gestopt met sneeuwen en de wereld lag er maagdelijk wit bij.

'Breng moeder en pa mijn groeten over, Torgon.'

'Ja.'

'Zoek hen zelf op. Laat die taak niet aan een ander over. Ga zelf naar hen toe en vertel hun wat ons is overkomen, want vergeet niet, waar jouw hart huilt om het verlies van één kind, verliezen zij er twee. En twee kleinkinderen bovendien.'

'Jawel. Dat zal ik doen. Ik beloof het.'

Ze stonden even zwijgend bij elkaar.

'Goede reis,' fluisterde Torgon, want de woorden wilden niet luider klinken. 'Moge Dwr jullie allen behoeden.'

'En jou,' zei Mogri. 'Moge Dwr ook jou behoeden. Want als de toekomst die jij schetst slechts je gevoel is en geen visioenen die hij heeft gestuurd, dan zal het misschien anders gaan. Ik zal aan het hof van het Kattenvolk blijven en nergens anders naartoe gaan, opdat je zult weten waar je ons kunt vinden, mocht je ons ooit willen gaan zoeken. En hoewel ik Luhr zal opvoeden alsof hij mijn eigen kind is, zal ik hem eveneens bijbrengen dat hij niet mijn zoon is en dat hij de weg uit het oosten altijd in de gaten moet houden, in de hoop dat hij op een dag misschien zijn echte moeder zal zien verschijnen.'

'Kom hier,' zei Torgon, en ze spreidde haar armen. 'Omhels me nog een laatste keer. Laat me je kussen. Jij ook, Loki. Nee. Kus me niet als de benna, want de tijd van benna's is voorbij. Kus me hier, in mijn gezicht, als de zuster die je nu voor me bent. En daarna zal ik jullie beiden vaarwel zeggen.'

James sloeg de laatste getypte bladzijde om. Hij keek ernaar, wit aan de achterkant, met afgesleten hoekjes, aan de randen licht vergeeld van ouderdom, en hij ervoer het als een verlies dat het allemaal voorbij was, dat het verhaal afgelopen was, dat Torgon terugkeerde om te sterven en dat haar nobelheid haar niet had gered. Een verlies ook omdat hij niet langer deze schaduwspiegel had die hij voor Laura's leven kon ophouden.

Het drong tot hem door, terwijl hij naar de pretentieloze stapel papier keek, dat dit de enige plek was waar Torgon bestond. Al dat leven was niets meer dan een serie tekens op een vel papier die hij en Laura en een handjevol anderen hadden ervaren. En toch voelde het als een verlies. Gek eigenlijk, als je erover nadacht.

41

'Dus dat was het einde van de relatie tussen Fergus en mij,' zei Laura. 'Ik heb mijn studie nooit afgemaakt. Wat dat betreft heeft Fergus gelijk gekregen. Ik heb nooit een dag als dokter gewerkt. In plaats daarvan heb ik Boston achter me gelaten op die novemberdag en ben ik hier teruggekomen. Er was een vacature voor een paramedicus bij de mobiele doktersdienst in het Pine Ridge-reservaat. Daar ben ik gaan werken en van daaruit ben ik heel langzaam begonnen om mijn leven weer op te pakken.

De eerste weken waren afschuwelijk. Het was niet weer zo'n zware depressie als ik in de lente had gehad die met me op de loop ging, maar in plaats daarvan was het angst. Ik was doodsbang dat Fergus erachter zou komen waar ik was. De enige echt bovennatuurlijke kracht die hij leek te bezitten, was zijn griezelige gave om me te vinden, waar ik ook was. Het was angstaanjagend om te bedenken dat de Stemmen hem misschien *inderdaad* op de een of andere manier konden vertellen waar ik was, want hoe bescherm je jezelf daartegen? Ik zag hem, als een soort geest, in iedere donkere hoek. Dat bezorgde me chronische slapeloosheid. Ik werd elke nacht met bonkend hart wakker, en dan lag ik in totale paniek in het donker. Overdag uitte het zich in een soort gespannenheid waar ik heel nerveus en prikkelbaar van werd, en die het me onmogelijk maakte om me te concentreren.

Het enige wat hielp, was zware lichamelijke inspanning. Het reservaat grenst aan de zuidzijde aan de Badlands, en in mijn vrije tijd ging ik lange wandelingen maken. De Badlands waren daar bij uitstek geschikt voor. Ik voelde me veilig in het open landschap, en de grauwe somberte ervan, vooral in de winter, paste precies bij mijn stemming. Ik trok erop uit in weer en wind, in sneeuw en regen. Altijd alleen. Mijn ouders waren in alle staten omdat ze het vreselijk gevaarlijk vonden dat ik al die wandelingen in mijn eentje maakte, want stel dat ik viel of zo. Als ik heel eerlijk ben, geloof ik dat ik zelfs graag had gewild dat er iets zou gebeuren, iets wat me de verantwoordelijkheid voor mijn rampspoed zou ontnemen. Urenlang liep ik door de bekkens, klom ik door de geulen omhoog, klauterde ik over de rotsen, en al die tijd was mijn hoofd volkomen leeg. En dat voelde zo goed. Zo heilzaam.

Op een zaterdag – het moet een week of drie na mijn terugkeer zijn geweest – had ik de hele dag gewandeld. Het was werkelijk hondenweer, en tegen de tijd dat ik thuiskwam, waren mijn kleren doorweekt, mijn wangen schraal van de wind, en mijn vingers en tenen verdoofd van de kou. Ik ging wat koken, trok vervolgens een fles rode wijn open en schonk een glas voor mezelf in. Ik had zin in een muziekje, dus ik liep naar de woonkamer en zette het *Requiem* op van Saint-Saëns.

Ik zat in de leunstoel te relaxen met mijn wijntje toen die bijzondere intro van het Agnus Dei begon. Ik had er uiteraard al talloze keren eerder naar geluisterd, maar wat er toen gebeurde... Ineens was ik in het Bos. Ik zag het met dezelfde, abrupte helderheid die ik had ervaren in mijn jeugd, in de tijd voor Fergus. Ik was er weer eens op een manier waar ik al heel lang niet meer op had durven hopen.

Torgon was in de afzonderingshut. Ze deed de deur dicht. Mogri en Loki waren al vertrokken met Torgons pasgeboren baby. Ze had staan kijken tot ze uit het zicht verdwenen waren, toen deed ze de deur dicht en keerde terug in het duister van de hut.

Dat trage, beklemmende gedeelte van Saint-Saëns' Agnus Dei was begonnen...' Laura hief afwezig haar hand op, bijna alsof ze de denkbeeldige muziek dirigeerde. 'Ik kon het horen, de muziek, bedoel ik. Zelfs terwijl ik in het Bos was en Torgon voor me zag. De muziek maakte er op de een of andere manier deel van uit. Of misschien was ik toch niet zo volledig in het Bos als ik dacht, aangezien ik me zo van de muziek bewust was.

De eenzaamheid in de afzonderingshut was net zo doordringend als het Agnus Dei. Torgon was bezig haar weinige bezittingen bijeen te rapen en ze langzaam, een voor een, in een zak te stoppen ter voorbereiding op haar terugkeer naar het klooster. Er heerste zo'n drukkende sfeer van totale droefenis. Ze wist dat ze op weg ging naar haar dood, en ze wist dat ze moederziel alleen terugkeerde, zonder enige vorm van steun. Zonder Loki. Zonder haar zus. Zonder haar kind... en... zo realiseerde ik me voor het eerst, zonder mij.'

Laura keek naar hem. 'Want *ik* was natuurlijk de Kracht, toch?'

James keek haar aan.

'Ik bedoel, daar was je inmiddels toch wel achter, of niet? Torgons wereld was mijn inspiratie om te proberen iets meer te worden dan ik zelf kon zijn, maar andersom was ik dat ook voor haar. Zij was groot geworden door zich mijn wereld voor te stellen.' Laura's ogen vulden zich met tranen. 'Maar toen raakte ze haar visioenen kwijt, omdat ik haar in de steek had gelaten.'

'Dat is een interessante veronderstelling,' zei James. 'Maar "in de steek laten" is een groot woord.'

'Nee, het is het juiste woord. Ik *koos* ervoor om haar te verlaten. Ik koos ervoor om haar te veranderen in iets wat minder was dan wat ze was, omdat ik...' Laura zweeg even en wreef in haar ogen. 'Omdat ik gewoon wilde zijn. Omdat ik wilde hebben wat iedereen had.'

'Dus je wilt zeggen dat je je verantwoordelijk voelt voor Torgons lot?' vroeg James, geïntrigeerd door deze surrealistische gedachtekronkel.

Laura fronste haar voorhoofd. 'Begrijp je wat ik bedoel? Het verschil? Tussen de echte Torgon – dat prachtige, nobele wezen dat tot mij kwam toen ik klein was – en de karikatuur die ik van haar had gemaakt, die niet meer was dan een verlengstuk van mijn ego?'

James knikte.

'Je had Fergus met al zijn gezwets over lotsbestemming. Ik hoorde dat woord alsmaar om me heen, en ik heb er nooit voldoende aandacht aan geschonken, ik heb nooit ingezien dat ik al een lotsbestemming *had*. Ik had Fergus' versie daarvan niet nodig.'

Laura ademde langzaam en diep uit.

'In een andere, betere wereld zou ik de koers zijn blijven varen die voor mij was voorbestemd. Ik zou die briljante dokter zijn geworden en vertrokken zijn naar een of andere godvergeten uithoek van de wereld om onmetelijk veel goed te doen. Mensen zouden naar me hebben gekeken en gezegd: "Ze is bevlogen." Misschien zelfs: "Ze hoort de stem van God." Want er zijn *wel degelijk* Stemmen in deze wereld, of hoe je het ook noemen wilt, en als je daarnaar luistert, ben je *echt* bijzonder.'

Laura wachtte even, en in haar stilte bespeurde James een vaag defensieve houding. 'Maar de waarheid is,' zei ze, 'dat slechts weinigen van ons het in zich hebben om Moeder Teresa of Martin Luther King te zijn. Het is makkelijk om te denken dat we allemaal in staat zijn tot dat soort grootse dingen als we de kans zouden krijgen. Maar dat is een droom. De realiteit is heel anders. Torgon verlangde alles van mij vanaf het moment dat ik haar ontmoette die avond op dat pad in de zomer dat ik zeven was. Ze wilde mijn tijd, mijn aandacht, mijn sociale leven, mijn opleiding, mijn carrière. Doen wat ze van me verlangde, betekende dat ik geen vrienden zou kunnen hebben. Ik zou geen gezin kunnen hebben. Ik zou niets kunnen hebben behalve haar. Dat was te veel voor me. Torgon volgen vereiste een edelmoedigheid van mij die ik gewoon niet bezat.

Dus... liet ik haar daar zomaar achter zodat ze alleen terug moest keren naar het dorp, en ging ik mijn eigen weg om een eigen leven te creëren. Ik had een opmerkelijke stageperiode gehad, met al dat schrijven over het Bos, hetgeen me goed van pas is gekomen. Mijn boeken zijn hoogstaande literatuur. Een heleboel mensen beleven er plezier aan, en ze verschaffen, zo mag ik graag denken, enige diepgang en inzicht in de materie waar ik over schrijf. Ik ben een fatsoenlijk mens. Ik doe mijn uiterste best om het juiste te doen wanneer ik maar kan. Maar ik ben het zat om het gevoel te hebben dat ik mijn potentieel niet heb waargemaakt. Zoals ik het zie, heb ik inderdaad een gouden kelk aangereikt gekregen, maar hij was niet voor mij bestemd. Dus ik heb eruit gedronken en hem doorgegeven.'

'Er is hier een verhaal,' verkondigde Conor, en hij pakte een groot, leeg vel tekenpapier. Hij nam het mee naar de tafel. 'Het ziet eruit alsof er niets op staat, maar er is hier echt een verhaal. Zie je het?' vroeg hij aan James.

'Ik zie een vel wit papier.'

Conor stak zijn hand uit, pakte een van James' potloden en

ging ermee zitten. 'Je zult het verhaal straks zien, want ik ga er tekeningen van maken. Als je morgen naar dit papier kijkt, zul je zien dat het verhaal er is.' Hij boog zich over het papier heen en begon een lange streep te tekenen van de ene kant naar de andere kant, boven aan het papier.

'Daar dacht ik aan toen ik vanochtend in bed lag,' zei hij, terwijl hij onafgebroken verder tekende. 'Ik dacht: morgen staat het verhaal op het papier. Staat het dan altijd al op het papier? Of ligt het gewoon aan onze ogen dat we het niet kunnen zien omdat het vandaag is en niet morgen?'

'Dat is een grote gedachte die je daar had,' zei James.

'Ik denk altijd grote gedachten.'

'Dat heb ik gemerkt.'

'Morgen is verborgen. Mijn verhaal is verborgen totdat ik het af heb. De wereld is vol met verborgen dingen.' Hij trok verticale strepen op het papier om de ruimte in vakjes te verdelen. 'Mijn mechanische kat is verborgen. Niemand kan hem zien, want hij zit hierbinnen,' zei hij, en hij tikte tegen zijn borst.

'Je weet dat je iets heel sterks hebt vanbinnen,' zei James.

Conor knikte. 'Ja. Ik kan het horen zingen. Mijn moeder niet. Ze zegt: "Trek je sokken aan, Conor, het is tijd om te gaan." Ik zeg: "De mechanische kat is aan het zingen." Zij zegt: "Doe niet zo mal. We hebben haast." Hij keek op. 'Maar de mechanische kat weet het. Niets blijft verborgen voor de mechanische kat.'

James keek hem aan.

'De mechanische kat ziet alles. Hij kan het verhaal zien dat verborgen is op dit papier. Hij kan morgen zien. En bij mij thuis kan hij de geest zien.'

'Die man onder het vloerkleed?'

Conor gaf geen antwoord. Hij was klaar met het papier in vakjes te verdelen en begon nu in het vakje in de linker bovenhoek. 'Ik zal een tekening maken van de man onder het vloerkleed. Dan weet je waar je op moet letten.'

Met uitgestoken tong en zijn hoofd vlak boven het papier stortte Conor zich op deze bezigheid. Er verscheen een gestalte die languit op zijn buik lag, maar de tekening was moeilijk te zien omdat er talloze vage, ragfijne lijntjes in alle richtingen uit het lichaam kwamen.

Conor ging naar het volgende vakje en tekende een man die rechtop stond. Het was geen ongebruikelijke tekening, gewoon een typische kindertekening van een man met wijd opengesperde ogen en een wezenloze uitdrukking, gekleed in een lange broek en een effen shirt.

In het derde vakje tekende Conor nog een man. Deze keer was het een gruwelijke afbeelding. Hij tekende bloed uit de mond van deze man, en uit wonden over zijn hele lichaam. De man stond nog steeds, maar er stak een mes in zijn zij en een tweede mes in zijn nek.

'Ze horen niet in deze volgorde,' zei Conor bedachtzaam, terwijl hij achterover leunde om de tekeningen in hun vakjes aan de bovenkant van het vel papier te bekijken. 'Dit wordt zo'n test die je bij de dokter moet doen. Je ziet de plaatjes en dan moet je ze in de goede volgorde zetten zodat ze een verhaal vertellen.'

Hij boog zich weer over het papier en begon in een nieuw vakje een bed te tekenen. Hij tekende er een kind van onbestemd geslacht in, onder de dekens. Het kind sliep niet. De ogen waren starende cirkels. Conor stopte even om de tekening te bestuderen, en ging toen weer aan het werk met veel meer aandacht voor details dan bij de andere tekeningen. Hij tekende een vloerkleed op de grond en een speelgoedvrachtwagen en een paardje. Hij gaf het kind haar op zijn hoofd en maakte strepen op de deken. Toen begon hij het lichaam te tekenen. 'Jij en ik kunnen dit stuk niet zien,' zei hij terwijl hij tekende. 'Het zit verborgen onder de deken. Maar de mechanische kat ziet het wel. Niets blijft verborgen voor de mechanische kat.' Conor gaf het kind een pyjama aan, en onder de pyjama tekende hij genitaliën. Het was een jongen, hij lag op zijn zij, en James kon zien dat hij in bed plaste.

'En hier, in deze...' Conor was in het volgende vakje begonnen en tekende een man die heel veel weghad van de man uit het eerste vakje en die languit op zijn buik op de grond lag. Hij tekende een streep boven de man. 'Dat is het vloerkleed. Ik weet niet hoe ik een vloerkleed moet tekenen zodat je kunt zien hoe het er van de zijkant uitziet. En de jongen kwam de trap af. Heel zachtjes. Stilletjes als een muis. Hij had in zijn bed geplast. Zie je wel, daarboven?' Hij wees naar de andere tekening.

Conor stopte. Een lange, beladen stilte volgde terwijl hij naar de reeks tekeningen keek. Toen legde hij het potlood neer en keek naar James. 'Dit is mijn droom.'

'Heb je dit allemaal gedroomd?'

'Ja. Heel vaak. Als ik slaap, droom ik het. Als ik wakker ben, droom ik het ook. Zelfs als ik niet droom, is het er. Maar dat weet niemand. Het is een van de verborgen dingen.'

De volgende pauze hield lang aan en groeide uit tot een volwaardige stilte, zacht en diep.

Ten slotte keek Conor naar James. 'Ik zit nu ook naar de mechanische kat te luisteren. Hij kan harder zingen dan de droom. Dat is wat hij doet. *Zap-zap. Metalen vacht. Gaat nooit dood. Sterk en groot.*'

James glimlachte. 'Zingt hij om de droom te verjagen?'

'Ja.'

Weer een pauze.

'De jongen is veilig hier.'

'Ja,' zei James.

Conor boog zich weer over het papier heen, en in het volgende vakje begon hij aan een tekening van een kind dat naast een tafel stond. 'Dit is de kamer hier. Dit is de tafel van de man. Zie je wel? Kijk, hier. Deze tafel.' Conor klopte op het hout. 'De jongen staat ernaast. "Geen geesten hier," zegt hij. Dat zegt hij tegen zichzelf.'

Zich dichter over zijn tekening heen buigend zei Conor: 'En hier binnen in de jongen, *hier*, zit de mechanische kat. Kun je hem zien? Ik heb hem getekend, dus nou is-ie niet meer verborgen. Kun je hem zien?'

In het bovenlijf van het kind, dat naast de tafel stond, had Conor met grote precisie een kleine kat getekend. Hij zat rechtop, zoals katten dat doen, met gespitste oren en ogen die van de tekening af keken. Hij had een piepkleine, omgekeerde driehoek als neus en een bijna weemoedige glimlach op zijn snuit.

Conor tekende dunne lijntjes vanaf het hoofd, de armen en de benen van het kind naar de kat, alsof het dier een poppenspeler was die zijn meesterwerk bestuurde.

'Ik moet dit inkleuren,' zei Conor. Hij stond op en reikte over de tafel heen naar de mand met krijtjes en markeerstiften, en kleurde de kat toen zwart met een witte bles op zijn snuit, witte sokken en een roze neusje. Hij kleurde de ogen groen en maakte toen snorharen en piepkleine klauwtjes die net zichtbaar waren aan de witte pootjes. De jongen kleurde hij helemaal niet in.

'Ik wil dit uitknippen. Heb je ook karton? Ik wil het op karton plakken om het mooi te houden. Ik heb karton nodig,' verkondigde hij, en hij sprong overeind. Zonder James' antwoord af te wachten, liep hij naar de planken en begon te neuzen in het assortiment knutselspullen. Toen hij een klein stukje posterkarton had gevonden, kwam hij weer terug. Hij pakte de schaar en knipte behendig de jongensfiguur uit. Hij lijmde de tekening op het karton en probeerde toen het teveel aan karton weg te knippen zodat alleen de figuur van de jongen met de kat in zijn lijf overbleef.

Conor was erg tevreden over het resultaat. Zijn gezicht lichtte op. 'Kijk! Zie je dat? Daar is-ie. Mijn mechanische kat.' Hij sprong op en rende naar de planken om de doos met kartonnen dieren te pakken. Hij haalde de kleine kartonnen streepjeskat eruit, zette deze in zijn standaard en liep ermee terug naar de tafel. 'Zie je dat? Mijn kat en jouw kat. Hier. Ik zal wat klei pakken, zodat de mijne ook kan staan. De mijne en de jouwe! Ik kan deze mee naar huis nemen! Deze is van mij.'

'Ja, je hebt je eigen mechanische kat gemaakt, hè? Wat was dat een goed idee van jou.'

'Ja! Ik heb het helemaal zelf gedaan, dus ik mag hem houden.' Hij schonk James een stralende glimlach.

Conor leunde achterover om de katten op de tafel te bewonderen, maar terwijl hij dat deed, dwaalde zijn blik af naar het papier waarop hij had zitten tekenen. 'Dat is nog niet klaar,' zei hij. Hij pakte het papier met het ontbrekende vierkantje. 'Ik had een nieuwe tekening moeten maken. De droom was nog niet af.' Hij deed geen enkele moeite om zijn werk te hervatten.

'Kun je me vertellen wat er nog ontbreekt?' vroeg James.

'Ik heb haar nog niet gemaakt op de trap. Een tekening van de trap gemaakt.' Hij voelde rondom het gat waar hij de tekening van de jongen en de kat had uitgeknipt. 'Ze zei: "*Niet* beneden komen."' Conor keek naar de andere tekeningen. 'Ze zei: "Je bent een stoute, stoute jongen. Je mag níet uit bed komen." Ze wilde met mijn vingerverf spelen. Ze wilde het niet eerst vragen.

Ik moest plassen. Ik dacht: Ik moet opstaan. Ik moet op het potje. Ik kan mijn broek niet zelf naar beneden krijgen. Maar ze huilde. Ze had mijn vingerverf gebruikt zonder het te vragen. Ze zei met een schreeuw: "Jij stoute, stoute jongen! Jij *stoute, stoute* jongen! Dat is je straf omdat je beneden bent gekomen." De stoute jongen was beneden gekomen. Dus rende hij weer naar boven. Zo vlug als hij kon. Zo vlug als een haas. Vlug onder de dekens. Ze is aan het schreeuwen. De jongen is ook aan het schreeuwen. Schreeuwen en huilen. Waar is zijn sterke papa? Hij wil naar zijn papa toe, maar zijn papa is er niet. De mechanische kat is er niet. Niemand is er en de jongen plast in zijn bed.'

Conor streek met een vinger over de tekening van de jongen in bed. 'Ja, zo is het gegaan. Het was een heel enge droom. Een droom die ik steeds maar weer had.'

'Dat klinkt inderdaad heel eng,' zei James. 'Ik kan me voorstellen dat je bang was.'

Conor sloeg zijn handen voor zijn ogen. 'Ik praat er niet over. Mijn mond blijft op slot,' zei hij, een gebaar makend voor zijn lippen. '"Praat er niet over," zegt ze. "Het is niet echt. Het is maar een droom. Het gaat wel over als je er geen aandacht aan schenkt. Je maakt het echt met je gedachten. Maar gedachten zijn niet echt.'

Hij wiegde heen en weer, zijn vingers stevig tegen zijn ogen gedrukt.

'Wie zegt dat tegen jou?' vroeg James.

'De mama. Ze zegt dat het niet echt is. Je hebt hen alleen maar gehoord in je droom.'

'En die andere tekening dan?' vroeg James, wijzend op de laatste tekening, van de jongen en de man onder het vloerkleed. 'Wat kun je me hierover vertellen?'

Conor liet de uitgeknipte figuur zakken. 'Dat is ook in de droom. Ze horen allemaal bij een droom. Maar dit is het rustige stuk. Als er niemand is behalve de spookman. Mama is er niet. Papa is er niet. De spookman rent niet door de gang. De jongen denkt: Deze kamer ziet er anders uit. Hij denkt: Wat is dat voor grote bult? Dus hij loopt erheen en tilt het vloerkleed op om te zien wat het voor bult is en *daar is de spookman*! De jongen wordt *heel* bang. Hij rent. Kijk, zo.' Conor racete met twee vingers over het tafelblad. 'Hij rent heel snel omdat hij weet dat de spookman op zal staan om hem te pakken, net als de vorige keer.'

'Had de spookman je al eerder "gepakt"?' vroeg James, het voornaamwoord veranderend van 'hij' naar 'jij' in de hoop meer duidelijkheid te krijgen over wat Conor vertelde. 'Wanneer was dat?'

'In de hal,' antwoordde Conor, alsof dat logisch was.

'Wat gebeurde er toen?'

'Mama zegt: "We gaan vanavond naar de maan en de spookman gaat met ons mee. We gaan met een raket."'

In verwarring gebracht vroeg James niet om nadere opheldering.

'Daar is terria uit het raam als de raket landt,' zei Conor. 'En drie bomen. Eén, twee, drie. Hij kan tellen. Niemand heeft het hem geleerd, maar hij kan het gewoon. Hij telt de bomen.'

Conor pakte het vel papier en bestudeerde de verschillende tekeningen heel even aandachtig. Toen, zonder enige waarschuwing, scheurde hij het doormidden. Vervolgens scheurde hij de helften nog een keer doormidden. En nog een keer en nog een keer, totdat het papier was gereduceerd tot nauwelijks meer dan confetti.

'Je wilde de tekeningen van die droom niet bewaren,' zei James zacht.

'Nee. Nu is het weer verborgen.' Ruw duwde hij de stukjes papier van de tafel af en liet ze op de grond dwarrelen. 'Je moet je mond houden. Je mag het nooit vertellen.'

Conor legde zijn hoofd op het tafelblad. 'Ik ben erg moe,' zei hij. 'Ik voel me niet lekker. Ik kan niet meer praten.'

James knikte. 'Dat geeft niet. Hier ben jij de baas.'

'"Hier ben jij de baas." Dat zeg je altijd.' Conor glimlachte flauwtjes naar hem. 'Hier ben ik de baas geweest. De droom is weg. Ik ben de droom de baas.'

42

James' oorspronkelijke psychiatrische opleiding was strikt freudiaans geweest, en de praktijk in Manhattan was bijna uitsluitend psychoanalytisch. In deze besloten wereld was niets ooit wat het leek, maar was in plaats daarvan een uiting van verborgen of onderdrukte verlangens, aversies en angsten die de patiënt langzaam blootlegde terwijl hij langzaam een zelfbewustzijn ontwikkelde in het bijzijn van de minzame doch afstandelijke psychiater.

James vond het moeilijk om los te komen van sommige aspecten van de routine die hij in tien jaar tijd had ontwikkeld. Hij voelde zich op zijn gemak in de traditionele psychiatrische rol van passieve luisteraar die de patiënt zijn eigen tempo liet bepalen zonder zijn actieve interpretatie. Het voelde voor hem natuurlijk aan om enkel te luisteren, om een neutrale positie in te nemen zonder actief conclusies te trekken. Patiënten merkten dat aan hem – dat hij niks vooronderstelde en geen vooropgezet plan had voor het blootleggen van wat naar zijn mening het probleem was – en ze reageerden er goed op. Het had hem vaak successen opgeleverd waar anderen hadden gefaald.

Daarnaast was James zich er sterk van bewust hoe bloemrijk de fantasie van een kind met een trauma kon zijn. Kinderen verbeeldden zich nu eenmaal van alles. Kinderen droomden nu eenmaal. Kinderen interpreteerden dingen nu eenmaal weleens verkeerd.

James zuchtte. Hij vond het nog steeds moeilijk om actief te graven naar letterlijke betekenissen in de brij van dromen, fantasieën en misvattingen die tezamen iemands jeugd vormden. Hij was echter vastbesloten dat er nooit een tweede Adam zou komen.

Dus wat moest hij denken van Conors relaas? James wist zeker dat er iets moest zijn voorgevallen toen Conor een jaar of twee, drie, was en wat diepe indruk had gemaakt. Was het een echt voorval? Was er daadwerkelijk sprake geweest van een dode? Was de rode vingerverf bloed? Waren de spookman en de man onder het vloerkleed één en dezelfde persoon? Conor was een zeer intelligente jongen, hetgeen betekende dat hij scherpzinniger was dan volwassenen zouden denken. Hij was bovendien erg jong en gevoelig. Deze factoren zouden de juistheid van zijn interpretatie van eventuele voorvallen gekleurd hebben. Alles werd gefilterd door de beperkte ervaring van een angstige peuter.

Het zou net zo goed allemaal een symbolische gebeurtenis kunnen zijn geweest. Vanuit zijn psychoanalytische achtergrond zou James 'de man' interpreteren als zijnde Alan, als een uiting van Conors oedipale fase waarin, volgens Freud, de zoon sterke verborgen verlangens koestert om zijn vader te doden en met zijn moeder te trouwen. De 'spookman onder het vloerkleed' zou dan geïnterpreteerd kunnen worden als Conors geweten dat hem parten speelde. Misschien was het feit dat Laura rond deze tijd zwanger was geraakt, uitgerekend toen Conor vanwege het kinderdagverblijf noodgedwongen van haar werd gescheiden, te veel gebleken. Misschien was hij de kamer binnengelopen terwijl Alan en Laura seks hadden, een klassieke traumatische ervaring in de freudiaanse psychiatrie. Misschien voelde hij zich verdrongen door Morgana, die de verwijdering tussen hem en zijn moeder nog groter had gemaakt.

Natuurlijk zou Conors trauma ook een uiterst verwarrende mengeling kunnen zijn van die twee, van letterlijke gebeurtenissen die de jonge Conor onmogelijk kon begrijpen, en half onthouden dromen. Er was zoveel wat James in geen enkele context kon plaatsen, zoals de raket en de reis naar de maan, dat hij terughoudend bleef met het trekken van conclusies zonder verdere informatie.

Uiteindelijk besloot James Alan nog een keer uit te nodigen om te zien of hij wijzer kon worden uit het perspectief van een volwassene.

'Ik waardeer het enorm dat je gekomen bent,' zei James, terwijl Alan het zich gemakkelijk maakte in het conversatiecentrum.

'Hé, ik ben blij dat ik kan helpen,' antwoordde Alan oprecht.

Hij zette zijn pet af en haalde een hand door zijn warrige haar in een poging het glad te strijken. 'Je hebt geen idee hoe goed het gaat met Conor, vooral nu hij thuisonderwijs krijgt. Hij komt nu bijna elke dag naar de blokhut zodra zijn juf weg is. Helemaal alleen. Als je in september tegen me zou hebben gezegd dat er een dag zou komen waarop het vertrouwd zou zijn om hem zelfstandig tussen het huis en de blokhut heen en weer te laten lopen, zou ik gezegd hebben: "Maak dat de kat wijs."'

James glimlachte. 'Ik ben zelf ook erg tevreden over zijn vorderingen. Maar moet je horen, waar ik het met jou graag nog een keer over zou willen hebben, is die periode waarin Conors problemen zijn begonnen. Hoe meer Conor gaat praten, hoe verwarrender ik het vind worden. Het is duidelijk dat er ingrijpende dingen zijn voorgevallen toen hij een jaar of twee, drie, was, maar ik heb de grootste moeite om uit te vogelen wat er nou precies gebeurd kan zijn,' zei James.

'Ja, dat kan ik me voorstellen,' zei Alan.

'Soms kunnen de gebeurtenissen waar een kind een trauma aan overhoudt heel onbeduidend lijken in de ogen van een volwassene. Aangezien kinderen heel egocentrisch zijn op deze leeftijd, geven ze dingen soms net een andere draai en kunnen ze denken dat ze een bepaald voorval hebben veroorzaakt dat in werkelijkheid niets met hen te maken had. Soms heeft het voorval zelfs niet eens plaatsgevonden. Het kind heeft een valse herinnering die hem per ongeluk is aangereikt door iemand uit zijn omgeving die ergens over praatte, of die is ontstaan uit een droom of een tv-programma of iets dergelijks.'

James wachtte even. 'Dus zo staat het er nu voor. Om Conor goed te kunnen helpen, moet ik een duidelijker beeld krijgen van waar hij destijds door getraumatiseerd is, maar dat is niet eenvoudig, want voorlopig kan hij het me niet vertellen.'

Daar dacht Alan even over na. 'Ik geloof dat ik je alles wel zo'n beetje heb verteld,' zei hij ten slotte. 'Ik bedoel, het *was* gewoon een erg onrustige tijd. De financiële problemen en het feit dat ik de ranch bijna was kwijtgeraakt. De onverwachte zwangerschap. Conor die autistisch bleek te zijn...'

'Dan zijn we al te ver in de tijd,' antwoordde James. 'Conor is niet autistisch. Daar ben ik nu absoluut zeker van, en ik weet dat andere deskundigen dat met me eens zullen zijn. Hij heeft zich in zichzelf gekeerd. Hij is gestopt met praten en is gaan denken in termen van magische katten en mechanische dingen in reactie op de traumatiserende gebeurtenissen, dus het zou gebeurd moeten zijn voordat de diagnose autisme werd gesteld. Die diagnose werd gesteld toen hij vier was, en tot hij een jaar of twee was, heeft hij zich voor zover jij je herinnert altijd normaal ontwikkeld. Dus ik denk dat het voorval moet hebben plaatsgevonden in de periode daar tussenin.'

Opnieuw dacht Alan na. Langzaam schudde hij zijn hoofd.

'Kun je je iets herinneren met bloed?' vroeg James. 'Een ongewone hoeveelheid bloed? Bloed waar het niet hoorde te zijn? Iets waar Laura bij betrokken zou kunnen zijn geweest?'

Alan trok een wenkbrauw op. 'Dat is nogal een griezelige vraag.' Een pauze. 'Het enige wat ik kan verzinnen, is de miskraam.'

James knikte. 'Kun je je nog andere dingen herinneren? Dingen die met Laura te maken hebben?'

'Weet je, ik voel me echt heel schuldig dat ik haar zoveel alleen heb gelaten,' zei Alan. 'Ik begrijp nu pas in welke mate dat van invloed is geweest op de huidige situatie. Niet alleen omdat ik de zaken thuis niet onder controle had, maar ook omdat Laura heel kwetsbaar is geweest zo alleen. Dat heeft ze destijds ook tegen me gezegd. Maar ik was zo bang dat ik de ranch kwijt zou raken, dat ik gewoon niet inzag dat er ook andere opties waren dan steeds maar extra werk te zoeken om het hoofd boven water te houden.'

'Ja, dat kan ik me voorstellen,' zei James meelevend.

'Het enige andere wat er speelde in die tijd, was die fan. Die gestoorde gek die Laura lastig viel. Ik heb hem zelf nooit gezien, maar Conor misschien wel – en dat zal dan best heel beangstigend voor hem kunnen zijn geweest...'

'Weet je nog hoe die kerel heette?' vroeg James.

Het was stil in de kamer toen Alan in zijn geheugen groef. James kon de hagel tegen de grote ramen in de speelkamer horen kletteren.

Uiteindelijk schudde Alan zijn hoofd. 'Nee. Ik vrees van niet.'

'Zou het ene Fergus huppeldepup kunnen zijn geweest? Komt die naam je bekend voor?'

Opnieuw schudde Alan zijn hoofd. 'Nee, ik geloof het niet. Hoezo? Was er een Fergus waar ik vanaf had moeten weten?'

James haalde zijn schouders op. 'Het was maar een gok. Iemand uit haar tijd in Boston die Laura heeft genoemd.'

'Boston?'

'Ja,' antwoordde James. 'Toen ze medicijnen studeerde.'

Alans gezicht betrok, en hij keek James verbijsterd aan. 'Boston? Ze heeft helemaal niet in Boston gestudeerd. Ze heeft gestudeerd aan de University of Minnesota in Minneapolis.'

'*Wat*?'

'Voor zover ik weet,' zei Alan, 'is Laura nog nooit in Boston geweest.'

Nadat Alan vertrokken was, stond James verbijsterd voor het raam van het kantoor. Met zijn handen in zijn zakken staarde hij in oostelijke richting over de weidse uitgestrektheid van de prairie.

Hoe was het mogelijk dat Boston een leugen was?

Misschien vergiste Alan zich. Misschien was er een vergissing in het spel. Maar toen realiseerde James zich dat Laura tegen een van beiden moest hebben gelogen. Tegen hem, of tegen Alan. Een gevoel van verraad begon post te vatten.

Als Scheherazade die de sultan weet te paaien, zo had ook Laura de kracht van het verhalen vertellen gebruikt om stukje bij beetje de leiding te nemen met haar zachte, lange, vriendelijke monologen. James had simpelweg zijn credo van 'hier ben jij de baas' gehanteerd. Hij had haar geen enkele keer in de rede willen vallen met een overdosis vragen. Sterker nog, gaandeweg was hij min of meer opgehouden om vragen te formuleren. Hij had *gewild* dat ze zonder onderbrekingen verder zou vertellen.

De echte betovering werd echter niet in stand gehouden door Laura, maar door Torgon. James zou er misschien wel in geslaagd zijn om zijn eigen koers te blijven varen als Laura's verhaal het enige was wat hij had gehoord. Ook al was de grens tussen persoonlijke geschiedenis en fantasie wat wazig geworden door Laura's verhalen over een andere realiteit, dan nog bleef dat binnen de grenzen van een normale therapiesessie. Wat het allemaal anders had gemaakt, was de komst van de Torgonverhalen.

Daarmee was Laura's fantasie niet langer beperkt gebleven tot twee uur per week in de praktijk. James nam deze verhalen mee naar huis. At ermee. Ging ermee naar bed. En tijdens het lezen werd James' geest één met die van Laura en creëerden ze samen een nieuwe werkelijkheid. James was aan de verhalen begonnen als zijnde niets meer dan een middel om Laura beter te doorgronden, maar naarmate hij meer en meer werd opgeslokt door alles wat Torgon meemaakte, werd hij steeds minder een objectieve toeschouwer. In plaats daarvan werd hij een deelnemer in Laura's fantasie, en uit die verbintenis was een Torgon ontstaan – en eveneens een Laura – die hij zelf had gecreëerd.

43

'Ik weet dat het mijn gewoonte is geweest om jou te laten bepalen hoe de sessies verlopen,' zei James terwijl Laura plaatsnam in haar gebruikelijke stoel in het conversatiecentrum. 'Maar soms is het noodzakelijk voor mij als deskundige, om in te grijpen en het evenwicht te herstellen. Dat is mijn rol in dezen, en het maakt het verschil tussen een therapeutische relatie en een gewone, alledaagse relatie.'

Er flitste een gealarmeerde uitdrukking over Laura's gezicht.

'Er zijn enkele dingen die we even moeten ophelderen.'

'Maak me niet bang, oké?' zei ze, een ongeruste klank in haar stem.

'Maak ik je bang?' vroeg James.

'Ja.' Een pauze. Ze keek neer op haar handen in haar schoot. 'Want ik ben je echt gaan vertrouwen. Ik ben hier heel eerlijk geweest en ik heb gesproken over dingen die ik eigenlijk nooit tegenover anderen heb durven erkennen.'

'Je bent me gaan vertrouwen?' zei James met een stem die droop van ironie. 'Je bent eerlijk geweest?'

'Ja.'

'Zoals toen je me vertelde over Boston, bijvoorbeeld?' vroeg hij.

Laura's blik schoot omhoog naar zijn gezicht. Het was niet de schok van je betrapt weten die James had verwacht te zullen zien. Alleen een kortstondige flikkering van verbazing, bijna onmiddellijk gevolgd door een blik van intense vermoeidheid, als een vos die in de val is gelopen.

'Boston was niet waar, Laura. Je hebt nooit in Boston gestudeerd.'

'*Boston* was niet waar in die zin dat de fysieke *locatie* niet waar is. Nee. Het was Boston niet. Maar wat ik je heb verteld, is waar. Alle gebeurtenissen waar ik je over heb verteld, zijn stuk voor stuk waar.'

'Maar het was niet in Boston?' vroeg hij.

'Nee,' zei ze bedrukt, 'het was niet in Boston.'

James keek haar aan.

'De naam van de stad was niet van belang,' zei ze. 'We hadden het niet over vakantiebestemmingen. Of goede restaurants of wat dan ook.'

'Het probleem is dat je niet gewoon "in het oosten" of iets anders vaags hebt gezegd,' antwoordde James. 'Je gaf het een concrete invulling op het moment dat je het Boston noemde, en het werd een leugen op het moment dat je daar geen verdere tekst en uitleg bij gaf.'

'Ik vond dat ik daar geen verdere tekst en uitleg bij hoefde te geven omdat het niet belangrijk was. Ik wilde het gewoon makkelijk maken om naar de plaats te verwijzen, maar ik wilde niet in details treden. James, ik ben niet zomaar iemand. Ik ben relatief bekend. En ik heb je verteld over een aantal zeer persoonlijke – en gênante – voorvallen uit mijn verleden. In de stad waar het zich allemaal afspeelde, zijn nog steeds een heleboel mensen die zich mij enkel zullen herinneren als een nephelderziende of, nog erger, als Fergus' new age-"koningin".'

'Oké, ik snap dat je je privacy wilt beschermen, maar snap jij ook dat het niet kennen van deze discrepantie gevolgen heeft voor wat we hier doen, in de therapie? Dat ik vervolgens alles wat je me hebt verteld in twijfel trek?' vroeg James.

'Maar wat ik je vertel, is *echt.* "Boston" zeggen was een detail dat geen enkel verschil maakte voor het verhaal.'

'Juist, "verhaal". Ik vermoed dat we daar een sleutelwoord hebben, Laura,' zei James zacht. 'Nu moeten we het concept "verhaal" maar eens ophelderen, want ik geloof dat dat de oorzaak is van een flink aantal van de problemen die ertoe hebben geleid dat je hier nu zit. Als we het hebben over dingen die echt gebeurd zijn, is het geen verhaal – het is een reeks vaststaande feiten, en daar kunnen we niet van afwijken zonder mensen uit te leggen waarom. Boston is Boston. Parijs is Parijs. Tokio is Tokio. Die zijn niet zomaar onderling verwisselbaar.'

'De wereld is niet zo vastomlijnd,' zei ze, net zo zacht. 'Als ik iets heb geleerd van mijn ervaringen met Torgon, dan is het wel dat alles om ons heen wat er zo vastomlijnd uitziet in werkelijkheid net zo ongrijpbaar is als zij. Dingen zijn niet méér waar, simpelweg omdat we ze kunnen zien of horen of op een plattegrond kunnen aanwijzen. Alles is slechts perceptie. We kunnen onmogelijk buiten onszelf treden om te verifiëren of iets bestaat. Ik zie en voel deze tafel, dus voor mij bestaat-ie. Hij is "echt". Maar een aboriginal die in de binnenlanden van Australië woont kan deze tafel niet zien of voelen en weet er niets van, dus voor hem bestaat-ie niet. Als hij er al iets van weet, is dat slechts in zijn verbeelding. Hoe weten we dan of de tafel *echt* is? Ik neem het Bos waar. Ik zie en voel het met mijn innerlijke zintuigen, dus voor mij bestaat het. Jij neemt het Bos niet waar, dus voor jou is die plek niet echt. Maar als ik je de verhalen laat lezen, zul je het al snel wel zien en het ervaren met je innerlijke zintuigen. Hoe weten we of dat echt is? We nemen het allebei waar. Boston was Boston omdat je Boston waarnam in wat ik je vertelde, Boston bestond voor jou. Maar dat heeft niets te maken met de vraag of Boston echt bestaat als een plaats die je kunt ervaren met je vijf zintuigen. Als je deze plaats had waargenomen als zijnde Seattle of San Francisco of Kathmandu, dan zou wat ik je had verteld nog steeds even waar zijn.'

'Dat is een indrukwekkend staaltje van redeneren,' antwoordde James, 'maar wel op een schaal die iets breder is dan de meesten van ons hanteren. Wat belangrijk is om te onthouden, is dat als je met iemand anders aan het praten bent, het niet alleen om jouw waarnemingen gaat. Het gaat ook om die van hen. Dus wat gebeurt er met mij als ik erachter kom dat jouw locatie niet de echte locatie was: ik begin me af te vragen wat er in jouw verhalen misschien nog meer als "flexibele realiteit" kan worden beschouwd. Ik vraag me bijvoorbeeld af of je Alec inderdaad hebt ontmoet. Was de dinsdagavondgroep echt? En hoe zit het met Fergus? Is hij degene die je zei dat hij was? Of heb je Fergus gewoon gecreëerd, net zoals je Torgon hebt gecreëerd?'

'*Nee!* Hemeltjelief, *nee*.' Haar ogen werden groot van afgrijzen. 'Natuurlijk heb ik hem niet "gecreëerd". Hoe zou ik in godsnaam zo iemand kunnen creëren?'

'Maar is dat dan niet wat je zojuist hebt gezegd? "Ik neem het Bos waar, dus het bestaat." Hoe kan ik nou weten of je Fergus niet gewoon "waarneemt" en dat hij daarom ook bestaat?'

'*Waarom* zou ik zo iemand creëren?' riep ze uit. 'Waarom zou ik willen denken dat al die afgrijselijke dingen me overkomen zijn? Fergus was *slecht*, James, en hij is erin geslaagd om zo ongeveer alles wat goed aan me was om zeep te helpen.'

'Soms,' zei James, 'gebeuren er heel ingrijpende, moeilijk te verteren dingen in ons leven, en die zijn zo overweldigend dat de enige manier om ermee om te gaan is om ze achter gesloten deuren te stoppen in ons hoofd. Het is de enige manier om voldoende rust te vinden om verder te kunnen leven.

Wanneer we dit doen, krijgen deze dingen soms een geheel eigen persoonlijkheid. Ze vormen een deel van ons, maar ze hebben hun eigen identiteit die vertegenwoordigt waar we mee te maken hebben. Dat is niet verkeerd, Laura, dus ik wil je beslist niet terechtwijzen of je een schuldgevoel aanpraten omdat je het op deze manier hebt gedaan. Het is gewoon een overlevingsmechanisme. Het is heel goed mogelijk dat Torgon een "alter" persoonlijkheid is, ontstaan vanwege de verlating, de eenzaamheid en het seksueel misbruik waar je als kind onder hebt geleden. Het zou heel begrijpelijk zijn als Fergus ook een alter is. Ik denk dat de mogelijkheid van een meervoudige persoonlijkheid veel van dit "liegen" zou verklaren waar je al je hele leven mee worstelt. En je hebt gelijk – het *is* geen liegen. Het schakelen tussen deze verschillende persoonlijkheden brengt onontkoombare tegenstrijdigheden met zich mee waar je in feite niets aan kunt doen.'

De tranen sprongen haar in de ogen. 'Je *vergist* je.'

'Ik weet dat het een concept is dat nauwelijks te bevatten is, dus ik begrijp –'

'Ik ben *niet* gek. Ik heb hem niet verzonnen. Wil je het bewijs dat dit zich niet allemaal in mijn hoofd afspeelt?' riep ze boos uit.

James keek naar haar.

'Want je hebt het al die tijd al pal voor je neus, James. *Kijk* dan verdomme eens goed naar Morgana.'

'Hoe bedoel je?'

Laura begon nu hartstochtelijk te huilen. 'Ben je blind? Hoe kan ze nou ooit Alans kind zijn?'

James werd overrompeld door verbijstering en begrip tegelijk.

'Ze is Fergus' dochter,' zei Laura tussen twee boze snikken door. 'Was het maar waar dat ik hem had verzonnen! Ik wou dat het werkelijk Boston was geweest, want dan had ik hem misschien nooit leren kennen.'

Ze pakte een tissue. Sniffend bette ze haar ogen.

James was met stomheid geslagen.

'Ik slaagde erin om Fergus een jaar of tien te ontlopen,' zei Laura. 'Hetgeen voor mij lang genoeg was om te denken dat het voorbij was tussen hem en mij. En om een fatsoenlijke man zoals Alan te ontmoeten en een gezin te stichten.

Voor het eerst in mijn leven was ik gelukkig. Ik had een man die stapelgek op me was, een prachtig huis in een schitterende omgeving, en werk waar ik van hield. En ik was zwanger van mijn eerste kind, hetgeen – dat wil ik benadrukken – enorm veel voor me betekende. Ik *wilde* graag kinderen. Ik ben opgegroeid in een wereld waar ik nooit echt ergens bij hoorde, dus een eigen gezin was een droom die uitkwam. Daarom was het zo afschuwelijk toen Fergus op dat moment weer met een rotvaart mijn leven binnenstormde.'

James luisterde aandachtig. 'Dus Fergus was je "gestoorde fan" – de stalker waar Alan me over heeft verteld?'

Laura knikte. 'Ja, ik wilde Alan niet mijn hele verleden vertellen, dus heb ik hem op die manier omschreven.'

James zweeg nadenkend. 'Ik wil je graag geloven,' zei hij langzaam. 'Ik wil echt niets liever, Laura. Maar een paar dingen zijn me toch nog niet helemaal duidelijk. Je zegt dat je in verwachting was van Conor toen Fergus weer opdook, maar Alan zegt dat die fan jou stalkte rond de tijd dat Conor twee was. Morgana werd pas geboren toen Conor drie was.'

'Ik heb de strijd met Fergus een hele tijd in mijn eentje gevoerd,' zei Laura. 'Ik wilde per se dat Alan er niets over te weten zou komen. Ik had eindelijk een normaal leven. Ik wilde mijn verleden achter me laten. Wat zou Alan van me denken als hij erachter kwam dat ik jarenlang als nephelderziende mijn geld had verdiend over de rug van allerlei simpele zielen? Of als hij wist dat die gestoorde gek mijn minnaar was geweest en dat ik zo lang in een foute relatie was blijven hangen? Ik wilde het gewoon verborgen houden, hetgeen niet moeilijk was, aangezien Alan niet zo heel vaak thuis was. Hij was elke week een dag of twee op stap om vee te kopen en te verkopen, en zelfs als hij thuis was, had ik het grootste deel van de dag voor mezelf, aangezien hij buiten op de ranch was. Eén van de redenen waarom Alan en ik het zo goed met elkaar kunnen vinden, is dat we allebei onafhankelijke types zijn. We kunnen allebei goed tegen eenzaamheid. Het was een ideaal leven voor een schrijfster, maar het werkte uiteraard ook in Fergus' voordeel.

Fergus had er een handje van om onaangekondigd ergens op te duiken. Voorheen had ik geloofd dat dit het bewijs was van zijn bovennatuurlijke kracht, dat hij een paranormale gave bezat om te voelen waar mensen waren. Inmiddels wist ik echter dat er niets mystieks aan was. Het was gewoon het resultaat van zijn obsessieve belangstelling voor mij. Hij stalkte me, zo simpel was het. Ik kon overal zijn – thuis, in de supermarkt, bij de verloskundige – en dan kwam ik naar buiten en stond hij bij mijn auto op me te wachten. Hij zei altijd dat hij alleen een kans wilde om met me te praten, maar dat was niet zo. De waarheid was dat hij wilde dat ik met hem mee zou gaan. Hij dacht dat ik gewoon het leven dat ik intussen had opgebouwd achter me zou laten en met hem mee terug zou gaan om... wat? Weer zijn "koningin" te zijn? Fergus gedroeg zich alsof alle tussenliggende jaren er gewoon niet waren geweest, alsof we nooit uit elkaar waren geweest. Als ik tegen hem zei dat ik nooit bij Alan weg zou gaan, dat ik wilde dat hij definitief uit mijn leven verdween, werd hij altijd vreselijk boos op me.

De bevalling van Conor was behoorlijk zwaar. Ik verloor veel bloed, dus ik moest een paar dagen in het ziekenhuis blijven. Ik had een privé-kamer, en Conor lag bij mij op de kamer. Op een avond – het was na het bezoekuur, want Alan was al lang naar huis – verscheen Fergus in mijn kamer. Een infuus in mijn arm en een sonde hielden me aan mijn bed gekluisterd, dus kon ik me niet makkelijk bewegen. Hij kwam zomaar binnenstuiven, en het eerste wat hij deed, was mijn bel weghalen waarmee ik de zuster kon roepen. Hij zette hem op het kastje naast mijn bed, buiten mijn bereik. Toen liep hij naar het wiegje en tuurde erin.

Ik zei direct tegen hem dat hij van de baby af moest blijven, maar hij stak zijn handen erin en tilde Conor op. Fergus drukte hem niet dicht tegen zijn borst zoals je normaal gesproken doet met een baby. In plaats daarvan hield hij Conor zo van zich af.'

Laura demonstreerde het, haar handen van haar lichaam af houdend alsof ze een basketbal vasthield. 'Hij zei: "Dit had onze zoon moeten zijn. Al doe je nog zo best, je kunt niet ontsnappen aan je lot, mijn koningin."' En met die woorden liet hij Conor vallen. Hij spreidde gewoonweg zijn vingers en liet hem vallen. En vervolgens liep hij weg.'

Laura trok helemaal wit weg bij de herinnering. 'Ik gilde,' zei ze. 'Ik schoot naar voren om uit bed te springen en hem op te rapen. De slangen waar ik aan vastzat, werden losgerukt. Ik zat te schreeuwen en te huilen tegen de tijd dat ze allemaal binnen kwamen stormen...' Ze keek naar James, en er stonden tranen in haar ogen. 'Maar weet je? Ze dachten dat *ik* Conor had laten vallen. Ik bleef maar uitleggen dat het Fergus was geweest, maar niemand had hem gezien. Ik snap niet hoe ze hem over het hoofd hebben kunnen zien, maar toch was het zo. Ze dachten dat ik het had gedaan. Ze wilden me niet geloven.'

James keek haar aan en dacht bij zichzelf: *Kan ík haar geloven?*

Laura wreef in haar ogen en leunde achterover. 'Ineens voelde het alsof ik weer terug was op mijn zolder in het huis aan het meer met mijn kitten Felix, en Steven Mecks die tegen me zei dat hij alles kon doen wat hij wilde. Alleen ging het deze keer om mijn baby. Ik wist dat Fergus met zijn verknipte geest mijn lot zag als het zijne, en het was ondenkbaar dat ik het kind van een andere man zou baren. Hij zou Conor doden, daar was ik van overtuigd. Conor zou nooit veilig zijn.'

'Ik zeg niet dat ik twijfel aan je woorden, maar er is dus een man binnengekomen die je pasgeboren zoontje ernstig heeft mishandeld, en je bent van mening dat er een goede kans bestaat dat hij de baby zal doden. Waarom heb je de politie niet gebeld?' vroeg James.

'Wat had ik dan moeten zeggen? Niemand geloofde dat hij bestond. Ze dachten dat het een postnatale psychose was. Ze gaven me Haldol om de hallucinaties tegen te gaan.

Fergus verdween een poosje na dat incident. Dat was kenmerkend voor zijn patroon. Hij was een aantal weken in de buurt, en was dan ineens maandenlang verdwenen. Ik vermoed dat hij in die perioden werd opgenomen in een inrichting. Ik wist inmiddels zeker dat hij ernstig geestesziek was, want hij functioneerde gewoon niet in de echte wereld. Zijn denken werd elke keer dat ik hem zag minder helder, en dat moet hem ook op andere manieren in de problemen hebben gebracht. Dus ik bad gewoon elke keer dat hij wegging dat het voorgoed zou zijn.

Conor was anderhalf toen Fergus weer opdook. Ik was in Spearfish aan de Interstate 90. Ik was gestopt bij de grote supermarkt daar om boodschappen te doen voordat ik terugging naar de ranch, en toen ik met mijn spullen naar buiten kwam, zat hij op de bestuurdersstoel van de auto die naast de mijne geparkeerd stond. Ik had eerst niet in de gaten dat hij het was, aangezien ik druk bezig was om Conor in zijn autostoeltje te krijgen, maar toen ik daarmee klaar was en het portier dichtdeed, draaide ik me om en zag ik hem. Ik schrok me wezenloos. Mijn *god*. Het was als iets uit een horrorfilm, zoals Fergus zomaar ineens kon opduiken, werkelijk waar.

Maar goed, hij draaide zijn raampje omlaag en zei ijzig kalm – zonder enige inleiding – "Als een leeuw zijn wijfje ontmoet, doodt hij alle welpen die niet van hem zijn." Ik dacht: *Dit is het. Nu gaat-ie het doen.* Ik stoof om de auto heen om achter het stuur te stappen, maar voordat ik de auto open en weer op slot kon draaien, was hij al op de passagiersstoel gaan zitten en zaten we naast elkaar in mijn auto, als een willekeurig echtpaar dat er in de ogen van voorbijgangers doodgewoon uitzag.

Ik had het overweldigende gevoel dat hij ons zou doden. Ik probeerde als een bezetene te verzinnen wat ik moest doen.

Hij zei: "Wij horen bij elkaar, Laura. Verzet je er toch niet zo tegen. Er kan geen andere liefde zijn dan onze liefde." Toen draaide hij zich om en keek over zijn schouder naar de achterbank, waar Conor zat. Conor begon te huilen.

Ik wist dat ik snel moest handelen. Dus deed ik het enige wat ik kon verzinnen. Ik sloeg hem. Gewoon met mijn vuist. Het was het enige wat ik had. Maar zo hard als ik kon, tegen de zijkant van zijn hoofd, tegen zijn slaap. Hij was er niet op voorbereid. Hij stopte abrupt en zweeg verbaasd. Toen keerde hij zich naar me toe, en in zijn ogen zag ik een blik van pure haat. Ik dacht: O god, nu zijn we er geweest.

Ik denk dat hij ter plekke iets had willen doen, ware het niet dat degene wiens auto tegenover mij geparkeerd stond, precies op dat moment terugkwam. In plaats van gewoon in te stappen en weg te rijden, ging hij op de bestuurdersstoel zitten, maakte een pakje crackers open en begon te eten.' Flauwtjes schudde Laura haar hoofd. 'Raar om te bedenken dat je leven kan afhangen van zo'n onbeduidende, willekeurige handeling van een wildvreemde.

Dus Fergus zat daar maar, wachtend en me aanstarend met die ogen van hem. Uiteindelijk zei hij: "Je kunt nooit aan je noodlot ontsnappen, mijn koningin." Heel zachtjes, alsof het een liefkozing was. Toen stapte hij uit mijn auto en in de zijne, en weg was hij.'

'Maar je had hier nog steeds niets over tegen Alan gezegd?' vroeg James.

'Nee.'

'Dat lijkt me nogal wat om voor hem te verzwijgen, Laura. Fergus vormt een gevaar voor het leven van zijn zoon, en je verzuimt dit met hem te delen?'

'Ik zat in de val,' zei ze, met klaaglijke stem. 'Het voelde alsof Fergus nog steeds mijn leven kon verwoesten zonder daar iets voor te hoeven doen.'

'Oké, maar door Alan zoiets belangrijks niet te vertellen, wek je de indruk dat je eenieders leven probeert te sturen. Of anders dat je simpelweg meedogenloos de dingen negeert die je niet bevallen. Ik krijg het gevoel dat je geniet van de vrijheid om niet beperkt te worden door de algemeen heersende opvattingen over wat echt is en wat niet. Jij redeneert zo, dat als Alan niet weet dat zijn zoon bedreigd wordt – als hij dat niet waarneemt – het voor hem dan ook niet bestaat, toch? Je kunt doen alsof het niet is gebeurd.'

Laura zat naar haar handen te staren. Ze gaf geen antwoord.

'Je mag er dan wel in geslaagd zijn om Alan op zijn plaats te houden,' zei James, 'maar wat dacht je van Conor?'

'Conor?'

'Als deze gebeurtenissen echt zijn, dan heeft hij ze allemaal tegelijk met jou ervaren.'

'Hij was nog heel klein. Veel te klein om er iets van te hebben meegekregen.'

'Wanneer was de laatste keer dat je Fergus hebt gezien?' vroeg James.

Er viel een lange stilte voordat ze uiteindelijk zei: 'Op de avond dat Morgana is verwekt.'

'Zou je me willen vertellen wat er die avond is gebeurd?' vroeg James.

Ze aarzelde en zuchtte toen diep.

James wachtte geduldig.

'Die avond,' mompelde ze. 'Die avond, die avond, hoe moet ik dat vertellen?'

Stilte.

'Ik wist dat de situatie ernstige vormen had aangenomen. Ik had een straatverbod laten opleggen, zodat ik de politie kon laten komen als ik ze nodig had, want ik wist dat we serieus in gevaar verkeerden. Dat was het moment waarop Alan erachter kwam, dus toen hebben we er wel over gepraat. Ik kon niet in details treden. Ik kon de gedachte gewoonweg niet verdragen dat Alan me zou zien zoals ik in die jaren met Fergus was geweest. "Gestoorde fan" vatte wel ongeveer samen wat er aan de hand was. Zodra Alan begreep dat hij een ongezonde belangstelling had voor Conor en mij... was hij zo beschermend. Ik vond het hartverscheurend om te weten dat ik degene was die ons gezin in gevaar had gebracht.

Vervolgens verdween Fergus weer een maand of drie, vier. Alan dacht dat we hem hadden verjaagd, en ik kon alleen maar hopen dat hij gelijk had. Maar toen ik op een middag terugkwam op de ranch, stond er een auto op de parkeerplaats bij de picknicktafel vlak bij de plek waar onze weg op de snelweg uitkomt. Er zat niemand in de auto, maar op de achterruit stonden de woorden "Mijn koningin" geschreven in het stof. Het klinkt als iets heel onbeduidends... Woorden die geschreven staan op een stoffige autoruit... Maar het was als een pijl dwars door mijn hart.

Alan was naar een veemarkt in Denver, dus ik was een dag of drie alleen op de ranch, en op de een of andere manier was ik ervan overtuigd dat Fergus dit wist. Dat was het griezeligste aan hem, dat hij altijd *wist* wat er speelde in mijn leven.

Het was bijna een parodie op die keer toen ik nog studeerde, die avond dat hij wijn had meegebracht naar mijn appartement om me te verwelkomen toen ik terugkwam van het congres. Ook bij deze gelegenheid kwam hij gewoon aan de voordeur, een fles wijn in de hand, en deed alsof ik hem verwachtte en alsof ik blij zou zijn om hem te zien.

Conor lag al in bed, dus ik was helemaal alleen met hem. Ruim twintig kilometer buiten de bewoonde wereld. Instinctief wilde ik de deur in zijn gezicht dichtsmijten en hem op slot draaien, maar ik dacht dat hij dan vast boos zou worden. Dus dat durfde ik niet. In plaats daarvan besloot ik het hoofd koel te houden. Ik liet hem binnen. Ik liet hem de fles wijn opentrekken. Ik liet hem eindeloos wauwelen over de visioenen die hij kreeg over de "nieuwe wereld" – niet alleen stemmen meer, maar daadwerkelijke visioenen die hij met mij wilde delen. Vroeger zou ik dat heel gewichtig en mystiek hebben gevonden, maar als ik heel eerlijk ben, klonk hij tegen die tijd alleen nog maar alsof hij gestoord was. Ik liet hem praten en dronk wijn met hem terwijl ik ondertussen onafgebroken als een idioot probeerde te bedenken hoe ik het beste het alarmsysteem kon laten afgaan zonder dat hij het zou merken.

Toen hij naar boven ging naar het toilet, zag ik mijn kans schoon. Ik pakte de telefoon om 911 te bellen, en op dat moment realiseerde ik me dat hij de lijn had doorgesneden.

Ik was doodsbang, James. Fergus moest de lijn doorgesneden hebben voordat hij aan de deur kwam, dus hij was duidelijk al die tijd al iets van plan geweest. Ik wilde wanhopig graag op de vlucht slaan, maar Conor lag boven te slapen.

Toen hij terugkwam in de kamer, kon ik zien wat hij van plan was. Hij duwde me tegen de grond.

De rest was gewoon... Nou ja, ik geloof dat het hem er enkel om te doen was om me te verkrachten. Hij wilde dat soort macht over mij, dat had hij nodig – die vernedering – dus ik verzette me niet. Ik dacht: *Ik zal Conor niet kunnen redden als ik me laat vermoorden.*

En toen was het voorbij... Hij stond op. Maar hij liep niet gewoon weg. Hij trok zijn pik tevoorschijn en piste over me heen. Daarna schopte hij me. Hard. Hier, in mijn onderrug. Alsof ik niets meer was dan een hond. Toen sloeg de deur met een klap dicht en was hij weg.'

Er volgde een lange pauze. Om hen heen ontstond een diepe stilte. James keek naar haar, maar hij zei niks.

'En dat was het einde,' zei Laura zacht. 'Het echte einde. Hij heeft me daar laten liggen in een plas urine, en ik heb hem nooit meer gezien. Op de een of andere manier wist ik dat het zo zou gaan. Dat was het werkelijke einde van onze relatie.'

'En toen is Morgana verwekt?'

Laura knikte.

'Weet Alan wie in werkelijkheid haar vader is?'

Laura boog haar hoofd. 'Dat weet ik niet,' zei ze vermoeid. 'Ik kan me niet voorstellen dat hij het niet ziet. Maar aan de andere kant zie ik altijd meer dan andere mensen.'

'Is er een kans dat Conor getuige is geweest van wat zich op deze laatste avond tussen Fergus en jou heeft afgespeeld?' vroeg James.

'Nee. Hij lag boven in bed te slapen.'

'Enig idee waar Fergus nu is?'

'In de hel, hoop ik.'

44

'Picknicken?' zei Becky sceptisch. Ze drukte haar gezicht tegen de ruit van de woonkamer en tuurde naar de lucht. 'Meestal gaan mensen niet picknicken in de winter, papa.'

'Het is geen winter. Technisch gezien is het lente.'

'Ik geloof er niks van,' zei Mikey. 'In de lente horen er dingen te groeien. Alles wat ik zie, is dood.'

'Waarom wil je eigenlijk gaan picknicken?' informeerde Becky. 'Laten we gewoon naar het winkelcentrum gaan.'

'En daarna kunnen we *Spiderman* gaan kijken!' riep Mikey, en hij sprong van de rand van de stoel om zijn held te imiteren.

'Omdat er meer is in het leven dan winkelen en dvd's kijken. Dat kunnen jullie in New York ook doen. Laten we vandaag iets speciaals doen met elkaar wat je alleen in South Dakota kunt doen.'

'Zoals?' vroeg Becky, haar toon nog steeds sceptisch.

'Wat dacht je van de Badlands? Daar zijn jullie nog nooit geweest.'

'Badlands? Wat is dat? Is het een strand?' vroeg Becky.

'Badlands! Badlands! Daar hebben ze allemaal boeven!' krijste Mikey. Hij duwde Becky van de bank.

'Hou op! Papa, zeg dat hij moet ophouden. Hij doet irritant. Geef hem een time-out. Dat doet mama ook altijd.'

'Mikey, doe eens rustig.'

'Hij is zo dom,' mopperde Becky. 'Hij denkt dat-ie slim is, maar hij is gewoon zo dom.'

'Volgens mij heb jij lichaamsbeweging nodig, jongeman,' zei James, en hij tilde Mikey boven zijn hoofd in de lucht. 'Dat is de helft van het probleem. Dus we gaan een beetje stoom afblazen. Kom op. Trek je schoenen aan. We gaan picknicken.'

Toegegeven, het was niet echt een dag om te picknicken. Hoge sluierwolken maakten het zonlicht flets en de lucht melkachtig wit. Een onmiskenbaar frisse wind joeg door het buffelgras langs de kant van de weg terwijl James de snelweg volgde in oostelijke richting, dwars door de uitgestrekte vlakten.

Hij wist niet precies waarom het idee van een uitstapje naar de Badlands hem zo had aangetrokken. Hij was er pas één keer geweest sinds hij in South Dakota was komen wonen. Het was in juli geweest, en de hitte was zo zinderend dat hij niet eens de moeite had genomen om uit de auto te stappen. Hij was gewoon door het park heen gereden.

James wist dat zijn wens om daar naartoe te gaan iets met Laura te maken had, met zijn verwarde weifelen tussen geloof en verraad, alsof iets in het buitenaards aandoende landschap dat haar zo had gevormd misschien ook tot zijn verbeelding zou spreken. Mikey had de loting gewonnen om de felbegeerde zitplaats voorin op de heenreis, maar dit privilege leek niet aan hem besteed. Hij had twee speelgoedvliegtuigjes meegenomen en was daar het grootste deel van de reis luidruchtig rondjes mee aan het vliegen in het denkbeeldige luchtruim voor zich. Becky zat op de achterbank te mokken.

'Ik hoor voorin te zitten. Ik ben ouder,' mopperde ze.

James negeerde haar protesten en Mikeys luidruchtige vlieggeluiden.

'Thuis mag ik altijd voorin zitten van mama.'

'Vast niet altijd,' antwoordde James.

'Hij is gewoon rondjes aan het vliegen met die stomme vliegtuigjes van hem, en dat kan hij net zo goed op de achterbank doen.'

Daar had ze volkomen gelijk in, maar dat zei James niet.

'Het is niet eerlijk. We doen nooit iets wat ik leuk vind. Mikey mag altijd kiezen.'

'Mikey heeft niet gekozen. Hij heeft eerlijk gewonnen.'

'Nou, ik wilde eigenlijk helemaal niet picknicken. Waarom konden we nou niet gewoon thuisblijven?'

'Omdat je thuis ook "thuis kunt blijven",' antwoordde James. 'Jullie hebben juist ruim drieduizend kilometer gevlogen om een keer iets anders te doen.'

'Dan had je mij moeten laten kiezen waar we naartoe zouden gaan,' mopperde ze. '*Ik* wilde liever picknicken op het strand.'

'Becky, we zitten in het midden van het land. Er is hier geen strand. Je zult het leuk vinden in de Badlands. Het is net zoiets als het strand, maar dan met heuvels. En zonder water.'

Sombere stilte.

Mikey, die zich nergens van bewust was, liet een van zijn vliegtuigjes een noodlanding maken op het dashboard, compleet met de bijbehorende knalgeluiden.

'Niet doen, Mikey. Dit is de auto van oom Lars, en hij wil vast niet dat er krassen in komen.'

'Later als ik groot ben, word ik piloot,' antwoordde Mikey.

'Niet als je zo met je vliegtuig omspringt, dan kun je het vergeten. Waarom ga je niet een poosje naar buiten kijken?'

'Waarnaar?' vroeg hij, turend naar de voorbij schietende prairie.

'Kijk maar of je een gaffelantilope ziet. Toen papa nog maar pas hierheen verhuisd was vanuit New York, was dat het spannendste deel van de hele reis. Ik had het hele eind vanuit New York City gereden en gereden en gereden, en ik was *zo* moe. Ik dacht: Ik kom vast nooit meer in Rapid City. Ik kom vast nooit meer in die nieuwe plaats. En toen keek ik uit het raam, en toen zag ik een hele kudde gaffelantilopen staan in een veld langs de kant van de weg. Het moeten er wel een stuk of twintig zijn geweest, en ik dacht: Ik ben er! Ik ben echt in het Wilde Westen.'

'Waarom wilde je in het westen zijn?' vroeg Mikey.

'Als iemand "het westen" zegt, dan bedoelt hij de grote open vlaktes. Waar de echte cowboys wonen. Waar de indianen vroeger op buffels jaagden.'

'Waarom wilde je zijn waar de cowboys wonen?'

'Omdat hij niet meer in New York wilde zijn,' deed Becky een duit in het zakje. 'Papa wilde niet meer bij ons wonen.'

'Nee, Becky, dat is niet waar. Mijn verhuizing was een grotemensenbeslissing die mama en ik samen hebben genomen. Ik wilde helemaal niet weg bij Mikey en jou.'

'Ben jij nu een cowboy, papa?' wilde Mikey weten.

'Mama zegt dat je bent weggelopen. Als oom Joey en zij aan het praten zijn, dan zegt ze dat altijd. "James is voor zijn verantwoordelijkheden weggelopen."'

'Ben je weggelopen omdat je een cowboy wilde zijn, papa?' vroeg Mikey.

'Nee, ik ben niet weggelopen omdat ik een cowboy wilde zijn, Mikey. Ik ben helemaal niet weggelopen.'

'Oom Joey zegt –'

'Becky, laten we er het zwijgen toe doen voor dat wat oom Joey zegt, oké? Weet je wat dat betekent? Het is een nette manier om te zeggen dat het tijd is om je mond te houden over de meningen van oom Joey. En over die van mama ook, trouwens. Want we zijn nu hier, en jullie zijn bij mij, en we gaan ervan genieten.'

Mikey keek hem zijdelings aan. 'Ben je weggelopen om op buffels te jagen, papa?'

Wat James griezelig vond, was dat de Badlands zo lang verborgen konden blijven in deze weidse, open vlakte van grasland. Zelfs nadat ze de ingang van het nationale park achter zich hadden gelaten, hield het monotone landschap van uitgestrekte vlaktes aan, helemaal tot aan het eerste uitkijkpunt. Toen, binnen de reikwijdte van een mannenarm, zonk de wereld ineens weg, omgetoverd in een grillig panorama van spitse pieken en schaduwen die zich net zo eindeloos in de verte uitstrekten als het grasland daarvoor had gedaan.

'Wauw,' mompelde Becky geïmponeerd. Ze leunde tegen de reling van het uitkijkpunt. 'Het moet wel een miljoen meter zijn tot aan beneden.'

'Heel ver,' antwoordde James.

'Ik zou hier echt niet in willen vallen.'

'Nee. Ik ook niet,' zei James.

Mikey was meer geïnteresseerd in de trap die van de parkeerplaats naar het lager gelegen uitkijkplateau voerde. Hij bleef er maar op en neer rennen, zo snel hij maar kon.

'Gaan we hier picknicken?' vroeg Becky.

'Jep. Op dat bordje daar staat dat er even verderop een paar picknicktafels moeten staan. Dan kunnen jullie daar eens even lekker rennen.'

'Weet je,' zei Becky, 'het lijkt hier *echt* wel een beetje op het strand met al dat zand. Net zoals Long Island, alleen dan zonder zee.'

'Ga toch weg,' antwoordde James. 'Op Long Island zijn helemaal niet zulke mooie stranden als hier!'

Het voelde alsof ze de enige bezoekers in het park waren. Er kwam geen enkele auto voorbij. Er was verder niemand om naar het uitzicht te kijken. Afgezien van het gekwetter van een paar onverschrokken vogels, was het verbluffend stil.

Het was nog steeds bewolkt, maar de wind was gaan liggen, dus het werd aangenaam warm voor maart. De kinderen trokken hun jas uit en klauterden luidruchtig over de kale hellingen naast het picknickterrein waar James het eten uitstalde. Daarna vielen ze aan op de koude kip en aardappelsalade, voordat ze er weer vandoor renden om te gaan spelen.

Mikey verscheen weer bij de picknicktafel. 'Papa, ik moet plassen.'

'Daar verderop zijn wc's. Zie je wel? Vraag maar of Becky met je meegaat; zij moet waarschijnlijk ook. Becky?'

De twee kinderen draafden ervandoor terwijl James de spullen opruimde en alle snoeppapiertjes uit Lars' Jeep viste. Ze waren hooguit vijf minuten weg toen hij Becky hoorde krijsen. Met een paniekerig gezicht kwam ze teruggerend.

'Papa! Papa! Kom vlug!'

James stoof naar haar toe. 'Wat is er aan de hand?'

'Je moet Mikey komen helpen. Hij zit vast.'

'Vast? Waar dan? Hoe komt dat?'

'Dat weet ik niet, hoor. Ik zat op de wc.' Ze greep James' hand om hem sneller voort te trekken. 'Maar toen ik naar buiten kwam, was hij naar beneden geklommen langs een pad aan de andere kant van de wc's, en nu kan hij niet meer naar boven.'

Toen James bij de toiletten kwam, zag hij helemaal nergens een pad.

'Nee, hier. Deze kant op. Daar beneden.'

Onder de reling rondom het uitkijkpunt, dook de grond naar beneden in een bizar wonderland van pieken en geulen, allemaal gevormd van dezelfde bleke, brokkelige, onstabiele bodem. Hoewel het misschien niets meer zal zijn geweest dan de uitgesleten loop van een winters stroompje, leek er een soort pad te beginnen naast de afwateringsgoot langs de reling aan de zijkant. Het liep bijna loodrecht naar beneden en verdween toen kronkelend uit het zicht om een soort massieve pilaar heen. Zo'n negen meter lager zat Mikey op handen en voeten. Hij klampte zich vast aan een bladerloos stukje struik.

'Grote *goden*, Becky, hoe is hij daar in vredesnaam beneden gekomen? Waarom heb je niet op hem gelet? Daarvoor had ik je meegestuurd.'

'Ik moest naar de wc, papa. Ik kon niet tegelijkertijd op hem letten.'

'Mikey? Mikey, is alles goed?' James hoorde dat hij huilde. 'Blijf daar. Niet bewegen. Papa komt je halen.'

Maar hoe? James keek om zich heen. Er was in de verste verte geen mens te bekennen. Hij had werkelijk helemaal niemand gezien sinds ze bij de parkwachter in het hokje bij de ingang van het park vandaan waren gereden. Hij haalde zijn mobiele telefoon uit zijn zak. Geen signaal.

James staarde uit over het weidse panorama. De bodem van het bekken bevond zich letterlijk tientallen meters lager.

Aarzelend glipte hij onder de reling door. Het pad was heel steil en de grond alarmerend brokkelig. Hij had het nooit zo gehad op hoogtes, en hij verkeerde niet in de veronderstelling dat hij een avonturier was, dus het luidruchtige bonken van zijn hart in zijn oren was beslist een handicap. Centimeter voor centimeter wist James zich te laten zakken tot aan de plek waar zijn zoon zich vastklampte.

'Wees maar niet bang, kereltje. Gewoon blijven vasthouden. Niet bewegen.'

Mikey snikte zachtjes.

James stak een arm uit, greep de stof van Mikeys trui en trok hem omhoog. 'Hebbes. We zijn er. Veilig en wel. Papa heeft je.'

'Ik heb mijn schoen niet,' huilde Mikey.

'Wat?'

'We waren aan het spelen en Becky heeft hem naar beneden gegooid. Zie je wel? En ik kan er niet bij.' Hij wees omlaag in de geul.

James hervond zijn evenwicht op het pad. 'Mikey, je had *nooit* mogen proberen om hem zelf te gaan halen.'

Mikey begon weer te snikken.

Langs de steile helling naar beneden kijkend, zag James Mikeys andere schoen ver in de diepte in het stof liggen. Zijn knieën knikten. 'We laten je schoen daar gewoon liggen, Mikey. We hebben nu heel andere zorgen aan ons hoofd. Papa maakt zich een beetje zorgen over hoe brokkelig de bodem is. Ik weet niet zeker of we wel weer langs dezelfde weg terug naar boven kunnen zonder uit te glijden.'

Mikey begon nog harder te huilen.

'Luister eens, kerel, dit is een spannend avontuur, hè? Denk je eens in wat je vriendjes zullen zeggen als je weer thuis bent. Hm? Spannend, hè? Dus luister goed wat we gaan doen. Jij blijft hier staan, houdt je goed vast aan deze struik en laat papa erlangs. Ik ga alleen even om dit uitstekende stuk rots heen om te zien waar het pad naartoe gaat, want misschien kunnen we aan de andere kant makkelijker omhoog. Niet bewegen. Oké?'

Mikey knikte verwoed.

James schuifelde voorzichtig voort tot hij om de knobbelige piek heen was. Daarna werd het pad geleidelijk breder. Hij schuifelde een tweede hoek om.

Abrupt bleef hij staan.

Voor hem liep het pad dood bij een rotsrichel van misschien anderhalve meter breed. Onder de richel liep het door de wind geteisterde gesteente steil naar beneden tot op de tientallen meters lager gelegen bodem van het bekken. Het andere uiteinde van de richel kwam samen met de opwaarts wijzende spiraal van een aangrenzende rotspilaar. Op dat kruispunt groeiden drie ponderosadennen, hun groene, borstelige naalden in al hun weelderigheid een onverwacht contrast met de troosteloze helling.

Drie bomen op de maan.

45

'*Alweer* picknicken?' zei Becky verbijsterd terwijl James hen in de auto dirigeerde.

'Zullen we Morgana ook meenemen?' zei James, en hij startte de motor. 'Jullie hebben gisteravond nog zitten mailen. Zou je het niet leuk vinden om haar te zien?'

'Wil je *vanavond* nog een keer gaan picknicken?' vroeg Becky achterdochtig.

'Ik zal Morgana's moeder bellen om het te vragen,' zei James.

'Waarom wil je in de nacht picknicken?' vroeg Mikey.

'Nee, niet in de nacht. Gewoon in de avond. In de schemering. We zouden een vuurtje kunnen maken in een van de kampvuurkuilen en marshmallows roosteren. Dat zou leuk zijn.'

'Wanneer krijg ik nieuwe schoenen?' vroeg Mikey. 'Want met maar één schoen kan ik nergens heen.'

'Papa, ik weet niet of ik dit eigenlijk wel wil,' zei Becky. 'Eén picknick per dag is wel genoeg. Ik geloof niet dat ik vanavond nog een keer wil picknicken.'

'We nodigen Morgana's broer ook uit. Jullie kennen hem nog niet. Hij is al best een grote jongen. Hij is bijna tien. We nodigen ze allebei uit om mee te gaan.'

Becky raakte zijn arm aan. 'Papa, luister je wel naar me? Ik zei dat ik niet weet of ik wel zin heb om te gaan.'

James keek naar haar. 'Tja, het spijt me, Becky, maar we gaan toch. Ik weet dat we vandaag al een heleboel dingen hebben gedaan die ík graag wilde doen, en jullie zijn daar heel makkelijk in geweest en ik ben trots op jullie, maar hou alsjeblieft nog heel even vol, oké? Ik wil alleen dit ene ding nog doen.'

'Waarom, papa?' vroeg ze.

'Daarom. En morgen gaan we alles doen wat jullie maar willen, oké?' James grijnsde naar haar.

'Mogen we *Spiderman* dan nog een keer zien?' riep Mikey vanaf de achterbank. 'Want dat wil ik heel graag!'

'Ja hoor, cowboy, wat jij wilt,' antwoordde James.

Te oordelen naar de klank van Laura's stem, was ze duidelijk net zo verbijsterd over het idee van een avondpicknick als Becky. 'En Conor?' vroeg ze niet-begrijpend. 'Je wilt Conor ook meenemen?'

James was altijd een vurig voorstander van eerlijkheid geweest, omdat het zo'n basiscomponent was van vertrouwen, en vertrouwen van essentieel belang was in zijn werk. Daarom had hij altijd gedacht dat hij zo iemand was die hopeloos slecht was in liegen, alleen al omdat hij er zo weinig ervaring mee had. Hij vond het echter verrassend eenvoudig om het te doen klinken alsof het de gewoonste zaak van de wereld was om in maart zoiets te doen op de open vlakte van South Dakota. Een barbecuefeestje, legde hij uit: hotdogs aan een spiesje, gepofte aardappelen, marshmallows. En hoe meer zielen hoe meer vreugd, dus natuurlijk zou hij het leuk vinden als Conor ook meeging. James hield een geforceerd luchtige toon in zijn stem in de hoop dat Laura, na alle schendingen van de professionaliteit die hun onderlinge relatie had gekend, over deze schending niet al te veel zou nadenken.

James was nog nooit op de ranch van de McLachlans geweest. Na de woestenij van de Badlands, vormden de rijk beboste uitlopers van de Black Hills daar een schril contrast mee. De gebouwen van de ranch lagen in een beschutte vallei van open grasland, beschermd door een ponderosabos. De weg naar het huis slingerde zich door een reeks kralen met houten hekken eromheen en keurig onderhouden schuren.

Toen de Jeep voor de deur stopte, kwam Morgana door de voordeur naar buiten gestormd. 'Hoi! Hoi!' riep ze. Laura verscheen in de deuropening, Conor zachtjes voor zich uit duwend.

'Raad eens!' zei Becky tegen Morgana, terwijl ze uit de auto sprong. 'Dit wordt al onze *tweede* picknick vandaag. We hebben ook al een picknicklunch gehad.'

'Heb je mijn nieuwe schoenen gezien?' deed Mikey ook een duit in zakje.

Conor klemde zijn pluchen kat stevig tegen zijn borst.

'Stappen jullie maar vast in de auto,' zei James vriendelijk, een hand naar hem uitstekend. 'Kom jij maar bij mij voorin zitten.' Hij maakte het portier aan de passagierskant van de Jeep open.

'Ik vind het dapper van je om dit hele gezelschap mee uit te nemen,' zei Laura met een spottende ondertoon in haar stem.

'We gaan naar de Badlands,' vertelde Becky ongevraagd.

'Kom, Becky, we hebben niet zoveel tijd. Stap eens in de auto,' zei James.

Laura fronste. 'De Badlands? Dat is niet om de hoek. Er zijn hier een aantal fantastische picknickterreinen vlakbij, James. Ik kan je wel een plattegrond meegeven.'

'Papa vindt het *leuk* in de Badlands,' zei Becky. 'Ja toch, papa? Want weet je? We zijn er vandaag al een keer geweest, en papa vindt het er zo leuk dat hij er nog een keer naartoe wil.'

Laura's frons werd nog veel dieper.

James grijnsde schaapachtig. 'Ja, malle pappie, hè? Maar het is er schitterend 's avonds. Dus schiet *op*, Becky, stap in de auto.'

'Moet je mijn nieuwe schoenen zien!' zei Mikey opgewekt, en hij tilde een voet op. 'Becky heeft een van mijn andere schoenen van de helling naar beneden gegooid in de Badlands, en papa kon er niet meer bij, dus toen moest hij nieuwe schoenen voor me kopen. Deze hebben lichtjes in de zolen.'

'Becky, Mikey, *in* de auto. *Nu*.'

Laura ving James' blik. Hij wendde zijn gezicht af en boog zich over de kinderen heen om hun gordels te controleren. Toen nam hij opgewekt afscheid, klom op de bestuurdersstoel, startte de motor en reed weg.

'De dingen lopen een beetje anders dan we hadden gedacht,' zei James toen ze op de snelweg de afslag naar de Badlands naderden. 'Tegen de tijd dat we bij de supermarkt zijn om spullen te kopen voor het barbecuefeestje, is het al te laat om een vuurtje te maken en te koken voordat het donker wordt.'

'Maar je hebt *gezegd*...' riep Mikey.

'Dat weet ik, en het spijt me. Ik heb me vergist in de tijd die het kostte om naar Morgana's huis te rijden. Dus ik denk dat we beter even kunnen stoppen bij de Dairy Queen om hamburgers te kopen.'

Even was het stil op de achterbank, toen leunde Becky naar voren totdat James haar adem kon voelen in zijn nek. 'Papa?' fluisterde ze.

'Ja, liefje?'

'Kun je me vertellen wat er aan de hand is?'

Bij de Dairy Queen leek Conor veel minder normaal dan in de speelkamer. Hij deed zijn mond niet open en wilde geen oogcontact maken. Zijn hamburger at hij pas op nadat hij hem helemaal uit elkaar had geplukt en het eten in kleine stapeltjes had onderverdeeld. Vervolgens at hij ieder afzonderlijk onderdeel apart op, beginnend bij het vlees, daarna de in ketchup gedrenkte augurken, daarna het broodje. Als hij niet aan het eten was, wapperde hij flauwtjes met de vingers van zijn rechterhand boven zijn eten. Poes bleef gedurende de hele maaltijd stevig tegen Conors borst geklemd.

Al snel zaten ze allemaal weer in de auto, voortsnellend over de prairie in de richting van de Badlands. De Black Hills stonden in de verte afgetekend aan de westelijke horizon in de wegstervende kleuren van de dag. De maan, die net niet meer vol was, gluurde als een lodderig oog vanuit het oosten.

'Waar gaan we eigenlijk heen?' wilde Mikey weten.

'Naar de picknickplaats waar we met de lunch zijn geweest,' zei James.

'Waarom?' vroeg Becky.

'Ik wil Conor iets laten zien. Daarom gaan we hierheen. Omdat Conor me heeft verteld over een plek, en ik denk dat niemand hem geloofde. We dachten allemaal dat het gewoon iets was wat hij had gedroomd. Maar toen ik tijdens de lunch vanmiddag Mikey weer omhoog hielp op het pad, heb ik volgens mij de plek gezien waar Conor het steeds over had. Dus ik wil graag dat hij die plek ziet.'

'Waarom?' vroeg Becky.

'Omdat als mensen alsmaar tegen je zeggen dat de dingen die je meemaakt niet echt zijn, het je leven heel eng en onrustig kan maken.'

'Wat moeten Mikey en Morgana en ik doen terwijl jij hem die plek laat zien?' vroeg Becky.

'Jullie mogen spelen bij het uitkijkpunt. We blijven er niet zo lang.'

'Moeten we in het donker gaan spelen?' vroeg Mikey ongelovig.

'Oom Jack en ik deden niet anders toen we klein waren,' antwoordde James. 'We speelden verstoppertje en flessenvoetbal en een heleboel andere leuke spelletjes in het donker op straat.'

'Ik geloof niet dat kinderen dat nog spelen tegenwoordig,' zei Becky bedenkelijk.

Ze passeerden de ingang van het park en naderden het eerste uitkijkpunt. De Badlands zelf waren nog niet volledig zichtbaar door de manier waarop de erosie ze had gevormd vanaf het niveau van de prairie, maar in het maanlicht begonnen de veranderingen in het landschap vorm te krijgen.

Conor ging abrupt rechtop zitten. Hij drukte zijn neus tegen het raampje en tuurde naar buiten. 'Waar is dit?' mompelde hij, en hij keerde zijn gezicht naar James.

James reed de parkeerplaats van het eerste uitkijkpunt op en liet de kinderen uitstappen. Conor staarde verbijsterd naar de bizarre grootsheid van het landschap dat zich ontvouwde terwijl ze de trap af liepen naar het uitkijkpunt. Hij drukte de pluchen kat stevig tegen zijn borst, draaide zich om, keek naar James, en draaide zich toen weer om naar het landschap.

'Ik wilde je deze plek laten zien,' zei James zacht tegen hem. 'Toen ik hier vanmiddag was en dit zag, dacht ik: "Hier heeft Conor het altijd over." Ik vond dat jij het ook moest zien.'

Verbijstering verdrong iedere andere emotie op Conors gezicht. 'Daar is de maan,' zei hij zacht, en hij wees omhoog naar de bleke, onregelmatige cirkel die helder aan de schemerige hemel stond. Hij draaide zich weer om naar het grillige landschap. 'Maar hier is ook de maan. Terria. Dit is terria. Overal is terria. Toch?'

'Denkt Conor dat dit de maan is?' vroeg Morgana.

'Waarschijnlijk ziet de maan er ook zo uit,' zei Becky.

'Waar zijn de bomen?' vroeg Conor.

'Daar beneden zijn een heleboel bomen, Conor,' zei Becky, en ze wees in de diepte onder hen. 'Als je een beetje over de reling gaat hangen, kun je beneden een heleboel bomen zien.'

Ver over de reling hangend staarde Conor in het schemerdonker van het diepe bekken.

'Waarom wilde je dit aan Conor laten zien, papa?' vroeg Becky.

'Ik weet het,' antwoordde Morgana. 'Want dit is waar de man onder het vloerkleed woont, hè? Ja toch, dokter Innes? Dit is de plek waar Conor het altijd over heeft.'

Voordat James antwoord kon geven, knikte Conor. 'Ja,' zei hij.

James hoorde de auto al van ver aankomen. In eerste instantie drong het geluid nauwelijks door de voorwereldlijke stilte heen die over het uitgestrekte landschap lag. Het was niet meer dan een vaag gegons, als een vlieg die gevangen zit achter een ruit.

Toen zei Becky: 'Er komt nog iemand anders hier in het donker kijken.'

'Hé! Dat is *onze* auto,' schreeuwde Morgana.

De schrik sloeg James om het hart.

Nog voordat de auto het parkeerterrein op was gedraaid, stoof Morgana al de trap op vanaf het uitkijkpunt, met Becky en Mikey in haar kielzog.

'Becky! Kinderen! *Stop*! Kom terug.' James greep Conor bij de hand en rende met twee treden tegelijk de trap op om de kinderen terug te halen. Hij kon Laura achter het stuur van de pick-up zien zitten, met twee geweren in het rek tegen de achterruit van de cabine. 'Kinderen, stap in mijn auto. *Nu*. Allemaal.' Hij duwde Becky in de richting van de Jeep. 'Ik meen het. Ga in de auto zitten en doe de deuren op slot.'

'Maar het is gewoon mijn moeder,' antwoordde Morgana.

'Ja, dat weet ik. Maar doe wat ik zeg. Oké? En schiet op. Conor, jij ook. Ga in de auto zitten, doe de portieren op slot en blijf daar tot ik het zeg.'

'Waarom?' riep Becky uit.

'*Doe wat ik zeg.*'

Laura zette de motor uit, maar liet de koplampen aan. Ze bleef enkele seconden in de auto zitten en stapte niet uit. James, gevangen in de lichtbundel van de koplampen, stond te staren naar de silhouetten van de geweren tegen de achterruit van de cabine.

Uiteindelijk zwaaide de deur van de pick-up open en stapte

Laura op het asfalt. 'Wat heeft dit in godsnaam te betekenen?' vroeg ze, haar stem gespannen. 'Wat doe je hier met die kinderen?'

Voor zover hij kon zien had ze niets in haar handen, maar ze bleef bij het geopende portier van de truck staan, dus James ging tussen Laura en de kinderen in zijn auto staan.

'Laura, ik *weet* het,' zei hij zo rustig mogelijk.

'Wat weet je?'

'Over Fergus. Want het *is* Fergus, toch?'

'Ik heb geen flauw idee waar je het over hebt.'

'De man onder het vloerkleed. De spookman.'

'Je slaat door, James.'

'Nee, dat doe ik niet.'

'Morgana?' riep ze. 'Kun je me horen, liefje? Kom uit die auto. Neem Conor mee en kom hier. Het is tijd om naar huis te gaan.'

Achter zich hoorde James een portier van de Jeep opengaan en daarna een tweede portier.

'Morgana, verroer je niet. Kinderen? Allemaal. Blijf nog heel even daar,' zei James. 'Ga maar weer in de auto zitten.'

Een verlammende kalmte maakte zich van hem meester. Het zette al zijn zintuigen op scherp. Hij kon vogels horen roepen in de verte – uilen misschien? Hij rook de scherpe, koude, naar alsem geurende avondlucht, vermengd met de penetrante geur van benzine uit de motor van de pick-up. Alles voelde onwerkelijk.

Om hen heen ontstond de meest verschrikkelijke stilte. Hoewel hij hen niet kon zien omdat hij met zijn rug naar de Jeep toe stond, kon James voelen dat de kinderen uit de auto waren gestapt, maar er bewoog niemand, en het moment leek een eeuwigheid te duren.

Toen klonk er een abrupte kreet van een van de kinderen. '*Conor!*'

James draaide zich met een ruk om en zag Conor nog net over de reling verdwijnen, van de steile helling af.

Becky gilde.

Laura stoof langs James en om de Jeep heen naar de reling.

Morgana wapperde angstig met haar handen. 'Het was zijn kartonnen ding,' jammerde ze, 'die kat die hij altijd in zijn zak heeft. Hij haalde hem eruit en hij liet hem vallen...'

Zijn mechanische kat. De kleine tekening die Conor in de speelkamer had gemaakt zweefde sierlijk op een opwaartse luchtstroom die uit de afgrond beneden kwam.

Achter de reling was Conor bijna meteen uitgegleden op de zachte, brokkelige rotsbodem, en vervolgens vijftien meter naar beneden gegleden langs de steile kant van het ravijn voordat hij zich ergens aan had kunnen vastklampen. Daar bleef hij met zijn armen en benen gespreid liggen, huilend van angst.

Met één soepele beweging was Laura over de reling heen en liet ze zich over de instabiele rotsbodem naar beneden glijden.

'*Laura*! Wacht! We moeten hulp halen.'

'Ik ken deze heuvels,' riep ze omhoog. 'Ik ben er al een miljoen keer op en af geweest.'

Voordat Laura Conor echter had bereikt, verloor hij zijn grip. Hij gleed weg en tuimelde naar beneden, verdwijnend over de rand van de uitstekende rotsen onder het uitkijkpunt. Tot James' afgrijzen begon ook Laura te glijden, en voordat hij iets kon doen, was ook zij uit het zicht verdwenen.

'*Mama!*' Morgana begon te krijsen.

James had het touw gezien dat opgerold naast Lars' andere jachtattributen achter in de Jeep lag. Het was maar een doodgewoon nylon touw dat bedoeld was om herten mee vast te binden aan het voertuig, maar het was touw.

Met bevende vingers bevestigde hij het rond een van de palen waar de reling op steunde. Hij trok er een paar keer aan om te controleren of het veilig was, en toen klom hij onder de reling door. Er om de zoveel decimeter een knoop in makend zodat hij wat meer grip zou hebben, zei hij tegen de kinderen: 'Oké, jullie drietjes blijven daar. Ik meen het. Verroer je niet. Becky, jij bent de oudste. Jij zorgt voor Morgana en Mikey, oké? Geen flauwekul. Jij bent nu de volwassene.'

Behoedzaam liet hij zich langs de steile helling naar beneden zakken. Toen hij voorbij de ruwe rotsrand was die grensde aan het gedeelte van het uitkijkpunt, kon James Laura nog net onderscheiden onder zich in het zwakke maanlicht. Ze bevond zich ongeveer dertig meter lager in het ravijn, maar nog steeds royaal boven de bodem van het bekken.

'Laura?' riep hij.

Ze bewoog. Ondanks het maanlicht was het te donker voor hem om te kunnen zien of ze gewond was of niet.

'Gaat het?'

'Conor is gewond,' riep ze naar boven. 'Kun je naar ons toe komen?'

James liet zichzelf zakken zover het touw reikte, maar het was bij lange na niet lang genoeg. Hij bevond zich nog minstens twintig meter boven hen op de brokkelige rotsbodem, zijn gewicht gedragen door het touw. Zijn angst had inmiddels plaatsgemaakt voor een soort verdoving, die maakte dat zijn gedachten uitgeschakeld waren en zijn ledematen niet helemaal voelden alsof ze van hem waren. Zodoende hing hij daar over de rand en probeerde te verzinnen hoe hij verder naar beneden moest zien te komen. Uiteindelijk opende hij maar gewoon zijn handen en liet het touw los.

Het had iets griezelig eenzaams om zonder houvast gevangen te zitten op de steile helling. Hij kon de kinderen boven zich nu niet meer horen, en overal om hem heen zag hij het buitenaards aandoende landschap, enkel verlicht door wazig maanlicht. James probeerde zich vast te klampen aan de afbrokkelende witte rotsbodem. Tot zijn verbazing viel hij niet toen hij het touw losliet, maar bleef hij precies waar hij was.

Meteen realiseerde hij zich dat dit des te erger was, omdat het betekende dat hij zichzelf letterlijk zou moeten laten vallen om bij Laura te komen. Hij haalde lang en diep adem, waardoor hij zich ervan bewust werd dat hij al een eeuwigheid niet fatsoenlijk had ademgehaald. Hij ademde een tweede keer diep in en blies langzaam uit.

Tot zijn verbazing moest hij ineens aan Torgon denken. Heel even vulde James' geest zich haarscherp met Laura's beschrijvingen van de hooggelegen heilige plaats in het Bos, met het beeld van Torgon die aan de rand van de witte rots stond en uitkeek over haar wereld, en heel even had hij het gevoel dat hij ergens anders was. Het hielp. Nu hij even afgeleid was geweest, voelde hij zich kalmer. Zachtjes duwde hij tegen de losse rotsbodem en liet hij zich naar beneden glijden.

Laura's val was gebroken door een vlakke richel, en dankzij behoedzame inspanningen slaagde James erin om bij haar te komen met slechts een paar schrammen op zijn knieën. Laura had minder geboft. Ze had haar schoen en haar sok van de ene voet uitgetrokken en was bezig haar andere voet te verbinden met de sok.

'Ik heb iets aan mijn enkel,' zei ze. Haar stem was hees van ergernis.

'Waar is Conor?'

'Daar.'

James tuurde over de rand van de uitstekende rots en zag Conor pal onder zich. 'Is hij gewond? Conor? Kun je me horen?'

De jongen keek op maar gaf geen antwoord.

'Heb jij een riem of iets dergelijks?' vroeg Laura. 'Iets waar ik aan kan hangen zodat ik me over deze richel heen kan laten zakken?'

'Nee, Laura, niet doen. Je bent al gewond.'

'Als ik hem kan pakken, kan ik hem naar jou omhoog tillen.'

'En wat als het je niet lukt? Dan zitten jullie daar allebei gevangen. We kunnen beter teruggaan en hulp gaan halen.'

'En hem daar achterlaten? Nee. Hij is mijn zoon.' Ze keek naar James. 'En het is mijn schuld dat hij daar op die richel zit. Want inderdaad. De man onder het vloerkleed was Fergus.'

James ervoer kortstondig een moment van surrealistisch bewustzijn. Ze was een moordenares. Ze had iemand vermoord. Hij had verwacht dat alles zou veranderen met die bevestiging. Dat was niet zo. Hij haatte haar niet. Hij was niet bang voor haar. Hij had niet het idee dat ze slecht was. Het enige wat hij voelde, was triestheid.

Laura had allemaal rommel in haar haar van de val. Voorzichtig stak James zijn hand uit en trok er een geknakte stengel prairiegras uit. Hij smeet hem weg, en hij dwarrelde de diepte in.

'Op die laatste avond, toen Alan weg was en ik alleen thuis was, heeft hij me verkracht. Maar toen het gebeurde, wist ik dat het daar niet bij zou blijven. Vroeg of laat zou hij mijn kind vermoorden. Misschien mij ook wel.

Ik wist waar Alans jachtmes lag. Dus ik dacht: *Fergus, ik heb grootsere lotsbestemmingen dan de jouwe laten lopen. Ik laat het niet zover komen...* Dus ik deed wat Torgon deed.

Toen verscheen Conor boven aan de trap, en ineens drong het

tot me door wat ik zojuist had gedaan. Ik werd bevangen door paniek. Ik schreeuwde tegen hem dat hij terug moest gaan naar bed, dat hij moest maken dat hij wegkwam, opdat hij het niet zou zien. Het enige wat ik kon bedenken, was Fergus' lichaam in het vloerkleed bij de open haard wikkelen. Ik sleepte het naar buiten, naar de auto, maar ik moest Conor wel meenemen. Ik kon hem niet alleen thuis laten. De enige plek om naartoe te gaan die ik kon verzinnen, was hier, de Badlands. Ik kende dit gebied op mijn duimpje sinds ik in het Pine Ridge-reservaat had gewerkt. Ik wist dat je in de meeste ravijnen niet tot op de bodem kunt kijken.'

'En je dacht dat dit Conor volkomen onberoerd zou laten?'

'Hij was amper twee. Ik hoopte dat het niets meer dan een nachtmerrie voor hem zou zijn.'

Er viel een stilte. Verwarring maakte zich van James meester terwijl hij nadacht over de benarde positie waarin ze zich had bevonden, helemaal alleen op die afgelegen ranch, toen ze zich Fergus van het lijf moest zien te houden en haar zoontje moest proberen te beschermen, tegenover de traumatische jaren in de nasleep van de moord.

'Geef me je riem,' zei ze zacht. 'Ik ga naar beneden.'

James aarzelde.

'Ik meen het. Of je me helpt of niet, ik ga hem halen.'

James deed zijn riem af. 'Goed dan.'

Laura leunde over de rand. 'Ben je er klaar voor, Conor? Mama komt je halen.'

46

Het geluid van helikopterwieken sneed door de ijzige stilte. Zoeklichten deden het duister wijken, en binnen luttele seconden krioelde het van de reddingswerkers op de steile helling. Conor werd voorzichtig op een brancard getild en naar boven gehesen in de helikopter die boven hen zweefde. James zag hoe de paramedici Laura's verwondingen inventariseerden en haar klaarmaakten voor transport. Uiteindelijk kwamen ze tegen de steile helling op naar hem toe en werd ook hij in een veiligheidsvest gehesen en van de helling gevlogen.

Bij het uitkijkpunt en het aangrenzende parkeerterrein was het een en al bedrijvigheid toen James uit de helikopter stapte. Conor en Laura waren met spoed naar het ziekenhuis in Rapid City afgevoerd, maar hij had geen verwondingen aan het incident overgehouden. Hij wuifde de goede zorgen van de paramedici weg om maar zo snel mogelijk naar de drie kinderen toe te kunnen.

'Morgana en ik hebben ze gebeld!' zei Becky opgewonden. 'Morgana's vader en moeder hebben een soort radio in de auto, en weet je? Ik heb de auto helemaal zelf aangezet zodat we de radio konden gebruiken!'

'Als we thuis zijn, wil ik mama bellen,' zei Mikey, 'en dan ga ik haar vertellen dat we een avontuur hebben beleefd en dat jij in een helikopter hebt gezeten! En je bent een held, hè, papa? Want je hebt dat jongetje en zijn moeder gered. Net als Spiderman! Ik kan aan iedereen vertellen dat je een held bent!'

'Ik voel me niet echt een held, jochie.'

'Maar we hebben *wel* een avontuur beleefd,' zei Becky. 'En we kunnen tegen mama zeggen dat Morgana en ik helemaal zelf de helikoptermannen hebben gebeld.'

'Ja, en ik ben apetrots op jullie. Jullie zijn alledrie heel flink geweest.'

'Mikey niet, hoor,' zei Becky. 'Weet je wat hij heeft gedaan? Hij heeft over de reling geplast. Ik heb nog gezegd dat dat niet mocht. Ik heb gezegd dat hij naar de wc moest gaan, zoals het hoort, maar hij heeft het toch gedaan.'

'Je raadt nooit hoe ver een jongetje uit mijn klas kan plassen, papa,' zei Mikey.

'Kom op, jullie tweeën.' Toen ze bij Lars' Jeep kwamen, deed James het portier open. 'Stap in. We gaan terug naar de stad. Jij ook, Morgana. Jij gaat met ons mee. Je vader wacht op ons in het ziekenhuis.'

James reed de Jeep van het parkeerterrein af en gaf gas. Het parkeerterrein – fel verlicht door de zwaailichten – loste op in de achteruitkijkspiegel. Ze stortten zich in het broze maanlicht van de voorjaarsduisternis.

Mikey sliep al nog voordat James de uitgang van het park had bereikt. Tegen de tijd dat ze de snelweg bereikten, hing Becky onderuitgezakt over hem heen te slapen. Alleen Morgana, die naast James voorin zat, bleef wakker.

Ze leunde met haar elleboog op de armleuning in het portier, haar wang in haar hand, en staarde voor zich uit in het donker. James wierp een heimelijke, zijdelingse blik op haar in een poging om aan de hand van haar donkere gelaatstrekken te reconstrueren hoe Fergus eruit moest hebben gezien.

'Dat was een spannende avond,' zei hij uiteindelijk. 'Je zult wel moe zijn.'

Ze knikte.

'Je mag best gaan slapen als je wilt. Het duurt nog wel even voordat we weer in de stad zijn.'

'Ik ben niet moe.'

James keek nog een keer naar haar. Ze leek nog zo klein, zoals ze daar op de stoel zat vastgesnoerd.

'Wat er vanavond allemaal is gebeurd was best eng, hè?' zei hij. 'Zit je er nog steeds aan te denken?'

'Ja.'

'Wil je erover praten?'

'Ik dacht dat mijn moeder dood zou gaan.'

'Ja, het was afschuwelijk, hè? Maar gelukkig is het allemaal goed afgelopen. Conor moet een nachtje in het ziekenhuis blijven, denk ik, want hij heeft zijn hoofd gestoten, maar dat komt wel weer goed. Je moeder is slechts lichtgewond. Ze zal waarschijnlijk alweer naar huis mogen tegen de tijd dat wij bij het ziekenhuis aankomen.'

Er volgde een stilte die werd gevuld met het geluid van diep en vredig ademhalen vanaf de achterbank.

Morgana wendde haar gezicht van James af om weer uit het raam te kijken. 'Wat ik het allerengste vond, was dat ik aan de Leeuwenkoning moest denken,' zei ze. 'Zijn moeder is overleden. Hij was nog maar een baby toen het gebeurde, dus hij kan zich niet eens meer herinneren hoe ze eruitzag. Ik word altijd heel bang als hij daarover praat, want ik zou niet willen dat dat mij ooit zou overkomen. Maar vanavond dacht ik dat het toch zou gaan gebeuren.'

'Dus je speelt nog steeds met de Leeuwenkoning?'

Ze knikte. 'Ja.'

Stilte.

'Moet je horen, Morgana, het spijt me heel, heel erg dat ik je ouders over hem heb verteld. Ik heb je vertrouwen geschaad, en dat had ik niet mogen doen,' zei James. 'En ik vond het heel naar dat jij dacht dat je niet meer met mij over hem kon praten.'

'Het geeft niet,' zei ze zacht.

'Ja, het geeft wel. Het was iets wat onder ons had moeten blijven, want je had heel duidelijk gezegd dat je het mij in vertrouwen vertelde. Ik had het niet door mogen vertellen zonder dat aan jou te vragen.'

Ze haalde haar schouders op. 'Het geeft echt niet. Toen ik aan de Leeuwenkoning vertelde wat je had gedaan, zei hij dat het niet erg was. Hij heeft precies hetzelfde gehad. Zijn tante wil ook niet dat hij met mij speelt. Ze heeft tegen hem gezegd dat hij een pak op zijn broek zou krijgen als ze erachter kwam dat hij nog steeds met mij speelde.'

'Waarom wil zijn tante niet dat hij met jou speelt?' vroeg James.

'Ze gelooft hem niet. Ze denkt dat ik niet echt besta.'

James keek haar vragend aan.

Morgana draaide zich naar hem toe en glimlachte. 'Maf, hè? De Leeuwenkoning zei dat toen hij aan zijn tante vertelde dat hij mij had gezien bij de beek, ze zei: "*Waag* het niet om ooit met praatjes over visioenen bij me aan te komen, Luhr! Je klinkt precies zoals je moeder."'